現代圖書館學理論

徐引箎、霍國慶 著

臺灣 學生書局 印行

序

黃宗忠[*]

當我收到徐引篪、霍國慶著的《現代圖書館學理論》書稿時，心中特別高興，因爲已有多年沒有見到這樣比較系統的圖書館學理論新著了。這是作者在世紀之交和千年之交之際送給中國圖書館界同行的一份厚禮。

我和徐引篪研究員早在1979年中國圖書館學會成立前就認識，當時她代表中國科學院圖書館參加中國圖書館學會的籌備工作。時間過得真快，一晃就是快20年，以後我們沒有見過面，今天她已是中國科學院文獻情報中心主任了，肩負著我國圖書館建設的重任。霍國慶副教授1985年畢業於山西大學圖書館學系，1985年至1988年在武漢大學圖書情報學院攻讀圖書館學基礎理論方向的碩士研究生，我是他的導師，他的學位論文是圖書館學研究方法。畢業後回到山西大學圖書館學系任教，並任該系副系主任。1996年考入中國科學院文獻情報中心，攻讀博士學位，徐引篪研究員是他的第二博士生導師。他們通過近兩年合作，共同寫出《現代圖書館學理論》一書，近35萬字。這是

---

[*] 武漢大學教授，撰寫的專著《圖書館學導論》和《圖書館管理學》曾在台灣再版。

一本師生合作的力作，我對他們合作的成功表示衷心的祝賀！

由於我長期從事圖書館學理論的教學與研究工作，對圖書館學理論自然比較感興趣，一般我只要見到有關圖書館學理論的新著，必定拜讀之。《現代圖書館學理論》雖然篇幅宏大，但我仍集中一段時間通讀了一遍。通讀以後，受益匪淺，有所啓迪。

圖書館是人類社會的一種永恒的現象，不管某些人喜不喜歡，它將永遠存在下去。幾千年來，儘管社會形態、經濟結構、思想意識發生了許多變化，但圖書館這種社會現象一直在延伸，一直存在，一直在發展。雖然圖書館這一現象的名詞、內涵和外形有所變化，但它的基本結構、目的沒有變化。今日社會進入信息化社會、網絡化時代和知識經濟年代，圖書館並沒有消亡和衰退的迹象。事實證明，圖書館存不存在，不是憑個人願望，也不是某些人寫兩篇文章說圖書館消亡就會消亡，而取決於社會的需要，正如本書所說：「圖書館是與人類信息需求共存亡的，從某種意義上說，圖書館就是人類信息需求體系的物化形式，哪裡存在整體化的信息需求，哪裡就會出現圖書館。」

話又說回來，圖書館這種人類社會的現象，幾千年來一直存在並不斷發展，但這並不說明這圖書館仍是原汁原味的，沒有變化的。隨著社會的發展，圖書館內涵在不斷豐富，外部形象變得更美。從它誕生之日起，或從16世紀以來，它大體經歷了三個階段：一是圖書與人相結合的傳統圖書館時代；二是文獻信息與人、計算機相結合的圖書館自動化時代；三是信息資源與人、計算機、信息網絡相結合的圖書館網絡化時代；今日它已跨入網絡化時代。影響圖書館發展的原因很多，有政治的、經濟的、意識形態的、技術的，但有一點是基本的，技術方法和手段是推動圖書館前進的動力，造紙術、印刷術、縮微技

術、視聽技術、計算機技術、網絡技術、多媒體技術、數字化技術
等，都有力地推動了圖書館的發展，使圖書館發生了質的變化。

20世紀即將結束，邁入21世紀的圖書館將是傳統圖書館與電子圖
書館、數字圖書館、虛擬圖書館共存互補的時代。實際上，21世紀仍
是以傳統圖書館爲主體，電子圖書館、數字圖書館、虛擬圖書館是傳
統圖書館的組成部分、分支系統。所謂電子圖書館、數字圖書館、虛
擬圖書館在本質上沒有區別，是一種事物的幾種叫法，歸根結蒂是一
種現象。本書第八章說得好：「就實質內容而言，網絡圖書館、電子
圖書館、數字圖書館和虛擬圖書館沒有什麼區別，它們之間的區別在
於觀察和認識的角度不同而已。」我很贊同這種觀點。從電子圖書
館、數字圖書館、虛擬圖書館的構成來看，它們都離不開數字化信
息、計算機、信息網絡、操作人員、用戶利用等要素；從技術方法來
看，都需要數字化技術、計算機技術、網絡技術；從運行過程來看，
都需要信息輸入、處理、存儲、輸出、傳遞的過程。離開了這些條件、
環節、程序都不可能存在。爲此，我對本書「網絡時代的圖書館」一
章比較感興趣，寫得比較實在，實事求是，符合事物發展規律，很有
啓迪性。

圖書館學理論是爲圖書館實踐服務的。實踐產生理論，理論反映
實踐，指導實踐，兩者既相互依托又相互促進。圖書館不存在，圖書
館學理論自然也不存在。「皮之不存，毛將焉附」，離開圖書館，也
無所謂圖書館學可論。如果不以圖書館爲研究對象，那必定是一種游
離圖書館，或與圖書館無關無用的理論。不解釋圖書館，不說明圖書
館的各種現象，不探索圖書館的發展規律，不指明圖書館的發展、前
途，不研究圖書館的具體操作與運行，不規範圖書館的運行程序，其

理論怎樣「新」，其名詞術語怎樣「時髦」，這種理論都是圖書館不需要的理論，不受實踐歡迎的理論。《現代圖書館學理論》的兩位作者，堅持以圖書館為研究對象，研究圖書館所處的環境與對策，探索信息化社會圖書館的特點、規律和基本問題，方向是正確的，值得稱讚的。

從圖書館發展的整個進程來看，應該說圖書館學的理論發展，遠遠落後於圖書館實踐。人類有了幾千年的圖書館史，而真正的圖書館學史不到200年。這充分說明幾千年來人們對圖書館學理論的忽視。圖書館學發展緩慢的原因很多，但主要還是圖書館界的認識問題。

19世紀以來，世界圖書館界一批先驅與有識之士，衝破阻力，不顧個人得失與名利，獻身於圖書館學研究，從而使圖書館長期實踐積累的經驗與知識，得以上升為理論，逐漸成為一門為社會所承認的學科，從而走上人類偉大的科學殿堂，在人類科學殿堂中獲得自己的位置，獲得每門獨立學科所應有的那塊小天地，在高等教育機構中有了培養圖書館專門人才的專業或地盤。這些我們要感謝近200年來為此作出突出貢獻的圖書館學先輩，他們是德國的施萊廷格、艾伯特、英國的帕尼茲、愛德華茲，美國的杜威、巴特勒、謝拉，俄國的魯巴金，前蘇聯的列寧、丘巴梁，印度的阮岡納贊以及中國的一些研究者。

圖書館學從開創到逐步成熟，經歷了圖書館學的萌芽時期、奠基與確立時期、發展時期。19世紀至20世紀的200年，中國圖書館學的研究既有與世界圖書館學研究同步整合的時期，也有不一致不同步的時期。19世紀，由於中國社會封閉、落後，外強不斷侵略中國，圖書館學研究基本無所作為。20世紀初以來，特別是辛亥革命、五四運動

以後，中國圖書館界產生了一批熱愛圖書館事業的理論研究者，如楊昭晰、杜定友、劉國鈞等。他們的圖書館學理論研究基本上與圖書館學的發展是同步的，一點也不亞於西方同時期的圖書館學理論研究者。本文第一章對此作了如下論述：「我國一些研究人員常常忽視了本國圖書館學家在世界圖書館學發展過程中的地位。其實，無論就認識深度還是認識時間，杜定友等都不遜色於同代其它各國的圖書館學家。」筆者在不久前完成的「20世紀100年圖書館學基礎理論的研究與進展及其評價」一文中，也闡述了類似的觀點：認為20世紀20－30年代，中國圖書館學理論的研究，不管從認識的深度與廣度，從內容到觀點，從所提出的問題，從對圖書館與圖書館學的論述，基本與世界圖書館學的發展是同步的。

　　20世紀的中國圖書館學理論研究，經歷了兩個黃金時期：一是前面提到的20－30年代，二是80年代，80年代產生了一大批理論著作，數量之多，是歷史上罕見的。90年代以來，圖書館學理論研究有所降溫，發展緩慢。本書的出版，為90年代圖書館學理論研究成果增加了份量，添加了光彩，我相信對21世紀圖書館學理論的研究將會產生積極的影響。

　　近些年來，我們常聽到一些人批評圖書館學研究理論脫離實際，我想這些意見不是全無道理，而是值得我們認真反思一下。時至今日，仍有許多理論問題擺在我們面前，雖然已有一些人發表了這樣或那樣的意見，但大多數問題沒有獲得人們的共識；例如圖書館學的定位，定在什麼地方是科學的，合乎邏輯的？圖書館學的上位類學科是什麼？它應歸到誰的門下才是科學的？圖書館學的結構、內容是什麼？信息、信息資源、信息資源管理與圖書館的關係是什麼？是所屬

關係，還是相等關係？是同一事物的幾種說法，還是本質上不同的東西？文獻信息與文獻信息管理是什麼關係，有無區別？……總之，圖書館學理論研究任重而道遠。

為了推動我國圖書館學理論研究的深入發展，我們必須：第一，堅持「百花齊放」、「百家爭鳴」，讓更多的人參與討論，發表意見。學術研究、理論問題，不能採用行政方法，更不是幾個人開個會，炒作幾篇文章，發個什麼文件就可定論了，而要時間檢驗，要同行並大多數人接受，達成共識；第二，堅持與世界接軌。任何圖書館學理論，只有與世界接軌，在更大的空間、更長的時間裡具有通用性、適應性，才會有較強的生命力，才能體現理論的真正價值。要與世界接軌，就必須了解、學習、研究世界各國的圖書館學理論。當然，了解、學習、研究外國的圖書館學理論，要盡可能搞清它的來龍去脈，做到全面、準確、實事求是，不要斷章取義，張冠李戴，更不要撿芝麻，丟西瓜。本書在學習、研究、介紹外國圖書館學理論方面，其全面性、系統性、準確性、選擇性都具有它的特色。

以上是我通讀本書的一些感受與聯想。基於上述認識，我認為《現代圖書館學理論》一書，由於作者堅持嚴肅認真的科學研究態度和實事求是的精神，因此本書具有一定的理論意義與實用價值，是一本值得充分肯定的圖書館學理論新著。全書視野廣闊，思路清晰，有一定的時代特點和個人見解，具有一定新意。具體體現在以下方面：

1.本書對80年代我國圖書館學理論研究作了比較系統的總結，在80年代圖書館學理論研究的基礎上，在諸多方面有所突破，有所發展。

2.全書內容豐富，資料充實，特別是外文資料收集比較豐富，有

些資料在國內是第一次出現。由於作者掌握的資料比較豐富，知識面較廣，視野廣闊，從而全書論證比較有力，分析比較深透，說服力較強。

3.概念明確、清晰，全書對主要概念都進行了比較系統的闡述，解釋比較確切。

4.本書作爲一本專著，對當代圖書館學理論研究中一些最基本的問題，有選擇性地進行論述是可取的成功的。這樣使全書重點突出，觀點鮮明，論述深透，具有特色，由於本書不是面面俱到，反覆重複他人過去的觀點，所以給人以新意之感。

5.我國80年代開始對圖書館學思想史作比較系統的研究，本書在原有基礎上又深入了一步。作者對17世紀法國諾德以來的300多年圖書館學思想史，再次進行了梳理，補充了一些新的人物與資料，使其更加系統、全面，特別把西方圖書館學思想史劃分爲六個流派，具有新意。把20世紀60年代以來台灣圖書館界的理論研究成果和代表人物與祖國大陸整合在一起，使當代中國圖書館學思想史顯得更系統、完整、客觀。本書一改厚古薄今的做法，在廣泛的範圍內對當代中國圖書館學界的代表人物進行了評論，使全書的現實性和時代感更強。

6.體系結構有所創新。從全書來看，「人類需求的圖書館」、「信息市場中的圖書館」、「網絡時代的圖書館」等章節具有較濃的時代氣息，緊扣時代脈絡，反映了當代圖書館的新發展。「圖書館學研究對象及學科體系」、「圖書館學流派與學說評論：西方」、「圖書館學流派與學說評論：東方」、「圖書館透析」、「圖書館類型的理論重組」等五章，在80年代已有成果的基礎上，其結構、內容、觀點均有新的發展，不少內容具有創新意義，如圖書館學研究對象及其認識

的四個階段，圖書館學的裂變、聚變、嬗變，西方圖書館學的技術、
管理、社會學、交流、新技術、信息管理等六個流派的劃分，圖書館
結構與功能分析，圖書館類型的理論重組等。

　　7.對未來圖書館的研究，是屬於預測科學，有關結論有待於實踐
去驗證。由於本書是從總結20世紀圖書館實踐入手，許多新的苗頭已
經顯露，因此預測具有較大的可行性和可靠性。

　　對於一切事物都要一分爲二，本書優點很多，但仍有不足之處，
如個別定義解釋，似乎還不夠準確；個別問題的論述前後有些矛盾；
某些問題的結論缺乏說服力；國內資料的選擇與國外資料比較，相對
少了一些；對人物的選擇與評價似乎缺乏一個統一標準。我所說的這
些不足，不一定準確，也不影響全書的完美，只是個人看法，僅供作
者參考。

1998年6月於武漢大學

序

孟 廣 均[*]

我從事圖書館工作40餘年，最欣慰的事就是晚年喜得幾位資質俱佳、勤奮好學的弟子，不謙虛地講，他們個個都可稱爲圖書情報學術領域的佼佼者。《現代圖書館學理論》就是由我的博士生霍國慶副教授和中國科學院文獻情報中心主任徐引篪研究館員共同撰寫的（徐引篪研究館員是霍國慶的第二博士生導師）。

有幸作爲第一位讀者通讀了《現代圖書館學理論》，我深以爲，這是一部視野寬廣、內涵豐富、具有獨到見解和鮮明時代特色的圖書館學專著，是80年代中期之後我國圖書館學理論研究的又一傑構。具體而言，該書的特色主要表現在以下幾方面：

其一，作者將圖書館學理論置於信息資源管理理論的框架內進行探討，理清了圖書館學與信息資源管理學的隸屬關係以及圖書館學與情報學、檔案學和博物館學等學科的分工合作關係，明確了圖書館學的研究核心和發展方向，從而爲圖書館學學科建設提供了一條新的思路。作者認爲：「圖書館是針對特定用戶群的信息需求而動態發展的

---

[*] 中國科學院文獻情報中心研究員，博士生導師，〈圖書情報工作〉主編。

信息資源體系」，「圖書館學是一門研究信息資源體系及其過程的社會科學」，這些命題雖然在細微之處還有待深入探討，但它們從總體上揭示了圖書館和圖書館學的特色，使圖書館學眞正地、徹底地走出了「館內科學」的陰影。此外，作者通過一次裂變和三次聚變所刻劃的圖書館學理論發展軌迹也是符合史實和獨具匠心的。

其二，作者對中外圖書館學史的挖掘和條理化顯示了他們深厚的理論功力和嫻熟的駕馭資料的能力。在國內，對西方圖書館學史的認識長期局限在理念派和實用派兩大流派，這種認識抹煞了西方圖書館學的多元化特色，禁錮了人們的思維，而作者在大量占有和分析史料的基礎上，大膽地突破「二分法」，歸納出西方圖書館學的六大流派，這是一種創見；需要說明，我本人一直有整理西方圖書館學史的想法，我也參與了該部分書稿的研討，但本書這一部分的主要工作是由兩位作者做的。其次，作者對列寧圖書館學思想和丘巴梁社會主義圖書館學的重新評價，對印度圖書館學發展輪廓的勾勒以及對日本圖書館和情報學的認識，都是不同凡響的和恰當的。再次，尤爲值得稱道的是，作者條陳和刻劃了中國大陸圖書館學發展的「三次高潮」和「四代學人」以及台灣圖書館學的「兩代半人」，將大陸和台灣圖書館學納入了統一的發展軌道，從而爲21世紀海峽兩岸圖書館學的共同繁榮做了理論方面的準備。最後，應該指出，作者在圖書館學史論部分一改以往專著「厚古薄今」、「語焉不詳」的做法，對當代圖書館學家及其理論進行了大膽的評析，這份勇氣和信心是值得讚賞的。

其三，作者非常注重方法論的探索和創新，這集中表現在第四章「圖書館透析」和第七章「信息產品開發的方法論」等章節中。在第四章，作者根據我國圖書館學理論的發展軌迹總結出一整套分析的方

法論，並據此對圖書館這一社會現象進行了全方位的透徹的分析，其中許多見解突破了傳統圖書館學理論的認知而使人有一種耳目一新之感。在第七章第三節的第四點「信息產品開發的方法論」一節，作者結合圖書館信息資源開發的獨特性質，針對不同類型的信息產品，概述了信息分析、信息綜合和信息預測三類方法，爲圖書館提高服務檔次和開發效率奠定了方法論基礎。

其四，作者溶相關學科知識和圖書館學爲一體，極大地提高了圖書館學的理論品味。從全書來看，作者應用最多也最爲嫻熟的是社會學理論。在第五章「圖書館類型的理論重組」中，作者引入「社會群體和社會組織理論」，將圖書館劃分爲社區圖書館和行業圖書館兩大類，充分體現了「圖書館是爲人服務的宗旨」，是科學的和具有啓迪意義的。在第六章「人類需求的圖書館」中，作者又應用社會學中的「社會化理論」和「需求理論」，對作爲用戶的社會個體和群體的信息需求進行了解析，從而得出了「促進人的全面發展是圖書館的最終與最高目標」的結論。應該說，這個結論是對圖書館目標和宗旨的準確概括，是圖書館與其它信息機構的重要分野。

其五，作者擅長外文資料的占有和利用，努力將自己的理論體系建立在已有理論的基礎上，從而確保了它的前沿性質和國際水準，可謂名符其實的「現代圖書館學理論」。我一向認爲，做學術研究必須充分地占有外文資料，要外爲中用，取長補短；在這方面，我的學生霍國慶不僅做到了，而且做得很出色。由於徐引篪主任行政事務繁忙，外文資料的獵取、整理、消化和運用等事宜主要是由霍國慶承擔的；前不久在廣州召開的「第四屆海峽兩岸圖書資訊學學術研討會」上，霍國慶根據他在本書第八章中所採用的外文資料並結合自己的認

識，做了「圖書館網絡化及其未來」的主旨發言，博得了海峽兩岸同道的高度讚揚。做學問必須要有扎實的功底，從而才有實力；輕浮和投機取巧是不能成就大事的。

《現代圖書館學理論》還有許多可圈可點的地方，當然，也有一些需要探討和證實之處，在此不能一一列舉。作爲徐引篪的同事和霍國慶的導師，我衷心地祝賀他們——他們做了一件非常有意義的事情，他們的專著是中國科學院文獻情報中心，借用他們的話，也是中國圖書館學界第三代學者和第四代學者合作獻給21世紀的一份厚禮。

1998年5月于中關村

序

顧　敏[*]

　　圖書館學是一門應用性的科學，屬於廣義的社會科學。應用性學科的特性是隨著主客觀環境因素的改變，而不斷的演變。圖書館學理論每一階段的發展，都反映出或表現出在不同時空階段，在不同時空領域內，圖書館工作的特質或者是圖書館工作的目標走向。那麼，新世紀的圖書館會是怎麼樣的呢？新世紀的圖書館學又會是怎麼樣的呢？且不論，新世紀的圖書館學是否再沿用圖書館學這個名詞。或許它叫圖書資訊學，或許它叫信息管理學，也或許它叫文獻信息管理學，當然也有可能是它的新世紀名字還未出現。但是，圖書館學一路走來，也一路走過了上千年的時光歲月，古老時代的藏書方法與藏書學，以及為了藏書需要而發展出來的古目錄學或書志學，如東漢劉向劉歆的七錄七略，就是在那個時空下的圖書館學，是屬於藏書時代的圖書館學。隨後一千餘年在中國發展的校讎學、書志學、版本學，事實上具有「藏書館」館藏發展的功能與意義在內，這種作用和現代圖書館館藏發展要求區分為核心館藏、淘汰館藏、特別珍藏館藏等要

---

[*]　台灣世新傳播大學教授，所著《現代圖書館學探討》在海峽兩岸有著廣泛的影響。

求，俱有在時光隧道中相同的道理，只是不同的表徵而已。所以，我個人認爲古代圖書館學或稱爲古代藏書樓學，是近代圖書館學的前身也是圖書館學發展的早期階段。它的圖書館學理論是可以由我們後人重塑與還原的。若如此，中國圖書館學理論的胚底，便找到了。

同時圖書館理論的肇基，可以上推追溯到一個更高的文化層次與境界。個人近日以來，將「圖書館學」與「圖書館」往本體化或本體論化的方向去思考，所獲得的心得就是本書中所說的「圖書館學體系的進化是連續性和間斷性的統一」。藏書樓圖書館學可以成爲早期初階的圖書館學及圖書館學學理，這是社會學的觀點，也是哲學觀點。

近代圖書館誕生於近代社會，也就是說，19世紀以來人類社會對於圖書館工作的需求，促進了近代圖書館事業及近代圖書館學的孕育與誕生。而近代圖書館學理論的奠基者，是從19世紀跨世紀到20世紀，各國人士都包括在內的一群眞正學者，他們的共同特點是能夠體察、洞悉、了解、研判圖書館發展的動向，無論在什麼社會制度與時空環境之下，他們均能夠領會出人類各種社會對於圖書館工作的需求、期待與前瞻。《現代圖書館學理論》這本書中，兩位作者所提出的各種圖書館學認知、思想與理論，誠屬圖書館學的最近創見。書中將圖書館學的認識領域區分爲四個階段分別是：

表象的具體認識階段

整體的抽象認識階段

本質的規律認識階段

深入的整合認識階段

而這些個認識階段，大體是按照西方圖書館學的演進而來的，並且具體的將它們區分爲技術學派、管理學派、社會學學派、交流學

派、新技術學派、信息管理學派等六大類學派。從歷史觀的角度來
看，的確如此。惟分析層次之細致，以及例舉論證之廣博，俱有獨到
見解，並旁及俄羅斯和前蘇聯、印度、日本等學說流派，思慮所及相
當周延，且為中國的圖書館學學說提出解說，堪稱佳作。

近三個世紀，也就是19、20、21世紀的人類大社會，如果跳出各
種政治、經濟、及社會制度而宏觀之，三個世紀人類追求的大方向或
文明演變，大約可以用一九九七年底我在台北主講「網際網路與電子
民主」時，所提出的簡單綱領來說明，那便是：

十九世紀　教育建設→掃除文盲、啓迪民智

二十世紀　交通建設→發達經濟、改善生活

廿一世紀　資訊建設→人類意識、大同世界

如果也能從這樣一個宏觀下的縮影，去研究圖書館學的發達與發
展，甚至可以驚訝的發現「近代圖書館」與「現代圖書館」乃至於近
代圖書館學與現代圖書館學的演進，是如何密切地契合著人類文明演
化的大方向，而且是一貫性的亙綿不斷。我完全同意徐引篪、霍國慶
兩位教授，四階段六學派的圖書館學理論的看法、論證與解說。同時
也要提出一個連續性及本體性的看法與建設，期能上接古代社會、中
銜19及20個世紀的近代現代圖書館學歷程，並且前瞻新世紀圖書館事
業的前進走勢與趨向。

19世紀的圖書館工作主要是為了普及教育的目的、鼓勵閱讀、公
眾借閱等，19世紀的圖書館學也偏重於各種分類法學說、整理方法等
研究。20世紀的近現代圖書館工作除了延續19世紀的教育功能之外，
又增加了分工性分科圖書館，如公共圖書館、大學圖書館、中小學圖
書館、專業圖書館的研究，也因為全社會的經濟發達條件，圖書館中

的「圖書」定義也擴及到圖書、報紙、雜誌、唱片、錄影、縮影、電腦化數據、網路化數據等載體。以試圖運用這些載體滿足人們的教育活動、以及生活競爭上的需要。20世紀圖書館的發動是非常快速的。

20世紀圖書館學研究一方面在19世紀圖書館學的基礎上，對分類方法、編目技術繼續深化研究，於是主題分析方法、機讀編目格式等，為了目錄管制的管理問題，在科學技術的面貌下又重新出發了，這是傳統分類學說與整理方法在外在物質條件下的多層性演化與運用，但是原始的本質與道理是一樣的。另方面20世紀圖書館學研究在面向讀者大眾方面有相當大的突破，圖書館紛紛把等人上門來讀書的觀念，改變成為吸引人們來館讀書的觀念，因此，圖書館推廣活動和專業化參考服務的研究，也是20世紀圖書館研究的重點項目。第三方面20世紀圖書館學研究非常重視引用其他學科的基本概念與知識，來強化圖書館的管理，尤其在20世紀中末葉，消費與市場機制的觀念，帶入了圖書館經營的範圍和圖書館學研究的領域，直接對圖書館的靜態結構和動態架構產生了很多的衝擊，也產生了現代圖書館學新的建構藍圖，這一點在本書中有非常好的論點。

一九九七年五月大陸地區與台灣地區的圖書館工作者，在台北舉行了一次大型的圖書館學術研討會。在「立法參考服務的挑戰與展望」文裡，我提出了建構核心參考資源與開發系列性中文數據庫是為了聚集圖書館的服務能量，這個「能量說」可以造就組織性功能和環境性功能。當我看到本書中所提到的「圖書館學的裂變、聚變與嬗變」說，真是喜出望外的高興與敬佩，但是不論是圖書館學的蛻變，是要依靠一定的社會能量，還是圖書館的新社會意義，在於發放出「能量」。從能量的角度去研究圖書館和圖書館學，必然是新世紀圖

書館學研究的重點方向之一。所不同的是,我的「能量說」是圖書館本體論的能量說,本書所提的是圖書館學本身形制的「能量說」。

新世紀的圖書館工作,除了在19世紀和20世紀的圖書館基礎上繼續發展之外,本書中最後三章所分別提到的「人類需求的圖書館」、「信息市場中的圖書館」、「網路時代的圖書館」,正是新時代圖書館工作所面臨到的具體環境與具體問題。新世紀圖書館學研究,正可以從這樣的一個大型框架中,以圖書館學本體為變動中的定位主軸,再引用相關學門學理,配合實務作業的檢驗與科學方法的驗證,發展出全新的「新世紀圖書館學」。本書正是一個最好的起點。

1998年5月謹序于台北

前　言

徐引篪　霍國慶

　　自從圖書館產生以來，圖書館學理論就一直是圖書館學的研究核心之一。正如本書第二章和第三章所歸納和概述的那樣，圖書館學理論在不同時期、不同國別或地區有著不同的表現形式，它們實際上是當時當地圖書館實踐的昇華，是當時當地圖書館學研究者思想認識的理論結晶，它們都以這樣或那樣的方式推動了當時當地圖書館實踐的發展。

　　「理論的價值在於它的前瞻性」（第一章）。無論是圖書館學開山鼻祖諾德的圖書館學認識，西方圖書館學史上的技術學派、管理學派、社會學學派、交流學派、新技術學派、信息管理學派等各種理論學說，前蘇聯列寧的圖書館學思想和丘巴梁的社會主義圖書館學，印度阮岡納贊的圖書館學五法則，日本的圖書館和情報學理論，還是20世紀前期中國的要素說，20世紀後期中國大陸的矛盾說和交流說，以及中國台灣的圖書資訊說，它們的共同之處就是，它們在當時當地都是領導潮流、超越時代的理論學說，都是對圖書館學研究對象進行了新的解釋的理論學說。綜觀近200年來圖書館學理論的發展，可以發現，這是一幅絢麗多彩、波瀾起伏的畫卷，其中，共性的、協調的色彩是主流，個性的、對立的色彩是補充。尤其是當21世紀迫近之時，

信息技術的飛躍性發展爲不同國別或地區圖書館學理論的發展提供了一個共同的「平台」，圖書館學理論的超同更是大勢所向。

圖書館學是研究圖書館的學問，對圖書館的理解與解釋決定著不同圖書館學理論學說的特色。什麼是圖書館？引人信息資源管理理論，切入圖書館的內在本質層面，暫時撇開具體圖書館的種種約束和形式特徵，我們認爲，「圖書館就是針對特定用戶群的信息需求而動態發展的信息資源體系」（第一章）。圖書館是由信息資源、用戶信息需求、信息人員、信息設施等要素所整合而成的統一體，信息資源的有限性與用戶信息需求的無限性構成了其主要矛盾；從不同角度和層面分析，圖書館具有多重結構和多種功能，並遵循特定的規律運行；從圖書館動態平衡發展的角度分析，「圖書館之所以能夠成爲一個生長著的有機體，是因爲圖書館是一個有人參與的人造系統，它具有自適應、自學習和自組織能力，能夠與外界進行不斷的物質、能量和信息的交換，並能夠隨外界環境的發展變化保持動態平衡」（第四章）。圖書館因不同人群信息需求體系的不同而自然形成多種圖書館類型，但從便於管理和提高效率的角度考慮，圖書館類型又不宜過多，本書兼顧用戶群體信息需求體系的差異以及圖書館類型的現狀，將圖書館劃分爲公共圖書館、社區圖書館和行業圖書館三大類，其中，「公共圖書館是全部由國家投資的戰略型圖書館，社區圖書館是由國家、集體乃至個人聯合興辦的普及型圖書館，行業圖書館是由社會各行業建構的專門型圖書館」（第五章）。

作爲一種社會現象，圖書館建構在幾個相關的「平台」之上，「人類信息需求」是圖書館立足的至關重要的平台之一。人類信息需求是人類需求的一部分，是人類各種需求中較爲複雜和高級的一種需

求，它決定著圖書館的產生、存在和發展，就此而言，圖書館可謂人類信息需求體系的具體化。圖書館的用戶可以簡略地分為個體用戶和群體用戶兩大類，個體用戶信息需求的變化遵循全面性、集中性、疊加性、節律性和馬太效應等規律，群體用戶信息需求的變化則遵循整合性（群體內部個體信息需求的整合）、區別性（區別重點群體、重點用戶及其重點需求）和簡約性（對應於群體的主幹結構簡化信息需求體系）等規律。圖書館是為人服務的，準確地講，是為人的全面發展服務的，如果忽略了這一點，圖書館將失去生存的根本。

圖書館所依附的第二個平台是信息市場。在信息市場中，圖書館主要是作為信息資源供給方而存在的。圖書館雖然不能進入信息市場遵循市場經濟規律運行，但由於信息市場中競爭對手的介入以及競爭格局的形成，圖書館又必須以某種方式參與市場競爭。我們認為，「信息諮詢是圖書館與信息市場的接口」（第七章），而信息資源開發以及圖書館服務和信息產品的市場營銷則是圖書館信息諮詢工作的核心，是圖書館市場競爭成敗的關鍵。

圖書館所依附的第三個平台是高速信息網絡。從理論上講，高速信息網絡是指「信息高速公路」；在現實中，高速信息網絡就是風行一時的因特網。借助因特網，世界各地的圖書館正在迅速地朝著一體化信息資源體系的方向發展，我們將聯入因特網、形成網絡思維、實現網絡定位並能夠與網絡中其它圖書館協同行動的圖書館界定為「網絡圖書館」，這將是21世紀圖書館生存的基本形式。網絡圖書館的本質是「信息資源共建與共享」，它是信息資源存取和擁有的統一，在可預見的未來，它還決定著圖書館的發展方向。圖書館的未來不是夢，「我們堅信，無論未來如何變化，只要人類還需要思維，社會就

需要信息資源體系：圖書館人的使命將是永恒的」（第八章）。

圖書館學理論源於圖書館實踐，是圖書館經驗與技術的理論抽象，肩負著引導和促進圖書館實踐的使命。然而，令人不解的是，圖書館學理論長久以來一直未能得到圖書館實踐領域的普遍認可和接受，「理論與實踐相脫節」是實踐領域對圖書館學理論的常見評語。必須承認，「脫節」是圖書館學理論的頑症之一，它所造成的後遺症嚴重影響了理論與實踐兩個領域的正常交流，從而滯後了圖書館實踐的發展，擾亂了圖書館學理論的發展方向。但從正面來理解，「脫節」又是必需的：如果圖書館學理論研究局限於「發現問題和解決問題」，滿足於對現狀的解釋，那麼，它只能尾隨在圖書館實踐之後「亦步亦趨」；而人類社會已進入了「瞬息萬變」的信息時代，置身於多變的環境中，圖書館學理論必須是未來取向的，它與現實取向的圖書館實踐之間必然存在某些「脫節」（或稱位差）。事實上，理論有其自身的發展軌跡，一旦在實踐的基礎上確立了理論的邏輯基點，理論就應遵循特有的邏輯和思辯軌跡發展，我們所應強調的是，理論應接受實踐的檢驗而不是受實踐的禁錮。

《現代圖書館學理論》主要是理論推導的產物，我們之所以選擇這樣的課題，一則出於對圖書館學理論的偏愛，二則是爲了總結80年代中期以來我國圖書館學理論研究的成果，彌補網絡時代圖書館學理論研究的空白。我們應當感謝中國科學院文獻情報中心學術委員會和有關領導，在他們的關懷和支持下，我們的選題得以立項並獲得資助。我們也應感謝黃宗忠教授、孟廣均教授、顧敏教授、周文駿教授、吳慰慈教授、沈英研究員、辛希孟研究員、李萬健副研究員、韓繼章副研究員、肖熙道副譯審、林曦博士、林呈潢博士、王子舟博

士、汪冰博士、王靜珠女士、張章先生，他們對本書的寫作和出版給
予了極大的支持、鼓勵和幫助。我們還要特別感謝北京圖書館出版社
的宋安利女士、王燕來先生和台灣學生書局的游均晶先生，由於他
（她）們及他（她）們所在出版社的遠見與厚愛，我們的著作才得以
在海峽兩岸同時出版。此外，劉林先生參加了本課題的策劃、研討工
作，袁賀菊女士對全文做了錄入和排版，中科院文獻情報中心專業資
料室陳書梅女士爲查閱資料提供了方便，許多知名的和不知名的作者
的論著被我們引用或參考，我們在此一併致以衷心的感謝。

　　限於我們的專業視野和學術水平，以及時間和閱歷等方面的因
素，本書的不足和紕漏之處在所難免，懇請各位專家、學者和同道予
以批評指正。在此，懷著與巴特勒當年同樣的心情❶，我們希望我們
的《現代圖書館學理論》儘快過時、儘快被新的理論所取代，我們期
待著理論的繁榮，期待著圖書館實踐在理論指導下的騰飛。

1998年5月于北京

---

❶　Pierce Butler. An Introduction to Library Science. Chicago: The
University of Chicago Press, 1933. xvi

現代圖書館學理論

目　錄

第一章　圖書館學研究對象及學科體系

第一節　圖書館學研究對象的認識過程及論點評析

(一)圖書館學研究對象及其認識過程

圖書館學研究對象是圖書館學認識和研究的起點，是貫穿圖書館學研究歷程的重要內容。可以說，圖書館學研究對象認識與研究的每一次進展，都帶來了圖書館學整體的飛躍性發展，並因而促進了圖書館學學科體系的不斷更新與完善。

圖書館學研究對象規定著圖書館學研究的內容，對圖書館學研究對象的認識則規定著特定圖書館學體系的深度與水平。縱觀古今中外、形形色色的圖書館學理論體系，凡是高水平的影響深遠的著作，都是特定時期對圖書館學研究對象有獨到認識的著作。巴特勒（Pierce Butler）的《圖書館學導論》（An Introduction to Library Science）與謝拉（Jesse H. Shera）的《圖書館學引論》（Introduction to Library Science）相比，也許很難說誰的水平更高一些，但可以肯定，它們都是特定時期領導潮流的代表作，是對圖書館學研究對象進行了新的解釋的開創性論著。

　　圖書館學研究對象既是圖書館又不是圖書館。從邏輯學的意義上講，「圖書館學的研究對象是圖書館」，如同動物學的研究對象是動物、電學的研究對象是電等陳述一樣，是理所當然、天經地義的。但同樣從邏輯學的角度分析，這個命題又犯了同義反覆的錯誤，因而需要二次定義。也就是說，我們並不否認「圖書館學研究對象是圖書館」這一命題的正確性，但要判斷一個研究者對圖書館學研究對象的實質性觀點，我們必須分析他對圖書館的進一步解釋，這也是本節所採用的方法論原則。

　　對圖書館學研究對象的認識是一個連續的發展的過程，在這個過程中，存在著許許多多種不同的觀點，據劉烈的統計，僅80年代中期之前就有50餘種。❶誠然，這些觀點多多少少總有些重複，若捨去重複，以史為綱、合理歸類、綜合概括，我們可以把這一認識過程大致劃分為四個階段，而上述種種觀點也可以各得其所地納入有關階段之中。圖書館學研究對象認識過程的四個階段為：

　　⑴表象的具體的認識階段

　　⑵整體的抽象的認識階段

　　⑶本質的規律的認識階段

　　⑷深入的整合的認識階段

㈡表象的具體的認識階段

　　「圖書館學」一詞最早是由德國圖書館學家施萊廷格（M. W. Schrettinger）於1807年提出來的。從那時起到20世紀20年代，圖書

---

❶　劉烈，論圖書館學的研究對象，圖書館研究與工作，1985（1）、（2）。

館學研究者對圖書館學研究對象的認識大都局限於圖書館的某一方面、某一層次或某幾個淺顯的要點上，局限於可以感覺到的具體的圖書館工作方面，這個階段我們稱之爲表象的具體的認識階段，該階段具有代表性的觀點是「整理說」、「技術說」和「管理說」。

「整理說」的代表人物是施萊廷格。他在1808年出版的《試用圖書館學教科書大全》一書中認爲，「圖書館學是符合圖書館目的的整理方面所必要的一切命題的總和」，並據此認爲圖書館學的研究對象是「圖書館整理」，其主體內容是圖書的配備和目錄的編制。❷「整理說」在我國也有著悠久的歷史，幾乎可以說，20世紀之前的中國圖書館學思想史就是關於圖書館整理特別是目錄學的歷史，劉向的《七略》、程俱的《麟台故事》、鄭樵的《通志·校仇略》、邱睿的《論圖籍之儲》與《訪求遺書疏》、孫慶增的《藏書紀要》等都是這方面的代表作。

「技術說」是一種影響深遠的觀點，迄今仍有很大市場。早在1820年，另一位德國圖書館學家艾伯特（F. A. Ebert）就在其著作《圖書館員的教育》中指出，「圖書館學應研究圖書館工作中的實際技術」，「圖書館學是圖書館員執行圖書館工作任務時所需要的一切知識和技巧的總和。」❸「技術說」的集大成者是美國圖書館學家杜威（Melvil Dewey），他在《十進分類法》第一版導言中曾宣稱，他不是追求什麼理論上的完整體系，而只是從實用的觀點出發來設法解

---

❷　黃宗忠，圖書館學導論，武漢：武漢大學出版社，1988．104,23,18。
❸　北京大學圖書館學情報學系，武漢大學圖書情報學院，圖書館學基礎（修訂本），北京：商務印書館，1991．2。

決一個實際問題，具體而言，「最重要的」是「能以輕而易舉的分類排列並指出架上的圖書、小冊子，目錄裡的卡片，剪貼的零星資料和札記，以及時對這些文獻進行標引，」❹杜威對於圖書館學研究對象的認識由此可見一斑。

「管理說」在英國有著深厚的基礎，帕尼茲（A. Panizzi）和愛德華茲（Edward Edwards）可謂早期的代表人物。帕尼茲被譽爲「圖書館員的拿破侖」，在圖書館管理的實踐與理論方面多有建樹；愛德華茲則享有「公共圖書館運動精神之父」的盛譽，他不僅對圖書館法有深刻的認識，而且在圖書館管理的諸多方面均有獨到見解，其《圖書館紀要》就是19世紀的「圖書館管理學」理論大全。在現代英國，《圖書館學基礎》（First Steps in Librarianship）一書的作者哈里森（K. C. Harrison）和另一種《圖書館學基礎》（The Basics of Librarianship）的作者賓漢姆（Resernary Beenham）與哈里森（Colin Harrison）均持「管理說」，他們的著作均以「管理」爲主線來組織內容。美國是現代管理學理論的搖籃，「管理說」的影響也可以說無處不在，有人就認爲「以圖書館管理爲研究對象的集大成者是杜威」❺，這當然可以另論。在我國，20世紀20～30年代關於圖書館學研究對象問題的探討中，「占主流的是有關圖書館管理的觀點。」❻

---

❹　宓浩，圖書館學原理，上海：華東師範大學出版社，1988．275～275,51。
❺　周文駿，金恩暉，圖書館學，見：圖書館學百科全書，北京：中國大百科全書出版社，1993．16,17。
❻　同註❺。

除上述幾種觀點外，「工作說」和「方法說」也是該階段有代表性的觀點。但無論是哪一種觀點，它們都未能反映圖書館學研究對象的全貌，引用黃宗忠的分析，這些觀點「都只反映了圖書館的某一部分，或是圖書館學某一分支學科的研究對象，從部分來說是對的，但它們顯然不能代替圖書館學的研究對象，也不能全面地反映圖書館的本質、職能、特徵、動力、發展規律。」❼進一步分析，圖書館主要是由可見的實體部分和不可見的讀者需求部分所組成的，在圖書館學發展的初期，人們首先感知和認識到實體部分及其最重要的技術方法（包括整理）、工作和管理等要素，是必然的也是符合科學發展規律的，只有當內部和外部的多種條件具備之後，圖書館學研究者才會關注讀者，並形成整體的認識。表象的具體的認識階段也給我們留下了一個重要啟示，那就是，技術方面（含管理方法）無論如何是圖書館學的核心之一，圖書館學正是從這個意義上講具有方法學科的性質。

(三)整體的抽象的認識階段

到20世紀20年代，經過一個多世紀的發展，圖書館學已具備了全面突破的絕大部分條件，這是需要巨人也一定會出現巨人的時期，這是科學史上已多次印證了的一種現象。美國物理化學家威爾遜（E. B. Wilson）是這樣概述的：「相信作出一項發現僅僅是由於發現者的智慧，這是人類天性的表現。而實際上，大多數的發現，百分之九十九是自然發展的必然結果。經常有這樣的情況，有兩個或更多的科研人員，分別地幾乎是同時地宣布相同的發現，這並不是單純的巧合。」

---

❼　同註❷。

❽圖書館學在這個時期的發展再次證實了這條科學發展規律，列寧
（В．И．Ленин）、巴特勒、阮岡納贊（S. R. Ranganathan）、
杜定友等人幾乎同時開始將圖書館置於社會大系統中去考察，他們堅
信，圖書館技術固然重要，但作爲社會產物的圖書館對社會的反饋——
——爲讀者服務——更重要，圖書館正是在與社會大系統發生輸入——
輸出交換的同時，才能形成一個「發展的有機體」，而所有這些觀點
正是該階段圖書館學研究的主要特徵，我們稱之爲整體的抽象的認識
階段，而上述圖書館學家（包括列寧）也就是該階段最具代表性的人
物。

　　列寧在其一系列的講話、書信和文件中提出了一整套有關圖書館
發展和建設的原則，他充分肯定圖書館活動在社會發展的重要作用，
並就衡量圖書館的價值標準發表了精闢的見解。「列寧關於圖書館是
社會組織的有機組成部分的觀點，圖書館應遵循一般社會發展規律的
觀點，成爲探討圖書館學研究對象問題的指導思想之一。」❾事實
上，周文駿和金恩暉在此的概括本身就可看作是列寧關於圖書館學研
究對象的認識。

　　巴特勒是試圖將科學方法系統地引入圖書館學研究的第一人，他
這種做法一直到20世紀90年代還有人仿效。❿巧合的是，巴特勒的
《圖書館學導論》是美國圖書館學一代宗師杜威去世後兩年才出版

---

❽　E．B．威爾遜著，石大中等譯，科學研究方法論，上海：上海科學技術文
　　獻出版社，1988．456。

❾　同註❺。

❿　賴鼎銘，圖書館學的哲學，台北：文華圖書館管理資訊股份有限公司，
　　1993。

的，這兩件事情正是美國圖書館學史上一個舊時代結束與一個新時代開始的標誌。巴特勒出語驚人，他這樣來定義圖書與圖書館：「圖書是保存人類記憶的社會機制，而圖書館則是將人類記憶移植於現在人們的意識中去的社會裝置」，（Books are one social mechanism for preserving the racial memory and library one social apparatus for transferring this to the consciousness of living individuals）。⑪巴特勒的圖書館定義本身是引入科學研究方法來認識圖書館學研究對象的結果。

　　阮岡納贊被譽為「印度圖書館學之父」，他於1931年公開發表了《圖書館學的五法則》，並大膽地作出了「圖書館是一個生長著的有機體」（A library is a growing organization）的科學論斷。⑫阮岡納贊對圖書館學研究對象的認識比之列寧的論述、巴特勒的分析似乎又進了一步，它具有更為豐富的內涵；當然，上述三種觀點就其精神實質而言是一致的，它們將圖書館置於社會大背景中進行考察，從而獲得了有關圖書館的整體認識，我們姑且稱之為「社會說」。

　　在研究圖書館學發展史的時候，我國一些研究人員常常忽視本國圖書館學家在世界圖書館學發展過程中的地位。其實，無論就認識深度還是認識時間，杜定友都不遜色於同時代其它各國的圖書館學家。早在1928年，杜定友就在《研究圖書館學的心得》一文中談到，「圖書館的功用，就是社會上一切人的記憶，實際就是社會上一切人的公

---

⑪　Pierce Butler. An Introdction to Library Science. Chicago: The University of Chicago Press, 1933. xi.

⑫　阮岡納贊著，夏云等譯，圖書館學五定律，北京：書目文獻出版社，1988. 308〜337。

共腦子。一個人不能完全地記著一切，而圖書館可記憶並解答一切。」⑬杜定友的論述與巴特勒的沒有什麼區別，它只不過是用中國白話文來描述而已。1932年，杜定友進一步提出了「圖書館有書、人和法三個要素」的所謂「要素說」，⑭具體化了自己對圖書館學研究對象的認識。1934年，中國近代圖書館學史上另一位大家劉國鈞出版了《圖書館學要旨》一書，形成了圖書、人員、設備和方法的「四要素說」，⑮並在1957年發表的「什麼是圖書館學」一文中進一步發展成爲讀者、圖書、領導和幹部、工作方法、建築與設備的「五要素說」。⑯「要素說」是我國圖書館學家對於圖書館學的貢獻，從某種意義上說，「要素說」本身是一種反論，當人們開始探討一個事物的組成要素時，他們眞正的目的則是探討事物的整體發展規律，爲此，我們將「要素說」歸入整體認識階段，並視之爲一種有中國特色的觀點。

德國圖書館學家卡爾斯泰特（P. Karstedt）和台灣學者王振鵠也可以認爲是本階段的代表人物。卡爾斯泰特在1954年出版的《圖書館社會學》一書中認爲，圖書是客觀精神的載體，圖書館則是客觀精神得以傳遞的場所，⑰這種觀點肖似巴特勒的認識。王振鵠的《圖書館學論叢》雖然出版於1984年，但其觀點仍停留在整體認識階段上，

---

⑬　杜定友，研究圖書館學的心得，中山大學圖書館周刊，1928,1（1）。

⑭　杜定友，圖書館管理法上之新觀點，浙江圖書館月刊，1932（6）。

⑮　劉國鈞，圖書館學要旨，上海：中華書局，1934。

⑯　劉國鈞，什麼是圖書館學，中國科學院圖書館通訊，1957（1）。

⑰　P. Karstedt. Studien Zur Soziologic der Bibliothek. Wiesbaden: Harrassouitz, 1954.

他認爲，「圖書館就是將人類思想言行的各項記錄，加以收集、組織、保存，以便於利用的機構。」⓮對這個定義，台灣赴美學者周寧森是這樣評論的，「這個定義下得極爲精達，但它只包括了圖書館的靜態作用；如果將這個定義的後半段改爲加以收集、組織、保存、並善加傳播，以誘導便利讀者，儘量利用的機構，使能更好地表達圖書館的動態功能。」⓯周寧森的評論是恰當的，他的修補使王振鵠的觀點更加完整和具有動感。

　　20世紀20～30年代是產生圖書館學大家的時期，從那時起到60年代，居於主流的觀點主要就是「社會說」和「要素說」，這兩種潮流化的觀點都具備兩個特徵：一是整體認識，二是抽象認識。這兩種特徵也是該階段比之表象認識階段的進步與發展，但同樣由於時代和條件的限制，該階段的認識只是在認識廣度及科學性方面取得了進展，而在認識深度的挖掘也即對圖書館本質和規律的認識方面未能進一步取得突破。整體認識階段在圖書館學的發展過程中是一個極爲重要的階段，它擔負著使圖書館學成爲科學的使命，它所啓動的學科建設工程現在仍未竣工，這個工程也許需要幾代人的努力。整體認識階段的各種觀點也有著很強的生命力，無論是巴特勒的理論、阮岡納贊的法則、列寧的指示，還是我國學者的要素分析，它們都是目前各種圖書館學理論必不可少的要素，它們甚至已轉化成了一種圖書館學的認識論。

⓮　王振鵠，圖書館學論叢，台北：台灣學生書局，1984．5。
⓯　周寧森，圖書資訊學導論，台北：三民書局，1991．6。

㈣本質的規律的認識階段

　　歷史的發展常常有著驚人的相似之處。到20世紀60年代，由於以計算機技術為核心的信息技術的迅速發展及其在圖書館的應用，新的「技術論」重新登場；但由於經過了整體的抽象的認識階段，新的「技術論」也戴上了理論的面紗。當然，作為整體認識階段的延續，理論研究在該階段居於主導地位。該階段的主要點觀有「交流說」、「新技術說」和「矛盾說」，主要的代表人物有謝拉、丘巴梁（О.С.Чубарбян）、蘭開斯特（F. W. Lancaster）、黃宗忠、周文駿等。

　　「交流說」是信息論特別是情報學與圖書館學相結合的結果。謝拉可謂交流學的集大成者，他是20世紀後半葉美國圖書館學和情報學兩個領域的當然領袖。謝拉的「社會認識論」的實質就是交流（詳見第二章），他認為，「交流不僅對個人的個性十分重要，而且對社會結構、社會組織及其活動也是重要的，所以它成了圖書館學研究的中心內容」。❷謝拉的另一段話有助於說明「交流說」的由來，「傳統的圖書館文化現在正面臨著挑戰，或至少在受到一種新的文化分支——『情報學』的衝擊。在這場剛剛開始的衝突中，兩者本身都可能發生變化。」❷謝拉的說明證實了我們的推論，即「交流說」的出現是與情報學密切相關的，它或者可以說是情報交流理論在圖書館學中的嫁接。

---

❷　杰西·H·謝拉著，張沙麗譯，圖書館學引論，蘭州：蘭州大學出版社，1986．65,61,216～218,141,164～172．

❷　同註❷。

　　丘巴梁是蘇聯圖書館學的一代宗師，曾榮獲「功勛文化工作者」的稱號。他在專著《普通圖書館學》中開門見山地指出，「蘇聯圖書館學是一門把圖書館過程作爲群眾性地交流社會思想的一種形式的社會科學」。❷❷丘巴梁的表述雖然帶有蘇聯政治文化的色彩，但其實質是交流說無疑。

　　交流說在我國的發展是80年代之後的事情。由於眾所周知的原因，60～70年代是我國圖書館學相對封閉的時期，這種封閉導致了「矛盾說」的出現，這也是我國學者的獨特認識。矛盾說的主要代表人物是武漢大學教授黃宗忠，他在1962年發表的「試談圖書館的藏與用」一文中，提出了「藏與用」是圖書館的特殊矛盾的觀點❷❸，雖然他在80年代出版的《圖書館學導論》中又提出了「圖書館學的研究對象是圖書館」的觀點❷❹，但透過這個命題的表象，其本質仍然是「矛盾說」。矛盾說試圖通過圖書館的特殊矛盾來探索圖書館的本質和規律，這是真正意義上的規律性認識，至於以《圖書館學基礎》❷❺一書爲代表的所謂「規律說」，不過是「整體認識」的一種變化罷了，「其基本論點是：圖書館事業是圖書館學的研究對象；」❷❻從我國圖書館學的發展來看，「規律說」只是一個短暫的過渡，它很快就被交流說所取代和淹沒了。

---

❷❷　O．C.丘巴梁著，徐克敏等譯，普通圖書館學，北京：書目文獻出版社，1983．1。

❷❸　黃宗忠，試談圖書館的藏與用，武漢大學學報（社科版），1962（2）。

❷❹　同註❷。

❷❺　北京大學圖書館學系，武漢大學圖書館學系，圖書館學基礎，北京：商務印書館，1981．

❷❻　吳慰慈，邵巍，圖書館學概論，北京：書目文獻出版社，1985．8,62～63。

　　我國的交流說大約又可分爲「文獻交流說」、「知識交流說」和
「文獻信息交流說」三種觀點。文獻交流說的代表人物是周文駿，他
在1983年發表的「概論圖書館學」一文中指出，文獻「首先是一種情
報交流的工具。圖書館利用文獻進行工作，所以說圖書館工作發展的
歷史，基本上是利用文獻這個情報交流工具進行情報交流的歷史：圖
書館學的理論基本上是利用文獻進行情報交流工作的經驗的結晶。」
㉗周文駿的文獻交流說在其1986年出版的《文獻交流引論》中得以展
開和發展，當然，這已超越圖書館學的範疇了。㉘知識交流說以宓浩
等人編著的《圖書館學原理》爲主要代表作，該書認爲，「圖書館是
通過對文獻的收集、處理、貯存、傳遞來保證和促進社會知識交流的
社會機構。」㉙文獻信息交流說則以南開大學圖書館學系等集體編寫
的《理論圖書館學教程》爲主要代表，該書認爲，「文獻信息交流是
圖書館工作的出發點和歸宿」，「圖書館學是研究圖書館進行文獻信
息交流理論和方法的學科。」㉚除上述三種觀點外，吳慰慈的「中介
說」也可認爲是一種交流說，吳慰慈認爲，「圖書館便是幫助人們利
用文獻進行間接交流的中介物」，「圖書館工作的實質，就是轉換文
獻信息，實現文獻的使用價值和部分價值（內容價值）。」㉛可見，
這不過是文獻信息交流說的另一種表達。交流說在我國台灣地區也很

㉗　周文駿，概論圖書館學，圖書館學研究，1983（3）：10～18.

㉘　周文駿，文獻交流引論，北京：書目文獻出版社，1986.

㉙　同註❹。

㉚　南開大學圖書館學系等，理論圖書館學教程，天津：南開大學出版社，
　　1981．31。

㉛　同註㉖。

盛行，著名學者顧敏、周寧森等都在自己的著作中引入了資訊科學和傳播科學，從而形成了交流說的觀點。

本質認識階段的另一代表性觀點是「新技術說」，這是一種技術決定論，蘭開斯特是最著名的代表人物。從70年代開始，蘭開斯特在一系列的論著中闡述了自己對圖書館的認識，他在《電子時代的圖書館和圖書館員》一書中指出，「實際情況是，通過電子存取的能力，圖書館正在『被解散』。根據對未來進展的預測，這個過程將會以更快速度繼續下去。（這就是說，紙印刷出版物將要讓位，電子出版物將最後全部取而代之。）……除了收藏舊印刷記錄的檔案館和提供娛樂消遣方面的閱讀材料的機構之外，現在這種類型的圖書館將會消失。」❸那麼，未來圖書館又是什麼樣子呢？蘭開斯特在另一本專著《走向無紙信息系統》中作了回答，未來的圖書館也就是電子信息系統。❸另兩位美國圖書館學家克勞福特（Walt Crawford）和戈曼（Michael Gorman）不完全同意蘭開斯特的觀點，他們認為，印刷品將長期與其它媒體共存互補，圖書館固然在尋求也應該尋求走出「圍牆」的途徑，但圖書館將繼續是一個包括印刷文本在內的多媒體中心。❸「新技術說」在90年代隨著「虛擬圖書館」概念和技術的發展而呈現出盛行之勢，在一些圖書館學教育單位，計算機技術類課程已超過了圖書館

---

❸ F. W.蘭開斯特著，鄭登理、陳珍成譯校，電子時代的圖書館和圖書館員，北京：科學技術文獻出版社，1985．109。

❸ F. W. Lancaster. Towards paperless information systems. New York: Academic Press, 1978.

❸ Walt Crawford, Michael Gorman. Future Libraries: Dreams, Madness, & Reality. Chicago: American Library Association, 1995.

學專業課程，這也是人們對圖書館學研究對象認識的一種間接的表現。

　　本質認識階段三種觀點的共同之處在於，它們都深化了對圖書館學研究對象的認識，如果說表象認識階段局限於圖書館的某個方面或某幾個方面，整體認識階段局限於圖書館結構及外部聯繫的展開，那麼本質認識階段則深入到了圖書館內部的文獻、知識和文獻信息層次，而圖書館——文獻——文獻信息的認識順序正是揭開圖書館「斯芬克斯之謎」的必然途徑。同時，新技術說還順著時間軸的方向將圖書館學引向未來，並開闢了未來圖書館學這一新領域。當然，這三種觀點也都有著明顯的缺陷，交流說普遍超越了圖書館學的學科範圍，矛盾說未能理清圖書館的所有關係，新技術說顯然誇大了技術的作用。本質認識階段的各種觀點多多少少都觸及了圖書館的本質，然而，對事物本質的認識是一個漸進的過程，事物的本質本身也在逐漸地發生著變化，有鑒於此，我們對圖書館學研究對象的認識仍將繼續下去。

(五)深入的整合的認識階段

　　對本質的認識過程不會終結，相反，這是一個不斷深入的過程。20世紀90年代，雖然居於主流地位的仍然是「交流說」和「新技術說」，但一種新的觀點已頑強地破土而出，它沐浴著還帶些清冷的空氣，吸取著各種有用的養分，昭示出強大的生命力——這就是「資源說」。

　　「資源說」的出現與信息資源管理（Information Resource Management, IRM）密切相關。作為一種理論，信息資源管理產生於

70年代後期的美國,其主要生成領域一是政府部門的文書管理領域,二是工商行業的企業信息管理部門。信息資源管理的實質是將信息視為一種戰略資源並善加管理、開發和利用,借以提高一個組織的生產率和競爭力:這裡主要涉及一個觀念的轉變問題。信息資源管理的核心是整合過程,它從組織整體的角度審視信息資源,通過引進信息技術對所有信息資源實行集成管理,以最大限度地避免重複和提高效率:這裡主要涉及一個行動的問題。信息資源管理於80年代初期傳入英國並在那裡演變為「信息管理」(Information Management, IM)理論。❸❺與此同時,英國專業圖書館協會改名為「信息管理協會」(The Association for Information Management),這是圖書館領域的又一次重大變革(第一次重大變革是情報學與圖書館學的分離),它表明「資源說」已登上了圖書館學的舞台。

「資源說」的正式亮相是在美國圖書館學家切尼克(Barbara E. Chernik)1992年出版的《圖書館服務導論》(Introduction to Library Services)一書中。切尼克談到,「許多人可能將圖書館定義為一個簡單的藏有許多書的建築物,其它人則可能進一步對這些藏書做些解釋——有些人為娛樂而讀書,有些人為學習而讀書——其中一些人可能還知道藏書是以特定方式排列的,然而,可能只有很少的人會想到圖書館是『為利用而組織起來的信息集合』,而這正是最恰當的圖書館定義。」❸❻在接下來的章節中,切尼克又用了一章的篇幅

---

❸❺ 霍國慶,信息資源管理的起源與發展,圖書館,1997(6):4~6。

❸❻ Barbara E. Chernik. Introduction to Library Services. Englewood: Libraries Unlimited, Inc., 1992. 1

來談圖書館資源（Library Resources）——爲利用而組織起來的信息集合。切尼克的觀點是我們迄今爲止所發現的最早的「資源說」，從某種意義上，它開啓了一個新的階段，而巧合的是，這也是「信息高速公路」開始醞釀和啓動的時間。

切尼克的「資源說」還多少帶有一些不自覺的成份，也就是說，他還未能自覺地眞正地從資源的意義上來審視圖書館，並以此爲基點來建立自己的理論體系。但值得肯定的是，切尼克的觀點已突破了「交流說」和「新技術說」的局限；並從而爲圖書館學認識的進一步深化奠定了基礎。

我們認爲，任何一種理論學說的發展都是一種螺旋式的進化過程，高級形態是對低級形態的否定和揚棄，低級形態則是高級形態的基礎和合理內核。將這種認識推廣到圖書館學研究對象的認識過程中，那麼，「資源說」無疑是一種高級的理論形態，它內含著「整理說」、「矛盾說」、「新技術說」等各種不同層次觀點的合理要素，它不排斥這些觀點，也不能取代這些觀點，但它又確確實實是最接近圖書館本質的觀點。就此而言，我們贊同「資源說」，我們認爲，圖書館學的研究對象是信息資源體系及其過程。

第二節　信息資源體系及過程

㈠圖書館學命名的不科學性

在探討圖書館學的研究對象之前，我們有必要談談「圖書館學」這一學科名稱。從某種意義上來說，「『圖書館學』一詞的創造實屬

悲劇，因爲一門學科只能以其研究的內容命名而鮮有以機構而命名，譬如有法學而沒有法院學，有烹調學而沒有飯店學，有美學而沒有美人學，等等。以機構命名的模糊性，導致了關於圖書館學研究對象的長期的喋喋不休的爭論。」⑰展開來講，以機構命名的不科學性主要表現在三個方面：

(1)不準確性

學科名稱應是對學科研究對象的準確而簡明的概括，正如毛澤東所言：「科學研究的區分，就是根據科學對象所具有的特殊的矛盾性。因此，對於某一現象的領域所特有的某一種矛盾的研究，就構成某一門學科的對象。」⑱也就是說，學科名稱應該反映學科研究對象的本質特徵而不是簡單地重複事物名稱，尤其是當這種事物是一個具體的機構時，人們的思維常常會受這一具體機構的影響，而忽略這一具體機構的本質與內涵。

(2)不穩定性

學科名稱具有穩定性是學科建設與發展所必需的條件，以機構命名容易使學科名稱隨機構名稱的改變而發生變異，並從而導致學科發展的危機。事實證明，「圖書館」改名爲「文獻情報中心」以及「圖書館學系」改名爲「信息管理系」等行爲已對圖書館學的學科建設帶來了極大的影響。

(3)局限性

---

⑰　霍國慶，圖書館學，文獻信息學、信息管理學，山西圖書館學報，1993(4)：1。

⑱　毛澤東，毛澤東選集（一卷本），北京：人民出版社，1964．284．

學科研究對象應是一類普遍的社會現象或自然現象，映射學科研究對象的學科名稱也應具有這種普遍性，而以機構（或具體事物）命名容易將學科研究範圍局限在這一機構的視野之內。譬如，「烹調」是一種普遍的活動，並不在乎這種活動發生於飯店或居民家中，「美」是事物的一種普遍屬性，若冠以「美人學」則勢必束縛研究人員的手腳；等等。

總之，圖書館學研究中存在的許多問題皆可溯源於施萊廷格的「創造」。我們並不否認施萊廷格的貢獻，但我們也不贊成以機構來命名一個學科。鑒於「圖書館學」一詞已存在了將近200年，本書仍沿用圖書館學這一術語，然而，我們將努力揭示這一學科的本質內涵，並盡力為它尋找一個恰如其分的名稱，事實上，歷代圖書館學家就是這樣做的。

剖析圖書館學研究對象的認識過程，可以發現，圖書館學家主要是採用「剝離」的方法來認識圖書館學研究對象的：第一步，他們將「圖書館」從社會系統中剝離出來，將圖書館規定為移植人類記憶的社會裝置；第二步，他們將「文獻（或圖書）」從圖書館中剝離出來，從而創造了「交流論」；第三步，他們又將「文獻信息（或知識）從文獻中剝離出來，從而形成了「文獻信息交流說」或「知識交流說」。然而，第三次的剝離仍然不徹底也不完整，形象地說，「文獻信息」這一果實仍帶著文獻的「皮毛」，它本身又有內容信息、形式信息及內容信息的信息之分，❸這樣就容易導致新的模糊性；「知識」則僅是文獻信息的一部分，一般認為，知識是系統化的信息，而

---

❸　黃宗忠，文獻信息學，北京：科學技術文獻出版社，1992．51,8,21。

記載於文獻上的信息並非必然是系統化的信息。因此，就需要對第三次剝離進行再認識。

㈡信息資源與信息資源體系

「信息資源」概念是隨著現代信息技術（特別是計算機技術）和信息資源管理理論的發展和普及而廣為人們接受的。盧泰宏和孟廣均在1992年編譯的《信息資源管理專集》中曾將美國學者對「信息資源」的理解概述如下：

信息資源＝文獻資源；

信息資源＝數據；

信息資源＝多種媒介和形式的信息（包括文字、圖像、聲音、印刷品、電子信息、數據庫等）；

信息資源＝信息活動中各種要素的總稱（包括信息、設備、技術和人等）。

該專集的編者最後指出，國外信息資源管理學者對「信息資源」的理解多取第四種解釋。❹他們還具體地援引了美國著名信息資源管理學家霍頓（F. W. Horton）對單數形式和複數形式的「信息資源」的理解：⑴當資源為單數（Rosource）時，信息資源是指某種內容的來源，即包含在文件和公文中的信息內容；⑵當資源為複數（Resources）時，信息資源是指支持工具，包括供給、設備、環境、人員、資金等。❹

---

❹　盧泰宏，孟廣均，信息資源管理專集，國外圖書情報工作，1992(3)：1～2,15。

❹　同註❹。

可以看出，信息資源還是一個發展中的概念。就上述對信息資源的諸多理解或解釋而言，它們存在著這樣一些問題：(1)混淆了信息資源與具體的信息，信息資源是一個集合概念，而「數據」等只是一類具體的信息；(2)混淆了信息資源及信息有關的資源（如設備、技術、人員、環境等）；(3)未對信息資源進行深入的分析，多採用羅列式定義。

信息資源是一個具有豐富內涵的術語，從字面上講，它應該是信息概念與資源概念交互衍生的新概念。信息資源首先是一種信息，是具有資源屬性的信息。聯繫信息概念和資源概念來考察信息資源，可以認為：(1)信息資源是信息的一部分，是信息世界中與人類需求相關的信息；(2)信息資源是可利用的信息，是在當前生產力水平和研究水平下人類所開發與組織的信息；(3)信息資源是通過人類的參與而獲取的信息，人類的參與在信息資源形成過程中具有重要作用。概言之，信息資源就是經過人類開發與組織的信息的集合，而「開發與組織」正是信息資源可利用性的表徵。所謂信息的開發，是指人類根據自身需求以感知、思維、創造等方式從物質和能量中提取、生產信息的過程；所謂信息的組織則是指人類根據一定的規則以語言、文字等符號為手段對所開發的信息實施有序化的過程；信息的開發與組織通常是一個過程的兩個方面，開發離不開組織，組織本身也是一種開發。

信息資源是可利用的信息，相對於其它非資源型信息，它具有四個明顯的特徵：(1)智能性。信息資源是人類所開發與組織的信息，是人類腦力勞動或者說認知過程的產物，人類的智能決定著特定時期或特定個人的信息資源的量與質；(2)有限性。信息資源只是信息的極有限的一部分，與人類的信息需求相比，它永遠是有限的，從某種意義

上來說，信息資源的有限性是由人類智能的有限性決定的；(3)不均衡性。信息資源在不同人、不同組織、不同區域之間的分布是不均衡的，這種現象也稱之為信息領域的「馬太效應」；(4)整體性。信息資源作為整體是對物質世界或人類社會的普遍聯繫的反映，是作為整體的物質世界或人類社會的信息抽象。

　　信息資源是由信息、人、符號、載體4種最基本的要素構成的。其中，信息是信息資源的源泉，人作為認識主體是信息資源的生產者和利用者，符號是人生產和利用信息資源的媒介和手段，載體則是儲存和利用信息資源的物質工具。用定義的形式來表達，信息資源就是人通過一系列認知和創造過程之後以符號形式存儲在一定載體（包括人腦）上可供利用的全部信息。

　　信息資源以開發程度為依據可劃分為潛在的信息資源和現實的信息資源兩大類。潛在的信息資源是指個人在認知和創造過程中儲存在大腦中的信息資源，這部分資源雖能為個人所利用，但一方面它們容易隨忘卻過程和人體的消亡而消失，另一方面又無法為他人直接利用，因此是一種有限再生的信息資源；現實的信息資源是指潛在的信息資源經個人表述之後能夠為他人直接利用的信息資源，這部分資源最主要的特徵是它的社會性，它們通過特定的符號表述並記錄在特定載體上，可以在特定的社會條件下廣泛地連續往復地為人類所利用，可以說是一種無限再生的信息資源。現實的信息資源是信息資源的主體，它本身又可依表述方式劃分為四部分：(1)口語信息資源，即人類以口頭語言的方式所表述出來而未被記錄下來的信息資源，它們在特定的場合被「信宿」直接消費，並且能夠輾轉相傳而為更多的人所利用，如談話、聊天、授課、講演、討論、唱歌等活動都是以口語信息

資源的交流和利用爲核心的；(2)體語信息資源，即人類以手勢、表情、姿態等方式所表述出來的信息資源，它們通常依附於特定的文化背景，如舞蹈就是一種典型的體語信息資源交流活動；(3)實物信息資源，即人類通過創造性勞動以實物形式表現出來的信息資源，這類信息資源中物質成分較多，有時難以區別於物質資源，而且它們的可傳遞性一般較差，如產品樣本、模型、雕塑、碑刻等都是常見的實物信息資源；(4)文獻信息資源，即以語言、文字、數據、圖像、聲頻、視頻等方式記錄在特定載體上的信息資源，其最主要的特徵是擁有不依附於人的物質載體，只要這些載體不損壞和消失，文獻信息資源就可跨越時空無限往復地爲人類所利用。❷

在現代社會，由於先進的信息技術的發展與應用，潛在信息資源的開發呈現出加速的態勢，現實信息資源之間的界限也越來越模糊，多媒體就是現實信息資源趨於統一的產物。而隨著這種趨勢的明朗與發展，在人類社會特定時期出現的、被賦予了特定含義的「文獻」一詞已不能用來指稱圖書館所處理的所有信息資源，與此同時，「文獻信息」也只能結束其短暫的歷史使命。

信息資源是一個完整的體系。作爲總體，信息資源體系對應於人類全部的認識成果；作爲部分，信息資源體系是特定範圍內各種信息資源的集合；信息資源體系還可以根據不同用戶群的需求結構進行各種組合變化。圖書館學就是研究作爲總體的信息資源體系及其不同的組合變化形式的。

---

❷ 孟廣均，霍國慶，謝陽群，羅曼，論信息資源及其活動，見：張力治，情報學進展：1996～1997年評論，北京：兵器工業出版社，1997．75～99。

㈢圖書館的實質是一種動態信息資源體系

　　圖書館不過是一個歷史名詞。從檔案館到圖書館再到信息中心或信息系統（虛擬圖書館實質上是一種信息系統），這是一個從低級到高級的螺旋式發展鏈，圖書館只是其中的一個環節。長期以來，圖書館就似孫悟空劃出的一個降魔圈，但這個神奇的怪圈非但沒能抵擋其它相關學科的大舉滲透，相反卻禁錮了圈內人的思維與行動。揭開圖書館神秘的面紗，圖書館就如切尼克所述，只是「為利用而組織起來的信息集合」，或者說是一種信息資源體系，而這正是圖書館的實質。

　　信息資源體系是對應於用戶需求而存在的。作為總體的信息資源體系（也即世界圖書館網絡）所反映的是全人類的信息需求，建立這樣的體系一直是圖書館人所追求的最高理想。作為個體的信息資源體系（具體的圖書館）所反映的則是特定用戶群的信息需求。不言而喻，圖書館的存在是為了滿足用戶的信息需求，只要能達到這個目的，文獻信息資源也好，口頭信息資源、實物信息資源或多媒體信息資源也罷，均可收集並加以利用。當然，圖書館不會無原則地不加區分地隨意採集信息資源，圖書館所採集的信息資源彼此之間有著種種聯繫，這些聯繫使本來相對獨立的信息資源形成了一個整體，這就是信息資源體系，其結構是與用戶群的需求結構相對應的。用戶群是由具有相同特徵（如性別、年齡、民族、學歷、職業、興趣、社區等）的若干個體用戶所組成的：作為個體，每個用戶的需求是全面的，是一個微型的需求體系；作為群體，若干個體用戶的信息需求經過整合之後形成一種新的需求結構，這種結構雖不能覆蓋個體用戶的全部信息需求，但卻可以覆蓋特定群體的主要信息需求，這正是圖書館信息資源體系形成的基礎。

信息資源體系本身是圖書館的代名詞，是由多種要素組成的系統結構。其中，各種信息資源是組成要素，用戶群體的信息需求結構是內在的邏輯結構，有關理論方法是外在的軟結構，有關技術設備則是外在的硬結構。信息資源體系本身內含著圖書館的特殊矛盾，即信息資源的有限性與用戶需求的無限性的矛盾；而信息資源體系的運動過程就是尋求解決這一矛盾的過程。

信息資源體系也是圖書館工作的核心。圖書館的規劃工作是為了設計信息資源體系，圖書館的採訪、分類、編目和目錄組織工作是為了形成信息資源體系，圖書館的資源建設和保障工作是為了維護信息資源體系，圖書館的資源補充和剔除工作是為了發展信息資源體系，圖書館的借閱、諮詢、檢索、研究工作則是為了開發信息資源體系。信息資源體系是圖書館員工的工作對象，是他們思考和觀察的實體，也是他們行動的目標。

信息資源體系是動態發展的，援用阮岡納贊的描述，它是一個發展的有機體。就其內因而言，信息資源的有限性與用戶信息需求的無限性之間的矛盾是主要的推動力量；就其外因而言，社會大系統的變化、科學知識的進化、文化教育的發展、信息技術的日新月異等都是發展的誘因。「生命在於運動」，這條規律同樣也適合於信息資源。

綜上所述，圖書館可定義為：針對特定用戶群的信息需求而動態發展的信息資源體系。

(四)信息資源體系及其過程是圖書館學的研究對象

圖書館學的研究對象是圖書館，圖書館是一種動態的信息資源體系，所以，圖書館學的研究對象是動態的信息資源體系。換一種角度

講，信息資源體系的動態性是通過信息資源體系的發展過程來體現的，這一發展過程又可分爲形成階段、維護階段、發展階段、開發階段等四個主要階段。信息資源體系形成階段的主要任務包括確定基本的用戶群及其需求結構、尋找與需求結構相對應的信息源、從信息源中獲取所需的信息資源、對信息資源進行序化等；信息資源體系維護階段的主要任務包括合理儲存已序化的信息資源、定期檢查作爲支持系統的硬件設備和軟件程序、緊急處理各種突發性故障、積極預防各種隱患尤其是安全隱患等；信息資源體系發展階段的主要任務包括追蹤用戶需求的變化、評價信息資源體系、保持與外界的聯繫、及時補充新的信息資源、適當引進先進的信息技術、強化圖書館員工的繼續教育、調整和優化信息資源結構等；信息資源體系開發階段的主要任務則包括提供高質量的信息資源服務、開發多樣化的信息產品、發展友好的用戶界面和服務方式、開展積極的服務和產品市場營銷等。信息資源體系不同於信息系統，信息系統多是以技術爲中心的，而信息資源體系則是以資源爲中心的；信息資源體系及其過程使圖書館區別於其它信息系統，因此構成了圖書館學的研究對象。

信息資源體系及其過程作爲圖書館學的研究對象，深化了「交流說」，豐富了「新技術說」。如前所述，「交流說」的局限性主要表現在兩個方面：一方面，交流說過於注重過程研究而忽略了交流對象的研究；另一方面，交流說擴大了圖書館學的研究範圍，模糊了與其它學科的界限，譬如，政府部門的公文傳遞是一種文獻信息交流活動，但它卻不屬於圖書館學的研究範圍。而引入「信息資源體系及其過程」，一則可以明確交流對象，二則有助於明確圖書館交流的特色，仍以政府部門的公文交換爲例，它雖然是一種信息資源交流活

動，但卻不是以信息資源體系爲條件的交流活動。就「新技術說」而言，它過分誇大了技術的作用，因而在一定程度上使圖書館學混淆了手段與對象，迷失了行動的目標；若引入「信息資源體系及其過程」，則有助於擺正技術的位置，明確行動的目標，豐富研究的內容。

信息資源體系及其過程作爲圖書館學的研究對象，也有助於使圖書館學區別於相近的同族學科。以出版發行學爲例，它主要關心的是社會的熱點信息需求和恒常信息需求，在不違反社會規範的前提下它的主要目標是贏利，因此它也不以信息資源體系作爲交流的必要條件和主要手段。以情報學爲例，它主要關心的是情報（一種再生的信息資源）的檢索、分析、綜述、研究與快速服務。它一般以圖書館爲依托而不另建信息資源體系，信息資源的利用才是它們的主要目標。以文獻學爲例，它主要關心的是文獻的歷史、編纂方法、版刻鑒別、流傳過程、校勘、考訂等，其重點在於文獻的形式與方法研究而不是內在信息資源的交流，更不是信息資源體系的建設。以檔案學爲例，由於檔案館是圖書館的低級形態，圖書館邏輯地內含著檔案館的合理要素，因此，檔案學與圖書館學沒有質的區別而只有發展程度和方法手段的區別；具體地講，檔案學是研究特定信息資源體系及其過程的方法，作爲其研究對象的信息資源體系以特定範圍內產生的信息資源的積累爲主，結構比較簡單，而其過程也因體系的相對封閉而變得舒緩。至於信息資源管理學，則可近似地看作是圖書館學的高級形式，我們將在第一章第三節中詳細討論這個問題。

信息資源體系及其過程作爲圖書館學的研究對象，還有助於圖書館學學科建設的穩定性。一方面，信息資源體系及其過程是一種普遍

的社會現象，它不受具體圖書館或圖書館名稱的限制，正如烹調不受飯店的限制也普遍存在於居民日常生活中一樣，它也將隨著社會個體文化水平的提高和電腦的普及而普及，這樣，圖書館學及其學科建設就不會因圖書館機構的變換而受到毀滅性的衝擊。另一方面，信息資源體系及其過程也是一種發展現象，檔案館時期是一種相對低級的信息資源體系（結構簡單，運動節奏緩慢，運動周期較長），圖書館時期是一種高級的信息資源體系（結構較爲複雜，節奏加快，周期縮短），展望未來，即使圖書館被更高級的形式所取代，圖書館學也只需相機適應調整而不會發生學科建設的斷檔。

　　信息資源體系及其過程是一種普遍的社會現象，這決定了圖書館學的社會科學性質。根據科學定義的一般要求，圖書館學可定義如下：圖書館學是一門研究信息資源體系及其過程的社會科學。

第三節　信息資源管理框架中的圖書館學體系

(一)信息資源活動㊸

　　信息資源從本質上說是一種附加了人類勞動的信息。人類圍繞信息資源所開展的活動主要包括信息資源的生產、信息資源的管理和信息資源的消費三大部分，其中，信息資源的生產和消費是信息資源管理的兩個端點，信息資源管理則是連接信息資源生產和消費的通道與

㊸　同註㊷。

紐帶。

　　信息資源的生產是以腦力勞動爲主導的過程。具體地講，信息資源是認知和創造過程的產物，人腦與計算機是信息資源生產的最主要的機器，照像機、顯微鏡、望遠鏡、錄音機、錄影機等則是信息資源生產的輔助工具。信息資源的生產是從人對外界信息的感知開始的，感知的信息在人的大腦中順次經過抽象、概括、分析、綜合、概念、判斷、推理、形成結構等思維過程，就在人的大腦中形成了潛在信息資源，此後，在一定的條件下，潛在信息資源通過人體肌肉和機體的運動而轉化爲現實信息資源，這樣就構成了一個完整的信息資源生產過程。信息資源的生產是一個異常複雜的過程，其生產機制（主要是思維機制）的許多方面對於人類而言還是不解之謎，這在很大程度上限制了信息資源的生產，從而也直接導致了信息資源的有限性。信息資源的生產也是一個相當個體化的現象，由於信息資源生產的主要工具是人的大腦，所以信息資源的生產任務主要是由個人來承擔的，職業研究人員、職業作家、決策者、醫生、教師等都是社會中主要的信息資源生產者，他們可能選擇和採用集體研究的形式，但最終的信息資源生產卻是由每個個體的大腦分別完成的。社會個體信息資源生產的終結正是信息資源管理的起點。

　　信息資源一旦脫離生產過程，就必然地不以人的意志爲轉移地遵循一定的模式和規律在社會內部傳播和交流。一般而言，信息資源的流動是有向的，它們總是從信息資源的生產者或控制者流向信息資源的使用者，這些不停地流動著的信息資源稱爲信息資源流，而信息資源從生產者或控制者流向使用者的可控過程稱爲信息資源交流，以計劃、組織、指揮、協調和控制爲手段來實現信息資源交流並致力於提

高效率和質量的活動則稱爲信息資源管理。信息資源管理爲社會信息消費提供了必要的前提與保證。

消費是生產的目的，生產是消費的前提，生產與消費構成了信息資源活動的兩個端點。對於個人而言，這兩個端點在某種程度上是合而爲一的，因爲個人既是信息資源的生產者也是信息資源的消費者。但從社會的角度看，這兩個端點通常是分離的，任何一個人既爲他人提供信息資源，同時也消費他人提供的信息資源，這正是信息資源管理活動存在的社會基礎。信息資源的消費可以根據消費的目的不同而分爲中間消費和最終消費。中間消費是把信息資源作爲生產過程的中介投入而生產出新的信息資源的消費活動，如知識分子就是以信息資源的中間消費爲手段通過生產新的信息資源而得以謀生的；最終消費是指消費者把信息資源作爲獲取滿足或享受的媒介加以使用的消費活動，如城鄉居民看電影電視、聽廣播、讀文學作品、欣賞畫展和音樂會、聊天聽戲等多是一種自我滿足或享受的消費行爲。然而，無論是中間消費還是最終消費，它們都會以不同方式、在不同程度上影響信息資源的生產或再生產。從某種意義上來說，信息資源的消費也就是信息資源的利用過程。

(二)信息資源管理概述

信息資源管理理論產生於70年代後期，迄今雖只有20餘年時間，但因外部條件極爲有利，其發展與傳播速度均快於常規學科。就信息資源管理理論的起因而言，一則得益於信息技術的發展與應用特別是信息系統的推廣；二則歸因於信息資源總量急劇增長所造成的信息供求矛盾的激化；而當這兩方面的因素集約於一個特定的部門時，人們

發現現代信息技術並非包治百病的靈藥，要解決信息實踐中的種種問題，關鍵還需要一種新的理論，這就是信息資源管理理論。

信息資源管理理論最初萌芽於兩個主要領域：一是工商管理領域，該領域所開發的管理信息系統（MIS）並未從實質上解決信息化時代工商企業競爭的信息保證和先導問題，爲此一些人士開始探索新的理論，並逐漸形成了適應戰略管理需求的信息資源管理理論；二是政府部門，該領域苦於各種記錄的指數式增長所導致的低效率而無法自拔，爲擺脫困境，有識之士一方面尋求新技術的應用，另一方面致力於探索新的理論；而當美國政府於1975年成立「聯邦文書委員會」試圖解決有關問題時，主要成員均來自上述兩個領域，這些成員在爲期兩年的合作期間明確地提出了信息資源管理思想。其後，兩個領域的研究人員分別沿著兩個方向發展下去，並最終形成了信息資源管理的信息系統（IS）學派和記錄管理學派。進入90年代之後，信息資源管理理論開始傳入歐洲並引起圖書情報領域研究人員的高度興趣，他們雖然在很大程度上接受了信息資源管理理論，但卻在不自覺中導入了圖書情報學的思想，歐洲學者爲此簡化了稱謂，改稱信息管理理論。90年代初，當我國圖書情報領域的學者們吸收外來理論時，他們更多地接受了歐洲學者的信息管理思想，同時大量植入了情報學的邏輯內容，或直接將情報學推演擴展而改造爲信息管理理論，這是我國信息資源管理理論不同於國外信息資源管理理論的關鍵。歐洲的信息管理理論與我國的信息管理理論合起來構成了信息資源管理的第三大學派──信息管理流派。❹

---

❹　孟廣均等，信息資源管理導論，北京：科學出版社，1998。

　　信息資源管理的概念是理解信息資源管理理論的關鍵，讓我們先來看看信息資源管理學家們的解釋：

　　霍頓認為，信息資源管理（Information Resources Management）是基於信息生命周期的一種人類管理活動，它是對信息資源實施規劃、指導、預算、結算、審計和評估的過程。從信息資源管理產生與發展的角度考察，信息資源管理是不同的信息技術與學科整合發展的產物，這些技術與學科包括管理信息系統、記錄管理、自動數據處理（ADP）以及通信網絡等。❹

　　美國信息資源管理學家史密斯（Allen N. Smith）和梅德利（Donald B. Medley）認為，信息資源管理還是一個發展中的概念，但它至少有兩層含義：其一，信息資源管理將一個組織所擁有的信息作為等價於資本和人事之類的戰略資源加以管理，其實質是一種指導性的管理哲學；其二，信息資源管理將傳統意義上的信息服務形式諸如通訊、辦公系統、記錄管理、圖書館功能、技術規劃等整合起來，形成統一的管理過程，其實質是一種新的管理理論與實踐。目前，信息資源管理正由管理哲學向管理過程理論發展。❹

　　英國信息管理學家馬丁（W. J. Martin）認為，信息管理是一種特殊形式的管理活動，其範圍廣及數據處理、文字處理、電子通信、文書和記錄管理、圖書館和情報中心、辦公系統、外向型信息服務、所有與信息有關的經費控制等領域，其組織要素則包括技術、專家、

---

❹　F. W. Horton, Jr. Information Resources Management . Englewood: Prentice—Hall, Inc., 1998. v～viii .

❹　Allen N. Smith, Donald B. Medley . Information Resource Management . Cincinnati: South—Western Publishing Co., 1987. 72 .

可利用資源和系統等。❹

　　德國信息管理學家斯特洛特曼（Karl A. Stroetmann）認爲，信息管理是對信息資源及相關信息過程進行規劃、組織和控制的理論。其中，信息資源包括信息內容、信息系統和信息基礎結構三部分，信息過程則包括信息產品的生產過程和信息服務的提供過程。❹

　　英國信息資源管理學家博蒙特（John R. Beaumont）和蘇瑟蘭（Ewan Sutherland）則認爲，信息資源管理是一個涵蓋所有能夠確保信息利用的管理活動的集合名詞，其對象包括所有類型的數據、數字（number）、文本、視象、聲音以及各種不同的信息和通信技術。信息資源不同於企業資源，它只是企業資源的一部分，其核心是由信息和通信技術所組成的技術平台（見圖1-1），這個平台用於獲取、存貯、處理、分配和檢索數據。❹

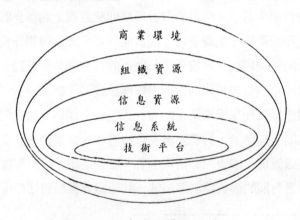

圖1-1　信息資源管理的範圍❺

❹　W. J. Martin . The Information Society . London: Aslib, 1988 . 95～104 .

　　關於信息資源管理或信息管理的論述還很多，但也都大同小異。綜合上述各家觀點，可以認爲：(1)信息資源管理是一個集成概念，它是對原先分散的各種信息管理功能實施集成管理的活動的總稱；(2)信息資源管理是以信息資源（信息內容）爲核心的；(3)信息資源管理只有在引入現代信息技術的條件下才能實現；(4)信息資源管理總體上是由信息資源、信息系統、信息技術平台和信息環境四部分所組成的。概括地講，信息資源管理就是對信息資源及相關信息過程進行規劃、組織和控制的理論。

　　信息資源管理可以用一個簡化的模型（見圖1-2）來表示。這個模型相當於信息資源管理的一個細胞，圍繞它所形成的理論可稱爲微觀信息資源管理；當許多這樣的細胞通過現代信息技術匯集成一個整體時，就形成了信息資源管理網絡或信息服務業，圍繞它所形成的理論稱之爲宏觀信息資源管理。在這個模型中，圍繞用戶流動不息的是信息資源，支撐信息資源運動的是信息技術平台，維繫各個環節的聯繫並保持系統動態平衡的是信息資源管理人員的活動（規劃、組織、控制）等，這三個部分所組成的整體即信息系統，信息系統本身又是在信息環境中運行的。

⑱　　Karl A. Stroetmann. Information Management for the '90s: A Conceptual Framework. International Forum on Information and Documentation, 1993(2)：9～14.

⑲　　John R. Beaument, Ewan Sutherland. Information Resources Mangement. Oxford: Butterworth-Heinemann, Ltd., 1992.

⑳　同註⑲。

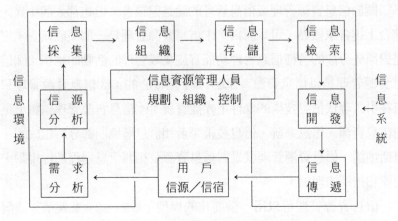

圖1-2 信息資源管理簡化模型

可以看出，圖書館只是信息資源管理的一種特殊形式，或者說是集成的信息資源管理的一個組成部分。在這個集成系統中，圖書館因其信息資源體系而具有不可替代的價值。具體到圖書館學與信息資源管理理論的關係，後者無疑將成為圖書館學的理論基礎，而圖書館學則是後者的應用分支學科之一。

(三)圖書館學體系的衍生

理論的價值在於它的前瞻性。長久以來，圖書館學的研究內容一直是對應於具體的圖書館工作或者說是圖書館工作的經驗總結，這樣做當然無可非議，但這樣做也使圖書館學與圖書館實踐陷入了低水平重複的怪圈。試做一對比，除了近些年由於信息技術的進步所帶來的圖書館巨變外，現代圖書館所做的哪一項工作——採訪，編目，分類，主題，典藏，借閱乃至參考服務——又超越了公元前7世紀亞述巴尼拔圖書館的模式？對此，圖書館學研究有著不可推卸的責任。

　　圖書館學的研究內容與體系是由圖書館學研究對象所決定的。以信息資源體系及其過程爲基點，引入信息資源管理理論，暫時撇開具體圖書館工作的內容，我們可以推演出一種新型的圖書館學學科體系，這種體系具有一定的超前性，我們稱之爲現代圖書館學體系。現代圖書館學體系由信息資源體系的理論研究、信息資源體系的過程研究、具體信息資源體系研究三大部分所組成（見圖1-3）。

　　信息資源體系理論研究的對象是作爲總體的信息資源體系，也即對應於全部人類認識成果的信息資源體系的運動與發展規律。具體研究內容包括人類迄今爲止所生產的全部信息資源及其內在聯繫、功能特徵、類型劃分、運動規律和發展趨勢等。信息資源體系的理論研究又可分爲信息資源體系的基本理論研究、信息資源體系的歷史研究、信息資源體系的未來研究、信息資源體系的方法研究四部分。

　　信息資源體系過程研究的對象是抽象的信息資源體系的形成、維護、發展和開發過程。它又包括五個組成部分：(1)信息資源體系的形成研究，主要包括用戶信息需求分析、信息源分析、信息採集、信息組織（包括目錄組織）等方面的內容；(2)信息資源體系的維護研究，主要包括信息資源儲存、信息資源保護、信息資源整理、信息設備維修等方面的內容；(3)信息資源體系的發展研究，主要包括用戶反饋研究、信息資源體系評價與優化、信息技術發展與應用、圖書館員工的培訓與教育、信息環境研究等方面的內容；(4)信息資源體系的開發研究，包括信息資源服務的方法與方式、信息產品的開發、信息資源的傳播、信息產品的市場營銷、用戶教育等內容；(5)信息資源體系過程管理研究，主要包括信息資源體系過程的規劃、組織與控制等方面的內容。

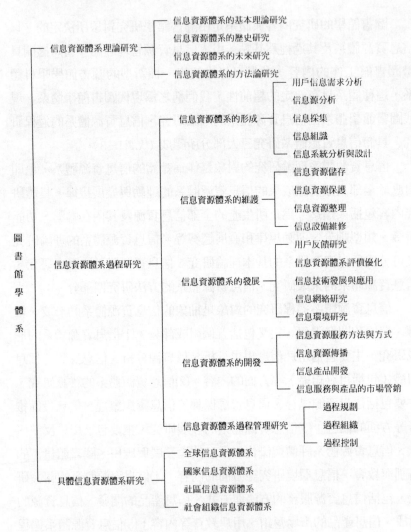

圖1-3　圖書館學的學科體系

　　具體信息資源體系研究的對象是針對特定用戶群的信息需求而建立起來的信息資源體系。其主要研究內容是將信息資源體系理論研究和過程研究的成果轉化應用於具體信息資源體系的形成、維護、發展和開發過程之中。具體信息資源體系的研究又分為四大部分：(1)全球信息資源體系研究，主要研究如何借助因特網等現代信息技術實現全球信息資源體系的共建與共享問題；(2)國家信息資源體系研究，主要研究如何建立、維護、發展和開發能夠滿足特定國家的政治、經濟、軍事、文化、科技、教育等各項事業發展需求的戰略信息資源體系問題；(3)社區信息資源體系研究，又可分為城市社區信息資源體系研究、鄉村社區信息資源體系研究和精神社區（如宗教、種族、民族等）信息資源體系研究，社區信息資源體系研究一般具有綜合性、全面性和複雜性等特點；(4)社會組織信息資源體系研究，又分行業（或職業）信息資源體系研究和非行業信息資源體系（如少兒圖書館、共青團組織所屬圖書館、婦聯所屬圖書館等）研究，一般以行業信息資源體系研究為主體。

　　圖書館學是一門處於進化中的學科，它需要輸入新的養分以激發內在的活力。我們所做的一切只是把圖書館學本來蘊含的真相揭示出來，也許涉及更具體的內容時並沒有很大區別，但這裡涉及到一個觀念問題，涉及到一個對圖書館的認識問題，而這正是關係到圖書館的形象建設及其生存與發展的問題，是關係到圖書館學的獨特性及其在科學體系中的地位問題。重複開首的一句話，理論的價值就在於它的前瞻性，這也是本書的追求目標。

㈣圖書館學與相關學科

　　探討圖書館學的相關學科，有助於進一步明確圖書館學的研究對象與研究內容。從某種意義上說，圖書館學幾乎與每一個學科都有關係，因爲圖書館的信息資源體系包容了所有的人類學科知識；但圖書館學所關心的只是作爲整體的信息資源，它與大多數學科的關係都只是一種形式的關係。對於圖書館學或任何一門學科而言，眞正意義上的相關學科是指那些在研究對象方面存在交叉關聯的學科。

圖書館學的研究對象是信息資源體系及其過程，與此關係最爲密切的學科包括信息資源管理學、文獻信息學、出版發行學、大衆傳播學、情報學、博物館學、檔案學、記錄管理等。其中，信息資源管理學與文獻信息學將在第一章第四節中論及，此處主要討論後6種學科。

　　出版發行學和大衆傳播學都是研究信息資源的生產和傳播的學科，一般也認爲，出版發行學是大衆傳播學的有機組成部分。「大衆傳播學以報紙、廣播、電視、電影、書籍等大衆傳播媒介爲自己的研究對象，它探討的是信息大量『消費』的規律」。❺出版發行學、大衆傳播學與圖書館學相交叉的部分主要是傳播研究部分，可以說，圖書館傳播也屬於廣義的大衆傳播，它之所以不同於廣播、電影、電視、書報雜誌等類型的大衆傳播，是因爲「廣義的大衆傳播有兩個階段：第一階段是原始信息的收集、加工和傳播，該階段的傳播者主要是編輯、記者、播音員、節目主持人等；第二階段是對第一階段傳播

---

❺　戴元光等，傳播學原理與應用，蘭州：蘭州大學出版社，1988．8。

的信息進行精選、組織、加工、貯存和再傳播，該階段的傳播者主要有圖書館、情報機構和信息中心等。大眾傳播的兩個階段如同接力賽，其最終目的是把信息傳遞到大眾手中。」❷說得簡明些，大眾傳播是邊生產邊傳遞，不注重積累；而圖書館傳播則是通過信息資源體系這個手段來實現的。大眾傳播與圖書館傳播之間的區別正是兩門學科得以獨立並存的主要原因。

　　「情報學是以情報和整個情報交流過程爲研究對象的。……具體地說，情報學研究有關情報的搜集、整理、存貯、檢索、報導服務和分析研究的原理原則與方式方法的科學。」❸情報學與圖書館學的關係可以說是「剪不斷，理還亂。」據日本學者丸山昭二郎的理解，「在當初，圖書館這個『細胞』發生了分裂，從其中分裂出被叫做文獻工作，又被叫做情報科學或情報學的另一個細胞而成長著。兩者曾經相互對抗，不久卻又漸漸融合起來，……。」❹這也就是說，情報學與圖書館學還有著淵源關係。但這些都是次要的，要搞清情報學與圖書館學的關係，關鍵還是要明確情報的涵義及其與信息資源的關係。英國情報學家布魯克斯(B. C. Brookes)認爲，「情報是使人原有的知識結構發生變化的那一小部分知識。」❺如果這個定義可以成立，那麼情報只是信息資源的一部分，而且，由於情報關心的是信息資源的效用性和新穎性，這就決定了情報學與圖書館學的分野，圖書

---

❷　霍國慶，大眾傳播過程中的圖書館，晉圖學刊，1994（增刊）：1～3。

❸　嚴怡民等，情報學基礎，武漢：武漢大學出版社，1987．31.5。

❹　丸山昭二郎著，董光榮譯，圖書館和情報概論，國外圖書情報工作，1988（1）：4～7。

❺　同註❸。

館學注重建立信息資源體系並以此為手段來滿足人們的信息需求，而情報學更關心那些能夠滿足用戶需求的信息（即情報）而不在乎利用什麼手段。事實上，現實中的許多情報機構就是依附於圖書館的信息資源體系並以此作為情報開發的對象的。從這個意義上講，情報工作是圖書館工作延伸，情報學也是圖書館學的邏輯發展，它們在一定的條件下完全可以實現統一。

圖書館學與博物館學的關係因其研究對象分屬不同類型的信息資源而較易理解。但它們之間也不是沒有交叉和重疊。美國圖書館學家比爾鮑姆（E. G. Bierbaum）在《博物館圖書館學》（Museum Librariannhip）一書中對圖書館、博物館和檔案館的論述就有助於我們了解何為整體的信息資源體系。「就其收藏物（Collections）的性質而言，圖書館、博物館和檔案館都是社區的記憶。但它們遠不止於收藏：它們是這個世界以及我們所處地區文化和歷史的管理者，它們幫助我們理解什麼將永遠是一個謎，它們為我們捕獲那些我們可能永遠也不知道的事物，允許我們經歷我們做夢也想不到的其它事情。」「這三個機構的定義使它們具有許多共同特徵：職業視野，收藏和組織活動，為它們的館藏或信息提供存取。它們的共同目的是收集、描述、組織和研究人類思想、感情、活動方面的記錄和人工制品，簡言之，與我們交流被認為重要的東西。」「它們當然也有區別。霍姆洛斯(Peter Homulos)基於館藏(Collections)、文獻提供、自動化、與公眾的互動等方面的考慮，曾將它們置於一個連續統一體中，這樣，圖書館在一端，博物館在另一端，檔案館則居中。就其本質而言，圖書館傾向於收藏印刷資料，檔案館傾向於手稿和文獻，博物館則傾向於實物和圖本（icons）」。❻比爾鮑姆還從歷史發展的角度

列舉了一些博物館、檔案館、圖書館三者合流的例子：遠古時期，古希臘的亞歷山大圖書館屬於這種情況，近代的大英博物館（現在已將印刷資料分流給英國國家圖書館）和現代美國的「總統圖書館」也都兼具博物館、檔案館和圖書館的性質。可見，圖書館與檔案館、博物館之間並沒有質的區別，它們只有分工和發展程度的區別。

　　記錄管理（Records Management）則是流行於歐美的一門學科，它類似於我國的文獻信息學，但又不完全相似。記錄管理又有兩種理解：一種理解接近於檔案管理，「記錄管理是對一個機構（或個人）業務活動中的記錄信息實施控制的理論。對於一個機構而言，這些記錄信息包括人事檔案、財產清單、章程和規則、會議備忘錄、政策和指令、所有的財務記錄及合同等。對於社會中的個人，這些記錄信息包括稅款單據、遺囑、出生證明以及所有記載我們生活和生計的文件。記錄管理也是對信息資源生命周期的全過程控制，包括信息資源（即上述記錄信息）的創造、組織、傳播、利用乃至永久保留或毀滅」。❺❼另一種理解則接近於文獻信息學，「記錄管理是對記錄創造到最終處置的全過程的系統控制」。「記錄（records）包括所有的書籍、論文、圖片、地圖或其它文獻資料，……。記錄包容能夠反映一個組織的功能、政策、決策、程序、操作和其它活動的信息。文獻資料（這一術語）又包括所有形式的通信、信件、回憶錄、指令、報告、組織內部和外部制作的表格、繪圖、說明書、地圖、圖片和創造性資料。

---

❺❻　E. G. Bierbaum. Museum Librarianship. Jefferson: McFarland & Company, Inc., Publishers, 1994. 5～6

❺❼　Candy Schwartz, Peter Hernon. Records management and the Library. Norwood: Ablex Publishing Co., 1993. 1,2～5

一份記錄可以有多種形式：文本，縮微膠卷，計算機磁帶，文字處理磁盤，視盤，光盤乃至手稿等。」⑱顯然，後一種記錄管理的範圍已足以涵蓋圖書館學、檔案學、出版發行學、文書學（部分）和前一種記錄管理，它實際上是記錄管理學派的一種信息資源管理理論。爲區別起見，本書將前一種理論稱爲狹義的記錄管理，後一種理論稱之爲廣義的記錄管理。

狹義的記錄管理與圖書館學、檔案學之間頗多重複之處，因爲它們的研究對象都是信息資源體系，區別僅限於各自的信息資源體系所包容的信息資源的類型和範圍有所不同而已。美國記錄管理學家施瓦茨（Candy Schwartz）和赫農（Peter Hernon）在《記錄管理與圖書館》一書中談到這種細微差別時曾說：「記錄管理與圖書館學或檔案學的區別有時難以捉摸，因爲圖書館和檔案在很大程度上也與記錄有關。」他們還列表歷數了圖書館、檔案館和記錄中心的異同（見表1-1）。⑲但結果正如表中所示的那樣，它們只是在資料來源及相應的服務範圍方面略有不同，其它諸如媒介類型、活動內容等幾無二致。細心地觀察，三者之間的不同是以互補的形式表現出來的，若求同存異，它們剛好組成了一個組織的完整的信息資源關係；若將博物館的內容擴充進來，這個體系就更加完整了。再回到學科內容上來，由於圖書館學、檔案學、記錄管理和博物館學的研究對象具有同質互補的關係，我們可以首先對它們實施整合，以形成一門以信息資源體系及

---

⑱　B. R. Ricks, Kay F. Gow. Information Resource Management. Cincinnati: South-Western Publishing Co., 1984.3

⑲　同註⑰。

其過程爲研究對象的統一的學科（學科名稱可以商討），然後在這個整合學科之下再分研究方向。

表1-1　圖書館、檔案館和記錄中心的異同

	圖 書 館	檔 案 館	記 錄 中 心
資料來源	外部	外部與内部	内部
信息性質	記錄知識	機構歷史	業務操作
媒　　介	印刷品／縮微資料 聲像資料 電子／光學媒介 實物	印刷品／縮微資料 聲像資料 電子／光學媒介 實物	印刷品／縮微資料 聲像資料 電子／光學媒介 實物
主要活動	館藏發展 獲取 編目／標引 歸類／上架 參考／流通 館際互惜 定位 保存	館藏發展 獲取 描述 歸類／上架 參考 保存 縮微複制 複印	表格設計／記錄評價 記錄轉讓 編寫存貨清單 歸類／記錄儲存 保留／檢索 保護 縮微複制 複制

資料來源：摘選自參考文獻❻

---

❻　同註❺。

相關學科就如同一面面鏡子，圖書館學可能從中看出自己的獨特性質並從而有助於擺正自己的位置，但也有可能迷失在其中——因爲圖書館學的研究對像可能被包容在其它學科的研究對象之中。幸運的是，由於我們重新確認了圖書館學的研究對象而不僅僅是從交流過程的角度認識圖書館學，所以，我們能夠借助相關學科更精確地確定圖書館學在科學體系特別是信息資源管理類學科中的坐標，並爲圖書館學的未來發展預留空間。

第四節　圖書館學的裂變、聚變與嬗變

(一)圖書館學的理論軌迹

圖書館學的發展歷程從總體上來說是一個自我超越的過程，這種自我超越是以否定之否定的形式表現出來的。在施萊廷格提出「圖書館學」之後的第一個百年之中，圖書館學基本上是一種「館內科學」，它將圖書館作爲一種孤立的存在加以研究，研究內容主要是圖書館的具體工作與管理，相應地也就出現了整理說、技術說、管理說、工作說等種種圖書館學認識。圖書館學的幾次飛躍性發展都發生在第二個百年（20世紀20年代之後）之中：第一次飛躍產生了「社會說」，圖書館學研究者不再把圖書館視爲一種孤立存在，相反將它看作是社會大系統的組成部分，所謂「社會裝置」、「公共大腦」、「發展著的有機體」等所表述的都是這種思想，社會說是對「館內科學」的否定；第二次飛躍表現爲一種裂變過程，這種裂變主要指情報學從圖書館學中分離並獨立發展的現象，裂變本身是對原事物的一種

否定，而裂變之後情報學的迅速發展反過來又極大地促進了作爲母體的圖書館學的發展，並最終導致了「交流說」的問世；第三次飛躍則是以聚變爲主導的過程，這個過程又可分爲三個階段，第一個階段是指脫離母體之後的情報學回歸母體並形成「圖書情報學」的過程，第二階段是因聚變而產生強大能量的圖書情報學吸收和融合同類學科（如檔案學、出版發行學、文書學、記錄管理、目錄學、文獻學或圖書學等）並形成「文獻信息學」或「廣義的記錄管理」的過程，第三個階段是由於外界條件（特別是現代信息技術）的成熟所誘發的信息資源管理類學科（包括辦公系統、管理信息系統、記錄管理、圖書情報學、數據處理、文字處理、電子通信、技術規劃和戰略規劃等）的集成過程，這三個階段所昭示的聚變過程又是對裂變的否定。

圖書館學的自我超越過程也可以稱爲嬗變過程，這種嬗變最集中地體現在圖書館學教育的發展過程之中。1887年，杜威創辦的第一個圖書館學教育機構名爲「哥倫比亞圖書館管理學校」，講授課目主要包括圖書館的經營、書籍的保管、書目、分類法、目錄著錄、參考諮詢等。❻❶20世紀20年代之後，隨著「芝加哥大學圖書館學院」等有別於早期「訓練班」式的更爲正規的教育機構的出現，圖書館學教學內容也有了明顯的變化，有關課程主要有圖書館學概論（或原理）、編目與分類、圖書或資料的選擇、參考資料、圖書史和圖書館史、圖書館行政管理、公共圖書館、學院和大學圖書館、青少年讀者服務、專業圖書館研究、醫院圖書館研究和社區服務等；到50年代和60年代，儘管圖書館學教育的核心內容仍然是這些課程，但由於情報學的分離

---

❻❶　楊威理，西方圖書館史，北京：商務印書館，1988．208

而產生的影響已滲入圖書館學專業的課程結構之中，交流和系統理論、科學管理和數學等課程的增設足以說明這種影響；❻260年代之後，圖書館學教育和情報學教育沿著不同的方向朝前發展，但這種狀況沒有持續多久，到70年代和80年代，歐美各國、日本和我國都出現了以「圖書館（學）」和「情報學」並列方式命名的教育機構或專業名稱，其中，美國「70年代以後大約三分之二的學院在校名中增加了『情報學』或『情報研究』字樣，」❻3日本慶應義塾大學則於1968年改圖書館學專業爲「圖書館情報學專業」，❻4我國武漢大學圖書館學系也於1984年改稱「圖書情報學院」；與此相對應，圖書情報學教育的教學內容也發生了重大改組，據聯合國教科文組織制訂的圖書館情報學教學大綱，新的課程結構由社會通信、用戶調研、情報源、情報／數據庫貯存與檢索、組織、專題研究或學位論文、選擇（圖書館與情報業務的歷史研究、國際性比較圖書館學、歷史性書目、印刷及圖書、出版業及書籍業、檔案管理與記錄文獻管理、圖書館教育、電子計算機程序設計等）等七大板塊組成，❻5這種結構實質上已是一種接近於文獻信息學的教學計畫。而80年代主要從我國興起的文獻信息學對專業教育並未產生更大的影響，它尚未站穩腳跟就被洶湧澎湃的信息資源管理浪潮衝跨

---

❻2　同註❷0。

❻3　圖書館學百科全書編委會，圖書館學百科全書，北京：中國大百科全書出版社，1993．491。

❻4　津田良成編，楚日輝、畢漢忠譯，圖書館情報學概論，北京：科學技術文獻出版社，1986.43。

❻5　W. L. Saunders. Guidelines for Curriculum Development in Information Studies. Reports and Bibliographies, 1980, 9（1～26）

了陣容，雖然業內學者多次挺身而出試圖再建「文獻信息管理學」，
❻無奈專業教育領域已接受了「信息資源管理（或信息管理）」理念。
據美國北卡羅來納大學圖書館和情報服務系主任米勒（Marilyn
Miller）的論文❻，90年代「美國圖書館協會（ALA）認可的47所專
業教育機構的名稱中，信息科學（Information Science）或信息管
理已成爲主流」，與此相關，傳統的圖書情報學課程大爲縮減，新的
課程諸如政策研究、高等教育、新聞學、商業、歷史、程序設計及應
用技術（包括文字處理、電子郵件、因特網、傳真、語音通信）等大量湧入
專業學生的選課單，並在整體上形成了多樣化的格局。在我國，1992
年北京大學圖書館學情報情學系改名爲「信息管理系」，引發了全國
範圍內多米諾式的改名熱浪及爭上「信息管理專業」的改革潮流（詳
情可參閱文獻❻），信息管理觀念已深爲專業學生所接受。需要說明，
專業學生代表著圖書館的未來，當他們終有一日成爲圖書館的中堅力
量時，信息管理就會由觀念而變爲行動。

　　圖書館學的發展是一個不以人的意志爲轉移的過程，這個過程隨
著人們對圖書館學研究對象本質的逐步逼近而次遞展開，其中影響最
大的事件就是一次裂變和三次聚變。

---

❻　孟廣鈞，爲「文獻信息管理學」鼓與呼，圖書情報工作，1997（7）：
　　1～2。
❻　Marilyn Miller. What to Expect from Library School Graduates.
　　Information Technology and Libraries, 1966（3）：45～47
❻　霍國慶，金高尚，九十年代我國圖書館學信息學教學改革的最新進展及發
　　展方向（上）、（下），山西圖書館學報，1996（4），1997（1）。

(二)圖書館學的裂變

據《辭海》的解釋，裂變是指「原子核分裂爲兩個質量相近的核
（裂境），同時放出中子的過程。裂變有自發和感生兩種。前者是重
核不穩定性的一種表現，後者指原子核在受到其它粒子轟擊時立即發
生的裂變，原子核裂變時可釋放巨大能量。」❻裂變當然不只是一種
原子現象，自然界的動植物細胞就存在裂變問題，人類社會的組織裂
變更是經常化的事情。就圖書館學而言，情報學的分離雖然也有外界
因素的作用，但主要還是一種自發型裂變。謝拉認爲，「圖書館就其
性質而言是保守的，但並不是靜止不變的。作爲社會部門，圖書館如
果不是立刻反映，也是最終反映著社會的變革。」❼然而，正是因爲
圖書館的保守性質，新生的情報學不能見容，最終導致了圖書館學的
不穩定性以及情報學的分離。如同任何裂變一樣，情報學的分離也產
生了巨大的能量，事實上，50年代之後幾乎是情報學在牽引著圖書館
學向前發展。

圖書館學的裂變在日本學者丸山昭二郎的「圖書館和情報概論」
一文中表述得最爲明確，他認爲，最初是由於圖書館這個「細胞」的
分裂而產生了文獻工作，文獻工作後又發展爲情報學。❼謝拉也持類
似的觀點。❼據美國情報學家理查茲（Pamela Spence Richards）的
進一步研究，文獻工作早在第二次世界大戰期間已流行於軍隊之中，

❻　辭海編委會，辭海（縮印本），上海：上海辭書出版社，1989．2154, 2053。
❼　同註❷。
❼　同註❺。
❼　同註❷。

當時，文獻利用研究的重心業已轉移到電子存貯和檢索方面；戰後，由於冷戰的形成和逐步升級，從文獻工作發展而來的情報科學在敵對的兩個陣營中同時繁榮起來，它們共同的特徵就是注重技術研究與開發。❼❸可以說，以技術爲中心是情報學的一貫傳統，這與圖書館學的人文傳統適成對比。❼❹透過兩個學科之間這種近似對立的傳統，我們可以得出兩點結論：一方面，這種對立正是圖書館學裂變的根本原因；另一方面，這種對立本身又是一種互補，從這個意義上而言，這兩個學科必然會再次實現融合。

　　圖書館學裂變促成了情報學的分離，但裂變過程並未就此終結，70年代之後，情報學本身又發生裂變，這次的產物是社會科學情報學。梁鄰德等人在1988年出版的《社會科學情報學》中這樣寫道：「對社會科學情報的研究，首先在美蘇等國展開；70年代漸趨活躍和深入，又逐步擴展到包括我國在內的更多的國家。這方面的國際性學術交流活動也顯著增加了。經過二十多年的準備和積累，建立社會科學情報學的條件，現在基本上具備了。」❼❺他們進一步認爲，「情報學以科學信息中的科學情報爲研究對象，而社會科學情報學則研究社會科學情報」。❼❻不難看出，梁鄰德等人對情報學和社會科學情報學的

---

❼❸ Pamela Spence Richards. Information Science and the End of the Cold War. International Forum on Information and Documentation, 1995（3）：34～39

❼❹ 盧泰宏，圖書館學的人文傳統與情報科學的技術傳統，中國圖書館學報，1992（3）：4～10。

❼❺ 梁鄰德，社會科學情報學，南京：南京大學出版社，1988.4, 102～103。

❼❻ 同註❼❺。

關係的認識是值得商榷的，如果連科學信息、科學情報、社會科學情報的關係都未能搞清楚，又何談學科的建立呢？可見，社會科學情報學的分離沒有足夠的根據，而在實踐中，設置不久的社會科學情報專業也最終歸併到了信息學專業之中，國家教委的這一決策本身是對社會科學情報專業的否定。

圖書館學的裂變在特定時期是一種進步，它為情報學的發展提供了較少約束的自由空間，從而使情報學得以迅速成長、壯大並形成世界公認的相對獨立的學科和實踐領域——情報學在短時期內釋放的能量足以和原子核裂變時所釋放的能量相媲美。然而，社會領域的裂變畢竟不同於原子的核裂變，譬如情報學的繼生裂變即社會科學情報學的分離就沒有起到應有的作用，也就是說，社會科學情報學的獨立不僅未能使情報學在新的領域獲得長足的發展，而且由於它與情報學、圖書館學的大量重複反而消耗了本學科和社會的能量。圖書館學內部發生的「鏈式裂變」即不斷的新學科創造活動也基本上屬於一種消耗能量的裂變，是不值得提倡的。原子核理論表明，裂變的價值在於它能釋放巨大的能量並造福於人類，但控制不好裂變釋放的能量就會危及人類的生命；同理，新學科的創立如果不是必需的話，就會分散研究人員的精力與時間，葬送一些學者的學術生命，並導致學科建設的混亂無序；從這個意義上來說，一旦條件成熟，裂變就會轉化為聚變。

(三)圖書館學的三次聚變

聚變是指「輕原子核相遇時聚合為較重的原子核並放出巨大能量的過程。」⑰聚變釋放的能量通常要比裂變大幾倍到十幾倍，原子核

聚變只有在極高溫的條件下才能實現。㊐聚變理論所揭示的原理不一定完全適用於社會領域，但只要是聚變現象，這個原理就有一定的指導性。綜觀圖書館學的三次聚變，它們都要比裂變具有更大的社會價值，同時它們又都是在信息技術高度發達這一前提下實現聚變的。

　　圖書館學的第一次聚變是指圖書館學發展為圖書情報學的過程，這個過程始於60年代中期。1964年，美國匹茲堡大學首先將所屬的圖書館學院改稱圖書館與情報學院，很快，以「綜合」能力著稱於世的日本人接受了這種觀念並使圖書情報一體化成為日本圖書館學的主導思想。我國的圖書情報一體化進程始於70年代後期，中國科學院文獻情報中心是最早的提倡者和實踐者之一。就圖書情報一體化的成因來說，除了它們共同的研究對象和目標之外，信息技術的加速發展是重要的誘因，黃宗忠在其專著《文獻信息學》中對此有精闢的論述：「50年代以來，由於科學技術的迅速發展，電子計算機技術、網絡技術逐步應用於圖書館，資源共享成為人類追求的目標。在這種情況下，性質相似的圖書情報檔案，如果仍以縱向發展為主，不進行綜合，就會阻礙自身的發展，難以有效地為社會服務，甚至造成極大浪費。」㊓圖書情報一體化的實踐證實了這一點：從教育實踐來看，一體化進程拓寬了專業學生的知識面、增強了他們在就業市場的競爭能力和在工作領域的適應能力；從服務實踐來看，一體化進程使圖書館加強了

㊐　同註㊓。

㊐　中國科學院自然科學史研究所近現代科學史研究室，20世紀科學技術簡史，北京：科學出版社，1985．66～67。

㊓　同註㊴。

開發力度並加快了自動化進程，使情報部門得到了信息資源體系的堅強後盾而得以全身心地投入技術開發和用戶服務活動；從研究實踐來看，一體化進程在很大程度上消彌了相互間的重複研究，實現了優勢互補。事實上，當圖書館學發展到「交流說」階段時，兩個學科已具備了聚變的理論基礎，運用圖1－2(第34頁)來分析，它們研究的都是這樣一個交流過程，區別僅在於圖書館學側重信息資源體系的形成、維護和發展的研究，而情報學側重信息資源體系的開發及支持技術的研究。圖書情報一體化的進程還未結束，但到目前為止一體化所帶來的避免重複、優勢互補、節約資源等社會價值已有目共睹，這些社會價值也就是圖書館學第一次聚變所釋放出的能量。

圖書館學的第二次聚變主要是在我國的學術領域生成的，這是以一體化的圖書情報學為內核進一步吸附相關學科以形成文獻信息學的聚合過程。與第一次、第三次聚變相比，第二次聚變只是一種弱聚變，它未能對學科發展產生根本性的影響，它或者可以說是第一次聚變的延續。第二次聚變始於80年代中期，況能富、邵巍等人幾乎同時提出了「文獻信息理論」，而況能富似乎更幸運一些，他的論文「應當探索文獻信息理論──『文獻信息論』導言」搶先發表在《圖書館工作》1984年第4期上，從而成為可查的有關文獻信息理論的最早文獻之一；1986年，萬良春出版了他的專著《從圖書館學情報學到文獻信息學》，在書中他滿懷信心地指出文獻信息學取代圖書館學情報學將是不可逆轉的趨勢；⑧同年，周文駿在其專著《文獻交流引論》

---

⑧　萬良春著，從圖書館學情報學到文獻信息學（內部教材），北京：中國科學院管理幹部學院，1986。

中，也倡導在融合圖書館學、情報學、檔案學、目錄學、文獻學、出版發行學理論的基礎上建立文獻交流學；⑧1992年，黃宗忠的專著《文獻信息學》問世，將文獻信息理論研究推向了高潮。黃宗忠認為，「文獻信息學是研究文獻信息的本質、結構、功能以及文獻信息的集聚、存貯、轉化、傳遞、利用與組織管理的活動及其規律的科學。它是一門綜合性的應用學科。是信息科學的分支學科，是圖書館學、情報學、檔案學、圖書發行管理學的綜合。」⑧然而，究竟什麼是文獻信息？有關學者的解釋不盡相同，但大都與他們對圖書或文獻的定義差不多。文獻信息的模糊性注定這一次聚變不會產生實質性的結果，事實上，除了部分圖書情報院系增設了「文獻信息學」課程以及部分專業雜誌名稱向文獻信息靠攏外，文獻信息學對整體的學科建設及相關實踐部門影響不大。誠然，文獻信息學也影響了一代人的認識，這種認識必將有利於信息資源共享的大業，這大約就是第二次聚變所釋放的能量。

圖書館學的第三次聚變是由信息技術特別是信息系統和信息網絡技術的高速發展所引發的，是以管理信息系統爲核心的現代信息管理理論吸附文獻信息學、記錄管理、辦公系統、傳播理論乃至戰略規劃功能等以形成大一統的信息資源管理的過程。第三次聚變在國外大約始於80年代初期，在國內則始於90年代初期。巧合的是，當1992年黃宗忠的《文獻信息學》問世時，剛好趕上北京大學圖書館學情報學系宣布易名爲信息管理系，此舉大大消減了文獻信息學的發展空間，而

---

⑧　同註㊴。
⑧　同註㊴。

這一年也是「信息高速公路」開始熱遍全球的一年。信息高速公路的主要目標是利用數字化大容量的光纖通信網絡，把政府機構、學校、科研單位、企業、醫院乃至家庭之間的計算機實現聯網，這樣，人們就可以通過終端機在辦公室或家中工作、學習、購物、娛樂、經商、交友，並實現熒屏上的雙向交流。信息高速公路計劃的部分目標很快由因特網（Internet）變為現實。在這樣的背景下，信息資源管理類學科認識到統一已是大勢所趨，資源共享不再是空想而是實實在在的現實，為此，它們從各種角度提出了整合方案，並最終形成了信息系統學派、記錄管理（文獻信息）學派和信息管理學派三大主流。❽信息資源管理的集成過程即第三次聚變還剛剛開始，人們還很難預計它所產生的能量，但有一點可以肯定，它將帶來的是人類生活方式的根本改變。

聚變的價值也在於它能夠釋放巨大的能量，但與裂變不同的是，聚變的生成需要強有力的外界因素的介入，否則就難以達到聚變的目的。回顧從圖書館學到圖書情報學到文獻信息學再到信息資源管理的學科發展歷程，可以說，聚變所帶來的價值和效益是勿庸置疑的，需要強調的是，無論各類信息資源管理學科也好，還是各類信息源管理部門也好，大家都不可過於貪戀局部利益，大家應該在資源共享的大目標和現代信息技術的大前提下，積極謀求聚變，以最大限度地利用全人類所創造的信息資源，服務用戶，造福社會，並最終促進人類的進步。

---

❽　同註❹。

㈣圖書館學的嬗變

　　無論裂變還是聚變，都是一種嬗變。嬗變也稱蛻變，是一種質變過程。對於圖書館學而言，每發生一次嬗變，它就朝著「非圖書館學」的方向邁進了一步。任何嬗變後的圖書館學，都是對嬗變前圖書館學的否定和揚棄，它包含著嬗變前圖書館學的合理內核，但又不是嬗變前的圖書館學。沒有人會否認，今天的圖書館學不同於施萊廷格提出的圖書館學，事實上，巴特勒的圖書館學已是對施萊廷格乃至杜威的圖書館學的否定。當圖書館學分離出情報學之後，它已不是分離前的圖書館學；當它們再次整合為圖書情報學時，這種一體化的學科自然也不同於分離前作為自然整體的圖書館學。任何事物在進化的同時都既是「我」又「非我」，這是進步的表徵，我們不必對此心存恐懼，不必在名稱上固執己見，有朝一日，當圖書館發展為一體化的信息中心時，即使它仍然稱作圖書館，但它也不是圖書館了。正如本書所論述的圖書館學，也許它的內容已發生了變化，但圖書館學本身也在發生變化，我們不掩飾這個矛盾，正是為了加速它的發展。

　　圖書館學體系的進化是連續性和間斷性的統一，嬗變主要是間斷性的一種表現。當發生嬗變時，圖書館學體系處於不穩定之中，各種學說競相出籠，百家爭鳴，求同存異，最後或裂變或聚變而達成新的穩定。穩定的連續性發展是任何事物進化的必要條件，如果長期處於非穩定態，就會對事物產生毀滅性的危險。圖書館學已在非穩定態之中存在了相當長的時間，從70年代以來，圖書情報學、文獻信息學、信息資源管理三次聚變相繼乃至交叉發生，致使圖書館學體系備遭侵蝕，若以圖書館學專業的課程結構為考察對象，不同院系之間的差別

之大幾乎判若異類，米勒的話可以證實這一點：「10年前，我可以確定地告訴你，圖書館學學院的畢業生可以做些什麼，但今天我卻不能肯定，因為圖書館學教育已不像從前那樣具有同質性。」❽在米勒看來，圖書館學教育領域唯一不變的因素就是變化了（Change is a Constant）。無疑，變化是必要的，但若圖書館學體系之間變化到無共同之處，大約離消亡也為時不遠了。我們強調的變化是圖書館學整體的變化，而不是圖書館學體系內部個體的變化；圖書館學理論當然也可多樣化，但其核心內容和基本結構不應有大的區別，這是任何一個成熟的學科所應具備的特徵。圖書館學已到了該穩定的時期，我們需要時間來發展嬗變後的圖書館學，以形成新的穩態結構。

圖書館學是在又分化又綜合的辯證運動過程中成長發展的。圖書館學的分化或裂變，是研究者對其研究對象的多樣性和複雜性的認識逐漸深化的反映；圖書館學的綜合或聚變，是人們對各種各樣的信息資源體系之間及與其相關因素之間所具有的內在聯繫的認識結果。這種又分化又綜合的過程，是互為影響、互相促進、交替出現的。這是當代科學發展的普遍特性的一種表現，也是科學發展一般規律的必然要求。圖書館學的每一次分化，以及在此基礎上出現的綜合，使得圖書館學的研究逐漸深入，研究範圍逐步擴展，圖書館學的面貌也為之改觀。圖書館學就是這樣不斷走向成熟，走向輝煌的。

---

❽　同註❻。

第二章　圖書館學流派與學說論評：西方

第一節　西方圖書館學流派

㈠西方圖書館學的源起

1983年，青年學者劉迅發表了「西方圖書館學流派及其影響」一文❶，將19世紀以來西方圖書館學領域所出現的各種思想與思潮歸納爲實用派圖書館學和理念派圖書館學兩大流派，這種理論歸納至今仍爲國內學界所樂道。然而，西方圖書館學果眞存在這兩個流派嗎？

西方圖書館學的源頭可以追溯到17世紀，法國學者諾德（Gabriel Naude）是對圖書館作出深刻理解和系統論述的第一人，他由此被譽爲「圖書館學的開山鼻祖」。諾德從1622年開始從事圖書館工作，足迹遍及歐洲各地，曾在法國、意大利、瑞典等國任圖書館館長職務，他所管理的法國紅衣主教馬贊林（Jules Mazalin）的私人圖書館是17世紀西方最著名的圖書館之一。1627年，諾德發表了《關於創辦圖書館的建議書》，系統地論述了自己的圖書館學思想。該書的英文版共分13章，內容爲：⑴致贊助人紅衣主教麥士姆（H.

---

❶　劉迅，西方圖書館學流派及其影響，圖書館學刊，1983（4）。

Mesme）；(2)為何要建立圖書館；(3)準備工作；(4)書的數量；(5)書的選擇；(6)書的採訪；(7)圖書館建築與地點；(8)書的排列；(9)裝潢與裝飾品；(10)創辦圖書館的目的；(11)注釋；(12)參考文獻；(13)人物索引。如果不涉及具體的內容，諾德的著作給人的印象只是一本「圖書館工作概論」；但諾德之所以享譽圖書館學界，正在於他所提出的超越時代的種種思想：(1)圖書館應當對公眾（主要是學者）開放；(2)圖書館不能僅限於搜藏古代善本，更為重要的是收藏當今的作品；(3)館藏不應當有傾向性和排他性，宗教書籍與一般圖書要一視同仁；(4)必須科學地管理藏書；(5)要慎重地選擇圖書館員，並給予相應的待遇和稱號；(6)要為藏書配備分類目錄和主題目錄，以便利館員和讀者；(7)允許讀者入庫選書和外借圖書；等等。❷❸諾德的思想在17世紀是超前的和具有進步意義的，其理論魅力折服了爾後包括萊布尼茨（G. W. Leibniz）在內的許多西方圖書館學者。但諾德的思想還不足以使圖書館學構成一門學科，它雖不時地閃耀著理性的光芒，主體卻是圖書館工作經驗的總結。

諾德的圖書館學思想在歐洲流傳開後，很快引起了圖書館界的積極響應，並在17世紀中後期形成了西方第一次圖書館學思潮。與諾德同時代的法國學者克萊門特（Claude Clement）率先於1635年出版了《圖書館組織論》一書，作為對諾德圖書館學思想的回應。1650年，英國皇家圖書館館長杜里（John Dary）出版《新圖書館員》，認為

❷ 袁咏秋、李家喬，外國圖書館學名著選讀，北京：北京大學出版社，1988. 226～238, 34～35, 315～345, 330, 387～394, 359～360, 389。

❸ 楊威理，西方圖書館史，北京：商務印書館，1988. 128～129, 138, 139～142, 231～233, 157～166, 334～346。

圖書館是用圖書幫助讀者學習的中介（factor），圖書館員的任務是「管理學術的公共庫存，增加這些庫存並採用對所有人最有用的方式使這些庫存成為有用的東西；」❹杜里的論著和思想開啓了英國圖書館學重管理的先河。德國大數學家和大哲學家萊布尼茨則是諾德之後17世紀西方最有創見的圖書館學理論家，他從事圖書館工作長達40餘年，其中26年任圖書館館長。萊布尼茨的圖書館學思想散見在各種書信和建議書中，概括地講，主要包括以下幾方面：⑴圖書館應當是用文字表述的人類全部思想的寶庫，通俗地講，是人類的「百科全書」，是「和一切時代的偉大人物相互對話的場所」；⑵評價藏書的標準應以質量為主；⑶圖書館必須有固定的經費，以保證圖書館的持續發展；⑷圖書館頭等重要的任務是想方設法讓讀者利用館藏，為此必須配置完備的目錄，包括全國性的聯合目錄；⑸圖書館要盡可能延長開館時間，允許讀者自由外借，並為讀者利用藏書提供便利的設施；等等。❺可以看出，萊布尼茨的思想是諾德圖書館學思想的邏輯發展，它更關注讀者，因而也更加全面和更有進步意義。但如前所述，萊布尼茨的思想更多的是一種「火花」，它未能以系統的理論形式出現，圖書館學在此仍處於萌芽狀態。

　　17世紀的輝煌過後，18世紀的西方圖書館學進入了低谷時期，未有理論大家出現。19世紀伊始，不甘寂寞的德國圖書館學領域開始營建圖書館學的「大廈」，這種自覺的以構建學科體系為目的的行為使

---

❹　同註❸。
❺　同註❸。

圖書館學第一次以學科的形式出現在學科之林中。從此開始，西方圖書館學沿著不同的方向發展，並隨著認識過程的深入特別是對圖書館學研究對象本質的逐步逼近，而形成了技術學派、管理學派、社會學學派、交流學派、新技術學派和信息管理學派等多種流派。

據我們的研究，西方圖書館學領域並不存在實用派圖書館學或理念派圖書館學這樣的流派。一個流派或學派的形成，需要學說的師徒相承、對學科研究對象的一致認識或共同採用一種新的研究方法等前提條件，需要多個學者圍繞一種學說展開研究或形成相關的學說群，而實用派圖書館學和理念派圖書館學都不具備這些條件。究其原因，實用派和理念派不過是圖書館學研究的兩種傾向，是任何一門學科的發展必需的兩個階段，若以此爲標準，任何一門學科都可以劃分爲實用和理念兩大流派。事實上，兩大流派的劃分也抹煞了西方圖書館學發展的多樣化特徵，影響了人們對西方圖書館學的正確認識。

(二)技術學派

技術學派是西方圖書館學史上出現的第一個學術流派。該學派的主要特徵是將圖書館看作一個孤立的實體，認爲圖書館學的研究對象是具體的圖書館技術、操作方法和工作內容。該學派的主要代表人物有德國的施萊廷格和艾伯特、丹麥的莫爾貝希（C. Molbech）和美國的杜威。

施萊廷格一生從事圖書館工作長達45年之久。在長期的實踐活動中，他逐漸形成了對圖書館的認識，並將這種認識系統地寫入了1808年出版的《試用圖書館學教科書大全》一書中，施萊廷格認爲，圖書館的作用是將所收集到的相當數量的圖書加以整理，並根據求知者的

各種要求將圖書提供給他們利用。圖書館工作的核心是圖書的配備和目錄的編制。與此相關，圖書館學就是符合圖書館目的的圖書館整理方面所必要的一切命題的總和。施萊廷格還提出了圖書館員培訓和教育的問題。❻施萊廷格的圖書館學體系是第一個以圖書館學教育爲目標而建立起來的較爲嚴謹的學科體系，是圖書館學邁入科學殿堂的第一步，其理論價值和意義是不言而喻的。若置於19世紀初期，這是一個近乎完美的體系，但就今天看來，施萊廷格的體系有兩個致命的缺陷：一是「圖書館學」一詞使用不當，不應以一個具體的社會機構來命名一個學科，二是學科範圍過於狹隘，將「圖書館整理」等同於圖書館學。施萊廷格體系的致命缺陷給迄今爲止的圖書館學造成了嚴重的後遺症，在很大程度上滯後了人們對圖書館學的認識。

　　事實上，施萊廷格體系的缺陷很快就被人們發現了。1921年，年輕的德國圖書館學家艾伯特發表匿名文章，批評施萊廷格的「圖書館整理說」過於狹窄，他認爲，圖書館學至少應包括圖書館整理和圖書館管理兩部分內容，圖書館學是「圖書館員執行圖書館工作任務時所需要的一切知識和技巧的總和」。艾伯特的圖書館學體系得到了丹麥圖書館學家莫爾貝希的支持，他在1929年出版的《論公共圖書館》一書中系統地闡釋了艾伯特的圖書館學思想，史稱艾伯特—莫爾貝希體系。❼客觀地分析，艾伯特和莫爾貝希的圖書館學體系要全面一些，但它仍不過是施萊廷格體系的補充與發展，其實質是一致的。

---

❻　圖書館學百科全書編委會，圖書館學百科全書，北京：中國大百科全書出版社，1993．408～409, 273, 398, 515～576, 718, 304, 706, 705, 514。

❼　黃宗忠，圖書館學導論，武漢：武漢大學出版社，1988．104, 117, 18～22。

　　一般認為，美國圖書館學家杜威是技術學派圖書館學的集大成者。杜威一生創立了許多圖書館學領域的世界之最：1876年，杜威等人發起成立了世界上第一個圖書館協會——美國圖書館協會，創辦了第一份圖書館學刊物——《圖書館雜誌》，同年他還出版了世界上第一部十進制分類法——《杜威十進制分類法》；1887年，杜威又成立了世界上第一個正規的圖書館學教育機構——哥倫比亞大學圖書館管理學校；杜威還開辦了圖書館用品公司並主持公司業務長達28年之久。杜威是銜接19世紀和20世紀的圖書館學大家，他的圖書館學思想集中體現在以下幾個方面：(1)圖書館是最好的教育場所，是「民衆大學」；(2)圖書館工作是一種專門職業，必須對圖書館工作人員進行培訓；(3)讀者需要高於一切，圖書館員不僅要為讀者提供借閱服務，也要為讀者提供情報，回答讀者五花八門的問題，乃至於為讀者演唱歌曲和講故事；(4)圖書館的目標是「以最低的成本、最好的圖書，為最多的讀者服務」；(5)倡導圖書館管理的科學化、標準化和規範化，為此，杜威親自編寫了簡便易用的十進制圖書分類法，提出了「在版編目」的創議，推動了圖書館設備、用品、目錄卡片等的標準化進程，進行了縮寫字規範化的工作；(6)圖書館藏書應包括畫圖、幻燈片和其它媒體資料；等等。總括起來，杜威的圖書館學思想可用他自己的一句話來概括：不追求理論上的完整體系，只從實用的觀點出發來設法解決實際的問題。❽杜威是一個實踐家，他做過圖書館館長、圖書館管理學校校長、圖書館用品公司經理等多種職務，豐富的實踐經歷既造就了他的非凡業績，也培養了他的思維方式——習慣於從具體的工

---

❽　同註❸。

作和技術角度入手思考圖書館學的理論問題。杜威的圖書館學思想因其巨大的聲望而長時間地主宰著美國乃至世界上許多國家的圖書館學領域，這對於圖書館學而言既是好事也是壞事，從好的方面考慮，它鼓勵圖書館工作人員著眼於實際工作，多做有益於讀者的事情，從而推動了圖書館學實踐的發展；從消極的方面考慮，它禁錮了人們的思維，延遲了圖書館學的科學化進程。

技術學派的歷史貢獻是確立了圖書館學的學科地位，在經驗總結的基礎上對圖書館學進行了初步的抽象，從而形成了經驗圖書館學的體系框架。技術學派是整個19世紀圖書館學的主流，由於它切近圖書館工作人員的直接經驗，迄今在世界各國的圖書館基層工作者中仍有很大的影響。

㈢管理學派

管理學派的出現稍晚於技術學派，它也是19世紀主要的圖書館學流派之一，迄今在英、美兩國仍有很大影響。《不列顛大百科全書》曾這樣寫道：「圖書館管理學（Library Economy）是這門學派最初使用的名稱，直到20世紀仍繼續使用，尤其是在英國。」❾這說明管理學派的圖書館學在英國有著悠久的歷史。事實上，如果追溯得遠一些，17世紀的杜里可以算是管理學派的先驅人物。管理學派的主要特徵是將所有圖書館工作納入圖書館管理過程，並將這個過程視作圖書館學的研究對象。管理學派的主要代表人物有英國的帕尼茲、愛德華茲、K. C.哈里森、賓漢姆、C.哈里森等人。

---

❾　同註❷。

　　帕尼茲是意大利人，後因政治避難到了英國。他從1831年起參加大英博物館的工作，前後共奮鬥了35年，直到1866年因身體欠佳退職。由於他的傑出貢獻，人們稱他爲「圖書館員的拿破崙」，英國政府也爲此授予他貴族稱號。帕尼茲的圖書館學思想概括起來主要有以下幾點：(1)國家圖書館要與該國的國際地位相適應，「不列顛博物館應當收藏世界上一切語種的有用的珍貴圖書。英文的藏書應當是世界第一的，俄文藏書應當在俄國境外是第一的，其他外文的收藏也應當如此」；(2)圖書館必須有充足的經費做保證；(3)要嚴格執行呈繳本制度，要善於利用法律手段維護圖書館的利益；(4)要堅持標準化和科學化的管理，帕尼茲爲此制訂了91條著錄條例，該條例至今仍是有關國家著錄標準的基礎；(5)注重圖書館建築研究，親自參與設計和建造了著名的圓頂閱覽室和鐵製書庫；(6)注重改善圖書館員工的待遇，調動他們工作的積極性；等等。❿帕尼茲的圖書館學思想嚴格地說是一種圖書館管理思想，他注重國家圖書館研究，強調用法律手段解決經費和呈繳本等問題，突出標準化、建築、圖書館員工的科學管理，這些特色都爲爾後的英國圖書館學所繼承。

　　愛德華茲因在《英國公共圖書館法》制定和頒布過程中的出色貢獻而聞名於世，他也因此被譽爲「英國公共圖書館運動精神之父」。愛德華茲從1839年起曾在不列顛博物館工作了12年，並參加了帕尼茲91條著錄條例的編寫工作。在他與其他同仁的倡導下，英國議會於1850年通過了世界上第一部圖書館法，他旋即於1851年赴曼徹斯特圖書館（這是根據《英國公共圖書館法》建立的第一所圖書館）出任館

---

❿　同註❸。

長。愛德華茲一生著述很多，他的圖書館學思想集中體現在1859年出版的《圖書館紀要》（Memoirs of Libraries）一書中。該書分「圖書館史」和「圖書館經營」兩大部分。「圖書館史」論述了圖書館業務工作、行政、財政、法律、建築和圖書館運動的歷史，尤以公共圖書館基本原則的論述最引人注目。「圖書館經營」又分4篇，第1篇「藏書」論述藏書原則、寄贈、國際交換、採購等；第2篇「圖書館建築」論述公共圖書館建築的原則和採光、溫度控制、設備等問題；第3篇「分類與目錄」包括目錄概論、分類組織、規則、索引等；第4篇「內部組織與公共服務」論述圖書館員工、內部管理、圖書館管理委員會、開架制等問題。❶愛德華茲的圖書館學思想也是以管理為主線的，即使論述圖書館歷史也是如此。應該說，管理是圖書館的靈魂，強調管理是必要的；但是，過分強調管理又容易使圖書館學流於具體、瑣碎和程式化，這正是愛德華茲乃至整個管理學派的不足。

　　K.C.哈里森是英國現代圖書館學家，他於1950年出版的《圖書館學基礎》到1980年已出了修訂第5版。該書以英國圖書館學為背景，系統論述了作者的圖書館學思想。全書共分10章，內容為：⑴國家圖書館、大學圖書館和專業研究圖書館；⑵公共圖書館；⑶圖書館的行政和財政；⑷圖書館之間的資源共享；⑸圖書館協會；⑹圖書館人員管理；⑺圖書館部門和工作方法；⑻館藏；⑼館藏組織；⑽參考資料和目錄。❷不難看出，這樣的體系結構是與愛德華茲的「圖書館管理學」一脈相承的。與通常的「基礎」或「概論」性著作不同，作者沒

---

❶　同註❷。

❷　Ｋ．Ｃ.哈里森著，佟富譯，圖書館學基礎，北京：書目文獻出版社，1987。

有在開篇論述圖書館的概念和圖書館學研究對象等，他直接從國家圖書館和其他類型圖書館開始切入主題，然後以管理爲綱組織圖書館學知識，簡練，實用，突出英國圖書館現狀和具體事例，易學易懂，殊少理論色彩，對初學者尤其適用。

賓漢姆和C.哈里森於1990年出版的《圖書館學基礎》也已是第3版了。他們都是英國的大學教師，寫作的目的主要是爲教學服務。該書共分12章，內容爲：(1)圖書館、情報服務和其它相關組織的功能與目的；(2)組織、管理和員工培訓；(3)圖書館資料的獲取；(4)分類；(5)編目和標引：傳統方法；(6)編目和標引：機讀方法；(7)圖書館日常工作；(8)圖書館資料的排架與貯存；(9)信息源；(10)圖書館合作；(11)圖書館出版物的目的、利用、生產以及版權和公共外借；(12)圖書館中的信息技術。❸與K.C.哈里森的體系相比，該體系也只是增加了一些與現代技術有關的內容而已，總體框架結構基本上是一致的，這就是延續了近兩個世紀的英國圖書館學的特色，英國的「保守」在此表露無遺。

管理學派圖書館學主要是指在英國生成並代代相傳下來的圖書館學流派，其它國家雖然也有圖書館管理學，有些國家（如美國等）還非常注重圖書館管理，但這些國家的圖書館管理學只是圖書館學的一個分支，不像英國圖書館學那樣處處刻有管理的烙印。管理學派抓住了管理這個關鍵環節，以之統率圖書館學，使管理知識與圖書館學融爲一體，特色鮮明，豐富了圖書館學的內容。其局限性則在於理論層

---

❸　R. Beenham, Colin Harrison. The Basics of Librarianship. London: Library Association Publishing Ltd., 1992.

次不夠，不足以在多個層面指導圖書館實踐，尤其不利於圖書館的創新與拓展。

(四)社會學學派

社會學學派是由於導入了新的研究方法而形成的圖書館學流派。早期的社會學學派也稱芝加哥學派，其核心成員是芝加哥大學圖書館學院的師生，主要包括威爾遜（L. R. Wilson）、韋普爾斯（D.）、巴特勒、約凱爾（C. B. Joeckel）、比爾斯（R. A. Beals）和謝拉等；另據統計，1930～1950年間美國共完成了68篇圖書館學博士論文，這些論文都是芝加哥大學研究生院的產物，其主導潮流是歷史和社會研究。❶❹❶❺如果將芝加哥學派置於其產生的社會背景中考察，可以發現，芝加哥大學也是最早建立社會學系並授予社會學博士學位的美國大學，在20世紀20～40年代，芝加哥大學還是美國乃至世界的社會學研究中心，其社會學研究力量如此強大以致於當時芝加哥大學其它社會科學研究無不受其影響；❶❻巧合的是，社會學中也有一個芝加哥學派，它與圖書館學中的芝加哥學派相互輝映，適成對照。芝加哥學派的出現極大地影響了美國圖書館學的發展進程，其影響進一步擴展到西方世界，就逐漸形成了圖書館學的社會學學派。社會學學派的主要特徵是引入社會學研究方法，將圖書館置於社會之中進行考察，

❶❹　賴鼎銘，圖書館學的哲學，台北：文華圖書館管理資訊股份有限公司，1993．31～32, 21, 23～24, 187, 215, 175, 231。

❶❺　杰西·H·謝拉著，張沙麗譯，圖書館學引論，蘭州：蘭州大學出版社，1986．221～223, Ⅱ, 59～86。

❶❻　社會學概論編寫編，社會學概論，天津：人民出版社，1984．394～396。

認爲圖書館學的研究對象是「社會記憶」或「社會精神」的移植過程。社會學學派的主要代表人物包括美國的巴特勒、謝拉和德國的卡爾斯泰特等。

巴特勒出生於1886年，1912年獲哲學博士學位，1916年開始從事圖書館工作，1928年被聘爲芝加哥大學圖書館學院的兼職講師，1931年正式調入該學院工作，1952年退休，1953年因車禍不幸辭世。巴特勒的著述有多種，但其圖書館學思想主要體現在1933年出版的《圖書館學導論》之中，謝拉評論這本書是「圖書館思想發展的眞正里程碑」。⓱

巴特勒圖書館學思想的發源是從對當時支配美國圖書館界的偏愛技術而忽視理論的傾向進行激烈批評開始的。他在《圖書館學導論》的序言中指出，圖書館員對自己職業的理論領域的淡漠是不可思議的，他們在理性方面的興趣似乎僅限於滿足使直接的技術過程合理化，而企圖將這些合理化概括爲專業哲學的做法不僅是無益的，而且是危險的；他接著指出，對於每一個圖書館工作者而言，最爲重要的是系統地理解自己正在做的事情，而這就需要理論的指導。巴特勒爲此從科學、社會學、心理學、歷史和實踐等多種角度對圖書館進行了系統的分析與論述。他首先從科學和科學方法談起，認爲圖書館學的研究對象是通過圖書這種媒體將社會積累的經驗（或知識）傳遞給社會的過程，這個過程從讀者的角度來看就是「獲取知識的過程」或「通過閱讀而學習的過程」。對圖書館的社會學分析是巴特勒圖書館學思想的核心，他認爲，「社會對於一本書的出版的貢獻遠遠大於該

⓱　同註❷。

書作者的貢獻」，他由此從個人的認知記憶談到書寫形式的發明再談到書的性質，「書籍只是知識的記錄而已」；然後，他又談到通過閱讀的學習過程，這是一個無休止的智能的新陳代謝過程，是現代社會結構的重要組成部分；他還指出，「對群體特徵和活動的持續的社會學研究是確保每一個社會機構改革成功的唯一的安全指南」，可見社會學方法在巴特勒認識中的重要性。在接下來的「心理學分析」和「歷史分析」兩章中，巴特勒分別論述了閱讀行為、閱讀動機、閱讀類類型、閱讀效果等心理學問題，以及圖書的歷史、知識的歷史、科學的歷史、學術的歷史等歷史問題。最後，巴特勒從實踐的角度論述了圖書館學（理論）的價值和圖書館學與圖書館實踐的關係，他在《圖書館學導論》的末尾寫道：「……只有當圖書館學將其注意力從過程轉向功能時，上述事情才會成為可能；唯其為此，人們才能從圖書館學的層面來認識圖書館現象。」⓲

　　巴特勒是圖書館學理論家，他所創立的學說具有超越時代的理論價值。巴特勒也是圖書館學理論的鼓動者，他在1943年出版的《圖書館學的參考職能》一書中這樣談到：「一些圖書館員不喜歡也不相信理論，他們只知道社會需要有效的圖書館服務，而不清楚社會也需要理論觀點。他們耽心對專業理論的探索會導致對實際工作的忽視。另外一些圖書館員則認為，圖書館的全部工作，應接受理論分析的指導，這種分析將揭示基本規律和原則。他們相信一套完美的圖書館學理論是可以在不損害實際工作效率的情況下向前發展的，甚至還相

⓲　Pierce Butler. An Introduction to Library Science. Chicage: Chicago: The University of Chicago Press, 1933.

信，必須在建立了這套完美的理論之後，圖書館員才能在他們的實際活動範圍內勝任他們的工作。」⑲巴特勒無疑贊成後一種觀點，事實上，理論已成了巴特勒的一種信念。巴特勒的圖書館學理論開啓了美國圖書館學發展的一個新時代，但他的理論似乎只是一個宣言書或一個綱要，它過於簡略且不系統，還有待於充實和發展。

謝拉是繼巴特勒之後美國又一位傑出的圖書館學理論家，他同時也是一位情報學家。謝拉生於1903年，1927年獲耶魯大學文學碩士學位，同年開始從事圖書館工作，1938年進入芝加哥大學圖書館學院攻讀博士學位，第二次世界大戰期間任美國戰略服務署中央情報部副主任，1944年獲芝加哥大學圖書館學博士學位並留校工作，1952年受邀赴西部後備大學任圖書館學院院長，1953年接辦美國文獻學會會刊《美國文獻工作》，1956年倡議設立「圖書館與情報學」博士學位，1970年退休後主要從事著述和講演，1982年去世。美國圖書館協會在1982年年會通過的一項決議中稱謝拉是一位「學者、先知、聖人、哲學家、教育家，是圖書館事業史上最傑出的人物。」⑳謝拉是一位高產作家，他所出版的書籍和發表的文章共有457件，其中的代表作主要有《公共圖書館的基礎》（1949）、《圖書館學的社會學基礎》（1971）、《圖書館學教育的基礎》（1972）、《圖書館學引論》（1976）等。

作爲芝加哥學派的成員，謝拉的圖書館學思想深受社會學的影響，從這個意義上說，他是社會學學派的代表人物。據文獻記載，謝

---

⑲　同註❷。
⑳　同註❷。

拉早在耶魯大學攻讀碩士學位時，就對圖書館學的社會學方面產生興趣，後來在芝加哥大學攻讀博士學位時，因與社會學博士湯普森（W. S. Thompson）的交往，這種興趣益發強烈；1971年，謝拉出版了他研究圖書館社會學的專著《圖書館學的社會學基礎》，最終將自己的興趣化為行動和著作。謝拉認為，圖書的集合並不等於圖書館，圖書館也不僅僅是一個保存圖書的地方，這裡所說的圖書館是一個組織，是一個保存和便於利用的文字記載系統；換言之，「把知識用書面記錄的形式積累起來，並通過個人把它傳遞給團體的所謂書面交流的機關就是圖書館。」❷❶可以看出，謝拉的圖書館認識與巴特勒的圖書館學思想是一脈相承的，它們的共同之處就在於所採用的方法——主要是社會學方法——是相同的，謝拉圖書館學理論的精華是「社會認識論」，這部分內容我們將在「交流學派」中闡述。

　　德國圖書館學家卡爾斯泰特也是社會學學派的代表人物。他於1954年出版了《圖書館社會學》一書。他認為，為了建立和維持各種社會形象，必須具有和維持與這些社會形象相應的社會精神，圖書館就是維持和繼承這種社會精神的不可缺少的社會機構，它擔負著把這種社會精神移入作為社會形象載體的社會成員的職能，它所採用的手段就是搜集、保存和傳遞社會精神客觀化的圖書。在此，圖書館是在社會形象中使世代結合的紐帶，客觀精神是圖書館與社會相互作用與聯繫的中介。❷❷卡爾斯泰特的論述雖帶有日爾曼民族長於思辯的特

<hr />

❷❶　同註❷。

❷❷　P. Karstedt. Studien Zur Soziologic der Bibliothek. Wiesbaden: Harrassowitz, 1954.

徵，但文字本身只是形式，透過這種形式，「客觀精神」與巴特勒所定義的「社會知識」的本質是一致的，這也是社會學派的邏輯起點。

社會學學派從社會入手，將圖書館界定爲移植人類記憶或客觀精神的社會機構，這種認識確定了圖書館在社會中的坐標，促進了圖書館學與其它學科的交流。社會學學派也改變了技術學派和管理學派「重過程」的傳統，它更注重圖書館的功能，注重圖書館與讀者和社會的交互作用，這樣也就蘊育了「交流學說」的種子。社會學學派的不足在於它過分追求理論的完美，這種熱衷甚至令巴特勒也感到「科學得眞是太過頭了」。㉓社會學學派在世界範圍內也有廣泛的影響，譬如日本㉔和我國㉕都有學者從事圖書館社會學的研究並撰寫過有關著作。

(五)交流學派

交流學派是隨著情報學的分離、發展及其對圖書館學的反作用而形成的圖書館學流派，它因此也稱爲圖書館學中的情報學派。交流學派的主要特徵是融合情報學的理論與方法，注重情報分析和用戶研究，認爲圖書館學的研究對象是社會知識交流現象、情報交流現象或科學交流現象。交流學派的代表人物主要有謝拉、奧爾（J. M. Orr）、英格沃森（P. Ingwersen）、瓦卡里（P. Vakkari）和沃西格（G. Wersig）等。

㉓　同註⓯。

㉔　加藤一英，河井弘志，圖書館社會學，東京：日本圖書館學會，1980。

㉕　卿家康，文獻社會學，武漢：武漢大學出版社，1994。

　　謝拉是20世紀中後期美國圖書館學和情報學兩個領域的雙棲理論家，他的學術生涯大約可劃分爲兩個時期；50年代之前主要從事圖書館實踐與研究，50年代之後則積極參與美國文獻學會的重建工作和情報學的創建工作，到60年代，他已成爲「世界知名的情報學領域的元老」。他還曾獲得國際圖書館學榮譽學會獎、杜威金質獎、美國情報科學學會優秀獎等多項榮譽。㉖謝拉的跨學科實踐和研究表現在學術領域，就形成了融圖書館學與情報學爲一體的「社會認識論」，這也是銜接社會學學派與交流學派的理論學說。謝拉的社會認識論萌發於50年代而完善於70年代後期的《圖書館學引論》之中，謝拉認爲，文化是維繫社會的內在力量，沒有文化，社會就不能發揮作用，更無所謂存在了；而文化本身又是一個社會的知識、思想和共同信仰的集合體，從廣義上而言，文化是由物質裝備、文化修養和社會組織三個方面構成的，交流在文化的構成要素之間起溝通的作用（見圖2−1），「交流使文化成爲一種聚合的整體，並使其有可能在社會中發揮作用。文化通過交流傳播系統將我們作爲人類這一物種進行著塑造，同樣塑造著個人。的確，交流一詞的含義就是共享。當兩個或兩個以上的人交流思想時，他們就是一個共享的統一體。因此，文化可以被看成是人們在交流中所共有的習慣、行爲及信仰。由於交流不僅對個人的個性十分重要，而且對社會結構、社會組織及其活動也是重要的，所以它成了圖書館學研究的中心內容。然而圖書館不僅是一種社會文化現象，或者是社會的工具，而且是交流傳播網絡中的重要組成部分。」交流是謝拉社會認識論的核心，交流一般是涉及兩個或兩個以

㉖　同註❷。

上的人的社會現象，交流過程通常包括傳遞者、接收者、信息和傳遞媒介物四個因素，整個社會結構中起作用的所有交流形式的形成、流通、和協調消費是社會認識論研究的重點，知識與社會活動的相互影響則是重點中的重點。❷❷謝拉的社會認識論內含著巴特勒圖書館學思想的合理要素，其涉獵領域之廣已遠遠超越了圖書館學的視野，它已演化爲一種認識社會的普遍的方法論，這是一個龐大的學術工程，謝拉本人是無法完成的，他只是提出了一種設想而已。値得說明，謝拉在《圖書館學引論》中多次論及情報學及其理論思想，他還請兩位青年學者幫他寫第四章「機器的神通」和第八章「圖書館與情報服務」，這不僅表明圖書館學和情報學在謝拉的意識中是合而爲一的，而且也體現了謝拉虛懷若谷、不耻相師、善待「知與不知」的高尙風範。

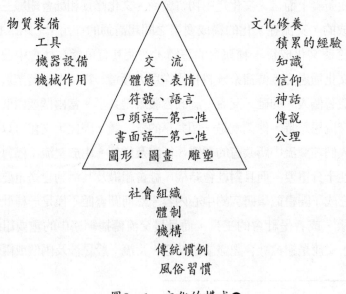

圖2-1　文化的構成❷

　　奧爾（J. M. Orr）也是美國圖書館學家，他於1977年出版了《作為通信系統的圖書館》一書，在書中，他引入了通訊和傳播理論，對人、圖書館和計算機三個系統進行了比較。他認為，圖書館系統是人類社會組織系統的一部分，是人類通信系統的補充，是知識的傳遞系統，它反映了人類自身的知識體系。❸ 奧爾的圖書館學理論準確地說是通信與傳播理論在圖書館學中的應用，但他跳出圖書館學的框架來認識圖書館「廬山真面目」的做法本身是值得讚賞的，他關於「圖書館是人類知識體系的反映」的認識也是正確而切中要害的。

　　英格沃森是丹麥的圖書館和情報學家。他認為情報學是一個屬概念。而圖書館學只是情報學範圍內的一種特殊的研究和發展（R&D）活動。在他看來，圖書館學所關心的只是發生在圖書館中的情報過程，它是情報學的特例，譬如，情報檢索在圖書館學中稱為參考工作，情報管理則演變為圖書館管理。❸ 也就是說，英格沃森所稱的情報學實際上已是圖書館學和情報學的一種聚合體，其研究對象是普遍的情報過程或情報交流現象。

　　德國圖書館和情報學家沃西格對圖書館學和情報學關係的認識則

---

❷⑦　同註❺。

❷⑧　趙成山，圖書館學交流說及其在中國的發展，中國圖書館學報，1995（6）：25～31。

❷⑨　同註❺。

❸⓪　J. M. Orr. Libraries as communication systems. Connecticut: Greenwood Press, Inc., 1977.

❸①　P. Ingwersen. Conceptions of Information Science. See: P. Vakkari, B. Cronin. Conceptions of Library and Information Science. London: Taylor Graham, 1992. 299～312.

更爲激進，他從本體論的意義上否認圖書館學的存在。在沃西格看來，特殊類型的機構不能爲一個科學或學術領域提供堅實的基礎。「只要沒有醫院學或監獄學這樣的領域，圖書館學的概念也就無法令人信服」（As long as there are no disciplines such as hospital science or jailhouse science, the concept of library science is not very convincing）。儘管如此，沃西格並不否認諸如圖書館等機構的問題可以通過科學方法來解決，這些方法本身可以構成一種知識集合，但這種知識集合更多地是一種研究領域而不是一門學科。沃西格還認爲情報學是研究情報機構而非圖書館的一門學科，同時他又將圖書館視之爲一類提供情報存取的情報機構，這種表述在邏輯上雖然自相矛盾，但它恰好說明了情報學與圖書館學之間「剪不斷、理還亂」的複雜關係。❷

瓦卡里是芬蘭著名的圖書館和情報學家，他在「圖書館和情報學：內容與範圍」一文中認爲，「情報學從概念方面包含了我們的學科（包括圖書館學在內）論域的必要因素」，因此將「圖書館」和「情報學」併列作爲學科名稱是不經濟的和沒有意義的，「圖書館學僅是情報學的一個應用領域」。他還談到，「情報學從其產生伊始就具有重視目的（purpose-minded）的特徵。儘管它的名稱從圖書館學變爲文獻工作（documentation）再變爲情報學，它的目的卻總是爲特定的實踐活動提供支持。從施萊廷格到布拉福德（S. Bradford）

---

❷　G. Wersig. Information science and theory: A weaver bird's perspective. See: P. Vakkari, B. Cronin. Conceptions of library and Information Science. Londen: Tayler Graham, 1992. 201〜217.

再到貝爾金（N.　Belkin），情報學領域經歷了長時間的、持續的進步，情報學決心達到的目的就是促進所需情報的存取。情報研究正是在這一原則的支撐下發展起來並走向繁榮的，依據這一原則它在未來將繼續擁有自己的領地」。❸瓦卡里所談的情報學無疑是指第一次聚變後產生的圖書情報學，它排斥了圖書館學的非科學因素而將其核心內容融入了統一的情報學之中，這也是80年代末90年代初歐洲大陸圖書館學和情報學的發展趨勢。

　　從某種意義上說，交流學派圖書館學是社會學學派圖書館學的延續，巴特勒的圖書館學理論已邏輯地內含著社會知識交流思想。但我們注意到，交流學派的產生卻是與情報學聯繫在一起的，它可以說是圖書館學和情報學交互作用的產物。情報學具有重技術的傳統，這種傳統通過交流學派的學說進而影響圖書館學，終至形成了圖書館學中的新技術學派。

㈥新技術學派

　　新技術學派出現於60年代，它是以計算機技術爲核心的現代信息技術在圖書館領域應用的產物。由於新技術學派注重引進和發展新的信息技術，注重以新的信息技術爲前提預測圖書館的未來趨向，因此它也稱作未來學派。新技術學派的主要代表人物有利克利德（J.　C. R.　Licklide）、蘭開斯特、湯普森（James　Thompson）、克勞福

---

❸　P. Vakkari. Library and Information Science: Its Content and Scope. See: Irene P. Godden. Advances in Librarianship（Vol.18）. San Diego：Academic Press, 1994.

特、戈曼、道林（K. E. Dowlin）等人。

　　利克利德是美國圖書館學家，他於1965年出版了經典之作《未來的圖書館》。他認爲，隨著新技術的迅速發展及其在圖書館的應用，圖書已不再是適宜的信息貯藏物，這樣，當人們最終拒絕接受圖書是一種有效的信息傳輸機制時，他們也就會拒絕接受圖書館。利克利德強調信息查詢者與信息本身的動態交互，他甚至還設想了一種可以形成「新圖書館網絡」的預知系統（precognitive system）：用戶可以通過名爲「共生者」（symbiont）的機器進行存取，「共生者」的鍵盤和顯示部件允許用戶觀察文獻、圖形、書目引文並可執行書目查尋及其它功能。㉞利克利德是新技術學派的先驅人物，他的未來圖書館理論已具備了新技術學派的特徵，可以看出，這是一種「技術決定論」。

　　蘭開斯特是美國著名的圖書館學家和情報學家，他從1970年以來一直執教於伊利諾伊大學圖書館和情報學院，主要著作有8種，其中以《情報檢索系統——特性、試驗和評價》（1968）、《圖書館服務的測量與評價》（1977）、《走向無紙信息系統》（1978）、《電子時代的圖書館和圖書館員》（1982）等最爲知名。蘭開斯特的未來圖書館理論可歸納爲以下幾點：(1)他基於計算機在情報存貯、檢索和傳播方面的應用，大膽地預測了2000年前後無紙信息系統的發展及技術細節，而這一切現在都已成爲現實；(2)他探討了無紙信息系統對科學交流的影響，認爲「在全部電子化環境中，正式和非正式交流之間

㉞　汪冰，電子圖書館理論與實踐研究，北京：中國科學院文獻情報中心博士學位論文，1997. 19, 22～24.

的區別將趨於模糊」，網絡信息交流將使正式交流渠道和非正式交流
渠道之間的共生關係越來越明顯；(3)他分析了無紙信息系統的實施可
能遇到的技術方面、智能方面、社會和心理方面等諸多問題，這些
問題可能比較棘手，「但看來沒有哪一個問題會成爲不可逾越的障
礙」，換言之，無紙信息系統的實施和普及是必然的趨勢；(4)他探討
了圖書館在無紙社會中的作用，認爲未來的圖書館要嘛演變爲「收藏
舊印刷記錄的檔案和提供娛樂消遣方面的閱讀材料的機構」，要嘛就
是爲那些沒有計算機終端的人而存在；(5)他預測了無紙社會中圖書館
員的角色變化，他認爲，2000年的圖書館員「將是一個自由的情報專
家，可在辦公室或自己的家裡爲那些求助於他的人工作，幫助他們開
發利用各種可獲得的、豐富的信息資源」。❸❺❸❻蘭開斯特本人是情報
檢索專家，他對未來圖書館的預測是建立在技術預測的基礎上的，爲
此，他所做的預測中的許多技術內容都已化爲今天的現實；但他的預
測較少考慮社會、心理、經濟等多方面因素，因此對於無紙社會及圖
書館和圖書館員的作用的預測未免失實。但無論如何，蘭開斯特都是
一個偉大的圖書館「預言家」，人們接受他的理論也好，否認他的理
論也好，都不會掩蓋其奪目的光芒：時間是最好的檢驗者。

　　湯普森是英國圖書館學家，他在《圖書館的未來》一書中闡述了
自己對未來圖書館的認識。該書寫於80年代初期，全部內容共分6
章：(1)無法利用的圖書館。主要分析了急劇增長的圖書館藏書與傳統

---

❸❺　F. W. Lancaster. Toward Paperless Information systems. New
　　York: Academic Press, 1978.

❸❻　F. W.蘭開斯特著，鄭登理、陳珍成譯，電子時代的圖書館和圖書館員，
　　北京：科學技術文獻出版社，1985。

的組織和檢索手段之間的矛盾，以及經費拮據對圖書館服務能力的制約；(2)先發制人的技術。指出計算機和電信技術的有效結合正是解決圖書館危機的根本途徑；(3)電子存貯。通過對聯機檢索的回溯和比較研究，說明電子存貯即聯機數據庫的發展將是未來圖書館的核心；(4)數據橋梁。諸如文件提供服務、傳眞發送、全文系統、電子出版、電傳、光符識別、機器翻譯等都屬於數據橋梁——傳送數據給用戶的橋梁；(5)圖書的未來。電子出版物將取代印刷型圖書成爲新時代的主要形式；(6)圖書館的未來。「圖書館的結局可能是採取博物館形式並告別印刷時代」，但「圖書館員和圖書館的眞正任務——信息的選擇，存貯，組織和傳播——仍然和歷來的任務一樣；改變的只是圖書館的形態、結構和圖書館員處理信息的技術方法」。❸湯普森的未來圖書館學理論也許較少創意，但他博採眾家之說，內容翔實，邏輯順暢，時有眞知灼見，確爲優秀的圖書館學論著。

　　克勞福特和戈曼均爲美國加州資深的圖書館自動化專家。克勞福特從1968年起從事圖書館自動化工作，研究領域涉及圖書館、技術和個人計算機（PC），研究成果包括10本著作和數十篇論文；戈曼曾在芝加哥大學、伊利諾伊大學、加利福尼亞大學（Berkeley）和加利福尼亞州立大學（Fresno）的圖書情報學院講授圖書館學課程，研究領域主要涉及書目控制、圖書館自動化和圖書館行政管理，有著述多種。克勞福特和戈曼聯手於1995年推出力作《未來的圖書館：夢想、狂熱和現實》之後，在美國引起極大反響，有多篇書評高度評價該書

所取得的進展。該書共分12章，內容如下：⑴信條。克勞福特和戈曼認爲阮岡納贊的圖書館學五法則已不能適應今天和未來的圖書館情境（context），爲此他們提出了新的五法則，即圖書館是爲人類服務的、尊重所有的知識交流形式、理智地（intelligently）利用信息技術以改進服務、保護知識存取自由、讚美過去和創造未來；⑵印刷物的生命。印刷物既不會消亡也未受到損傷，有多種迹象表明，圖書館流通量和書籍銷售額都呈上升勢頭，連續不斷的新技術（包括電影、廣播、電視、計算機網絡等）只是建立了自己的市場而不取代圖書館，經過數百年發展的高度精密的印刷技術與電子信息技術將各擅勝場，互補共存；⑶技術迷的狂熱（The Madness of Technolust）。新技術不是萬能的，新技術只是舊技術的補充，大多數新的設備都失敗了，技術成功是極難預測的；⑷電子出版與分布（distribution）。以提供信息和數據爲主的印刷出版物將被電子出版物所取代，CD-ROM不會擁有巨大的市場，巨型聯機文本數據庫也運轉不靈，Internet只是由新方法所支持的「無形學院」，電子雜誌在特定範圍內效果良好；⑸與電子信息競爭。全世界的數據量平均每5年翻一番，但沒有工具能夠支持對大型、異質的全文本數據庫的有效檢索，這正是圖書館員的優勢；⑹破除全電子未來的夢想。通用工作站無法滿足學者對原始記錄的需求，數字轉換和存貯的成本使一般的轉換極不可行，電子分布的成本模型未包括脫機打印等項費用，Internet從來就不是免費的，沒有強大的公共圖書館及其持續的印刷收藏，電子分布也將失去優勢；⑺圖書館的敵人。圖書館在意識到自己的敵人的同時應識別和鼓勵自己的朋友，圖書館工作是重要的，改變職業名稱只能削弱和威脅它的未來，非中介化（讓用戶變爲自己的參考館員）的衝動是自殺

行為，圖書館不是受資助的書店，圖書館也不是保管員；(8)圖書館的多樣化。不同的圖書館和不同的圖書館用戶擁有不同的需求和問題；(9)館藏和存取的經濟學。完全建立在存取基礎上的圖書館服務是不現實也不經濟的，圖書館必須在館藏和存取之間求得平衡；(10)連續出版物危機的生存指南。連續出版物尤其是科技期刊價格的持續上漲已引發了一場危機，對此，一方面可以就印刷期刊、電子期刊、數據銀行等進行比較選擇，另一方面可從知識產權入手尋找解決方案；(11)未來圖書館：無墻圖書館。今天和明天的圖書館將越來越多地為遠方的用戶提供服務，它們必須尋求新的存取非本地信息和資料的方式，它們需要採用那些能夠擴展圖書館工作的工具和技巧；(12)好運屬於成功的圖書館（Successful Libraries Make Their Own Luck）。未來只有成功的圖書館，未來意味著印刷物和電子傳播的共存，意味著線性文本和超文本的共存，意味著以圖書館員為中介的存取和直接存取的共存，意味著館藏與存取的共存，意味著圖書館既是一座大樓又是一個界面。❸克勞福特和戈曼的《未來圖書館》完全可以稱之為經典之作，其中的一些論點雖還有待於完善和接受實踐的檢驗，但就其博大精深而言足以與巴特勒和謝拉的同類著作相提並論，它們都是美國圖書館學史上的里程碑。

道林則是美國著名的電子圖書館學家，據汪冰的研究，道林「是電子圖書館思想發展史上第一位明確電子圖書館的含義、特點和功能

---

❸　Walt Crawford, Michael Gorman. Future Librarles: Dreams, Madness & Reality, Chicago: American Library Association, 1995.

的學者。」❸道林於1984年出版了《電子圖書館：前景與進程》一書，在書中，他概括了電子圖書館的「二、三、四」。「二」即兩個原則：最大可能地存取信息，使用電子技術增加和管理信息資源。「三」即三個功能：資源功能、信息功能、通訊功能。「四」即四個特徵：利用計算機管理各種資源，通過電子渠道將信息提供者和信息查詢者連接起來，能使信息專家在信息查詢者需要的時候介入電子處理過程，能以電子方式存貯、組織和傳遞信息。❹1993年，道林應蘭開斯特之邀寫了「新型記錄圖書館：公共圖書館的30年展望（The Neographic Library:A 30-Year Perspective on Public Libraries）」一文，又提出了一個新概念：The Neographic Library。這種圖書館可用於處理各種信息、知識和閱讀材料的格式；其關注的重點是爲用戶傳送各種應用格式，提供整個社區信息和知識資源的總目錄、增加社區所需要和利用的信息和知識的存取，利用現有技術去管理資源和增加存取；The Neographic Library是圖書館員設計的、存取取向和用戶驅動的圖書館，其任務是消除無知。道林還以自己工作的舊金山公共圖書館的計畫爲依據，構築了對未來的預見，在他看來，未來的圖書館絕不是「無墻圖書館」，事實上，未來圖書館將擁有許多能將圖書館服務「輸出」到居民家中的視聽工作室，其建築具有「智能性」，是「社區網絡的中心」；他相信，電子技術能使圖書館爲用戶提供「小城鎮社區的氛圍和感覺」，同時又能使用戶獲得即時的全

---

❸　同註❸。
❹　Kenneth E. Dowlin. The Electronic Library: The Promise and the Process. New York: Neal-Schuman Publishers, Inc., 1984.

球聯通。❹道林的電子圖書館思想是新技術學派圖書館學邏輯發展的產物，其中的技術決定論色彩依然濃厚，但只要留心就可發現，「資源」已潛入了道林電子圖書館思想的深處。

新技術學派正在各個層面迅速取代早期技術學派的位置，一旦現代信息技術進入具體的圖書館工作部門，由傳統方法所支撐的早期技術學派的陣地就會土崩瓦解。就新技術學派自身的發展軌迹而言，又可分為三個階段：從60年代中期到70年代末，是以預測為主的時期，「技術決定論」的色彩極為濃厚；80年代初期到90年代中期，是以實踐為主的時期，「無墻圖書館」、「電子圖書館」、「虛擬圖書館」等諸多概念學說競相紛呈，技術仍然是這些理論的核心；90年代中期開始，理性分析又漸漸抬頭，唯技術傾向的一統天下風光不再，對當前和未來圖書館的分析預測更多地滲入了社會學、心理學、經濟學等因素，「資源中心」的思想有所體現。新技術學派的發展過程再次證明了圖書館學的進化規律，即圖書館學的突破往往首先從技術發端，爾後經過實踐的中介，最終還要回歸信息資源和用戶需求所組成的理論核心，新的理論正是在這個過程中產生和完善的。

(七)信息管理學派

信息管理學派是信息資源管理理論與實踐在圖書館學領域的發展所促成的圖書館學理論流派。就圖書館學自身的邏輯發展而言，信息

---

❹　Kenneth E. Dowlin. The Neographic Library: The 30-Year Perspective on Public Libraries. See:F. W. Lancaster. Libraries and the Future: Essays on the Library in the Twenty- First Century. New York: The Haworth Press, 1993, 29~44.

管理學派（或信息資源管理學派）是新技術學派進化的必然產物。就信息資源管理理論的發展而言，「信息管理」是信息資源管理的一種變體，使用「信息管理」一詞者多為圖書情報領域的學者，❷他們一方面將信息資源管理理論植入圖書情報學之中，另一方面又竭力將具體的圖書情報學理論提升和一般化，這樣就形成了具有圖書情報領域特色的信息管理理論。信息管理學派的主要特徵是注重信息資源的集成管理，注重信息資源在集成管理中的核心作用，注重一般信息管理理論的探索。信息管理學派的主要代表人物有馬丁、克羅寧（Blaise Cronin）、達文波特（E. Davenport）和斯特洛特曼等人。

　　馬丁是英國昆士大學（亦稱女王大學）的教學和研究人員，他於1988年出版了專著《信息社會》，其中專門闢出一章來論述自己的信息管理思想。他在談及信息管理產生的背景時認為，信息管理可以從兩個層次上來理解：其一，信息管理是圖書情報領域早已熟悉的挑戰的更為複雜的變體，它涉及信息擴散、信息載體的異質性、信息爆炸等問題；其二，這些問題的複雜化本身又是社會內部變化的結果，這些變化源於信息的機構化以及人們對信息的認知──信息是競爭優勢和利潤之源。信息管理是使有價值的資源隸屬於標準化的管理和控制過程以實現其價值的活動，更有效地說，它必須超越程序式的信息收集、貯存和傳播工作而致力於使信息利用及其貢獻為實現組織目標服務。信息管理的範圍廣及數據處理、文字處理、電子通信、文書和記錄管理、圖書館和情報中心、辦公系統、外向型信息服務、所有與信息有關的經費控制等領域，其組成要素則包括技術、專家、可利用的

---

❷　孟廣均等，信息資源管理導論，北京：科學出版社，1998。

資源和系統等。❸馬丁的信息管理思想深受源自美國的信息資源管理理論的影響，它是以假想中的集成信息管理爲研究對象的，它已不能稱之爲圖書館學理論，準確地說，它是從圖書情報領域發展起來的信息管理理論。

克羅寧是美國資深的情報學家，達文波特則是英國蘇格蘭的一位青年學者，他們合作於1991年推出的《信息管理原理》（Elements of Information Management）代表了信息管理發展的又一種方向，這是一種哲學層次的信息管理理論。克羅寧和達文波特不滿足於現有的理論思維與探索，他們試圖從直覺入手，運用模型、隱喻及相關的方法論，剖析信息管理的深刻內涵，並使之上升到一般理論的層次。該書共分5章，內容包括：模型、隱喻及轉喻；激活財產；價值分析；競爭優勢；商品與市場。他們認爲，信息管理產生的條件有三個：一是信息可以模型化，二是信息必須在特定情境中實現模型化，三是具有特定目的。他們進一步考察了信息資產模型化的四種情境即企業、政府、大學和圖書館，發現在這些情境中資產管理的目標是實現信息資源的潛在價值。他們還運用2×2矩陣表逐一分析了上述四種情境中信息資產的表現形式和類型以及如何激活這些資產的方法，以圖書館爲例，其信息資產可概括爲藏書、建築設施、職業技能、信譽、技術基礎、歷史遺產（heritage items）6種主要類型，它們又可歸入資產矩陣模型（見圖2-2），但由於缺乏生產、包裝、分配、營銷等手段，這些資產只是一種靜態的資產，我們必須運用資產管理

---

❸ W. J. Martin. The Information Society. London: Aslib, 1988. 95～104.

戰略才能激活這些資產，這些戰略包括轉讓、出租、特許經營、合同承包、重新估價和開發等。❹克羅寧和達文波特在《信息管理原理》中還多次論及圖書館，但圖書館在此無疑只是信息管理理論的一個具體的應用領域，其信息管理理論已超越多年來形成的信息行業及其觀念而發展爲一般意義上的信息管理理論。

	有形資產	無形資產
流動資產	圖書館藏書 特殊館藏	服務質量 職員技能
固定資產	建築設施 汽車	寄存物

圖2-2　圖書館資產❹

斯特洛特曼是德國的圖書情報學者和信息管理學家，他在1993年發表了「90年代的信息管理：概念框架」一文，系統地闡述了自己的信息管理思想。斯特洛特曼認爲，信息管理是對信息資源及相關信息過程進行規劃、組織和控制的理論，信息資源包括信息內容、信息系統和信息基礎結構三部分，信息過程則包括信息產品的生產過程和信

❹　Blasise Cronin, E . Davenport . Elements of Information Management . Metuchen: The Scarecrow Press, Inc ., 1991 .

❹　同註❹。

息服務的提供過程。如果將信息管理簡化爲一種「圈輪」結構，那麼處於核心的是信息管理，信息管理外層是信息服務背景，再外層是由信息提供者、信息分配者、競爭對手、顧客和支持性服務等要素構成的信息市場背景，最外層是由那些與信息市場發展有關的政策、經濟趨勢、社會政治變化、技術趨勢、法律、社會制度、市場規則等要素所構成的信息環境背景（見圖2-3）；而圖書館和情報服務則是信息

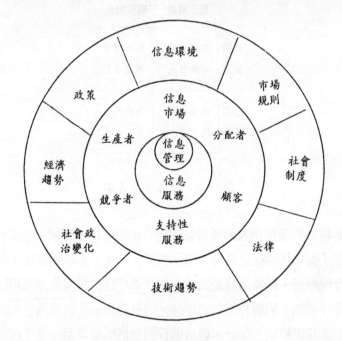

圖2-3　信息管理的圈輪結構❹

❹　Karl A. Stroetmann. Information Management for the '90s: A Conceptual Framework. International Forum on Information and Documentation, 1993 (2): 9~14.

服務的有機組成部分。斯特洛特曼認為，圖書館與情報服務必須在兩個方面改進其信息管理：在內部，它們必須改進對信息資源的管理以提高生產率、服務效果和質量；在外部，它們必須把握各類用戶的信息需求並設法滿足用戶的特殊需求以支撐它們的信息管理。斯特洛特曼將信息管理定位在信息服務的框架內是一個創舉，它充分體現了圖書情報學的思維特點，從這個意義上說，斯特洛特曼的信息管理理論是真正融合信息資源管理和圖書情報學理論的產物。

　　信息管理學派的理論已遠遠超越了圖書館學的規定性，它既是圖書館學也不是圖書館學。從肯定的意義上來審視信息管理理論，它包容了圖書館學的合理內核，是圖書館學進化與變遷的必然結果；從否定的意義上來審視信息管理理論，它與圖書館學理論有質的不同，它們之間是要素和整體的關係，而「整體大於部分之和」。信息管理學不會取代圖書館學，誠如克勞福特和戈曼所言：「在過去的年代中，當電影、收音機和電視普及開來時，人們曾幾次預言印刷物和公共圖書館將會消亡。然而現在的結果是，新的媒介建立了自己的市場——它們不僅沒有取代相反還增進了印刷物和公共圖書館的價值。」**❹**同理，信息管理學將在廣闊的領域和較高的層次建立自己的「勢力範圍」，圖書館學則將繼續在信息資源體系研究領域確立自己的優勢。

---

❹　同註**❸**。

第二節　俄羅斯和前蘇聯的圖書館學思想

(一)魯巴金與早期的俄羅斯圖書館學

進入20世紀之後，俄羅斯和前蘇聯逐漸成爲世界圖書館學的一支重要力量，其圖書館學思想和學說帶有鮮明的地域和政治色彩，繁榮時期的「蘇聯圖書館學」還曾是世界圖書館學的主流之一。

俄羅斯和前蘇聯圖書館學思想的發展歷程明顯地分爲三個時期：1917年之前爲第一時期，魯巴金（Н.А.Рудакин）是最主要的代表人物；1918年十月革命勝利到1991年前蘇聯解體爲第二時期，列寧的言論和丘巴梁的社會主義圖書館學學說是該時期的主流思想；1991年之後則爲第三時期，該時期俄羅斯圖書館學的發展呈現出多元化和無序化的特徵，初步形成的學術流派有文化學派、營銷學派和情報學派等。

魯巴金是十月革命前俄羅斯圖書館學最傑出的代表人物，「作爲一個著名的通俗作家、圖書館學家和目錄學家以及與革命團體有聯繫的進步的社會活動家，魯巴金把自己的一生都獻給了在人民中傳播知識的工作，獻給了圖書工作。」[48]魯巴金在圖書館學研究方面的貢獻主要表現在兩個方面：一是對自學和閱讀問題的研究，二是對圖書館藏書補充理論（又稱「圖書核心」理論）的研究，其中又以自學閱讀

---

[48]　О.П.科爾舒洛夫夫主編，彭斐章譯，目錄學普通教程，武漢：武漢大學出版社，1986．142～145。

研究最有代表性。早在1889年，魯巴金就開始研究圖書在各階層居民中的流通問題，他還擬定了一個內容豐富的「民眾文學研究綱要」以收集有關閱讀的普及性方面的社會學材料；1885年，魯巴金出版了《俄國讀者初探》，用大量的事實材料概述了各階層居民中閱讀普及的情況，並對圖書工作中的許多迫切問題進行了研究；1906年，魯巴金的巨著《書林概論》第1版問世，這是魯巴金爲輔導自學閱讀而編撰的參考書，全書共分兩部分，第一部分論述圖書館學和目錄學的理論問題，第二部分是一個圖書分類索引；1910年，魯巴金發表「讀者心理學探討」一文，就閱讀心理學進行了深入的探討，他認爲，「作者寫進書裡的東西，總是不可能完全被讀者所理解。因爲，每個讀者對於書本領會的程度只能與其本身心理上的感受有關」；1913年和1914年，魯巴金又發表了《關於自學教育問題致讀者的信》和《自學教育的實踐》等論著，這是魯巴金在自學教育的閱讀理論和實踐方面的研究結晶；1911～1915年，魯巴金的《書林概論》第二版陸續出版發行，這巨著分三卷，包括各個知識門類的著作16,000餘種，列寧還應魯巴金的請求爲該書寫了書評。魯巴金的許多論著至今仍具有指導意義，丘巴梁曾這樣評價魯巴金：「必須肯定，魯巴金的貢獻不僅在於實現了他以研究讀者爲內容的廣泛的綱要，而且他還提出了有關閱讀的社會學和心理學的許多複雜的理論性問題，研究了自學教育的理論和實踐問題。」❹

　　魯巴金是俄羅斯和前蘇聯圖書館學思想發展史上接續兩個時期的

---

❹　O．C.丘巴梁著，徐克敏等譯，普通圖書館學，北京：書目文獻出版社，1983．14～23, 3～4。

關鍵人物，他所開創的圖書流通研究、自學教育研究、閱讀理論研究、書目研究、藏書補充理論研究等圖書館學領域以及重視社會學、心理學和調查研究的學術傳統，對爾後前蘇聯和俄羅斯的圖書館學發展有著深刻的全方位的影響，所有這些正是俄羅斯和前蘇聯圖書館學的主要特色。然而，也正是因為魯巴金跨越了兩個時期，十月革命後他的某些思想與當時的社會背景無法協調，列寧在評價魯巴金的《書林概論》時，一方面高度肯定了它的價值，「任何一個相當大的圖書館都必須備有魯巴金先生的著作」；❺另一方面又對魯巴金思想上的折衷主義和臆想的「超黨派性」給予了致命的批判。丘巴梁稱「列寧這篇文章的意義已經超出了單純地評論一份圖書目錄的範圍。文章所表述的思想，對整個圖書流通事業都是適用的。」❺在此，魯巴金十月革命前後所感受到的不適應以及列寧對魯巴金的批判標誌著俄羅斯和前蘇聯圖書館學發展連續性的第一次中斷，這也是其圖書館學另一特色——注重意識形態——的集中表現。當1991年出現了第二次中斷時，否定了前蘇聯圖書館學的俄羅斯圖書館學家們還將回到魯巴金這裡來尋找理論源頭和依據。

㈡列寧的圖書館學思想

列寧是古往今來世界各國國家元首中高度重視圖書館工作和事業並形成了獨到認識的唯一的一位。列寧一生從未間斷過利用圖書館，由於親身的實踐和體驗，他深刻認識到圖書館在人類生活中有著極其

---

❺　列寧，列寧全集（中譯本）第20卷，北京：人民出版社，255。
❺　同註❹。

重要的地位與作用。十月革命後，列寧把圖書館事業建設看成是無產階級革命事業的一部分。在國家百廢待興的情況下，他還抽出時間直接領導蘇維埃共和國的圖書館建設工作。在列寧的倡議和參與下，蘇維埃政府制訂了一系列有關圖書館的方針政策。列寧還提出了許多重要觀點，這些觀點集中體現在他的夫人克魯普斯卡婭（Н.К.Крумиская）所編寫的《列寧論圖書館工作》一書之中。

《列寧論圖書館工作》一書共分三部分：第一部分為列寧關於圖書館工作的書信、演說、論文和意見；第二部分是列寧簽署的有關圖書館的法令和指示；第三部分為克魯普斯卡婭為該書一、二、三版寫的序言及她本人所撰寫的「列寧在圖書館從事研究工作」和「社會主義建設的重要部分」兩篇文章。《列寧論圖書館工作》1957年曾出過中譯本。❷

概括起來，列寧的圖書館學思想主要表現在以下六個方面：(1)對圖書館的地位與作用的認識。列寧在其一系列言論中指出，圖書館應當是國民教育中心，是對群眾進行政治教育的主要場所，圖書館事業的狀況是整個文化程度的標誌，圖書館事業建設是國家文化水平的標誌之一；(2)提出了評價圖書館的標準。列寧認為，「值得公共圖書館驕傲和引以為榮的，並不在於它擁有多少珍本書，有多少十六世紀的版本或十世紀的手稿，而在於如何使圖書在人民中間廣泛地流傳，吸引了多少新讀者，如何迅速地滿足讀者對圖書的一切要求，有多少圖書被讀者帶回家去，有多少兒童來閱讀和利用圖書館，……；」(3)重

---

❷ Н. К.克魯普斯卡婭編，李哲民譯，列寧論圖書館工作，北京：時代出版社，1957。

視圖書館管理。列寧提議並經人民委員會通過的《關於圖書館工作的安排》的決議（1918）曾明確指出兩點，其一是對圖書館事業實行集中管理，其二是採用瑞士和美國的制度包括開架制、館際互借、聯合目錄的編制、爲讀者借閱提供一切可能的方便等等；(4)提出了圖書館網絡建設的指導原則。列寧指出，「我們應當利用現有的書籍，著手建立有組織的圖書館網來幫助人民利用我們現有的每一本書，應當建立一個有計畫的統一的組織，而不是建立許多平行的組織」；(5)確立了集中供應圖書的制度。列寧強調要用新的圖書及時地優先補充圖書館，要由國家統一集中地向圖書館提供新書，列寧的這些思想後來變成了前蘇聯集中供應圖書制度的理論基礎；(6)明確圖書館是群眾性文化事業，強調吸引居民參加圖書館事業建設。列寧認爲，既然社會主義是千百萬人的事業，不是少數人的事業，那麼全體居民都要有文化，都要親自參加文化建設，包括圖書館建設；列寧還提出應組織居民中的積極分子和具有專門技能的人參加宣傳圖書和指導閱讀，應組織讀者和居民參觀圖書館，應使圖書館定期向居民做報告並接受居民監督等建議。❸❹

列寧的圖書館學思想是俄羅斯和前蘇聯圖書館學史上的寶貴財富，它不僅直接指導了前蘇聯的圖書館事業建設和圖書館學理論研究，而且對世界圖書館事業尤其是社會主義國家圖書館事業的發展也產生了巨大影響。客觀地評價，列寧對「圖書館與社會」的認識是深刻的和有相當高度的，在20～30年代還是先進的和領導國際潮流的，

---

❸　同註❸。

❹　同註❺。

但鑒於列寧本人是剛剛誕生的蘇維埃政權的領袖，他的工作和時間都不允許他對圖書館學進行系統地探索，因此他的圖書館學思想又是零散的和散發式的，他在圖書館學方面的探索和貢獻與萊布尼茨有些相似。在前蘇聯時期，一些圖書館學家過分誇大列寧圖書館學思想的作用，唯列寧言論是從，以致於到了頂禮膜拜、奉若聖經的程度，這是不科學也不符合列寧精神的。實事求是地講，列寧的圖書館學思想帶有20～30年代的時代特徵和社會主義國家的政治色彩，其中的精華部分過去、現在和將來都將是世界圖書館學發展的指導原則，但一些時代性和政治性較強的言論將永遠屬於逝去的時代和作爲歷史的前蘇聯圖書館事業。

　　在談到列寧的圖書館學思想時，我們不能不論及他的夫人克魯普斯卡婭，她是列寧圖書館學思想的繼承者和宣傳者，是前蘇聯社會主義圖書館學的重要奠基人之一。克魯普斯卡婭在1917～1939年間曾主管蘇維埃的圖書館工作，參加起草了一些有關圖書館的重要文件；在她的領導下，召開了全蘇圖書館工作的重要會議，創辦了專業雜誌、圖書館學校和圖書館學研究機構等。列寧逝世後，她編輯出版了《列寧論圖書館工作》，集中介紹了列寧的圖書館學思想。克魯普斯卡婭在長期的圖書館管理實踐和探索過程中，也形成了自己對圖書館學的認識，其內容涉及以下方面：關於社會主義社會圖書館的特點；有計畫地建立圖書館網；各種類型的圖書館都應廣泛接近讀者；發展和鞏固農村圖書館和兒童圖書館；圖書館應成爲思想工作和積極宣傳馬克思列寧主義的中心，自學的基地；圖書館應把書籍送到勞動人民生活中去；吸引社會人士參加圖書館的建設；圖書館員是圖書館事業的靈

魂，要積極培養蘇維埃圖書館員；等等。❺克魯普斯卡婭的圖書館學思想是列寧圖書館學思想的展開和補充，她的有關論述也成了爾後前蘇聯圖書館事業發展的指導思想。

㈢社會主義圖書館學

社會主義圖書館學是指在前蘇聯時期發展起來的圖書館學說，它初創於20年代，形成於30年代，成熟於40～50年代，繁榮於60～70年代，變革和衰落於80年代。社會主義圖書館學最爲集中地體現在丘巴梁所著的《普通圖書館學》之中。

丘巴梁是前蘇聯時期最爲著名的圖書館學家之一，他於1960年以《普通圖書館學》專著獲教育學博士學位，該書隨即被選作高等學校圖書館學專業的教材，並於1968年和1976年出版了增訂第二版和修訂第三版。《普通圖書館學》一書共分6章，內容分別爲：圖書館學——社會科學；圖書館與社會；蘇聯的圖書館事業；蘇聯圖書館事業的組織原理；圖書館爲居民服務；蘇聯圖書館事業的管理。

丘巴梁首先論述了社會主義圖書館學的各個側面，他認爲：⑴社會主義圖書館學的主要特徵「在於它一貫地堅持從社會的、經濟的和文化的各種角度，對圖書館事業進行階級分析，並且一貫堅持對於圖書館在不同的具體歷史條件下所起的社會作用的種種表現形式，給予階級的分析」；⑵社會主義圖書館學的主要任務是「研究在社會主義社會的具體條件下，圖書流通的規律性。……占主導地位的問題有：圖書財富的使用問題、組織群眾閱讀的問題和群眾閱讀的思想內容問

---

❺　同註❻。

題」；(3)社會主義圖書館學是一門社會科學，它以馬克思列寧主義的方法論爲基礎，以列寧制定的圖書爲人民群衆服務的組織綱領爲依據；(4)社會主義圖書館學的主要研究課題包括把圖書館作爲國內圖書流通的基地、從社會學的各個角度去研究圖書館事業、剖析社會經濟變動對圖書爲人民服務工作所產生的影響等；(5)蘇聯圖書館事業的基本實質在於組織圖書財富，使之爲公共使用，圖書館事業本身是一個與國家整個的生活有機地聯繫在一起的社會交流體系；(6)蘇聯圖書館作爲進行思想教育和交流科學情報的社會機構，本質目標就是引導人民閱讀優秀圖書；(7)圖書館工作應服從國家在政治、經濟和文化方面提出的各項任務，它本身是一個積極的、富有教育意義的過程，其中，「教育心理學基本原理的形成以及在宣傳圖書和指導閱讀方面一整套行之有效的方法的創立」，是對科學的一項重大貢獻；等等。

在接下來的章節裡，丘巴梁的所有努力就是詮釋列寧的言論和展開社會主義圖書館學體系。丘巴梁圖書館學思想的主要特色表現在以下幾個方面：(1)確立了一種具有前蘇聯特色的圖書館學「交流說」。丘巴梁認爲，「蘇聯圖書館學是一門把圖書館過程作爲群衆性地交流社會思想的一種形式的社會科學」；(2)繼承了1917年前俄國圖書館學的優秀傳統，主要表現在重視圖書流通、閱讀過程、自學教育和書目工作的研究，強調對圖書館和讀者的社會學和心理學研究等；(3)突出了社會主義圖書館學的導向優勢，主要表現爲注重人的全面發展，注重圖書館的普及性，注重圖書館的計畫管理、集中管理和民主管理等；(4)體現了前蘇聯圖書館爲居民服務的特色，包括爲農村居民服務、爲城市居民服務、爲兒童和青少年服務，以及爲專家服務的一整套經驗、方法和理論；等等。

　　丘巴梁可以說是社會主義圖書館學的集大成者，他的《普通圖書館學》則是社會主義圖書館學的經典之作，是世界圖書館學思想寶庫中的一顆瑰寶。就丘巴梁圖書館學的表象和形式來看，它是列寧圖書館學思想的演繹和系統化，是前蘇聯政治文化和意識形態的集中體現，是前蘇聯圖書館實踐的高度概括；若透過其表象和形式來認識，丘巴梁圖書館學體系的骨子裡流淌的依然是俄國圖書館學家的學術思維，是具有俄羅斯特色的圖書館學內容。從這個意義上來說，從俄國到前蘇聯再到俄羅斯的圖書館學發展過程是連續的，「中斷」的只是作爲意識形態的圖書館學。

㈣俄羅斯圖書館學派流

　　前蘇聯解體之後，俄羅斯圖書館學領域發生了許多重大變革。首先，許多重要的專業刊物更換了名稱，如《蘇聯圖書館學》改名爲《圖書館學》，《蘇聯圖書館員》改名爲《圖書館》，《蘇聯科技圖書館》改名爲《科技圖書館》等等，《蘇聯圖書館學》改名爲《圖書館學》時還專門刊登了啓事，聲明期刊的性質由原來注重純學術研究轉爲理論和實踐並重，這可以視之爲俄羅斯圖書館學的一種導向變遷。其次，俄羅斯圖書館學期刊中出現了許多新的名詞、術語和概念，主要包括「圖書館事業哲學」、「圖書館學範式」、「圖書館意識形態」、「圖書館營銷」等，這些新的術語和概念從一個側面反映了當今俄羅斯圖書館學尋求變化的心理和多樣化的發展特性。再次，前蘇聯時期大一統的社會主義圖書館學陣營開始分裂，形形色色的俄羅斯圖書館學派初具雛型，其中以文化學派、營銷學派和情報學派較爲知名。最後也是最爲重大的變革是俄羅斯圖書館學者對前蘇聯社會

主義圖書館學的否定，他們傾向於認爲，圖書館事業不應從屬於某一政黨、某種政治或某種意識形式，黨性原則也不應成爲圖書館學的方法論原則。**⑤⑥**

　　文化學派從維護人文主義理想和全人類的共同價值出發，認爲圖書館學應從文化角度考察圖書館的社會功能，圖書館應建設成爲人類知識和文化的神聖而宏偉的殿堂，而不應將其變爲集市。持這種觀點的學者強調十月革命前俄國圖書館的人文主義思想實質及其對當今圖書館事業的通用性，提出要重新弘揚這種思想精神。譬如，克里馬科夫（Ю.В.Климаков）認爲，從彼得大帝時起一直到十月革命前及現在，圖書館都有著類似的目的，即「收集和保存人類文明和精神成就，促進人類對世界歷史文化和世界當代文明的互相利用」；波羅申（С.А.Борошин）則高度評價了革命前俄國圖書館作爲人民大衆精神和文化源泉對整個民族精神和文化進步的推動作用，他認爲，「在俄國，有兩個殿堂，一個是教堂，另一個就是圖書館」，文化學派還將圖書館的主要社會使命歸結爲實現「社會教育」功能，並認爲俄羅斯圖書館社會教育功能的實現經歷了宗教精神階段（11世紀至18世紀）、啓蒙教育階段（18世紀～1918年）、共產主義意識形態教育階段（前蘇聯時期）和文化復興階段（90年代）四個階段。

　　營銷學派是俄羅斯市場經濟的典型產物，其代表人物有秋琳娜（Н・И・Тюлина）、奧西波娃（И・П・Осицова）和賓捷爾斯基（И・Л・Бендерский）等。秋琳娜認爲，只有運用營銷學方法，尤其是在用戶服務和圖書館管理領域中運用營銷學方

---

⑤⑥　林曦，俄羅斯圖書館學理論研究的熱點評析，中國圖書館學報，1997(6)。

法，圖書館才有能力鞏固和確立自己作為一種社會設置的地位。奧西波娃認為，營銷方法能夠使圖書館以現代方式在市場經濟條件下作為一種社會設置發揮應有的社會功能，並對社會產生積極的影響。賓捷爾斯基則把營銷學作為圖書館學的「新思維」加以論證。但是，營銷學派的觀點也遭到了部分學者的批評，馬林諾娃（Т・Л・Малинова）就曾提醒人們警惕將營銷學這一「手段」變為「目的」，她指出，這樣做將動搖圖書館學賴以存在的信念並將抽掉其精髓，因為圖書館的目的是保存人類的知識記憶並促進其社會利用，而營銷學不過是一種商業手段，對其過分熱衷將帶來難以想像的後果。

情報學派運用情報學觀點解釋圖書館的社會使命，持這一觀點的學者認為，圖書館的目的是為了向每一位社會成員最大限度地提供情報保障。譬如，德奧爾金娜（М・Я・Дворкина）就認為，追求情報的通暢性是圖書館工作的基礎，為此，圖書館事業新的哲學應該是「研究情報提供的有序性和暢通性的哲學。」

俄羅斯圖書館學流派還處於形成時期，它們是俄羅斯和前蘇聯圖書館學發展出現「第二次中斷」後不同的圖書館學者尋求新的理論道路的結果，其中，文化學派試圖從十月革命前的俄國圖書館學中找回「失落的記憶」，營銷學派希望借助營銷學方法打開突破口，情報學派則力圖嫁接情報學於圖書館學的「殘枝」上。但如前所述，任何學科或理論的發展都是連續性和間斷性的統一，如果失卻連續性，一門學科或一種理論將無所依托，其發展速度必將大為延緩，其發展方向也必將出現紊亂。

俄羅斯圖書館學理論研究目前還處於無序狀態。前蘇聯解體後，俄羅斯否定了社會主義制度，摒棄了作為指導思想的馬克思列寧主

義，這樣就形成了「歷史的中斷」現象，其結果不可避免地引發了圖書館學研究乃至其它社會科學研究的混亂無序。然而，圖書館學歸根結蒂是一門社會科學，它不可能不受意識形態的影響和制約，失去了共產主義意識形態和馬列主義哲學支撐的俄羅斯圖書館學力圖論證「圖書館事業哲學」、「圖書館意識形態」、「圖書館學新範式」等等，其目的正是爲了尋找理論歸宿或理論依據。由於俄羅斯一時還難以建立足以取代前蘇聯時期共產主義那樣的意識形態，其現實生活中就出現了意識形態的「眞空」或多文化現象，映射到圖書館學領域，就導致了多種觀點和多種流派並存的局面。誠然，這種局面不會永遠持續下去，它也不完全是壞事，著眼未來，它將促成俄羅斯圖書館學的多元化發展格局及新的繁榮。

第三章　圖書館學流派與學說論評：東方

第一節　印度及日本的圖書館學思潮

㈠印度及日本圖書館學的形成

　　在世界圖書館學的大家庭中，印度和日本皆因其對圖書館學的不倦追求而占有一席之地。印度圖書館學是與一個偉大的名字分不開的，這就是阮岡納贊。日本則是世界上最早推行圖書館學和情報學一體化的國家之一，注重情報研究是日本圖書館學最主要的特色。

　　印度的近代圖書館出現較早，據《印度圖書館事業與圖書館學》一書的記載，印度最古老的公共圖書館可溯源到1804年建立的皇家亞洲協會（the Royal Asiatic Society）孟買分館和1818年建立的馬德拉斯文藝協會（Madras Literary Society）圖書館，但眞正意義上的公共圖書館則出現在19世紀後期，「自由而開放的公共圖書館系統精神紮根於19世紀後期的土壤中，這是50餘年來大量努力的結果。」❶如同中國的公共圖書館運動促進了近代圖書館學的產生，印

---

❶　Mohamed Taber, Donald Gordon Davis, Jr., Librarianship and Library Science in India; An outline of historical perspectives. New Delhi:Concept Publishing Co., 1994. 75～79, 79～80, 87, 95～109, 95, 104～105, 105～106, 104, 99～100

度19世紀後期的公共圖書館運動也推動了印度近代圖書館學的發展，值得注意的是，印度圖書館學出現的時間與發展軌迹同我國的圖書館學極其相似。

印度近代圖書館學也出現於20世紀初期，「印度公共圖書館之父」博登（W. A. Borden）是早期的主要代表人物。1910年，巴羅達州授命博登就州圖書館和全州圖書館發展規劃提出建議、進行規劃和組織實施，任期3年。博登圓滿地完成了任務，他的方案具有鮮明的特色，其中在使圖書館接近大眾方面最富創造性；當時，甚至印度的「文化人」都沒有利用圖書館的觀念，但博登卻引入了自由而開放的公共圖書館概念，「博登的成就必定促成了阮岡納贊的前3個法則。」博登的第二個貢獻是發展了印度最早的州際圖書館網絡，他為此又引進了兒童圖書館和流動圖書館的概念。博登的第三個貢獻是為藏書的存取編制了一個稱為「巴羅達分類法」的分類表，從而促進了編目工作的現代化。博登還創辦了印度最早的培訓圖書館員的正規學校和最早的雜誌之一「圖書館札記」（Library Miscellany）。印度圖書館學家塔赫（Mohamed Taher）與美國學者戴維斯（D. G. Davis, Jr.）在他們所著的《印度圖書館事業與圖書館學》一書中這樣寫道：「博登的名字可能會淡出歷史，但他的計畫、模式和方案卻常常在不同的社會環境中應用著。」❷ 巧合的是，與韋棣華（Mary E. Wood）一樣，博登也是美國人。博登開啓了印度圖書館學的大門，但唱主角的卻是阮岡納贊。

阮岡納贊轉入圖書館學領域是印度圖書館學乃至世界圖書館學的

---

❷ 同註❶。

幸運。阮岡納贊是30年代印度圖書館學第一次高潮的核心人物和50～60年代印度圖書館學第二次高潮的領袖人物，阮岡納贊的圖書館學思想確立了印度圖書館學的研究特色並在某種意義上規定了印度圖書館學的研究範圍與方向。阮岡納贊去世後，印度圖書館學開始分化，到80～90年代逐漸形成了知識組織學派、管理學派、信息技術學派和「本土研究」學派等多種流派，並最終達成第三次高潮。

　　日本圖書館學的發展可依第二次世界大戰爲界分爲前後兩個時期。明治維新以後，日本開始接觸西方文化，陸續將歐美的圖書館引入日本，並著手探索圖書館學的一些理論問題，此後，一直到第二次世界大戰，日本圖書館學總的特徵是重技術、輕理論，主要的著作有西村竹間的《圖書館管理法》（1892）、田中稻城的《圖書館管理法》（1900）、佐野友三郎的《通俗圖書館經營》（1914）、和田萬吉等的《圖書館小識》（1915）、植松安的《教育與圖書館》（1917）、今澤慈海的《圖書館經營的理論與實踐》（1926）等。第二次世界大戰後，恢復圖書館事業成爲日本復興國家「政策」的一個重要組成部分，日本爲此頒布了《圖書館法》，從而爲戰後日本圖書館事業和圖書館學的發展奠定了基礎。❸該時期日本圖書館學的發展又可分爲兩個階段：50年代初期到60年代中期，圖書館的經營問題和社會問題是研究的熱點，理論研究受到重視：60年代中期以後，情報學開始介入圖書館學領域，圖書館學與情報學最終合而爲一。

　　印度和日本的圖書館學都具有鮮明的特色，其中，印度圖書館學

---

❸　北京大學圖書館學情報學系，武漢大學圖書情報學院，圖書館學基礎，北京：商務印書館，1991．30～32, 36．

受英國的影響多一些，日本圖書館學則受美國的影響大一些。然而，外來的影響並沒有從根本上決定印度或日本的圖書館學特色，它們在具體的發展過程中更多地融合了民族文化因素，這才是它們的精神所在。

㈡阮岡納贊與印度圖書館學的兩次高潮

「阮岡納贊無疑是20世紀圖書館學的巨人」。❹他出生於1892年，1917年獲數學博士學位，此後輾轉於幾個大學或學院，以講授數學和物理謀生。1924年，阮岡納贊應聘馬德拉斯大學圖書館館長獲得成功，從此步入圖書館學領域，這是圖書館學史上值得紀念的年份。1924～1925年，阮岡納贊獲准赴英國倫敦大學圖書館學院學習，他曾一度有重操數學教鞭的想法，但他的老師英國克洛頓公共圖書館館長塞耶斯（W. C. B. Sayes）從他身上看出某些超人的東西，從而幫助他去研究英國大量的圖書館和接觸英國圖書情報學領域的眾多專業人員。與塞耶斯的交往以及對英國圖書館服務的考察，增長了阮岡納贊對圖書館學的認識，打開了他通往圖書館學殿堂的大門。

1925年，阮岡納贊返回印度，繼續擔任馬德拉斯大學圖書館館長至1944年。在此期間，他徹底改組了該校圖書館，創建了馬德拉斯圖書館協會(1928)和圖書館學校(1929)，進行了大量的理論研究並出版了他一生中最爲重要的幾種著作，包括《圖書館學五法則》

---

❹　S. B. Pillai. Dr. S. R. Ranganathan: The Father of Library Movement in India. See: R. Raman Nair. Public Library Development. New Delhi:Ess Ess Publications, 1995. 1～5

（1931）、《冒號分類法》（1933）、《分類編目規則》（1934）、
《圖書館管理》（1935）、《圖書分類法導論》（1937）等。阮岡納
贊的研究和實踐活動將印度圖書館學研究推向了第一個高潮。

　　印度圖書館學的第一次高潮出現於20世紀20年代後期到30年代
末。該時期最重要的事件除阮岡納贊的系列研究與實踐活動外，當數
印度圖書館協會（ILA）的成立和圖書館學教育的勃興。印度圖書館
協會成立於1933年，其目標是「促進本國的圖書館運動；促進專業人
員的培訓；促進圖書館學的研究；爲改進專業人員的現狀和服務條件
而工作；與國際圖書館組織合作。」❺在該協會及陸續建立的各地方
圖書館協會的組織與推動下，印度圖書館學研究空前繁榮，一大批代
表人物應運而生，其中既有土生土長的印度圖書館學家，也有來自西
方的外國學者，主要包括博登、阮岡納贊、印度圖書館協會第一任主
席托馬斯（M. O. Thomas）和第一任秘書長阿沙杜拉（K. B.
Asadullah）、圖書館學教育家迪金森（A. D. Dickinson）等人。到
1947年印度獨立前，印度已有5所大學可以提供圖書館學學位課程，
以巴納拉斯（Banaras）印度大學爲例，學位課程主要包括分類、編
目、目錄學、書籍選擇和參考工作、組織、一般知識等6門理論課
程，以及分類、編目、目錄學和書籍選擇等3門實踐課程；這些課程
從一定程度上也可以反映當時印度圖書館學的研究內容。

　　1944年，阮岡納贊當選印度圖書館協會主席，成爲名實相符的印
度圖書館學領袖。1945～1947年他應巴納拉斯印度大學之邀任圖書館
館長，1947～1954年又應邀赴德里大學創建圖書館學系並擔任教學與

---

❺　同註❶。

科研工作，1955～1957年移居瑞士蘇黎世潛心研究分類理論，1957年返回印度後定居班加羅爾，1958～1967年任馬德拉斯圖書館協會主席，在其生命的最後10年也即1962～1972年，阮岡納贊又重返馬德拉斯大學執教授徒，並於1965年獲得「國家級研究教授」的頭銜。1944～1972年可以說是阮岡納贊的第二個輝煌期，該時期阮岡納贊研究與實踐活動的方向與重點發生了變化，主要集中在制訂圖書館規劃、起草圖書館法、研究分類理論、從事圖書情報教育、參與印度和國際圖書情報活動的管理、周遊世界進行訪問和講學等方面。這是阮岡納贊及其圖書館學思想走向世界的時期，也是世界接納阮岡納贊的時期，同時還是印度圖書館學的第二個高潮期。

印度圖書館學的第二次高潮出現於1947年印度獨立之後，並一直持續到1972年阮岡納贊逝世。如果說第一次高潮時阮岡納贊僅僅是在扮演主角，那麼第二次高潮時他還同時兼任「導演」的角色，他是該時期的靈魂人物，他的卓越貢獻使他贏得了「印度圖書館運動之父」的稱號。1947年，印度的獨立激發了印度人民的巨大熱情，圖書館規劃成為國家建設的重要內容之一並從而成為該時期印度圖書館學研究的熱點，阮岡納贊就曾親自制訂了三個全國性的圖書館規劃，其他圖書館學家也不同程度地參與了印度「五年計畫」的制訂，譬如，第一個五年計畫（1951～1956）建議在新德里成立一個國家中心圖書館，第二個五年計畫（1956～1961）提出建立一個由全國320個區的所有圖書館組成的圖書館網絡，第三個五年計畫（1961～1966）中政府同意在新德里、加爾各答、馬德拉斯和孟買建立四個國家圖書館；第四個五年計畫（1969～1974）時成立了一個工作組以準備圖書館發展規劃，等等。該時期的另一重大事件是成立了幾個國家級的圖

書館學組織，包括1955年成立的「印度專門圖書館和情報中心協會」
（IASLIC）、1969年成立的「印度圖書情報學教師協會」和1972年成
立的「拉賈・拉姆・莫漢・羅伊（Raja Ram Mohan Roy）圖書館基金
會」等，這些新成立的組織與印度圖書館協會一道在第二次高潮中扮
演了極為重要的角色。該時期印度圖書館學教育則從本科教育發展到
碩士和博士教育，1948年和1950年，阮岡納贊在德里大學首次引入圖
書館學碩士學位和博士學位教育，此後圖書館學高層次教育持續發
展，總計有50餘所大學可提供學士學位教育、30所大學可提供碩士
學位教育、15所大學可提供博士學位教育；該時期印度圖書館學教育
還增加了情報學的內容，1962年阮岡納贊創建的「印度文獻研究與培
訓中心」（DRTC）以及「印度國家科學文獻中心」（INSDOC）都曾提
供過文獻和情報學方面的課程；到60年代，各大學圖書館學系也陸續
增設了類似課程。印度圖書館學的第二次高潮持續時間很長，該時期
湧現出的代表人物幾乎是清一色的印度圖書館學家，他們主要包括阮
岡納贊、古普塔（A. K. Das Gupta）、S.古普塔（S. Das Gupta）、
馬歇爾（D. N. Marshall）、克薩范（B. S. Kesavan）、S. R.夏爾
馬（S. R. Sharma）、J.夏爾馬（J. Sharma）、庫馬（G. Kumar）、
斯里瓦斯塔瓦（A. P. Srivastava）、C. D.夏爾馬（C. D. Sharma）、
亞茲丹尼（G. Yazdani）、考瓦拉（P. N. Kaula）、拉杰古帕蘭（T. S.
Rajgopalan）、曼格拉（P. B. Mangla）等。❻

　　阮岡納贊是印度圖書館學兩次高潮的核心人物和領導人物，是20
世紀印度圖書館學的代名詞，他的活動領域極其廣泛，主要涉及圖書

---

❻　同註❶。

館學和情報學理論與方法研究、圖書館實踐與管理、圖書館學教育實踐與管理、印度國家圖書館計畫及政策法律的制定、印度及國際圖書館事務的組織與管理等。阮岡納贊還是一個碩果累累的高產作家，他一生共出版專著62部，制訂圖書館規劃及標準等23件，發表論文1,500餘篇，❼探討範圍幾乎涉及圖書館學的每一個細小領域。就其主要的學術思想和成就而言，可概括爲以下幾個方面：

(1)圖書館學理論或哲學研究

阮岡納贊的圖書館學哲學可以高度濃縮爲「圖書館學五法則」，即：第一法則——書是爲了用的（Books are for use），闡明圖書館的基本宗旨是爲讀者服務；第二法則——每個讀者有其書（Every Reader his books），闡明近代圖書館的基本性質是爲所有的人服務；第三法則——每本書有其讀者（Every book its reader），闡明圖書館的重要使命是開發每一本書的價值；第四法則——節省讀者的時間（Save the time of reader），闡明圖書館服務的基本原則是一切爲讀者著想；第五法則——圖書館是一個生長著的有機體（A Library is a growing organization），闡明作爲社會系統的圖書館從本質上而言是一個自組織和自適應系統。圖書館學五法則是「我們職業最簡明的表述」，用蘭開斯特的話來說，「這五個法則表面上看起來很通俗，但實際內容卻非常深刻。它們從根本上闡明了圖書館應該爲之努力的目標，在今天仍像50年前一樣適用。」❽圖書館學五

---

❼　圖書館學百科全書編委會，圖書館學百科全書，北京：中國大百科全書出版社，1993．408～409, 273, 398, 515～576, 718, 304, 706, 705, 514．

❽　阮岡納贊著，夏云等譯，圖書館學五定律，北京：書目文獻出版社，1988．403．

法則也是阮岡納贊圖書館學思想中最爲閃光的部分之一。

(2)分類理論與技術研究

　這是阮岡納贊畢生最主要的研究領域，也是其成果最爲豐富、貢獻最大的一個領域。他的專著《冒號分類法》、《分類編目規劃》、《圖書分類法導論》、《深度分類法》（1953）以及他所設計的「鏈式索引法」，可以說引發了圖書分類領域的革命性變化，在世界範圍內得到了廣泛的應用和重視。葉千軍在《阮岡納贊理論及應用研究》一書中曾集中列舉了「阮岡納贊分類學論著和影響70年大事論」，❾從中可看出這位印度圖書館學世紀偉人的學術奮鬥歷程。

(3)圖書館管理理論與實踐研究

　阮岡納贊在1935年出版的《圖書館管理》第一版中，曾運用他的「分面組配」理論將圖書館工作分成了近1000項，並按各自功能和用途一一鑒別，然後又按照日常工作的要求使其簡化和程序化，從而形成了一種獨具特色的圖書館管理理論。❿阮岡納贊還極爲重視圖書館人員的培訓及智力開發，在其48年的圖書館生涯中，有40餘年的時間專職或兼職從事圖書館學教學工作，他創建了多所圖書館員培訓機構和圖書館學系，引入了碩士學位教育和博士學位教育，培養了無數的圖書館學人才；阮岡納贊對圖書館人員培訓和教育的重視極大地影響了爾後印度圖書館管理理論的研究。

(4)圖書館戰略規劃與管理研究或稱「本土研究」

---

❾　葉千軍，阮岡納贊理論及應用研究，上海：同濟大學出版社，1995．　18～32, 10～11, 11, 3．

❿　同註❾。

阮岡納贊在印度圖書館事業及其相關問題的研究方面傾注了大量的心血，他對祖國的感情和熱愛在這個過程中得到了最充分的體現。早在1944年，阮岡納贊就制訂了「印度圖書館戰後重建工作計畫」，據阮岡納贊自己的說法，「他的這項計畫對於印度擺脫英殖民主義的鬥爭起到了積極的推動作用」❶1947年印度獨立後，阮岡納贊又以極大的熱情投入了印度圖書館事業的規劃和建設工作，他於1950年制定了一個包羅萬象的「國家發展計畫：印度圖書館事業30年計畫（包括印度聯邦及各立憲邦圖書館法案草案）」，他還直接參與和指導了印度五年計畫中的圖書館規劃工作。阮岡納贊關於圖書館系統規劃的理論是根據兩個互爲補充的概念提出的，其一是「單一的圖書館系統」即由單個機構管理的圖書館系統，其二是「橫向聯繫的圖書館系統」，即由幾個獨立的圖書館或幾個單一的圖書館系統組成的圖書館系統，這實質上是一種「圖書館網絡」理論。❷在阮岡納贊的圖書館學思想中，以圖書館戰略規劃部分最富印度特色，我們因而稱之爲「本土研究」。

(5)新技術應用與預測研究

阮岡納贊一生幾乎總是處於圖書館學和情報學研究的最前沿，法國學者德格羅里爾（Edric de Grolier）評價說，「阮岡納贊雖然早在『新信息技術』產生全面影響的時代到來之前就已去世，但他對圖書館和信息服務部門各個領域的最新進展幾乎都做出過某種預言。」

---

❶　同註❾。

❷　埃里克‧德格羅里爾，圖書館和信息政策展望──阮岡納贊的思想遺產，見：96北京國際圖聯大會中國組委會秘書處，國際圖書館協會聯合會第58、59屆大會論文選譯，北京：書目文獻出版社，1988．17～25．

❸阮岡納贊畢生都在為實踐「圖書館服務機械化」而努力奮鬥，他在1956年召開的第一屆「印度專門圖書館和情報中心協會」會議上發表的論文就是以此為題的。1969年，他發表了一篇題為「電子的影響」的演講，其中談到：「世界已進入了電子時代。你（指圖書館）必須利用電子來加快工作節奏，在凡是能夠做到的每一個環節上都應節省人力。在為讀者查代文獻時，你必須指示電子工程技術人員設計出一種文獻查找器，它將能加快查找文獻的速度，⋯⋯」。❹阮岡納贊對新技術的敏感與關注體現了他追求變革和創新的精神。

　　讀阮岡納贊，令我們想起了《倫語・子罕》中顏淵對孔子的讚美：「仰之彌高，鑽之彌堅」。美國情報學家加菲爾德（Eugene Garfield）曾將阮岡納贊比作圖書館學領域中的愛因斯坦（Albert Einstein），❺這個比喻也許不十分恰當，但卻充分說明了這位「印度圖書館之父」在世界圖書館學（也包括情報學）界的崇高地位。在我們看來，阮岡納贊更像是圖書館學領域的泰戈爾（R. N. Tagore），他們都是印度民族的驕傲，是現代印度的一代驕子。「阮岡納贊是紮根於印度文化和傳統中的一個偉大的空想家（Visionary）、學者、革新者和規劃者，由於他的領導，圖書館運動、圖書館學和圖書館服務上升到了一個新的高度，同時對國家發展也產生了潛移默化的影響」。❻然而，阮岡納贊的偉大還不止於此，他的敬業精神、獻身精神、刻苦治學的精神、克勤克儉的精神和追求超越的精神，更值得我

---

❸　同註❷。
❹　同註❷。
❺　同註❾。
❻　同註❹。

們景仰和學習。當然，阮岡納贊也不是十全十美的，西方的一些批評家對阮岡納贊就有不同看法，他們常常指責「阮岡納贊超越了理論，他對永恒眞理的一種神秘的先入之見使他看不見文獻分類中的實踐問題。」⑰阮岡納贊在圖書館學領域中是一個「世界公民」，但從文化背景和民族感情來看，他始終是一個道道地地的印度人，爲此，他的理論不可避免地帶有一些印度文化的神秘色彩，這或許不能爲西方人所理解，可正是這種特色使阮岡納贊的理論更富魅力。阮岡納贊是20世紀圖書館學的一位世紀偉人，他留給後世的思想遺產將永遠是圖書館學寶庫中的無價瑰寶。

㈢第三次高潮中的印度圖書館學流派

阮岡納贊在圖書館學領域中是一位全面發展的人，當他在世時，他的圖書館學思想在印度圖書館學的每一個主要分支領域都起著領導潮流的作用；他去世後，他的圖書館學思想依然是印度圖書館學的核心與靈魂，依然指導著印度圖書館學的發展。無疑，20世紀印度圖書館學領域不可能出現第二個阮岡納贊，後繼者們大都是沿著阮岡納贊圖書館學思想的某個方面而尋求深入與發展的，這樣，在阮岡納贊那裡自然形成的圖書館學思想體系就出現了分化，到80年代後進而發展爲一種多元化格局，這也是印度圖書館學的第三次高潮時期。

印度圖書館學的第三次高潮形成於20世紀80年代初期，一直持續至今。該時期印度圖書館學的發展主要有這樣幾個特點：(1)阮岡納贊的圖書館學思想依然是不散的靈魂，阮岡納贊依然是無形的主角，印

---

⑰　同註❶。

度圖書館學任何新的發展幾乎都可以看作是阮岡納贊圖書館學思想的合理延續；(2)初步形成了多元化的發展格局，出現了知識組織學派、管理學派、信息技術學派和「本土研究學派」等多種圖書館學流派；(3)注重國際圖書館學的研究，與美國圖書館學領域的交往與交流增多，美國的影響增強而英國的影響減弱，據統計，1948～1988年間共有45位印度圖書館學家訪美，同期亦有多位美國學者來印度講學和交流；⓲(4)圖書館學論著空前繁榮，論述主題極富時代特徵，「有關計算機和統計學在圖書館工作中應用的文獻的數量正在增長，該領域的方言文獻也在迅速擴展。」⓳其中，尤為值得介紹的是格斯瓦米（I. M. Goswami）和考沙爾（M. Kaushal）於1995年推出的「現代圖書館學系列叢書」（Modern Library Science Series），該叢書共包括9種著作，它們幾乎包容了當代印度圖書館學研究的全部主題，它們分別為《圖書館和情報學的發展》、《圖書館學研究的方法論》、《圖書館學的分類理論》、《圖書館編目手冊》、《圖書館行政管理》（以上5種著作為格斯瓦米主編）、《圖書館發展中的國際經驗》、《圖書館學與信息技術》、《情報和圖書館學的動力學》、《國家圖書館和情報系統》（以上4種著作為考沙爾主編）。

　　知識組織學派是當代印度圖書館學中力量最為強大的流派。知識組織學派繼承了阮岡納贊的分面組配思想，並進而將文獻分類推廣擴展到知識組織。有關這些主題的論文在印度主要的圖書館學期刊上占有相當大的比例。知識組織學派的主要代表人物有考瓦拉、格斯瓦米

⓲　同註❶。
⓳　同註❶。

和夏爾馬（Pandy S. K. Sharma）等人。考瓦拉是阮岡納贊的高足，是阮岡納贊之後印度圖書館學的領袖人物之一，他在圖書館學的諸多方面包括知識組織理論、圖書館學教育及印度本土圖書館學等方面均有建樹。格斯瓦米所主編的《圖書館學的分類理論》❷⓿和《圖書館學編目手冊》❷① 可謂阮岡納贊分類理論與方法在90年代的新發展。夏爾馬在1996年出版的《圖書館員知識的知識》一書中則將知識組織理論發展爲涵蓋圖書館職業的一種哲學思想，他在該書中開門見山地指出：「圖書館員知識的知識是一個極爲重要的主題，它有助於圖書館員掌握圖書館事業的一般藝術和科學，也有助於他們設計或改進特定的分類法。爲此，該主題是與知識分類理論的實踐領域緊密相關的。這些領域也爲圖書館分類學科提供了一個哲學基礎」。❷② 印度圖書館學領域一向以阮岡納贊所發明的分面組配理論而自豪，他們曾批評美國同行對印度分類法的發展關注不夠❷③，他們一直集中優勢力量研究知識組織，並從而使之成爲印度圖書館學最主要的特色之一。

管理學派淵源於英國圖書館學的影響。可以說，阮岡納贊早期的英國之行奠定了管理學派的理論基礎。深入地分析，阮岡納贊的圖書館學五法則其實更多地屬於圖書館管理的理論探討而不是圖書館原理的探討。阮岡納贊對圖書館人力資源的高度重視也影響了當代印度圖

---

❷⓿　I. M. Groswami. Classification of Library Science. New Delhi: Commonwealth Publishers, 1995.

❷①　I. M. Goswami. Manual of Library Cataloguing. New Delhi: Commonwealth Publishers, 1995.

❷②　Pandey S. K. Sharma. Librarian's Knowledge of Knowledge. New Delhi: Ess Ess Publication, 1996. 1.

❷③　同註❶。

書館學管理學派的研究內容，並形成了印度圖書館學的又一特色。管理學派的主要代表人物包括潘達（B. D. Panda）、帕迪（P. Padhi）、格斯瓦米和普拉謝爾（R. G. Prasher）等人。潘達於1993年出版了《圖書館行政與管理》一書，該書共分11章，內容包括：導論、人事管理的分面（Facets of Persoanel Management）、人事管理的原則、印度圖書館人事管理的實踐（第4～8章）、圖書館人員的工資管理、不同州及聯合區的人事組織、印度公共圖書館人事指南；❷可以看出，潘達的圖書館管理是以人事管理為核心的，其研究方法基本上是阮岡納贊1935年《圖書館管理》一書的翻版。帕迪是烏德卡爾（Utkal）大學圖書情報學系的教師，他在給潘達《圖書館行政與管理》一書所寫的序中認為：「圖書館人員在決定圖書館命運的進程中扮演著至關重要的角色，少數受過正規訓練的圖書館職員能夠把圖書館轉變為一個情報和研究中心。……由於圖書館是一個包括藏書、讀者和圖書館職員在內的不同於單純行政部門的組織，所以，如果一個職員沒有遵守上級主管的命令，就不能同樣多地採用強制和懲戒的手段；如果這樣做了，那將有損於圖書館的財產。為此，主管事務的圖書館行政官員必須時刻想著職員，必須通過勸說的方式使職員樹立信心」。❷帕迪的這段話是對潘達論著的注解，也是對印度圖書館管理理論的注解。普拉謝爾則在1994年組織一批印度學者出版了一本論文集《印度圖書館的人事問題》，他認為，每一項新發明、新的技術和

---

❷　B. D. Panda. Library Administration and Management. New-Delhi: Anmol Publications PVT LTD, 1993. Foreword.

❷　同註❷。

每一種新知識都增加了人的重要性，一個圖書館的效率和（服務）效果在很大程度上取決於其職員的能力和熟練程度（Proficiency），所以，識別圖書館中的人事問題並尋找解決途徑是至關重要的。❷❻格斯瓦米主編的《圖書館行政管理》的核心是圖書館管理的案例方法和案例研究，其研究範圍廣及圖書館學教育、分類法、經濟發展戰略等內容。❷❼印度圖書館學管理學派的理論核心是人事管理，這種理論更多地屬於administration而不是management，這是一種具有印度特色的圖書館管理理論。

　　信息技術學派也許是當代印度圖書館學流派中與阮岡納贊關聯最少的學派，因為對於圖書館最為重要的一些現代信息技術是在阮岡納贊去世後才普及和發展起來的。信息技術學派研究的重點是現代信息技術在圖書館的應用及其對圖書館的影響。譬如，格斯瓦米所主編的《圖書館和情報學的發展》一書共分8章，其中前5章論述的中心內容就是信息技術（IT）：導論、信息技術與藝術、信息技術與管理（administration）、信息與普通人、結果與問題、印度的圖書館運動、公共圖書館與普通人、公共圖書館與國家發展。❷❽可見，在格斯瓦米的觀念中，現代圖書館與情報學的發展是與信息技術休戚相關的。考沙爾所主編的《圖書館學和信息技術》一書則具體展開了兩者

---

❷❻ R. G. Prasher. Personel Problems in Indian Libraries. New Delhi: Medallion Press, 1994.

❷❼ I. M. Goswami. Management of Library Administration. New Delhi: Commonwealth Publishers, 1995.

❷❽ I. M. Goswami. Development of Library and Information Science. New Delhi: Commonwealth Publishers, 1995.

關係的論述，全書共分16章，內容如下：信息處理和技術的影響、新技術的起源、最新資料報導（CAS）和定題情報服務（SDI）、自動化採購議題、計算機系統承包服務（turnkey）與集成系統、研究和發展工作、大規模信息技術系統、國家信息技術應用研究（第8～10章）、社會科學中的用戶信息需求、社會科學亞群體中信息研究的問題、爲當前研究的信息服務（蘇丹研究）、發展中國家的聯機用戶（肯尼亞研究）、理想系統的特徵、信息獲取技術的未來前景。❷考沙爾的著作涉及到了圖書館學與信息技術的方方面面，同時還體現了印度圖書館學注重社會科學研究和國際經驗研究的傳統。從更大的範圍來講，格斯瓦米和考沙爾不過是信息技術學派眾多研究者中的兩位代表人物，他們的觀點也可以看作是第三次高潮期間信息技術學派研究成果的總結和概括。

「本土研究學派」是指重點研究印度本土圖書館和圖書館學發展的學術流派，該流派的形成也可以認爲是阮岡納贊研究傾向的延續與發展。本土研究學派的研究重點是印度的國家及地方圖書館規劃、各類型圖書館發展、印度圖書館和圖書館學史等內容，其標誌是各項研究成果及各種論著均冠有「印度的（in India）」字樣。本土研究學派的代表人物及主要論著如下：塔赫的《印度圖書館事業和圖書館學》、巴魯亞（B. P. Barua）的《印度圖書館和情報系統及服務的國家政策：前景與規劃》❸、考沙爾的《國家圖書館與情報系統》

---

❷　M. Kaushal. Library Science and Information Technology. New Delhi: Commonwealth Publishers, 1995.

❸　B. P. Barua. National Policy on Library and Information Systems Services for India: Perspectives and Projections. Bomby: Popular Prakashan Private Limited, 1992.

❸、維爾馬（L. N. Verma）和阿格勞爾（U. K. Agrawal）的《印度公共圖書館服務》❸、奈爾（R. Raman Nair）的《公共圖書館發展》（論文集）❸、沙提庫馬（C. S. Sathikumar）的「印度的圖書館發展」❸、古帕塔（K. D. Gupta）的「印度的國家圖書館」❸、帕里達（B. Parida）的「印度的盲人圖書館服務」❸、辛格（K. Singh）的「曼尼普爾邦（Manipur）的公共圖書館發展」❸、馬漢瓦爾（K. L. Mahawar）的「哈里亞納（Haryana）邦公共圖書館法研究」、❸舒克拉（K. H. Shukla）的《印度的大學圖書館》❸以及普拉謝爾的《印度圖書館的人事問題》等。當代印度圖書館學流派中的本土研究學派或者也可視爲一種研究傾向或研究力量，這種力量是如此之強大以致於印度的「五年計畫」常常將圖書館規劃作爲國家發展計畫的一部分加以考慮，譬如，第五個五年計畫期間通過了國家圖書館法（1976年），第六和第七個五年計畫期間政府曾任命一個委員會

---

❸　M. Kaushal. National Dimension of Library and Information Systems. New Delhi: Commonwealth Publishers, 1995.

❸　L. N. Verma, U. K. Agrawal. Public Libraries Services in India. Udaipur: Himanshu Publications, 1994.

❸　R. Raman Nair. Public Library Development. New Dolhi: Ess Publications, 1993.

❸　同註❸。

❸　同註❸。

❸　同註❸。

❸　同註❸。

❸　同註❸。

❸　K. H. Shukla. University Libraries in India. Jaipur: RBSA Publishers, 1994.

起草圖書館和情報系統的國家政策，第八個五年計畫（1990～1995）期間又建議成立國家圖書館和情報服務委員會以及情報科學研究所，❹等等。本土研究學派注重研究印度圖書館（尤其是公共圖書館）的規劃、政策、立法、建設、發展及存在問題，這種研究具有很強的現實指導意義，是值得我國圖書館學研究者學習的。

　　除上述4種主要的圖書館學流派外，印度圖書館學研究者還繼承並發揚了阮岡納贊的圖書館哲學思想，考沙爾的《圖書館和情報學的動力學》就是這方面的代表作。該書共分11章，內容如下：圖書館和圖書館學、圖書館事業的性質和目的、物理結構——圖書館建築規劃、圖書館事業的哲學、調動圖書館發展的財政資源、用戶需求、圖書館收藏的動力學、處理技術、學院（College）圖書館的發展、作為教育者的教師和圖書館員、印度英語出版物的書目控制。❹考沙爾在書中將圖書館定義為「影響公民成為理性的愛思考的個人的潛在工具」，他認為，圖書館活動主要可分為資料採集、資料貯存、藏書組織、資料（及其中包括的情報）傳遞4個領域，圖書館的目的（或功能）則包括資料貯存、研究、情報傳遞、教育、「文化閱讀（Culture reading）」5個方面，他還探討了圖書館哲學等問題。

　　印度圖書館學在近一個世紀的發展過程中取得了巨大的成就和國際聲望，印度圖書館學家在走向世界和強化本土研究兩方面都比較成功，他們的研究成果及圖書館學理論獨具特色、引人注目，而所有這

---

❹　同註❶。

❹　M. Kaushal. Dynamics of Information and Library Science. New Delhi: Commonwealth Publishers, 1995.

些都離不開阮岡納贊的貢獻。印度圖書館學的最大弊端是研究活動及
其組織過於自由化,主要表現在職業團體過多、方言文獻泛濫以及低
水平重複研究等方面。當阮岡納贊在世時,他的巨大聲望尚且可形成
印度圖書館學的凝聚力;他去世後,印度圖書館學在走向多元化的同
時也出現了自由散漫的研究傾向。印度是我國的近鄰,印度圖書館學
的源起及發展軌跡與我國圖書館極爲相似而又各具特色,作爲比較圖
書館學的一部分,這種現象應引起我國圖書館學研究者的關注。

㈣日本圖書館學的兩種潮流

「日本也和許多歐洲國家一樣,在第二次世界大戰之後,開始認
識和重視『圖書館學』這一學科領域。」㊷也就是說,在日本,作爲
一門學科的圖書館學是在第二次世界大戰之後發展起來的。從50年代
初到60年代中期,日本圖書館學受美國的影響較大,注重理論研究尤
其是圖書館的社會學研究是當時的圖書館學潮流;60年代中期之後,
日本圖書館學逐步發展爲圖書館情報學,這也是圖書館學日本化的發
展過程,該時期理論研究思潮雖然還在延續,但圖書館學的主流已轉
向應用性的情報研究。日本圖書館學的發展脈絡簡潔而清晰,這是符
合日本民族的思維方式的。

「50年代的圖書館學理論,主要是摸索自身的成立所應具備的基
礎」。㊸1957年,藤林忠發表了論文「圖書館學的基礎問題」,揭開

㊷　津田良成編,楚日輝、畢漢忠譯,圖書館情報學概論,北京:科學技術文
　　獻出版社,1986．42,10～43, 2, 1, 34～37．

㊸　岩猿敏生著,石惠俠譯,圖書館學理論和圖書館員,國外圖書情報工作,
　　1985（1）:9～17．

了圖書館學理論研究的序幕，他認爲，儘管各個歷史時期的圖書館目的、功能有所不同，但有兩個普遍與永恆的要素，那就是圖書與讀者，圖書館學不是對個別圖書館的研究，而是對圖書與讀者及其相互關係的研究，有關圖書與讀者及其相互關係的系統原理，就是圖書館學。❹1953年，黑田正典發表了「關於圖書館學原理的考察」一文，他認爲，圖書館學是圖書館工作所必要的知識與技術的集合，其本質是一門應用科學，其研究內容應該由對象與方法兩部分組成，所謂對象是指圖書館與圖書館工作，所謂方法是指自然科學方法和社會科學方法及其在圖書館的應用。❺1954年，大佐三四五出版專著《圖書館學的展開》，將圖書館學的結構劃分爲理論、史論、實踐論、文獻學（目錄學、古文書學）和輔助科學五部分，認爲圖書館學是以圖書館爲對象的系統知識的總和。❻50年代末期之後，日本圖書館學先是受到文獻工作繼而又受到情報學的衝擊，在此情況下，抽象的理論探討趨於式微，但卻並沒有泯滅。到80年代初，岩猿敏生發表了「圖書館學理論與圖書館員」一文，❼對日本圖書館學理論研究進程做了系統的總結和評論，並將日本圖書館學理論研究推進到一個新的高度。

岩猿敏生首先回顧了日本圖書館學理論的淵源，他認爲，儘管從明治維新以後，日本學者就致力於將圖書館研究提高到一門學科的高度，但「把圖書館學視爲一個整體，探討其作爲一門單獨學科成立基

---

❹ 同註❸。
❺ 同註❸。
❻ 同註❸。
❼ 同註❹。

礎的正式的圖書館學理論則是戰後50年代的事」。接下來，岩猿敏生又探討了50年代理論研究的特徵及兩種傾向，他指出，「戰後的日本圖書館，正像在國立國會圖書館法以及圖書館法中所明顯看出的那樣，是在美國圖書館學的觀念支配下重新建立起來的」；如果追溯得遠一些，日本學者對美國圖書館學的效法自明治維新後就開始了，但在天皇君主專制制度的制約下，這種效法不得不停留在一種許可的範圍內；戰敗後，這種制約消失了，才有可能自由地引進美國圖書館學，這樣，新觀念與以往的觀念相遇，就不得不迫使對舊的觀念進行根本性的批判，而且，這種批判不允許只停留在技術論的水平上，因為類似圖書館這樣的機構，技術的採用常常是與其自身的目的相聯繫的，而圖書館領域的目的概念常常會引起爭論；進一步講，「在目的有爭議的情況下，自然也就不能局限於作技術的探索，而必須探討圖書館的目的以及圖書館存在的基礎」；這就是50年代日本圖書館學理論潮流的成因或特徵。在這種潮流化的研究中，由於立場不同，日本學者明顯地形成了兩種觀點：一種理論是站在傳統的圖書館經營管理的立場上，以客觀地追求圖書館的業務管理為目標（Library Economy）；另一種理論是站在理論反省的立場上，以建立系統的圖書館學理論為目標（Library Science）。50年代日本圖書館學理論研究的最主要的成果是造就了一批「圖書館學」研究者，並形成了相對於「技術論」的「學術論」。「所謂學術論，是指如何從現實多樣性中提煉出構成學術內容的研究對象，而研究方法論則是指應採用怎樣的科學研究方法，對提取的對象進行剖析和考察。」岩猿敏生援引謝拉的觀點進一步認為，「作為客觀的、現實的的圖書館本身，並不能夠原封不動地成為學科的研究對象」，「為了使圖書館

學成爲一門科學，還必須在已確立的圖書館定義的基礎上，通過根本性的質疑，從圖書館活動的實際經驗中，提取出能夠成爲圖書館學研究對象的圖書館現象來」，而研究者按照各自的價值觀念，從具有無限多樣性的、現實的客觀經驗中提煉出的圖書館現象，只能是紛繁複雜的現實中的一個方面，這意味著它只是抽象的產物，譬如，巴特勒關於圖書和圖書館的定義，就是對大量圖書館現象進行反覆抽象的結果。50年代末期以後，日本圖書館學受到文獻工作(Documentation)和情報學的衝擊，這使構成圖書館學基礎的圖書館的自身存在及其能否適應新的情報要求受到懷疑，「但由於在圖書館學研究者當中已經開始有了一定的研究成果，雖說基礎尚不牢固，但終究是在現實的成績面前逐漸地有了自信力，正是靠著這種自信力的支持，才有了自身的安全感」。岩猿敏生在談到圖書館學和情報學的關係時認爲，「圖書館學對情報科學的依靠，使長時間來艱難地確立學問基礎的圖書館學同樣只是將情報作爲自己主要的研究對象。由於將自己放在作爲情報科學一個領域的位置上，進而導致了對圖書館學的這種回避學科基礎問題而苟且偷安的態度的批評」，而「圖書館學究竟是以情報學作爲基礎的應用科學，或者僅僅是情報學的一個領域，這個問題至今仍含混不清」。岩猿敏生最後還探討了圖書館學與館員工作的關係，他認爲，「假如圖書館學不是立足於某種科學，館員工作就難以說成是一門專門的職業」，「圖書館學與館員工作的本質在根源上是聯繫在一起的」。❹ 可以看出，岩猿敏生既想尋求圖書館學的「本」，又不得不考慮圖書館學和情報學的關係，由於這些問題沒有很好解決，他

---

❹　同註 ❹。

本人對圖書館學研究對象的認識也不十分明確；如果像他最後的論述所暗示的那樣，將「館員工作」視爲圖書館學的研究對象，則勢必與他前面的有關論述自相矛盾，因爲館員工作不能算作「抽象的產物」。當然，岩猿敏生的論述本身可以視之爲探討圖書館學研究對象的原則或理論，他的許多見解對圖書館學研究者而言具有長久的啓迪和指導價值。

情報學滲入日本圖書館學領域是60年代中期之後的事情。我們可以從第二次世界大戰後日本圖書館學教育史的發展看出這種軌迹。1951年，在美國圖書館協會和當時駐日美軍以及日本有關人士的共同努力下，慶應義塾大學設置了圖書館學專業，這是日本第一個由大學開設並具有相當規模的圖書館學專業。該專業創辦初期，主要由5名美國圖書館學教育專家採用美國式教程和教育方法進行講學，講授課程主要面向公共圖書館；從1957年開始，任課教師的授課方法開始日本化；1962年，正式修訂的圖書館學課程付諸實行，課程進一步面向專業圖書館；1968年該專業開設碩士課程，專業名稱也改爲「圖書館情報學專業」，但只有研究生院講授情報學課程；70年代初，經過修訂的大學和研究生院課程均以「資料論」、「資料組織論」、「系統管理論」爲三大支柱，並增設了「概論」、「圖書館史」等綜合性課程；1975年，慶應義塾大學又設置了圖書館情報學博士課程，強調建立圖書館情報學研究體制的必要性，並著手進行有組織的共同研究。1977年，日本在修訂的《圖書館情報學教育標準》中規定，「圖書館情報學必須以過去的傳統的圖書館學爲基礎，融合吸收隨著通訊技術、計算機技術、文獻資料工作的發展而新出現的情報學方面的內容，」這一標準還將圖書館學情報學課程分爲以下四個門類：(1)有關

圖書館情報學理論的「基礎門類」；⑵有關各種記錄情報的「媒介與使用門類」；⑶利用情報的有關交流技術及其媒介組織與處理方法的「情報組織門類」；⑷將適應情報需求的全過程作爲一個系統加以掌握的「情報系統門類」。1979年，日本圖書館情報大學在筑波成立，這是「第一所情報學與圖書館學融合爲一體的大學」，它標誌著日本圖書館學和情報學一體化進程已基本結束。❹

　　始於60年代中期的日本圖書館情報學研究潮流也造就了一代圖書館情報學研究者，換言之，正是這些研究者共同發起並實現了日本圖書館學和情報學的一體化進程。早在50年代，椎名六郎就提出從「交流」角度研究圖書館現象，並認爲圖書館是情報交流的媒介，他在1981年第9版《新圖書館學概論》一書中進一步闡述了這種思想。❺加藤一英在1965年發表了「圖書館學能夠作爲學科成立嗎」一文，試圖將圖書館學建立在通訊理論的基礎上；❺1982年，他又出版了《圖書館學序說》一書，徹底拋開圖書館工作的具體技術問題，從科學本質、交流和系統論三個方面對圖書館學和圖書館事業進行了分析。❺丸山昭二郎則在1986年發表了「圖書館和情報概論」一文，他認爲，情報學是從圖書館學中分化出來的，它們好比一輛車上的兩個車輪，其中，圖書館是情報系統中作爲制度和組織方面的構成要素，情報科學是作爲技術方面的構成要素，它們可以在「一般的情報科學

---

❹　同註❷。
❺　同註❸。
❺　同註❸。
❺　同註❸。

（informology）」內實現統一❸；丸山昭二郎的探討實際上已涉及到圖書館情報學的進一步發展問題。圖書館情報學研究的代表人物還包括高山等人，他們在1980年對日本、美國、菲律賓、經濟合作與發展組織（OECD）及聯合國教科文組織（UNESCO）的有關圖書館情報學教育課程的資料進行了詳盡的調查與分析，並從而確定了圖書館情報學的研究範圍。❹日本圖書館情報學研究的集大成者當數津田良成，他的《圖書館情報學概論》堪稱這方面的代表作。

　　據《圖書館情報學概論》中譯本「內容簡介」的介紹，它是日本出版的第一本圖書館情報學教科書。該書共分8章，內容如下：圖書館情報學的定義、情報交流、情報的需求與使用、情報載體、情報的存貯與檢索、情報管理組織的管理與經營、圖書館服務工作原理、研究入門。❺可以看出，這是一種以情報學為主體的學科體系，圖書館只是該體系中的一個特殊研究領域。津田良成是這樣解釋的：「本書在編寫過程中，並沒有以圖書館為重點來論述圖書館本身的各項工作，而是著重探討在情報的產生到應用的過程中，各種記錄情報的發生、收集、存貯、內容分析、檢索等方面的功能。同時，還闡述了為達到上述目的而存在的圖書館的作用、活動、各項有關技術以及經營管理等等」❻津田良成還認為，「圖書館情報學一詞，是在圖書館學

（它的研究對象是文字、印刷品、出版物、各種文獻資料以及系統地收集、存

---

❸　丸山昭二郎著，董光榮編譯，圖書館和情報概論，國外圖書情報工作，1988(1)：4～7。

❹　同註❷。

❺　同註❷。

❻　同註❷。

貯和提供這些文獻資料的各種圖書館的工作）的傳統學科中，滲進新興的情報學這一概念而產生的新的學科。」❺❼至於圖書館情報學的範圍，在做了大量的比較後，津田良成認為聯合國教科文組織制定的圖書館情報學教學大綱（將所有課程分為社會通信、用户調研、情報源、情報／數據存貯與檢索、組織、專題研究或學位論文、選擇7大部分）較為符合日本的情況。❺❽津田良成的圖書館情報學體系是融圖書館學和情報學為一體的嘗試，以情報學為主體是符合學科發展規律的；我們認為，津田良成的體系較為接近一般情報學，因此可以用它來覆蓋圖書館學。

　　日本的圖書館學發展道路既不同於印度也不同於我國，它似乎走了一條捷徑，而這條捷徑正是由第二次世界大戰後日本和美國的特殊關係鑄就的。深入地分析，日本圖書館學的發展之所以少一些曲折和無序，也與日本民族渴求統一、忠誠團隊的精神有關。日本圖書館學很快跨越了「社會說」階段而直接進入「交流說」階段，其間也發生了紛爭和無序，但他們隨即以翔實的調查和頒布標準等方式解決了學科關係問題，並將其納入圖書館情報學的整合發展之路。當然，日本圖書館情報學領域目前也存在著多種學說及學說間的爭鳴，但這種理論發展的多元化是圍繞圖書館情報學而展開的，它並沒有從根本上影響圖書館情報學的穩定與有序。我國圖書館學及相關學科領域目前正面臨著學科整序和建設的問題，當此之際，日本圖書館學發展的經驗是值得借鑒和學習的。

---

❺❼　同註❹❷。
❺❽　同註❹❷。

第二節　中國的圖書館學學説

㈠韋棣華與中國圖書館學的產生

　　嚴格地講，20世紀之前我國只有圖書館思想而無圖書館學思想，況能富將我國圖書館學思想一直追溯到周代，❺❻我們以爲是不恰切的。杜定友早在1926年就談到，「圖書館學是一個新名詞，恐怕只有二、三年吧？在外國，也不過是近代的事。圖書館學這個名詞，在外國書中，雖然發現於近百年前（1829）；但是成爲專門學，也不過是近10年的事。考圖書館事業的發軔，遠在數千年前。我國向來有目錄學、校讎學，也差不多有圖書館學的意思，不過內容卻大不相同。」❻可見，20世紀之前我國的圖書館認識主要表現爲目錄學和校讎學等形式，而目錄學和校讎學並不等同於圖書館學，圖書館思想也不同於圖書館學思想。我們認爲，圖書館學思想是從學科的角度來認識和把握圖書館現象的理論思維形式，它區別於圖書館思想的地方主要是它的系統性和理論性。從這個意義上講，我國圖書館學（即人們通常所謂的近代圖書館學）發端於20世紀初期。

　　我國圖書館學的先驅人物是美國聖公會女傳教士和圖書館學教育家韋棣華（M. E. Wood）。1899年，韋棣華來中國探親，留居武昌任文華大學英語教授，並開始籌建該校的圖書館；1907年，她返美籌集

❺　況能富，圖書館學思想發展論綱，圖書情報知識，1982⑷。
❻　況能富，中國圖書館學思想的發展及其影響初探，圖書館學通訊，1985⑴。
❻　杜定友，圖書館學的內容與方法，教育雜誌，1926, 18⑼、⑽。

建館資金，入西蒙斯學院進修圖書館學，不久再次來華籌建圖書館；
1910年，文華學校圖書館建成開館，取名「文華公書林」，韋棣華親
任圖書館總理，這是我國最早的具有公共性質的圖書館之一，它不僅
爲文華大學和中學服務，而且也爲當地其它學校、機關和個人服務，
它還設有3處分館和巡迴書庫；20年代，韋棣華還爲爭取將退還的庚
子賠款的一部分用於推進中國圖書館事業而積極奔走——開辦早期
的公共圖書館並爲中國圖書館事業奔走呼號正是韋棣華的主要貢獻
之一。韋棣華的第二大貢獻也是最主要的貢獻是發現和培養了一批中
國圖書館學家，這些圖書館學家包括沈祖榮、胡慶生等都成了爾後第
一次圖書館學高潮的中堅力量。1920年，韋棣華與學成歸國的沈祖榮
等人創辦了文華大學圖書科，任主任兼教授；1929年，該科獨立爲文
華圖書館學專科學校，這是中國第一所獨立的圖書館學校。韋棣華的
第三大貢獻是積極參與中國圖書館事務的組織與管理活動及促成和加
強中國圖書館學與西方的交流與合作，她是1925年第一屆中華圖書館
協會教育委員會的書記並代表協會參加了美國圖書館協會和英國圖書
館協會的有關活動。韋棣華的著述不多，主要有《庚子賠款和中國圖
書館運動》等。㊿1931年，韋棣華病逝於武昌，離開了她所熱愛的中
國圖書館事業，但她爲中國圖書館事業鞠躬盡瘁的精神卻永遠留在了
中國圖書館人的心中，這種精神將永遠激勵著獻身於圖書館事業的萬
千兒女。

　　韋棣華開啓了中國圖書館學的大門，她引進了美國的公共圖書館
精神，並促成了中國圖書館學的產生與發展。此外，我國的一些有識

㊿　同註❼。

之士也爲本國圖書館的產生做了一些先期準備工作，譬如，孫毓修綜合日本和美國的情況於1909年發表了「圖書館」一文，謝蔭昌於1910年翻譯了日本的《圖書館教育》一書，❻等等。1917年後，留學美國和菲律賓等國的我國第一代圖書館學者沈祖榮、胡慶生、戴志騫、李小緣、劉國鈞、杜定友等相繼學成歸國，他們迅即掀起了一場「新圖書館運動」，並直接促成了20世紀我國圖書館學發展的第一次高潮。第一次高潮從20年代初一直延續到30年代末，它鍛煉了第一代學者而造就了第二代學者。❻40～50年代，由於戰爭的原因，我國圖書館學研究活動基本陷於停頓。50年代後，站起來的第一代和第二代圖書館學者發起並領導了第二次圖書館學高潮，培養了第三代圖書館學者，遺憾的是，蓬勃發展的圖書館學因政治原因於60年代中期到70年代後期陷入了第二次低谷。70年代末開始，再次打開國門的中國圖書館學迎來了第三次發展高潮，這是一次長時間的高潮中有低潮的跨世紀發展高潮，這也是中國圖書館學走向世界的一次發展高潮，在這次高潮中成長起來的第四代圖書館學者已具備了足夠的衝擊世界、挑戰未來的能力與信心。

20世紀後半葉，除了作爲主流的大陸圖書館學外，我國台灣地區圖書館學的發展亦頗引人注目。40年代末，第一代和第二代圖書館學者中的部分代表人物如王云五、蔣復璁等先後去了台灣，他們爲台灣圖書館學的發展奠定了基礎。到60～70年代，一批從美國學成歸來的圖書館學者成爲台灣圖書館學的中堅力量，他們大約相當於大陸的第

---

❻　同註❶。
❻　程煥文，圖書館人與圖書館精神，中國圖書館學報，1992（2）：35～42。

三代學者。80年代之後，台灣圖書館學進入發展的高潮期，台灣自己培養的一批學者及部分從海外歸來的學者構成了相當於大陸第四代學者的台灣第二代學者。值得說明，80年代後期特別是進入90年代以來，大陸與台灣的圖書館學交流日趨擴大和頻繁，海峽兩岸的圖書館學者正在携手共創跨世紀的圖書館學偉業。

(二)一次高潮與兩代學人

到20年代初期，我國圖書館學已具備了「起飛」的種種條件：留學海外的第一代圖書館學家包括沈祖榮、胡慶生、劉國鈞、洪有丰、戴志騫、袁同禮、李小緣、杜定友、楊昭晰等人已陸續回國，新圖書館運動正在中華大地轟轟烈烈地展開，圖書館和圖書館學的觀念經過先驅者的努力已廣為傳播，等等。這是一個急需圖書館學和圖書館專門人才的時期，是一個需要圖書館學組織以推動圖書館學發展的時期。1920年，文華大學圖書科成立，聚集了一批第一代圖書館學家，開始了我國的正規圖書館學教育。1921年，中華教育改進社在北京成立，沈祖榮、戴志騫、洪有丰、杜定友等人參加了該社的圖書教育組，這是最早的圖書館學組織之一。1925年，中華圖書館協會在上海成立，梁啓超為第一任董事部部長、戴志騫為第一任執行部部長；該協會的宗旨是「研究圖書館學術，發展圖書館事業，並謀圖書館之協助」。❻⑤中華圖書館協會的成立是第一次高潮中的大事，它標誌著我國早期圖書館學進入了有組織的研究時期。

到20年代末和30年代，我國第二代圖書館學隊伍已基本上形成，

---

❻⑤　同註❼。

他們最主要的特徵是「國產化」。「雖然第二代人中不少是出國留學的，如留美的桂質柏、裘開明，留日的馬宗榮，但是，他們基本上都是接受國內圖書館學教育以後再出國深造的，這與第一代人的成長過程大相徑庭。更爲重要的是第二代人的主體基本上都是『國產』的」。❻❻第二代圖書館學者約略可以分爲兩種類型；一種是近代圖書館學教育興起以後培養出來的一批人，包括查修、皮高品、周連寬、呂紹虞、張遵儉、嚴文郁、毛坤、汪應文、汪長炳、錢亞新等；另一種是長期從事圖書館實踐而未受過圖書館學教育的一批實幹家，包括柳治徵、萬國鼎、王云五、王獻唐、王重民、張秀民等。第二代人雖然也有輝煌的成果，但因其創造的高峰期恰逢戰爭，他們的總體成就及水平稍遜於第一代人。

我國圖書館學第一次發展高潮具有這樣一些主要特徵：(1)造就和培養了兩代圖書館學家，其中最傑出的代表當數杜定友和劉國鈞；(2)興辦了圖書館學教育，爲社會輸送了大批急需的專門人才，據統計，僅文華（指文華大學圖書科和後來的文華圖專）從1920～1938年就培養了250餘名各類畢業生；❻❼(3)成立了中華圖書館協會及各地的地方圖書館協會，使圖書館學進入了有組織的研究階段；(4)開展了圖書館學的國際交流，參加了1927年在英國舉行的國際圖書館協會和機構聯合會（IFLA）成立大會及其它國際學術會議，擴大了中國圖書館學的影響；(5)產生了大量圖書館學譯著和論著，繁榮了學術研究，內容以圖

---

❻❻　同註❻❹。

❻❼　王子舟，20世紀中國圖書館學發展的三次高潮，圖書情報工作，1998(2)：1
　　～

書館學理論和分類法的編制爲核心，代表作主要有《圖書館學》（楊昭晰，1923年）、《圖書館通論》（杜定友，1925年）、《圖書館組織與管理》（洪有丰，1933年）、《圖書館學要旨》（劉國鈞，1934年）、《比較圖書館學》（程伯群，1935年）、《圖書館學通論》（俞爽迷，1936年）、《中國圖書分類法之沿革》（蔣元卿，1937年）、《世界圖書分類法》（杜定友，1922年）、《圖書館分類法》（洪有丰，1924年）、《仿杜威書目十類法》（沈祖榮、胡慶生，1917年）、《中外圖書統一分類法》（王云五，1928年）、《中國圖書分類法》（劉國鈞，1929年）、《中國十進分類法》（皮高品，1934年）、《簡明圖書館編目法》（沈祖榮，1929年）等；(6)就大的方面而言，該時期中國圖書館學發展受美國影響最大，美國的公共圖書館精神和杜威十進分類法思想可謂該時期圖書館學論著的主旋律；(7)具體到圖書館學理論方面，該時期最大的成就就是產生了具有中國特色的「要素説」，杜定友和劉國鈞皆爲要素説的代表人物，他們也是我國圖書館學史上堪稱世界級的人物。

　　杜定友生於1899年，1918年從上海專門工業學校畢業後被選送到菲律賓大學攻讀圖書館學，1920年獲文學學士，1921年畢業時又被授予教育學和圖書館學兩個學士學位。杜定友回國後，先是受聘於廣州市教育局並創辦了廣州市立師範學校；1922年又受聘於廣東省教育委員會，兼廣東省圖書館館長，並創辦了「廣東圖書館管理員養成所」，這是我國最早的培訓圖書館員的教育機構之一。1923年，杜定友返回上海任復旦大學圖書館主任。1924年回母校南洋大學任圖書館主任，同年參與發起和創辦上海圖書館協會，並應邀赴河南、江蘇等地講授圖書館學。1925年，杜定友又參與了中華圖書館協會的籌建和成立大會，被選爲執行部副部長；同年他還在上海國民大學創建圖書

館學系，任系主任兼教授。1927年到廣州任中山大學圖書館主任。1928年再返上海任上海交通大學圖書館主任。1936年，復任中山大學圖書館主任；抗戰開始後，隨圖書館四處飄移，歷盡艱辛；但就是在這樣艱難的條件下，杜定友於1943年還主持了爲期3個月的廣東省圖書館工作人員訓練班。1945～1949年，杜定友一度兼任中山大學圖書館、廣州市圖書館、廣東省圖書館三館館長，並於1947年發起成立廣東省圖書館協會，任理事長。解放以後，杜定友先後擔任廣東省人民圖書館館長，廣東省圖書館館長和廣東省圖書館學會會長，並參加了一系列研究、教學和外事訪問活動。1967年，杜定友因病逝世於廣州。⑱⑲

　　綜觀杜定友的圖書館學生涯，約略可劃分爲四個時期：1918～1921年，爲求學菲律賓時期；1921～1936年，爲往返滬穗時期，這也是杜定友圖書館學思想形成和發展的時期，是杜定友學術生涯最輝煌的時期，該時期他的主要代表作有《世界圖書分類法》（1922年，1935年三版時定名爲《杜氏圖書分類法》）、《圖書館通論》（1925年）、《漢字排字法》（1925年）、《圖書館學概論》（1927年）、《校讎新義》（1930年）、《漢字形位排檢法》（1932年）、《明見式編目法》（1936年）、《圖書館》（1936年）等；1936～1949年，爲遭逢亂世、與圖書館共命運時期，杜定友開始思考和研究圖書館與

---

⑱　程煥文，篳路藍縷，鞠躬盡瘁——試論圖書館學家、圖書館學教育家杜定友先生對中國近代圖書館事業的卓越貢獻，廣東圖書館學刊，1988（專輯）：13～43。

⑲　錢亞新，白國應，杜定友圖書館學論文選，北京：書目文獻出版社，1988。

政治的問題，研究方向發生轉變，所編《東西南沙群島資料目錄》
（1948年）對於維護我國主權起了重要作用；1949～1967年，爲獲得
新生、潛心研究時期，該時期他的主攻方向是地方文獻，代表作有
《分類原理與分類問題》（1957年）、《地方文獻的收集與整理》
（1957年）、「圖書分類法的路向」（1962年）等。

　　據統計，杜定友一生共撰寫著作86種（其中正式出版或刊行55種），
撰寫論文512篇（其中正式發表320篇），共約600餘萬字，這是我國近現
代圖書館學史上所僅見的。❼杜定友的學術成就主要體現在圖書館學
理論、圖書分類學、漢字排檢法、地方文獻研究、圖書館建築和設備
等幾個方面，而以圖書館學理論和圖書分類學最爲精達。關於圖書館
學理論，在1925年出版的《圖書館通論》一書中，杜定友已將圖書館
置於社會大系統中進行考察，他認爲，圖書館事業發展的因素主要包
括人才、書籍、財力和時勢四個方面，這種認識已衝破單純的技術論
而形成了社會論；❼1926年，杜定友在「圖書館學的內容和方法」一
文中指出，圖書館學與其它專門學一樣包括兩個內容：「第一是原理，
第二是應用，而應用是根據於原理而來。圖書館學若是只有目錄分類
方法、書籍排列方法那種機械的事——在一般人的眼光看來，圖書館
只有幹這些事——那麼當然不值得研究；只能稱爲技術，不能稱爲科
學。但圖書館學所以能成爲科學，是因爲圖書館現在已成爲一種活的
教育機關，」❼值得注意，杜定友此處的表述與阮岡納贊關於

---

❼　趙平，一代宗師　千載事業——在杜定友先生九十誕辰紀念學術思想研討
　　會上的發言，廣東圖書館學刊，1988（專輯）：1～12。
❼　杜定友，圖書館通論，上海：商務印書館，1925。
❼　同註❻。

「圖書館是一個發展的有機體」的認識有相似之處；1927年，杜定友在《圖書館學概論》中明確提出圖書館有積極保存、科學處理和活用益人等功能，並創造性地將圖書館的發展劃分為保守、被動、自動三個時期；❼❸1928年，杜定友在「研究圖書館學的心得」一文中認為，圖書館就如同人的大腦，其功用「就是社會上一切人的記憶，實際上就是社會上一切人的公共腦子。圖書館學則是專門研究人類學向記載的產生、保存與應用的」，❼❹這種認識又肖似巴特勒的觀點；1932年，杜定友發表「圖書館管理方法新觀點」一文，指出圖書館事業的理論基礎可稱為「三位一體」，三位者，一為「書」（包括圖書等一切文化記載），二為「人」（即閱覽者），三為「法」（包括圖書館的設備、管理方法、管理人才等），❼❺這就是著名的「三要素說」，它堪稱杜定友圖書館學理論的精華。關於圖書分類學，與阮岡納贊一樣，這也是杜定友偏愛的一個領域；回國後經多次修改於1935年定型的《杜氏圖書分類法》在當時是極有影響的分類法之一，1950年首倡新中國圖書分類法應以馬列主義、毛澤東思想關於科學分類的理論為指導思想表明了歷經戰亂後杜定友思想境界的昇華，1962年發表「圖書分類法的路向」一文則體現了杜定友在圖書分類領域的精深造詣和遠見卓識，❼❻等等。

　　杜定友是我國近代圖書館事業和近代圖書館學的奠基人之一，是

---

❼❸　杜定友，圖書館學概論，上海：商務印書館，1927。
❼❹　杜定友，研究圖書館學的心得，中山大學圖書館周刊，1928,1（1）。
❼❺　杜定友，圖書館管理方法之新觀點，浙江圖書館月刊，1932,1（9）。
❼❻　杜定友，圖書分類法的路向，見：圖書分類學文集，北京：書目文獻出版社，1985．235～243。

我國圖書館學史乃至世界圖書館學史上屈指可數的理論大家之一，他在圖書館學的諸多領域都作出了傑出的貢獻，他融東西方圖書館學爲一體而形成的具有中國特色的圖書館學理論尤爲值得稱道。遺憾的是，杜定友晚年未能更多地從事專業教育也未能更多地走向世界，因此，他的思想與學問未能廣爲流傳和產生世界影響。

劉國鈞生於1899年，1920年南京金陵大學哲學系畢業後留該校圖書館工作，1922～1925年赴美留學期間曾加修圖書館學課程，1925年獲哲學博士後歸國任金陵大學教授兼圖書館主任，1929～1930年任北平圖書館編纂部主任並主編《圖書館學季刊》，1930年返回金陵大學任原職，1937年隨校內遷成都，1943～1949年在蘭州任西北圖書館籌備主任和館長，1951年調北京大學圖書館學系任教授並兼教研室主任、系主任等職，1979年被推選爲中國圖書館學會名譽理事，1980年因病逝世。**⓱**

與杜定友相比，劉國鈞的活動領域更多地局限於北方，經歷也少一些曲折，但他們的研究方向卻有許多共同之處。劉國鈞的學術成就除哲學研究方面外，主要集中在以下幾個方面：(1)圖書館學理論研究方面。1921年，劉國鈞在「近代圖書館之性質與功能」一文中指出，近代圖書館具有自動化（自行用種種方法引起社會上人人讀書之興趣）、社會化（將注重對象由書籍而變爲其所服務的人，俾圖書館成爲社會之中心）、平民化（應爲多數人所設）等特徵；**⓲**1923年，他又在「美國公共圖書

⓱　同註**⓱**。

⓲　史永元，張樹華，劉國鈞圖書館學論文選集，北京：書目文獻出版社，1983．1～3, 11～13，代序。

館概況」一文中談到，近代圖書館的基本任務是「以用書爲目的，以誘導爲方法，以養成社會上人人讀書之習慣與指歸」，**⑲**在此，劉國鈞不僅強調用書亦且強調培養人們的讀書習慣是圖書館的目的，可謂精闢；1934年，劉國鈞出版代表作《圖書館學要旨》，認爲「圖書館成立的要素，若加以分析，可以說有四種：㈠圖書；㈡人員；㈢設備；㈣方法。圖書是原料；人員是整理和保存這些原料的；設備包括房屋在內，乃是儲蓄原料、人員、工作和使用圖書的場所；而方法乃是圖書所以能與人發生關係的媒介，是將圖書、人員和設備打成一片的聯絡針。分別研究這四種要素便成爲各種專門學問。」**⑳**這就是名噪一時的「四要素說」；1957年，劉國鈞又在「什麼是圖書館學」一文中提出，「圖書館事業有五項組成要素：㈠圖書；㈡讀者；㈢領導和幹部；㈣建築與設備；㈤工作方法」，而「圖書館學的研究對象就是圖書館事業及其各個組成要素」，**㉑**這是影響迄今的「五要素說」；其實，對比分析，無論杜定友的「三要素」，還是劉國鈞的「四要素」、「五要素」，內容及精神實質均無區別，區別僅在於要素的拆分與組合不同而已；⑵圖書分類學方面。1929年，劉國鈞編制的《中國圖書分類法》曾爲北京圖書館等多家圖書館所採用，此亦近代著名分類法之一；50～70年代，劉國鈞參加了《中小型圖書館圖書分類法》和《中國圖書館分類法》的編制，實現了理論與實踐的結合；1978年，他發表了「現代西方主要圖書分類法評述」，**㉒**這是

---

⑲ 同註⑱。

⑳ 劉國鈞，圖書館學要旨，上海：中華書局，1934。

㉑ 劉國鈞，什麼是圖書館學，中國科學院圖書館通訊，1957(1)：1～5。

㉒ 劉國鈞，現代西方主要圖書分類法評述，社會科學戰線，1978(1)、(2)。

積數十年功力的力作，影響廣泛；(3)圖書館目錄的理論與實踐方面。
以1930年出版的《中文圖書編目條例》、1957年出版的《圖書館目錄》和1975年以後發表的有關「馬爾克（MARC，機讀目錄）」的系列論文爲代表，爲我國國家編目標準的形成奠定了基礎，同時也體現了劉國鈞對國際編目發展趨勢的高度敏感；(4)中國書史方面。劉國鈞於1958年出版的《中國書史簡編》承前啓後，❽至今仍是許多高校圖書館學專業的首選教材。

　　劉國鈞也是我國近代圖書館事業和圖書館學的奠基人之一，是我國兩次圖書館學高潮的核心人物，是我國圖書館學史上傑出的理論家和教育家。劉國鈞的圖書館學思想既有哲學的高度，又有理論聯繫實踐的特點，同時還具有中國化的特色。由於後半生執著於圖書館學教育事業，他的思想和理論得以更直接和更廣泛地傳播。若在世界範圍內比較，劉國鈞、杜定友的經歷、研究方向及影響等諸多方面均與阮岡納贊有共同之處，他們在一些方面完全可以相提並論，惜乎多方面的原因，他們未能走向世界，因而也未得到國際圖書館學界的普遍認可。

　　以杜定友、劉國鈞爲代表的我國第一代和第二代圖書館學家完成了創建中國圖書館學的重任，並成功地發起和領導了第一次圖書館學發展高潮，爲圖書館和圖書館學爭得了應有的地位，他們中間的大部分人還將參與和領導第二次發展高潮，個別成員如皮高品等甚至歷三次高潮而不衰。第一代和第二代圖書館學家不僅給我們留下了豐富的學術論著，而且更爲可貴的是，他們給我們留下了寶貴的精神財富，

---

❽　劉國鈞，中國書史簡編，北京：高等教育出版社，1958。

他們的創造精神、敬業精神、奉獻精神、致用精神、育人精神和克己精神將永遠與我國圖書館事業聯繫在一起，將永遠伴隨著各代圖書館學家的成長之路。

㈢過渡的第二次高潮

大陸解放後，站起來的中國人莫不以飽滿的熱情投入到新中國的各項事業建設中，經過洗禮的第一代和第二代圖書館學家也不例外，他們在新時代與新社會的感召下，自覺地完成了思想改造過程，積極地謀求以自我積累的知識和技能為祖國服務。同時，由於國際關係風雲變換，蘇聯圖書館學對我國的影響加強，一方面我國選派多人赴蘇留學，另一方面又組織力量翻譯了一批蘇聯圖書館學論著，效仿蘇聯一時成為風尚。就是在這樣的情況下，第三代圖書館學家隊伍伴隨著新中國圖書館事業的發展而逐漸成長起來，但他們在第二次高潮中只是嶄露頭角，他們的輝煌期將順延到第三次高潮時期。

第三代圖書館學者的構成比較複雜，他們大約可以分為這樣幾類：一是留學海外主要是留蘇的學者，主要包括留蘇的彭斐章、佟曾功、鮑振西、趙世良、鄭莉莉、趙琦等人，以及留美的孫云疇和陳譽等人；二是國內培養出來的學者，主要包括周文駿、朱天俊、張琪玉、黃宗忠、謝灼華、白國應、陳光祚、倪波、金恩暉、吳慰慈、肖自力、譚祥金、杜克、黃俊貴、辛希孟、沈迪飛、張德芳、鍾守真、候漢清、徐引篪等，他們大多數是由第一代和第二代圖書館學家培養出來的；三是長期從事圖書館實踐工作，差不多是自學成才的實踐型學者，主要包括左恭、胡耀輝、丁志剛、楊威理、閻立中、孟廣均、黃長著等。第三代學者的共同之處在於他們都經歷了共和國的風風雨

雨，他們在事業方面的興衰皆與共和國的發展歷程緊密相關。1996年，武漢大學出版社出版了《中國當代圖書館界名人成功之路》一書，⑧共收錄了32位學者，雖未能包納所有的第三代圖書館學專家，但亦是他們的縮影。

我國的第三次圖書館學高潮始於50年代初期，形成於1957年前後，而終於60年代中期，可以說是三次高潮中較爲短促的一次。第二次圖書館學發展高潮具有這樣一些特徵：(1)意識形態強有力的介入。主要表現在第一代和第二代圖書館學家的思想改造過程，第三代圖書館學者的世界觀形成過程，關於圖書館性質和職能的討論以及批判所謂的資產階段圖書館學等方面；(2)蘇聯圖書館學的全面滲透。主要是通過中蘇圖書館學家的互訪和交流、派遣留學生赴蘇學習、大量譯介蘇聯圖書館學論著、效仿和套用蘇聯圖書館學模式等途徑而影響中國圖書館學；(3)圖書館學研究進入共和國科學規劃日程。1957年，國務院全體會議第57次會議批准了《全國圖書協調方案》，決定在國務院科學規劃委員會下設圖書小組，負責全國圖書館學界爲科學研究服務的全面規劃和統籌安排，該方案還確定了面向全國的統一的圖書館網絡的組織與建設問題，這是我國圖書館學史和圖書館史上最爲輝煌的篇章之一，可惜的是，由於眾所周知的原因，該方案未能得到完全的實施；(4)三代圖書館學者同台競技。第一代和第二代圖書館學家如杜定友、劉國鈞、沈祖榮、洪有丰、李小緣、王重民、錢亞新、皮高品等依然活躍在圖書館學的各個領域，王重民主持制訂了全國圖書館學

---

⑧　俞君立等，中國當代圖書館界名人成功之路，武漢：武漢大學出版社，1996。

發展規劃，洪有丰是國務院科學規劃委員會圖書小組的成員，劉國鈞的「什麼是圖書館學」一文更吹響了第二次高潮全面鋪開的進軍號；與此同時，在共和國的陽光下成長起來的第三代學者也表現出初生牛犢不怕虎的精神，他們以全新的觀念和視角切入圖書館學，少部分人已初展才華，但大部分人的豪情壯志將在第三次高潮中揮灑和實現；(5)具有時代特色和中國特色的圖書館學體系已基本形成。經過50年代的積累，60年代初我國學者編寫了《圖書館學引論》、《藏書與目錄》、《讀者工作》、《目錄學》等一系列教材，圖書館學基礎理論、圖書分類、圖書館目錄、藏書建設、讀者工作，目錄學等分支學科也隨之建立起來，新的圖書館學學科體系的輪廓漸見分明；❽⑤(6)圖書館學研究成果集中體現在分類法編制和圖書館學基礎理論探討兩個方面。學術成果偏少是第二次圖書館學高潮的典型特徵之一，據統計，1949～1922年我國圖書館學情報學方面發表的論文共有51，606篇，其中1949～1965年僅有4,305篇（包括譯文632篇），這既少於1980～1992年的45,290篇，❽⑥也少於本世紀前50年的5,300餘篇（其中1928～1937年間就有4,000餘篇）❽⑦；關於分類法的編制，1952～1960年短短數年間，我國學者就編制和出版了《中國人民大學圖書館圖書分類法》、《中小型圖書館圖書分類表草案》、《中國科學院圖

---

❽ 黃宗忠，圖書館學導論，武漢：武漢大學出版社，1988．104，117，18～22。

❽ 周文駿，當代中國大陸圖書館學理論研究及其趨勢，見：圖書館與資訊研究論集——慶祝胡述兆教授七秩榮慶論文集，台北：漢美圖書有限公司，1996．25～36。

❽ 同註❻。

書館圖書分類法》、《中國圖書館圖書分類法草案》等大中型分類法，從而完成了圖書分類法的意識形態化；關於圖書館學理論探討，該時期最突出的成就是形成了具有中國特色的「矛盾說」，黃宗忠是最主要的代表人物。

　　在第二次圖書館學高潮中嶄露頭角的第三代學者並不多，而黃宗忠又是其中的幸運者。黃宗忠生於1931年，1958年武漢大學圖書館學系畢業後留校任教，歷任講師、副教授、教授；1972～1984年任圖書館學系主任，1984～1989年任武漢大學圖書情報學院副院長，曾兼任《圖書情報知識》主編和中國圖書館學會理事等職。在黃宗忠任系主任期間，武漢大學圖書館學系由師資隊伍不足10人的小系發展為100多人的圖書情報學院，由1個專業擴展到4個專業，並創辦了研究所和專業雜誌《圖書情報知識》；在黃宗忠執教的33年中，曾主講過圖書館學基礎理論、圖書館管理學、文獻信息學、中外圖書館事業等課程，出版《圖書館學導論》、《圖書館管理學》、《文獻信息學》等著作10餘種（含合著），發表學術論文120餘篇，培養碩士研究生33名。在學術方面，黃宗忠是以「矛盾說」而聞名的：1962年，他發表了「試談圖書館的藏與用」一文，運用馬克思主義哲學思想，剖析圖書館工作過程中「藏」與「用」這對矛盾的特徵，從而提出了「藏與用」是圖書館的特殊矛盾的觀點；㊽1988年，時隔四分之一世紀之後，他在《圖書館學導論》一書中又發展了「矛盾說」，他認為，「圖書館是矛盾的統一體」，「矛盾運動是圖書館發展的根本原因」，「藏與用的矛盾是圖書館的特殊矛盾，規定著圖書館的本質，

㊽　黃宗忠，試談圖書館的藏與用，武漢大學學報（社科版），1962（2）。

是圖書館學區別於其它學科的根本點；」⑧1992年，在新著《文獻信息學》中，他進一步將「矛盾說」發揮得淋漓盡致，他認爲，「文獻信息工作的工作對象與服務對象，即文獻信息與文獻信息用戶是矛盾著的兩個方面。……可以認爲，文獻信息量大、面廣、分散、零亂、冗餘等狀況與文獻信息用戶對文獻信息需求的集中、專指、系統、優質之間的矛盾是文獻信息工作的工作對象與服務對象之矛盾的主要方面。文獻信息工作就是爲解決文獻信息與其用戶之間的這一主要矛盾而產生的，文獻信息工作的每一環節，每一項內容也都是爲了解決這一矛盾的不同方面而產生和發展起來的。文獻信息的搜集是爲了解決文獻信息的分散與用戶利用文獻信息要求相對集中的矛盾；文獻信息的組織是爲了解決文獻信息的零散無序狀況與用戶利用文獻信息要求系統化的矛盾；文獻信息的研究是爲了解決文獻信息量大、面廣、冗餘等狀況與用戶利用文獻信息要求濃縮、適用、優質的矛盾；文獻信息的保存是爲了解決文獻信息易損易壞老化與用戶要求長久、反覆利用文獻信息的矛盾；文獻信息的提供是爲了解決文獻信息的合理收藏與有效利用之間的矛盾。」⑨總之，「矛盾說」是黃宗忠圖書館學思想的靈魂，它貫穿在黃宗忠圖書館學思想從圖書館學到「圖書、情報、檔案一體化」再到文獻信息學的發展過程中，體現在他的絕大多數論著中。然而，矛盾分析畢竟只是圖書館分析的一個方面，突出矛盾分析既是黃宗忠理論的特色，同時也是其局限性之所在。

---

⑧　同註⑧。

⑨　黃宗忠，文獻信息學，北京：科學技術文獻出版社，1992.97～98。

　　第二次圖書館學發展高潮急匆匆拉上了帷幕，絕大多數第三代學者還未來得及展露才華就被迫離開了自己所投身的事業。今天回頭來看這一段歷史，我們認爲，圖書館學固然離不開意識形態的指導，但也不能過多地與意識形態糾纏在一起；如果50年代我國圖書館學是在第一代和第二代圖書館學家積累的基礎上發展，那麼速度就會快得多、成果就會豐碩得多，而事實上到1957年還要討論「什麼是圖書館學」，這不能不認爲是一種低水平重複；再往後看，第三次高潮初期關於「圖書館性質和任務」的大辯論，同樣也是被政治歪曲的低水平重複。也許，第二次高潮最主要的成就依然是培養了一代學者，積蓄了第三次高潮勃興所必需的中堅力量。

㈣跨世紀的第三次高潮

　　1979年，中國圖書館學會在太原宣告成立，它使第三次高潮一開始就進入了興奮期。參加這次成立大會的第一代和第二代圖書館學家除碩果僅存的顧廷龍和汪長炳等幾個人外，幾乎全是清一色的第三代圖書館學者，這實質上是他們的誓師大會，他們站在「科學的春天」裡鄭重宣誓：我們將是第三次高潮的主人。80年代伊始，組織起來的第三代人在圖書館學的各條戰線上開始收穫，他們那壓抑已久的創造力終於得以爆發：在理論戰線，他們撥亂反正、披荊斬棘；在教育戰線，他們拔高層次，敞開大門；在實踐領域，他們治理整頓、倡導改革；在技術領域，他們面向世界，急起直追；在學術領域，他們全面開花、重點突破；……可以說，80年代的幾乎所有成就都是第三代學者創造的，他們經歷了一次又一次的輝煌，渴慕已久的榮譽與地位滾

滾而來，他們不自禁起陶醉在自己所取得的成功的喜悅之中，然而就在這時，中國圖書館學出現了「低谷論」，他們感到有些茫然，他們忽然發現那些迅速成長起來的第四代人已經在許多方面妨礙了自己的視線，他們開始明白，自己或許是第三次圖書館學高潮的主人，但沐浴著改革開放的春風而成長起來的一代新人才是這個時代──信息時代──的眞正的主人。

第四代圖書館學者是壓縮的一代、異化的一代。所謂壓縮的一代，是指本應介於第三代和第四代之間的一代人也壓縮到了第四代人之中；所謂異化的一代，是指在連續「聚變」的環境中成長起來的第四代人的觀念已超越了傳統圖書館學的範疇而異化爲「非圖書館學」，「文獻信息管理學」和「信息管理學」的提出就可視之爲異化的結果。與前三代人相比，第四代人彼此之間的變異度是最大的，他們在經歷、知識結構、學歷學位、語言能力、計算機能力以及把握機遇的能力等多方面都存在著普遍的差異。他們彼此之間的關係也較爲混亂；有的大學還是同學，讀碩士時便成了師生關係；有的讀大學時是學生，讀博士時反成了師兄；更多的則是年歲相仿而連環師生的現象；如此種種，不一而足。概括地講，第四代人大約可分爲四類：一類是十年動亂中失去機會而在恢復高考制度後又考入大學的佼佼者，如喬好勤、倪曉建、李景正、惠世榮、張厚生、孟連生、馬費城、劉迅、范井恩、王世偉、韓繼章、張欣毅、李國新、朱強、況能富等；二類是改革開放後升入大學的幸運者，這是第四代人中的主體，他們之中既有大學畢業後就紮根實踐部門而做出突出貢獻者，也有一路跋涉而摘取本學科最高學位者，他們之中已嶄露頭角的主要有李曉明、程煥文、董建華、柯平、葉千軍、卿家康、汪東波、王新才、劉曉

敏、周慶山、董小英、張進、呂斌、陳傳夫、張曉娟、李廣建、李爲、馬芝蓓、肖希民、王子舟、鄭建明、王余光、汪冰等；三類是留學海外的鍍金者，包括留學比利時的吳光偉、留學美國的張曉林、留學日本的黃純元、留學俄羅斯的林曦、留學英國的吳建中等；四類是堅守實踐崗位，或接受過「五大」（函大、電大、夜大、自修大學、走讀大學）教育、或自學成才的一批有志青年。

　　第三次高潮迄今已歷20年，但發展勢頭仍然強勁，它注定是一次跨世紀的波瀾壯闊的發展高潮。第三次高潮主要具有這樣一些特徵：(1)「道路是曲折的，前途是光明的」。第三次高潮歷時長，跨度大，參與人員眾多，面對的是開放而多變的環境，高潮之中又有「低谷」，競爭之外又有合作，雖屢遭出國夢、下海潮、市場經濟和信息高速公路等外部條件的衝擊，但圖書館學仍在朝著自己的目標發展，而且其發展方向也越來越明確；(2)「城頭變換大王旗」。第三次發展高潮是在連續的聚變與裂變的過程中發展，聚變是圍繞著圖書館學——圖書館情報學——文獻信息管理學——信息管理學的鏈條而生變的，裂變則發生在學科的交叉與邊緣地帶，而裂變與聚變通過學科名稱和系名的變換表現出來，就給人一種眼花繚亂、目不暇接的感覺，就令人摸不著頭腦——目前的學科關係已高度無序化，整序已成爲迫在眉睫的事情；(3)「舊時王謝堂前燕，飛入尋常百姓家」。第三次高潮的規模之大是第一次和第二次高潮所無法比擬的，究其原因，一是研究活動不再局限在少數學者層而演變爲圖書館從業人員的一項普遍活動，二是多達100餘種的圖書情報學期刊爲學術研究提供了園地，❾❶三是從業人員的素質有了顯著的提高；(4)「陽春白雪」與「下里巴

---

❾❶　同註❼。

人」並舉。第三次高潮期的圖書館學教育可謂千帆並發、盛況空前，除了作爲中間層次的50多個本專科教學點外，❾❷70年代末開始的碩士教育和90年代初開始的博士教育明顯拔高了專業教育的層次，而「五大」及各種雨後春笋般的短訓班又在基礎層面極大地拓展了專業人員隊伍，此外，大批的留學歸國人員又帶回了世界各國的先進思想和技術；(5)「世界也是我們的」。在第三次高潮期間，我國加強了同世界各國圖書情報界的交流與合作，恢復了在國際圖聯中的會員地位，參加了一系列國際學術交流和展覽活動，開展了國際書刊交換和互借、互派留學生、人員互訪等活動，成功地舉辦了1996年國際圖聯年會，在國際圖書館事務中發揮著越來越大的作用；(6)「百花齊放，百家爭鳴」。第三次高潮中第三代人和第四代人在圖書館學的各個層面以及每一個細小的領域都展開了激烈的爭論，80年代初是關於「圖書館的性質」、「圖書館學研究對象」、「圖書情報一體化」的爭論，80年代後期是關於「發展戰略」、「文獻資源布局與共享」的爭論，80年代末是關於「低谷」的爭論，90年代初是關於「圖書館與市場經濟」的爭論，90年代中期前後是關於「信息高速公路」、「虛擬圖書館」的爭論，在不斷的爭論中，有些問題搞清了，但更多的問題是淺嘗輒止、不了了之，爭論中出現的追風傾向和庸俗化傾向已在一定程度上改變了學術研究的性質，倡導健康的研究風尚已勢在必行，當然，爭論所產生的巨大的學術成果本身還是值得肯定的，它們是第三次高潮的物化產品；(7)「各領風騷數十年」。第三代學者是第三次高潮的當然領袖與核心，他們分別在圖書館學不同的領域取得了令人矚目的成

---

❾❷　同註❼。

就，其中，周文駿、黃宗忠、吳慰慈、倪波在圖書館學基礎理論領域，彭斐章、朱天俊在目錄學領域，謝灼華、楊威理在圖書館史領域，白國應、張琪玉、劉湘生、候漢清在檢索語言和文獻分類領域，孟廣均、肖自力、沈繼武在文獻資源布局與共享領域，陳光祚、賴茂生在文獻檢索領域，譚祥金、杜克、鮑振西、徐引篪在圖書館管理領域，都有名篇問世或有重大實績，共和國40周年大慶時書目文獻出版社出版的10卷本「中國圖書館學情報學論文選叢」以及吉林省圖書館學會、四川省圖書館學會與成都東方圖書館學研究所聯合推出的當代50名圖書館學家「個人自選集」當是第三代圖書館學家遲到的奉獻，而第四代圖書館學人的精品要等到下一個10年才能陸續問世；(8)「你方唱罷我登場」。第三次高潮中的圖書館學理論領域可以說是好戲連台，先是「規律說」匆匆而來又匆匆而去，接著是「文獻交流說」、「知識交流說」、「文獻信息交流說」輪番登場，再往後就是「信息管理說」、「新技術說」占據了搶眼的位置。

　　「規律說」其實不是規律說。1981年北京大學圖書館學系和武漢大學圖書館學系所編寫和出版的《圖書館學基礎》一書雖然規定「圖書館學是研究圖書館事業的發生發展、組織形式以及它的工作規律的一門科學，」⑬但它既未回答什麼是圖書館的規律，更未展開深入的探討。就其框架結構及實質內容來看，它包括了圖書館學基礎理論、圖書館學、圖書館目錄、文獻分類、藏書建設、讀者工作、圖書館管理、圖書館現代化等方面的內容，其實質是圖書館學體系的濃縮，因

---

⑬　北京大學圖書館學系，武漢大學圖書館學系，圖書館學基礎，北京：商務印書館，1981．7。

此稱之為「圖書館學手冊」也許更合適一些。當然，《圖書館學基礎》作為第一本統編教材發揮了承前啓後的作用，其功不可沒，它迄今仍是各類短訓班和初級人員培訓的優選教材。

「文獻交流說」是交流說中最早亮相的，其主要代表是周文駿。周文駿生於1928年，1953年畢業於北京大學圖書館學專修科，1956年起執教於北京大學圖書館學系，歷任講師、副教授、教授和博士生導師，1984～1991年任系主任，是國務院學位委員會第三屆學科評議組成員和國家圖書館學、情報學和文獻學規劃評審組成員。在執教的40餘年中，周文駿曾講授過「圖書館學概論」、「文獻交流引論」等10餘門課；在學術方面，他先後出版專著（含合著）12種，發表論文60餘篇，主要代表作有「概論圖書館學」、《文獻交流引論》等。周文駿圖書館學思想的核心就是「文獻交流」，他在「概論圖書館學」一文中明確指出「圖書館學的理論基礎是情報交流」，「圖書館工作通過文獻進行情報交流」，「圖書館本身就是一個情報交流工具」，**❾❹** 這種認識體現了圖書館學與情報學合流的趨勢；在《文獻交流引論》中，周文駿發展了「圖書情報學」的思維，主張建立一門超越圖書館學、檔案學、情報學、目錄學、出版發行學等學科的「文獻交流學」，其研究對象是「作為交流過程主體的文獻，文獻交流的產生、發展、功能、內容、渠道、方法、效果，以及組織交流的相關機構等等。」**❾❺** 應該說，周文駿的「文獻交流說」已包容了爾後「文獻信息交流說」的合理內核，這兩種觀點沒有質的不同，遺憾的是，《文獻

---

❾❹ 周文駿，概論圖書館學，圖書館學研究，1983(3)：10～18。
❾❺ 周文駿，文獻交流引論，北京：書目文獻出版社，1986．1～4。

交流引論》只有短短10萬言，它確乎是一個引言，它將由周文駿自己的弟子來發展。❾❻90年代後，周文駿的圖書館學思想發生了變化，他在爲《圖書館學研究論文集》所寫的「編後」中認爲，我國圖書館學目前應該研究圖書館哲學、電子圖書館、普及圖書館方法等內容，而他本人似乎更屬意前者也即「建立圖書館哲學」的研究。❾❼

　　「知識交流說」形成於80年代中期，❾❽而在宓浩等1988年出版的《圖書館學原理》中得以展開和豐富。該書共分3編10章：上編包括知識、知識載體和知識交流，圖書館與社會，圖書館事業等3章；中編包括文獻，讀者，圖書館工作機理與工作內容等3章；下編包括圖書館學的基本問題、圖書館學的研究方法、圖書館學發展史略、圖書館學的未來等4章。作者認爲，「圖書館活動的本質是社會知識信息交流」，「圖書館學要研究社會知識交流在圖書館活動中的特殊過程和特殊規律；研究如何搜集、整理、貯存和傳遞知識載體，以促進社會知識的交流；研究在社會知識交流過程中圖書館與圖書館事業自身變化發展的規律。」❾❾若單純從這些字眼來分析，該書確實是一種「知識交流論」；但通讀全書後則會發現，除了第一章的集中論述外，後續各章的內容幾乎與知識交流無緣——這正是我國圖書情報學

---

❾❻　周慶山，文獻傳播學，北京：書目文獻出版社，1997。

❾❼　周文駿等，圖書館學研究論文集，北京：書目文獻出版社，1996．365～370。

❾❽　宓浩，黃純元，知識交流與交流的科學，圖書館研究與工作，1985(2)、（3）。

❾❾　宓浩，劉迅，黃純元，圖書館學原理，上海：華東師範大學出版社，1988．207～220。

著作普遍存在的致命缺陷，即在確定了一個邏輯起點後，並不據此來演繹理論體系，其結果是，無論什麼交流論，實質上都是文獻交流論。《圖書館學原理》在眾多同類著作中也有自己的特色，這就是它的簡潔流暢和不拘一格。

「文獻信息交流說」最早亦出現於80年代中期，⑩南開大學圖書館學系等集體編寫的《理論圖書館學教程》沿用了這種觀點。該書共分10章，內容如下：信息、知識與文獻；圖書館學研究對象和學科性質；圖書館學體系結構；圖書館學的形成和發展；圖書館類型的研究；圖書館管理；比較圖書館學；信息時代的圖書館。⑩與《圖書館學原理》一樣，該書除了「圖書館學是研究圖書館進行文獻信息交流的理論和方法的學科」這一表述外，大部分內容與文獻信息交流無涉。它的主要特色大概表現在「比較圖書館學」、「中國近代圖書館學研究」等章節內容方面。

「中介說」實質上也是一種交流說。在1985年出版的《圖書館學概論》中，吳慰慈儘管認為「圖書館學的研究對象是圖書館事業及其相關因素。」⑩但他又認為「中介性是圖書館的本質屬性，」⑩因此可以認為「中介說」是他的主要觀點。吳慰慈也是當代圖書館學理論研究的代表人物之一，他於1961年畢業於北京大學圖書館學系，現為北京大學信息管理系主任、教授、博士生導師，中國圖書館學會學術

---

⑩　況能富，應當探索文獻信息理論，圖書館工作，1984（4）：41～44。
⑩　南開大學圖書館學系等編，理論圖書館學教程，天津：南開大學出版社，1981。
⑩　吳慰慈，邵巍，圖書館學概論，北京：書目文獻出版社，1985．9, 61, 62。
⑩　同註⑩。

委員會主任，第四屆國務院學位委員會學科評議組成員；他的主要研究方向是基礎理論和文獻資源建設，已出版著作（含合著）4種，發表論文120餘篇，《圖書館學概論》是主要的代表作。他所提出的「中介說」從一定程度上能夠解釋圖書館活動的特色，但中介性本身不能夠成爲圖書館的本質屬性，因爲它無法使圖書館區別於其它社會現象；而且，「中介說」從更本質的意義上而言也是一種交流說，「圖書館便是幫助人們利用文獻進行間接交流的中介物。」⑩

　　第三次高潮是交流說盛行的時期，但就在交流說成爲時尙之際，也有其它觀點在滋生著，辛希孟、孟廣均的「管理說」就是一例。在我國，中國科學院是最早倡導圖書情報一體化的，爲了滿足一體化的需要，1982年中科院文獻情報中心曾組織編寫了一套「圖書情報工作教材」，辛希孟、孟廣均編寫的《圖書情報工作概論》就是其中的一種，它於1990年正式出版。該書的特色是「以圖書情報一體化爲主導思想，注重理論與實踐相結合」，⑩內容定位在培養基層專業人員的水平上。該書作者之一的孟廣均認爲，「圖書館學是研究圖書館組織和管理的理論、活動與方法的科學」，⑩這是一種典型的「管理說」。孟廣均也是國內圖書館學理論研究的代表人物之一，1954年畢業於軍委外國語學院英語專業，1958年到中國科學院圖書館工作，1958～1960年被選送到中國科技大學圖書館學專修科學習，1984～1985年作爲訪問學者赴美國羅薩里學院圖書館學情報學研究生院進修，歷任

---

⑩　同註⑩。

⑩　辛希孟，孟廣均，圖書情報工作概論，北京：中國科學院文獻情報中心，1990. 前言。

⑩　同註⑩。

館員、副研究員、研究館員、博士生導師，爲國務院學位委員會首次
增設的「圖書館學情報學臨時學科評議組」以及第三、第四屆學科評
議組成員，國家圖書館學、情報學和文獻學規劃評審組成員；他是從
實踐中走出來的理論家，他親自從事過圖書館的各種工作，在期刊編
輯方面具有豐富的經驗，現在仍是《圖書情報工作》雜誌的主編；在
學術方面，他的主要研究方向是圖書情報工作的進展與趨勢、文獻資
源布局與建設、信息資源管理，他先後出版專著（含譯著、合著）10餘
種，發表論文100餘篇。據可查的文獻記載，孟廣均是最早介紹和使
用「信息資源」概念的國內學者之一，他在1985年就著文指出，「我
國的信息資源很多，……。現在國外普遍認爲沒有控制、沒有組織的
信息不再成爲一種資源，因此都加強了對信息的管理；⑩ 1991年，
他又寫道：「信息資源包括所有的記錄、文件、設施、設備、人員、
供給、系統和搜集、存儲、處理、傳遞信息所需的其它機器」；⑩
1992年，他與盧泰宏合作推出了《信息資源管理專集》，⑩在國內引
發了信息資源管理研究的熱潮；1997年初，由於國務院學位委員會辦
公室和國家教委辦公室在《學科、專業目錄徵求意見稿》中將原一級
學科「圖書館、文獻與情報學」更名爲「文獻信息管理」，孟廣均作
爲國務院學位委員會評議組成員率先表示支持，他改變了自己的觀
點，同意分兩步走，並寫了「爲『文獻信息管理學』鼓與呼」一文；⑩

⑩ 孟廣均，關於情報概念、工程、信息業，情報業務研究，1985(1)：26～
27。
⑩ 孟廣均，祝願奇葩更鮮艷，知識工程，1991(1)：7。
⑩ 盧泰宏，孟廣均，信息資源管理專集，見：國外圖書情報工作，1992(3)。
⑩ 孟廣均，爲「文獻信息管理學」鼓與呼，圖書情報工作，1997(7)：1～2。

1997年9月，他牽頭撰寫的《信息資源管理學導論》脫稿並得到中國科學院出版基金資助，已由科學出版社於1998年9月出版，這是信息資源管理學領域裡程碑式的著作。綜觀孟廣均學術思想由圖書情報工作管理到文獻資源共享再到信息資源管理的發展過程，有一點是明確的，即他能夠熟練地掌握外語工具並時刻保持著敏銳的感覺，所以他能與世界圖書情報學的發展保持同步，這一點應該對後進者有啓迪意義。

　　然而，「信息管理說」與「新技術說」的主要市場還是在第四代人中間。「信息管理說」或「信息資源管理說」的實質是在統一研究對象的基礎上，以信息資源爲基點，建立統一的信息資源管理學，圖書館學屬於它的二級學科；「新技術說」的實質是試圖以新信息技術爲突破口推進圖書館的現代化，並從而爲圖書館學趟出一條新路。但無論哪一種學說，其前提都需要現代信息技術的支撐，這是第四代人的優勢也是第三代人的劣勢，從這個意義上講，第三次發展高潮的跨世紀使命將注定要由第四代人來承擔，他們也將肩負著走向世界、融入世界圖書情報學體系乃至領導世界潮流的希望，他們將在21世紀實現本學科的光榮與夢想。

(五)開放的台灣圖書館學

　　台灣圖書館學是中國圖書館學的有機組成部分。40年代末之後，部分第一代和第二代圖書館學家或直接或輾轉抵赴台灣，他們構成了日後台灣圖書館學發展的基礎，也正是他們將第一次圖書館學發展高潮與台灣圖書館學維繫起來，使台灣圖書館學納入了中國圖書館學發展的連續統一體之中。台灣圖書館學起步於50年代中期，發展於60～

70年代，而成熟於80年代，換言之，台灣圖書館學經過60～70年代的積累後在80年代達到了發展的高潮，這相當於大陸圖書館學的第三次發展高潮。

　　台灣圖書館學發展的特徵之一是它一開始就處於一個開放的環境之中。50年代之後，由於兩極世界的形成，台灣處於西方集團的庇護之下，這使台灣圖書館學能夠與西方發達國家的圖書館情報學進行自由的學術交流，這無形中縮短了台灣圖書館學的發展過程，就此而言，它與日本圖書館學的發展極爲相似。80年代後期，兩岸關係趨緩，台灣圖書館學又不失時機地加強了與大陸的交流。1990年，台灣圖書館界首次組團訪問大陸；1993年2月，台灣中華圖書資訊學教育學會舉辦「圖書資訊學教學研討會」，大陸有6位教授或館長赴會；同年7月，胡述兆教授率10名圖書館學碩士研究生到上海華東師範大學圖書館學情報學系參觀實習，首開教學直接交流之先河；同年12月，「首屆海峽兩岸圖書資訊學術研討會」，在華東師範大學召開，100餘位兩岸學者與會，就海峽兩岸圖書資訊事業之發展、海峽兩岸圖書資訊教育、海峽兩岸圖書館之管理與利用、海峽兩岸圖書資料之分類與編目、海峽兩岸圖書館自動化與資訊網絡等議題展開了討論；1994年8月，「第二屆海峽兩岸圖書資訊學術研討會」在北京大學舉行，會議議題包括圖書館學資訊學教育、圖書館自動化、讀者研究與資訊服務等；1997年3月底4月初，「第三屆海峽兩岸圖書資訊學術研討會」又移師武漢大學，中心議題是「圖書資訊學核心課程」；同年5月，「海峽兩岸圖書館事業研討會」在台灣舉行，大陸有31位學者赴會；1998年4月初，「第四屆海峽兩岸圖書資訊學術研討會」在中山大學舉行，100餘位「兩岸四地（大陸、台灣、香港、澳門）」與會代

表就「圖書館自動化與網絡」各抒己見，這是海峽兩岸學者的又一次盛會。台灣圖書館學就是在這樣的開放環境中發展起來的，開放的環境造就了其兼容並蓄、博采眾長的風格。

　　台灣圖書館學發展的特徵之二在於它是與圖書館學教育密不可分的，從一定意義上講，台灣圖書館學教育的發展過程也就是台灣圖書館學的發展過程。台灣圖書館學教育始於50年代中期，1955年，台灣師範大學社會教育學系設圖書館學組，是爲台灣圖書館學教育之發端；1961年，台灣大學正式成立圖書館學系，這是設置於大學的第一個圖書館學系，該校於1980年又設圖書館學研究所並開始招收碩士研究生，1986年進一步籌設博士班並於1989年開始招生，台灣大學圖書館學系的發展可以看作台灣圖書館學教育的縮影；1964年，世界新聞專科學校(1991年改制爲世界新聞傳播學院)設圖書資料科，1992年停辦，1995年再設圖書資訊學系，1996年更名世新大學，擬於1999年招收碩士研究生；1970年，輔仁大學設置圖書館學系，1992年改稱「圖書資訊學系」，1994年成立圖書資訊學研究所並開始招收碩士研究生；1971年，淡江大學成立教育資料科學系，這實質上也是一種圖書館學教育，該校還於1991年成立了教育資料科學研究所，開始招收碩士研究生；1971年，政治大學與（台灣）國立中央圖書館合作在該校中國文學研究所成立目錄組並招收目錄版本方向的碩士研究生，1996年正式成立圖書資訊學研究所，招收碩士研究生；以上就是台灣圖書館教育的6個主要系（所）。⑪可以看出，台灣圖書館學教育從50年代

---

⑪　胡述兆，王梅玲，台灣地區圖書館與資訊科學教育現況，見：海峽兩岸第三屆圖書資訊學學術研討會論文集（B輯），武漢：武漢大學圖書情報學院，1997．15～44。

中期起步，經過60～70年代的發展，於80年代進入提高階段和繁榮時期，這是與台灣圖書館學的發展軌迹相吻合的。值得指出，台灣圖書館學教育6個教學點的培養目標和課程內容各有分工和特色，呈現出一種高度組織化的有序態，這也反映在「第三屆海峽兩岸圖書資訊學術研討會」台灣學者的論文組成方面，⑫而良好的組織與合作正是台灣圖書館學的主要特色之一。

　　台灣圖書館學發展的特徵之三在於「資訊」一詞的創造與運用。據台灣圖書館學家顧敏的解釋，「資訊源於英文Information，其意義在用語言或文字來表達特定範圍內具有特定意義的資料，簡言之，也就是可以被人理解或被人接受的訊息。『資訊』代表著一個統合性的概念，它所涉及的知識範圍相當廣泛，包括文字符號、傳訊處理、行為社會、以及經濟生產等四個領域」。「『資訊』最初是1978年7月28～29日中央研究院和國立台灣大學聯合舉辦的『資訊系統研討會』上提出的，在台灣它很快被大家接受了。就這個名詞的字面而言，它是由『資料』和『訊息』所組合成的，但進一步推演起來，『資訊』取自於『資料』和『資源』的資字，『訊』取自於『訊息』和『電訊』的訊字。代表著一個統合性的概念。」⑬顧敏的論述揭示了「資訊」一詞的由來、內涵與範圍，尤其是他的推演，更使「資訊」一詞變得生動鮮活而富有現代氣息。比較而言，「資訊」既非大陸常用的「情報」也非國際通用的「信息」，但正是由於這個台灣化的詞

---

⑫　同註⑪。

⑬　顧敏，現代圖書館學探討，台北：台灣學生書局，1988．11～19，6，137，249，26。

語，台灣圖書館學才避免了圖書館與情報學的長期對立和平行並存。

台灣圖書館學發展的特徵之四是出現了「兩代半人」。從大陸到台灣的第一代和第二代圖書館學家不多，他們不能構成一代人。台灣第一代圖書館學家大多是60～70年代從美國留學歸來的，主要包括王振鵠、沈寶環、胡述兆、盧荷生、張鼎鐘、鄭雪玫、胡歐蘭、何光國、李德竹、謝清俊、顧敏以及留美工作的李志鐘、李華偉、劉欽智周宁森等，他們相當於大陸的第三代圖書館學家；由於台灣沒有發生諸如大陸的「文化大革命」那樣的事件，所以，在台灣第一代學者第二代學者之間就派生出一個「中生代」，他們多數也是留學歸來的，與台灣第一代學者有返台時間的先後或間接的師生之誼，與第二代學者的關係則介於半師半友之間，主要包括盧秀菊、黃鴻珠、高錦雪、賴鼎銘、吳美美、楊美華、陳雪華、顧力仁、傅雅秀等，他們爲數不多且經歷各異，不足以構成完整的一代人，姑且算作「半代人」；台灣第二代學者則大多是台灣自己培養出來的，與台灣第一代學者多有師生之誼，他們成長於80年代，相當於大陸的第四代學者，主要包括林呈潢、薛理桂、王梅玲、陳文生、徐金芬、曾淑賢、廖又生、王美鴻、陳昭珍、蔡明月、黃麗虹、林秋燕、黃慕宣、莊道明、林珊如、嚴鼎忠、謝寶援、丁友貞、邵婉卿等。目前，台灣第一代學者大都退居二線，「中生代」正處於事業的鼎峰，第二代學者也已迅速崛起。（需要說明，「兩代半人」是作者根據現有資料推斷的結果，不確之處請台灣同道及知情人士多多指正）。

台灣圖書館學經過近半個世紀的發展已形成了一定的規模，積累了相當的研究成果。據統計，1980～1995年台灣圖書館學發展高潮期間共產生博、碩士學位論文約160篇，出版著作700餘種，發表論文

2,944篇；目前仍在出版的期刊有21種（其中年刊5種，半年刊3種，季刊 11種，雙月刊1種，不定期刊1種）。⑭

　　以博、碩士論文的內容分析而言，關於目錄學及藏書史有20篇，圖書館自動化及資訊檢索20篇，公共圖書館管理與服務16篇，大學圖書館14篇，館藏發展及採訪9篇，圖書館教育5篇，圖書館利用指導5篇，其它主題均在4篇以下。從期刊論文的主題分析來看，圖書館學與資訊科學綜論424篇，圖書館行政135篇，圖書館管理與自動化972篇，圖書館建築設備47篇，學校圖書館450篇，專門圖書館91篇，公共圖書館467篇，資料檢索328篇，私家藏書30篇⑮。可以看出，台灣圖書館學非常注重實際問題的研究而較少涉獵理論問題的探討，難怪王振鵠要呼籲改變圖書館學研究的取向了。⑯但就台灣圖書館學者的專著而言，卻不乏理論精品，主要有王振鵠的《圖書館學論叢》、胡述兆和吳祖善的《圖書館學導論》、顧敏的《現代圖書館學探討》、賴鼎銘的《圖書館學的哲學》、周宁森的《圖書資訊學導論》等。

　　王振鵠是台灣圖書館學的主要創始人之一。台灣旅美學者、美國俄亥俄大學圖書館館長李華偉曾談到，在台灣圖書館近30年的發展中，「厥功至偉，出力最大的一位，應該是王振鵠教授。這是有口皆碑，眾所公認的。」⑰王振鵠生於1924年，早年曾參加抗日救亡活

---

⑭　王振鵠，台灣地區的圖書館學研究，見：圖書館與資訊研究論集——慶祝胡述兆教授七秩榮慶論文集，台灣：漢美圖書有限公司，1996, 15～24。

⑮　同註⑭。

⑯　同註⑭。

⑰　崔鈺，康軍，中國台灣圖書館學家王振鵠的學術思想與實踐，圖書情報工作，1997(4)：7～12。

動，1948年赴台任職台灣師範學院，1955年任該校圖書館館長，1959年在美國獲圖書館學碩士學位，1960～1969年歷任台灣師範大學講師、副教授、教授，1970～1977年任該校圖書館館長兼社會教育學系主任，1977～1989年任台灣中央圖書館館長，1991年被聘爲台灣行政院文化建設委員會委員，1994年以七秩榮退。王振鵠在圖書館管理、圖書館學理論和圖書館學教育方面有很深的造詣，主要著作《圖書館學論叢》、《圖書選擇法》等。⑪⑧《圖書館學論叢》是王振鵠圖書館學理論研究的代表作，該書共分5章，內容如下：圖書館學通論、圖書館經營與標準、圖書館分類與目錄、圖書館教育、圖書館事業。他認爲，圖書館就是「將人類思想言行的各項記錄，加以收集、組織、保存，以便於利用的機構。」圖書館的功能表現在三個方面：圖書館是一個社會教育機構，以保存和提高文化爲使命；圖書館是社區中的活動中心；圖書館具有傳播的功能。而所謂「圖書館學」的概念，「就是包括了圖書館經營上實際需要的知識與技術，而研究範圍隨圖書館的發展和需要日益廣泛。……圖書館學就是一門應用的學科。」⑪⑨客觀的分析，儘管王振鵠吸取了美國圖書館學的許多理念（ideas），但其主體認識依然停留在「社會論」的認識階段。近年來，他的思想有所發展，主張改變圖書館學研究過於實用化的研究取向，注重圖書館學和資訊科學的融合問題的研究，以期帶動圖書館學的全面發展。⑫⓪

⑪⑧　同註❼。

⑪⑨　王振鵠，圖書館學論叢，台北：台灣學生書局，1984．1～20。

⑫⓪　同註⑪④。

提起胡述兆教授，人們首先會想到他所保持的一項記錄，即他是華人中擁有學位最多的人——他所獲取的學士、碩士和博士學位竟有7個。胡述兆生於1926年，1949年赴台，1962～1983年旅居美國，1983～1988年任台灣大學圖書館學系主任暨研究所所長，籌設第一個博士班並任博士生導師，90年代後致力於推動海峽兩岸圖書資訊領域的交流與合作。胡述兆主要的研究方面是美國政治制度、圖書館學理論與圖書館學教育，共出版專著（含合著）20餘種，發表論文80餘篇。胡述兆與夫人吳祖善合著的《圖書館學導論》代表了他的圖書館學思想，該書共分7章，內容如下：圖書館的意義、起源與功能；圖書館學的界說；圖書館的組織；圖書館資料採訪；編目分類與排印；讀者服務；館際合作。單純從體系結構來看，該書略似於大陸的《圖書館學基礎》。㉑深入到內容，胡述兆伉儷認爲，「圖書館是用科學方法採訪、整理、保存各種印刷與非印刷資料，以便讀者利用的機構。簡言之，圖書館是人類智慧的總匯。」「圖書館學是以科學方法研究圖書館的發展與運作的各種必備知識之理論與實際的學科。」「圖書館學主要可分爲五個領域：圖書館學基礎、圖書館管理、圖書館技術服務、圖書館讀者服務、資訊科學相關科目」。㉒胡述兆伉儷的觀點從大的方面與王振鵠相仿，不同之處在於它更爲具體和技術化，同時還將資訊科學納入了圖書館學的體系。

顧敏事實上是介於台灣第一代學者和「中生代」之間的一位學

㉑ 同註㉝。
㉒ 胡述兆，吳祖善，圖書館學導論，台北：漢美圖書有限公司，1991. 1～36。

者，他也曾留美並獲得圖書館學碩士，主要著作有《現代圖書館學探討》、《圖書館採訪學》、《縮微技術學》等，發表論文130餘篇。其《現代圖書館學探討》共分6章，內容如下：資訊與自動化、知識傳播、縮影媒體、索引技術、參考資源、比較研究。他認爲，「現代圖書館學是由傳統圖書館學做爲胚底，融合了行爲科學、傳播科學、資訊科學、電腦科學和科學性的管理學，然後，整合而成爲一門新學問。……現代圖書館學基本上是以『資訊』做爲發展基因，並交力合流各種資訊有關的學問，而以傳播知識資訊，促進知識資訊的成長，以及提高個人和社會上的資訊生產力爲其研究的目的，故現代圖書館學又可稱爲資訊的圖書館學。」⑫³他還引入傳播原理來分析圖書館在知識活動中的地位：圖書館是運輸知識的通道，圖書館是供應知識的單位，圖書館是分享知識的場所。⑫⁴他並認爲，現代化圖書館的一切經營活動，若要簡單地用一句話來歸根它的目的，那便是「傳播資訊和推廣知識」。⑫⁵顧敏還談到了資訊系統、資訊工業以及資訊資源，「資訊屬於一種極爲重要的國家資源和國際資源。」⑫⁶顧敏的《現代圖書館學探討》成書於80年代後期，他的著作中所涉及的觀念是超越當時台灣圖書館學界和大陸圖書館學界的一般認識的，他的圖書館學思想似乎更貼近於「知識交流說」。

賴鼎銘是台灣「中生代」的核心人物，亦曾留學美國並獲博士學位。他於1993年出版的《圖書館學的哲學》一書試圖從批判的角度認

---

⑫³　同註⑪³。
⑫⁴　同註⑪³。
⑫⁵　同註⑪³。
⑫⁶　同註⑪³。

識圖書館學，並進而尋求「圖書館學究竟是一門科學抑或一種職業」的答案。該書共分10章，內容如下：我為什麼寫圖書館學的哲學（前言）；先從圖書館學是不是科學談起，圖書館學研究的典範危機，資訊需求與使用研究的典範變遷，圖書館使用研究的導向變遷，美國的公共圖書館為何興起？不同的典範及其不同的解釋（以上5章為第一篇，論述「圖書館學是否科學及其研究的典範」）；由美國圖書館學校的關門談起，圖書館員是專業嗎，醫生、律師與圖書館員的比較研究，新科技可以解決我們的困境嗎（以上4章為第二篇，論述「圖書館員是否職業及其問題」）。在第一篇中，賴鼎銘首先導入科學哲學理論，然後引用了大量他人的觀點並作了比較，他發現，「我們離眞正的科學還遠」；[127]他談到，「我們不一定要成為科學，但我們一定要作研究」，「只有透過科學性的分析，才能幫助我們了解表相之下的各種原因，有助於改進我們的管理與服務。就長期而言，研究的積累或有一天會幫助我們找出一套可以測試及運用的理論。只有到那一天，圖書館學或可自稱科學而無愧」，[128]這表明了他對圖書館學的堅定信念；接下來，他研究了圖書館學（主要是美國圖書情報學）研究中存在的主要典範（理論觀點），有關內容已整理成文發表在1997年第5期《圖書情報工作》上。[129]在第二篇中，他首先援引被關閉的美國楊百翰大學圖書館學院一位教師的話，認為缺乏較強的理論背景是圖書館學院關閉的主要原因之一，有鑒於此，我們必須在更高的學術層次

---

[127] 賴鼎銘，圖書館學的哲學，台北：文華圖書館管理資訊股份有限公司，1993．31～32, 21, 23～24, 187, 215, 175, 231。

[128] 同註[127]。

[129] 賴鼎銘，資訊研究的典範變遷，圖書情報工作，1997(15)：2～11。

重組我們的課程，必須提升我們的學科，由技術導向走向眞正的專業；繼而，他引證了衆多美國圖書館學家對「圖書館員是否專業」的各種認識，並比較了圖書館員與醫生、律師的職業特徵的異同，他發現，醫生和律師「學習的對象乃是知識的本體，而不是知識的組織與管理，」⑬⓪「資訊時代的權力將只有資訊的使用者與創造者可以擁有，而不是那些存儲與檢索的人，」⑬①「如果一個工作可以讓電腦的程序來執行，這個職業已經接近可以消失的時候，」⑬②也就是說，圖書館員還不具備成爲眞正專業的作爲本體的知識；最後，他以疑問的方式結束了全書，「我們所強調的新科技卻又慢慢地流向使用者的手中，變成每個人都可以學習使用的設備。這樣的發展，到最後，我們將剩下什麼？」⑬③賴鼎銘在其著作中自始至終地表現出對技術取向的圖書館學的擔憂，他的著作不時地閃現出理性的光芒和思想的火花，這種火花更多地是在與被引用的美國圖書資訊學家的思想彼此碰撞時而產生的，賴鼎銘的成功在於他的博學和他對理性認識的追求。

周宁森是旅美台灣學者，也是一位跨代的第一代晚期學者，圖書館學博士，現任美國新澤西羅格斯大學東亞圖書館館長。他於1991年出版了《圖書資訊學導論》一書，該書共分5章，內容如下：圖書、資訊、文化、社會；圖書、圖書館、圖書資訊學；圖書館在中國；圖書館之現代化與電子計算機；圖書資訊學未來之展望。周宁森首先對

---

⑬⓪　同註⑫⑦。

⑬①　同註⑫⑦。

⑬②　同註⑫⑦。

⑬③　同註⑫⑦。

基本術語作了界定：「資訊」就是指人類的思維，這思維經過腦內的組織過程，成為該人的思想成果，而以語言或文字表達出來的思想成果，在靜態時便成為資料，資料如經傳播而被他人接受，便成為有用的資訊」；事實上，此處的「資訊」已相當於信息資源的概念。「圖書」一詞則泛指所有的資訊儲載體，而「研究如何收集、整理、保管圖書，及傳播其中所載的資訊的方法，便是圖書資訊學。」❹他進一步談了對圖書館現狀的認識，「不幸的是，即使在這些先進的國家裡，一般社會人士心目中，圖書館及其從業人員仍然沒有達到他們應得的重視和地位；所以圖書館也不能得到它應得的支持。這其中因素很多，也多半都是圖書館從業人員所無力控制的。作為一個圖書館員所能做到的便是『敬業，自重』；我們知道我們所從事的事業的重要性，便盡心盡力去做好它，人們的重視和支持便會隨之而來」，❺這應是周宁森在發達的美國社會所悟出來的真諦。周宁森還談到了理論與實踐的關係，「理論、實行兩者應該並重。沒有理論，實行時便可能有所偏差，若不去實行，理論便無法補充、更正。……談理論而忘卻實行，很容易走錯方向，而理論本身也無法補充、更正，便成了『死』理論，便是『空談』。只談實行而不顧理論，有如夜行無燈，便可能處處碰壁；即使僥倖走通一路，也是事倍功半，更不可能統籌全盤，前瞻未來。理論為『綱』，實行是『目』；綱目並重，方能逐漸接近『理想』。」❻周宁森的著作更涉及資訊網與資源共享等問題，其論

❹ 周宁森，圖書資訊學導論，台北：三民書局，1991．2, 4, 24～25。

❺ 同註❹。

❻ 同註❹。

述時有精闢之處，其體系簡潔明快，其目標是建立融圖書館學和資訊科學爲一體的新的學科體系，其不足之處則在於過分簡略，未能展現圖書資訊學的全貌。

通過對上述5位台灣圖書館學家的圖書館學理論的比較研究，我們可以發現台灣第一代圖書館學家與「中生代」的顯著區別：台灣第一代圖書館學家更多地接受了美國圖書館學的實用理念，他們是從圖書館實踐或圖書館工作出發來概括圖書館學理論體系的，其理論帶有更多的經驗色彩；「中生代」圖書館學者則更多地吸取了資訊科學、傳播科學、科學哲學等現代科學知識，他們更多地是從理性分析入手來探討圖書館學的「知識本體」的，他們的理論具有濃厚的現代意識和理性色彩。台灣圖書館學的中生代學者已經完全成熟了，他們具有更爲紮實的理論功底和更爲寬廣的現代知識，他們將有能力率領第二代學者將台灣圖書館學發揚光大，21世紀的海峽兩岸圖書資訊學在增強合作的同時也必將出現同代學者的實力較量，較量的結果則必將促進中國圖書館學的繁榮及在世界圖書館學中地位的提升。

第四章　圖書館透析

第一節　圖書館要素與矛盾分析

㈠圖書館的要素與矛盾

圖書館學是關於圖書館的學問，它首先要回答什麼是圖書館的問題，爲此，就需要對圖書館進行全方位、多層面的透徹分析。在研究中國圖書館學學說進化史的時候，我們發現，如果撇開不同學說的理論內涵，單純從方法論的意義上來考察，那麼，中國圖書館學學說進化史就是一種展開的科學認識方法論：首先從要素分析入手，考察圖書館的組成要素；繼而分析要素之間的矛盾關係，特別是圖書館的主要矛盾和主要矛盾方面；再尋求圖書館諸要素的結構方式以及由這些結構所決定的圖書館功能，並進一步尋求這些結構在時空中發展、變化的規律性；最後將作爲類事物的圖書館置於社會大系統中，在「交流」的同時實現圖書館的動態平衡發展。中國圖書館學發展的路徑和程序本身是值得肯定的，我們將其精髓提取出來形成一種認識的方法論，並以此爲據對圖書館進行透徹的分析。

科學認識一般是從要素分析入手的。「傳統的分析方法，把整體分解爲部分，一旦了解了部分的性質，把它們加和起來，就是整體的性質。這就是先分析、後綜合的方法，而且，這裡的綜合是線性相加。但是，系統的整體性和相關性，使傳統的分析—綜合方法失去了

效用。它要求把綜合作爲分析的出發點，經過分解之後，再回到綜合。這裡的綜合，不是線性的相加，而是非線性的、非加和性的。也就是說，考慮要素之間的相關效應。因此，從綜合出發，經過分析，又回到綜合，這個『綜合——分析——綜合』的公式，反映了系統科學方法的綜合性」。❶以此來考察我國早期的圖書館學「要素說」，不難發現其局限性：一方面，「要素說」是以具體的靜止的圖書館即作爲機構或建築的圖書館爲分析對象，而不是以抽象的圖書館即作爲一種社會現象的圖書館爲分析對象；另一方面，「要素說」不是以綜合爲分析的出發點，它更多地是機械地分割圖書館，而沒有考慮到圖書館要素之間的相關效應，譬如，「技術方法」作爲一種要素邏輯地包含在「圖書館人員」和「圖書館設施」等要素中，是無法分解出來的；此外，「要素說」所分析的圖書館還是人類社會某一歷史時期的圖書館，不具有最大的普遍性，譬如，就「虛擬圖書館」而言，「建築」已不是一個主要的要素了。總之，從系統科學方法的角度分析，無論杜定友的「三要素說」，劉國鈞的「四要素說」或「五要素說」，還是黃宗忠後來的「六要素說」（藏書、館員、讀者、建築和設備、技術方法、管理）❷都已不完全符合變化了的圖書館現實，爲此，我們需要對圖書館的組成要素進行再認識。

　　以「綜合——分析——綜合」的系統科學分析方法爲指導，兼顧

---

❶　李志才，方法論全書（Ⅲ）：自然科學方法，南京：南京大學出版社，1995．41～129。

❷　黃宗忠，圖書館學導論，武漢：武漢大學出版社，1988．122～323～324, 20, 143, 148。

圖書館過去、現在、未來的發展，我們認爲，作爲一種動態的信息資源體系，圖書館主要是由四方面的要素所組成的：(1)信息資源。這是圖書館最爲核心的要素，是圖書館的「立身之本」，它是針對特定用戶群的信息需求而採集、組織、維護和發展的，在此，載體形式是次要的，重要的是信息資源與用戶信息需求的匹配程度；(2)用戶的信息需求。這也是圖書館的核心要素之一，是圖書館生存與發展的依據，它一方面可以客觀化爲圖書館的信息資源，另一方面又易受用戶自身及環境因素的影響而處於不斷的變化之中，從這個意義上講，它是圖書館諸要素中最爲活躍的要素；(3)信息人員。這是圖書館的主體（相對於客體而言）因素，是圖書館進退榮辱的關鍵，他們區別於其他人員之處在於他們所掌握的關於信息資源體系及其運動過程的理論知識和技術方法；(4)信息設施。這是圖書館最主要的物質條件，建築曾經是特定歷史時期最爲重要的信息活動設施，但隨著信息環境特別是現代信息技術的發展變化，建築的作用日趨減小，取而代之的是多種適用的現代信息技術與設備。

　　圖書館的組成要素是互爲關聯的，矛盾關係是其最爲普遍的關係之一，爲此，圖書館的矛盾分析常常是與要素分析聯繫在一起的。矛盾分析的首要問題是確定事物諸矛盾中起決定作用的主要矛盾及其主要矛盾方面，並進而確定圍繞主要矛盾而形成的矛盾統一體；矛盾分析還有助於明確事物發展的根本原因。對於圖書館而言，信息資源與用戶信息需求的矛盾是主要矛盾，至於矛盾的主要方面，在圖書館發展的不同階段是有區別的。表述得更具體一些，信息資源的有限性與用戶信息需求的無限性是圖書館發展的根本原因。

㈡信息資源

切尼克在其專著《圖書館服務導論》第三章「圖書館資源（Library Resources）」中曾談到：「圖書館的基本目的是獲取、保存和利用所有形式的信息。這一目的需要今天的圖書館去網羅僅僅數十年前還從所未聞的大量資源和深入的信息（in-depth information）。通過將收藏範圍從傳統的印刷資料擴大爲兼容圖形資源、聲像資源和計算機資源，目前圖書館可以保存和提供很多形式的信息。除書籍、雜誌、報紙和小冊子外，圖書館用戶還可以存取唱片、電影膠片、聲像磁帶或磁盤、光盤（CDs）、藝術印刷品（art prints）、遊戲用具（games）、玩具和計算機。許多圖書館也提供聯機數據庫、光盤數據庫以及通過通信線路所獲取的其它圖書館的資源等方面的以計算機爲基礎的信息服務。這些多樣化的媒體之所以被納入圖書館，是因爲它們的獨特性質能夠使用戶根據自己的能力、興趣或需求來利用它們，是因爲在我們這個視覺化和口語化的社會裡大多數信息都是以這些特殊形式記錄下來的。」❸也就是說，由於信息技術和手段的進步，圖書館已能夠超越「圖書」這種特殊形式爲用戶（而不僅僅是讀者）提供信息服務，它的重心已轉到信息資源方面而不再局限于圖書這種特殊媒體。

圖書館信息資源的表現形式是多種多樣的，結合載體和內容來劃分，信息資源主要包括印刷資源、縮微資源、圖形資源、聲像資源、

---

❸ B. E. Chernik. Introduction to Library Services. Englewood: Libraries Unlim ted, Inc., 1992. 28, 13～14, 205～212, 24, 60, 62, 63, 2.

計算機資源、網絡資源和圖書館目錄七大類型，具體如下：

印刷資源是圖書館用戶最熟悉的形式，根據經濟性、方便性和習慣性等多種因素推斷，即便在未來信息技術高度發達的社會裡，印刷資料仍將是一種主要的媒體。印刷資源又可分爲幾個部分：⑴書籍。據聯合國教科文組織的規定，除封面外篇幅不少於49頁的非定期出版物稱圖書，49頁以下者爲小冊子；❹⑵連續出版物。它是指定期或不定期並計畫無限期連續出版的出版物，主要包括期刊、報紙、年刊、系列叢書等形式；⑶政府出版物。泛指政府機構刊行或出版的出版物，其內容極爲廣泛，幾乎涉及所有媒體形式，又有地方、國家和國際政府出版物之分；⑷其它印刷資源。主要包括小冊子、技術報告、會議錄等。

縮微資源是指儲存微型印刷或圖形資料的圖像的媒體形式，最常見的是縮微膠卷和縮微平片。縮微後的圖像多爲原始材料的1／20倍。許多期刊和報紙都生產縮微膠卷，如美國著名的大學縮微膠卷公司就提供歐美學位論文的縮微膠片。

圖形資源（graphic resources）是指說明或補充印刷資源的圖形化或視覺化媒體，又有二維形式和三維形式之分。二維形式的圖形資源主要包括油畫、素描、圖表、線圖（diagrams）、照片、廣告（posters）、地圖等；三維形式的圖形資源則包括地球儀（globes）、模型（models）、導具（dioramas）、展覽品、教具（realia），乃至玩具、照像機、打字機、計算機等。

---

❹　圖書館學百科全書編委會，圖書館學百科全書，北京：中國大百科全書出版社，1993．456。

　　聲像資源通常是指那些需要使用視聽設備方可利用的媒體資料，主要包括唱片、磁帶、影片、幻燈片、錄像帶、光盤、數字音頻唱盤、錄像盤（rideo disc）、交互式光盤（interactive CDs）等。

　　計算機資源是指計算機能夠處理的信息資源，廣義的計算機資源也包括網絡資源。以計算機技術爲主體的圖書館自動化系統所能處理和提供的信息資源主要包括計算機可讀目錄（MARC）、自建數據庫或購置的光盤數據庫等。

　　網絡資源則是指通過通信線路和專用設備而獲取的其它圖書館或社會組織的信息資源，又有局域網（Local Area Networts, LANs）資源和廣域網（Wide Area Networks, WANs）資源之分。局域網通常可以實現一個機構（如大學、企業等）內部的信息資源交流，廣域網則可以擴大到幾個城市之間或一個大的地區，而最新發展的因特網則實現了國際範圍的信息資源交流。網絡資源的出現極大地擴充了圖書館的內涵，在一定程度上實現了圖書館人的資源共享理想。

　　圖書館目錄也是重要的信息資源，它們是圖書館信息資源體系的揭示與導引。圖書館目錄主要有書本式目錄、卡片目錄、聯機公共檢索目錄（OPAC）、光盤目錄等幾種形式。

　　此外，圖書館信息資源從廣義上還包括固定用戶的潛在信息資源如專業知識和經驗技能等，用戶既是圖書館的服務對象，同時若加以組織和開發亦可變爲圖書館的資源。

　　圖書館可以選擇的信息資源是多種多樣和異常豐富的，但「由於多種原因，圖書館必須從可利用的多變而龐大的媒體和資源中加以選擇。因爲每年有多於55,000種書、120,000份期刊和報紙、3,900個數據庫和數千種視聽磁盤出版或生產，沒有哪個圖書館有財力購買所有

書寫、印刷或生產的資料。即使有這樣的財力，也很少有圖書館願意這樣做。要有效地為用戶服務，每個圖書館都必須審慎地選擇那些有助於實現其既定目標的資源。」❺圖書館的信息資源是經過精心選擇的，其選擇的主要依據就是用戶的信息需求。

　　圖書館的信息資源是互為關聯的，這種關聯一方面來自於物質世界和人類社會的普遍的聯繫性，另一方面也是特定用戶群信息需求體系客觀化的結果。這種關聯性使圖書館所採集和保存的多種媒體、多種形式的信息資源自然地形成了一個動態的體系，同時也放大了該體系中任何一種信息資源的作用。

　　圖書館的信息資源歸根結蒂是有限的。如前所述，由於人類智能的有限性，人類所能創造的信息資源本身是有限的。對於圖書館而言，一方面財力及其它資源的有限性限制了信息資源的超量擴張，另一方面，真正切合用戶信息需求的資源又總是不足。故此，信息資源的有限性將永遠是圖書館所面臨的一個難題。

㈢用戶的信息需求

　　隨著信息技術和手段的發展及其在圖書館的應用，圖書館服務對象的範圍已從傳統的讀者圈擴大為更為廣泛的用戶圈。用戶，準確地說是信息用戶，通常是指那些接受信息服務的人類個體或群體。用戶主要具有三方面特徵，一是擁有信息需求，即需要接收信息以解決未知問題；二是具備利用信息的能力（包括觀察能力、理解能力、概括能力、抽象能力、分析和綜合能力、判斷與推理能力、語言能力等），即有能

---

❺　同註❸。

力接收、處理和利用信息；三是具有接受信息服務的行動，即事實上接收和利用了信息。一個人只有具備了上述三方面的特徵才能稱之爲眞正的信息用戶，如果他只具備信息需求和信息能力而未形成實際的行動，則稱之爲潛在信息用戶。讀者則是一類特殊的信息用戶，讀者除具備用戶的所有特徵外還有一個嚴格的先決條件，即讀者必須擁有閱讀能力或者說必須掌握書面語言。

信息需求是信息用戶最爲本質的特徵。據《情報檢索概念》一書的解釋，「需求常常是某些未解決的問題的產物，它可能與工作相關，也可能產生於個人的認識：當個人認識到他或她現有的知識儲存不足以應付目前的任務、不足以解決特定主題領域的衝突、不足以塡補某些知識領域的空白時，需求便出現了。」❻在此，情報檢索領域所界定的需求更多的是指信息需求，這種需求又更多地是與未解決的問題相關的。但實際上，信息需求的內涵還要寬泛很多，它與用戶的性別、年齡、家庭、鄰里、興趣、性格、民族、宗教信仰、學歷、職稱、職務、所從事的職業、所生活的社區、所處的時代背景等諸多因素皆有關聯，這些問題我們將在第六章展開論述。

信息用戶實質上也就是社會的人，其需求是多種多樣的，但我們所關心的主要是其信息需求以及這些需求發展變化的規律性與如何有效地滿足這些需求的問題。具體到每一個信息用戶，其信息需求都是多種多樣的和全面的，圖書館不可能滿足其所有的信息需求，爲此就需要結合圖書館的性質和個體用戶的信息需求進行整合分析，並從而

---

❻　M. L. Pao. Concepts of Information Retrieval. Englewood: Libraries Unlimited, Inc, 1989. 41.

確定用戶信息需求的主要方面。對於特定的圖書館或圖書館網絡而言，其研究重點是特定用戶群的信息需求結構，這種結構絕不是單個用戶信息需求簡單相加的結果，相反，它是特定範圍內若干單個用戶信息需求整合異化的結果。

用戶的信息需求是無限的，俗語云，「欲壑難填」，就是這個意思。究其原因，由於人類在認識自然和改造自然的過程中及在社會生活中常常面臨著無限的不確定性，因而就需要同樣多的信息來消除這些不確定性。對於人類社會而言，無限的需求是進步與發展的強大動力；但對於圖書館而言，則是又一個難以解決的問題，其有限的信息資源永遠無法全部滿足用戶無限的信息需求，圖書館的目標應定位在最大限度地滿足用戶群的主體信息需求方面。

㈣信息人員

圖書館是一種社會現象，人的參與是其重要特徵之一。但作爲圖書館組成要素的人員主要是指與信息資源體系及其過程直接有關的人員，簡稱爲信息人員。要成爲圖書館的信息人員須具備一些先決條件，「除了具備圖書館運行的一般教育和知識外，其它特徵對於圖書館雇員而言也很重要。這些特徵更多地與雇員的個性和品質有關，它們涉及雇員的內在興趣和動機，能夠表明雇員是否會成爲一個成功的圖書館工作人員。」其中，「圖書館工作人員所必需的兩種最基本的特徵是與他人共事的興趣及細節精確性的關注」。其它特徵還包括準確的判斷能力、應變能力、熱情而友好的待人方式、機智、想像力、聰明、虛心、善解人意、良好的記憶力、嫻熟的交流能力、幽默感

等。❼概括地講，圖書館信息人員應具備三方面的素質與能力；一是敬業精神、奉獻精神、信息意識、服務意識等職業素養；二是記憶能力、判斷能力、理解能力、交流能力、合作能力、應變能力等基本能力；三是專業理論、應用技術和背景知識等職業技能。圖書館信息人員也有種類與層次之分，對於不同類型的信息人員，要求和條件是不同的。

巴特勒早在30年代就區分了三種層次的圖書館信息人員，「圖書館專業工作者必須擁有能夠使他在混合社區（a mixed community）中發現複雜的圖書館需求的科學而一般化的知識，其關注的焦點是機構的社會效果；圖書館技術工作者必須受過職業訓練、熟悉圖書館裝置並能夠有效地控制它們，其關注的焦點是機構的內在效率；圖書館職員（clerical workers）需要掌握某一特殊過程的操作技巧，其關注的焦點是自己要處理的操作任務」。❽巴特勒的區分是科學的和綜合圖書館實際的，但在美國圖書館領域，這種區分到70年代已很少被採納。1970年，美國圖書館協會發布了「圖書館教育和人員利用（Library Education and Personnel Utilization）」聲明，將圖書館信息人員劃分爲專業人員（包括高級館員或高級專家、館員或專家兩個層次）和輔助人員（包括助理館員或專家助理、圖書館技術助理或技術助理、職員三個層次）兩大類。❾英國圖書館領域也基本上採用兩分法，

---

❼　同註❸。

❽　Pierce Butler. An Introduction to library Science. Chicago: The University of Chicago Press, 1934. 111~112.

❾　同註❸。

即將圖書館人員劃分發爲專業人員和非專業人員兩大類。❿我國則在
1981年頒布的《圖書、檔案、資料專業幹部業務職稱暫行規定》中把
圖書館信息人員劃分爲研究館員、副研究館員、館員、助理館員和管
理員5個層次，並對其學歷、能力、職責等分別做了不同的規定。⓫
可以看出，我國的劃分主要是以圖書館人員的專業水平爲標準，巴特
勒的劃分以工作性質爲主，美國圖書館協會的劃分則兼顧了兩個方
面；而從圖書館要素的角度考慮，我們認爲巴特勒的劃分更適用一
些，但90年代各類圖書館信息人員的職責已不同於巴特勒時代了。

　　圖書館專業人員主要負責用戶群信息需求的分析，圖書館目標的
確定，圖書館管理，圖書館信息資源的選擇、評估和剔除，編目指
導，參考諮詢，資源開發，用戶教育，計算機系統設計等事項。

　　圖書館技術人員主要負責圖書館特藏（如藝術媒體、音樂資料、連
續出版物等），信息資源的保存，館際互借，書目檢索，書刊資料的
訂購，現代化信息設施的操作與維修等事項。

　　圖書館職員則主要負責「借還資料，傳送催書單，錄入數據，整
理目錄卡片，驗收新雜誌，處理資料，租借影片，準備幻燈片」等事
項。⓬

　　圖書館信息人員是圖書館諸要素中的主體因素，其它三個要素皆
爲客體因素。正是由於信息人員的參與，圖書館信息資源體系才能不
斷地趨於序化和優化，圖書館才能稱之爲一個「發展的有機體」。在

---

❿　R. Beenham, Colin Harrison. The Basics of Librarianship. London:
　　Library Association Publishing Ltd., 1990. 21.

⓫　同註❷。

⓬　同註❸。

現代社會，由於人們賦予計算機以人腦的部分功能，以計算機爲核心的現代信息設施也具備了有限的「主體」色彩，它們在圖書館工作中的作用也越來越大，它們將不可避免地承擔越來越多的技術處理工作，並將因而縮減圖書館信息人員的層次和改變他們的職責範圍。

㈤信息設施

信息設施是開展圖書館服務的物質條件。傳統的圖書館信息設施主要包括圖書館建築、書架、目錄櫃、閱覽桌椅以及打字機、油印機、裝釘機、圖書流動車等簡單設備。現代化圖書館信息設施則包括縮微閱讀機、視聽設備、複印設備、傳眞設備、文字處理設備、圖書館自動化系統、局域網以及因特網接口等。

圖書館建築是傳統的圖書館信息設施的核心，一些圖書館學家甚至以圖書館建築爲研究方向，但比較而言，圖書館建築仍然更多地屬於建築學的研究範圍，圖書館學家只須在設計的初始階段提供一些思路和思想即可。圖書館建築設計通常要考慮以下幾方面因素：⑴圖書館建築設計要求不同於其它機構，譬如圖書館通常只有一個公共的出入口；⑵不同類型圖書館的建築設計需求是不同的，譬如公共圖書館建築設計就不同於學校圖書館；⑶圖書館不同部門的功能不同，因而設計要求也不同，譬如圖書館藏、借、閱、整理加工四大區的設計要求就各有特色；⑷要採用模數式原則設計圖書館，使圖書館具有較大的靈活性、適應性和擴展性；⑸要遵循建築美學原理和環境協調原則，注意採光、空間和造型藝術、環境的協調等問題；⑹要充分考慮各種現代技術設備的應用問題，譬如電子圖書館的設計與安裝等。

圖書館自動化系統則是現代化信息設施的主要核心，它由計算機

硬件系統、軟件系統和數據庫三大部分所組成。硬件系統包括計算機主機、外部設備、通訊設備及其它設備等，是自動化系統的物質基礎；軟件系統包括與硬件系統配套的系統軟件以及處理圖書館各項業務的程序和相關程序等的應用軟件，是自動化系統的智能中樞；數據庫用以存儲和組織圖書館工作需要的各種數據，實質上就是電子化的信息資源，它是自動化系統的處理對象和基礎。圖書館自動化系統一般可分爲圖書館業務自動化系統和圖書館管理自動化系統兩大類。

在圖書館自動化系統的基礎上整合網絡功能而形成的電子圖書館是現代化信息設施的又一主體形式。「所謂電子圖書館，是建立在圖書館內部業務高度自動化基礎之上，不僅能使本地和遠程用戶聯機存取其OPAC以查尋傳統圖書館館藏（非數字化和數字化的），而且也能使用戶通過網絡聯機存取圖書館內外的其它電子信息資源的現代化圖書館」。❸當然，電子圖書館不僅僅是一種信息設施，它也是一種新型的信息資源體系。

信息設施是維繫信息資源與用戶信息需求的重要媒介，其主要作用是爲圖書館信息資源體系的形成、維護、發展和開發提供支撐環境和條件，爲用戶利用信息資源提供便捷手段，爲圖書館管理提供物質基礎。對於電子圖書館而言，信息設施已與信息資源融爲一體，形成了你中有我、我中有你的格局；進一步分析，信息設施（主要是軟件部分）還融入了圖書館信息人員的智慧，信息資源則反映了用戶的信息需求；也就是說，當圖書館發展到電子圖書館階段時，圖書館諸要

---

❸　汪冰，電子圖書館理論與實踐研究，北京：中國科學院文獻情報中心博士論文，1997．12, 56～57, 80, 22～24．

素已在很大程度上實現了整合，人們再也無法對其實施機械分割並將
其還原爲相互獨立的要素。

㈥圖書館的矛盾分析

矛盾論認爲，矛盾是普遍存在的，「其一是說，矛盾存在於一切
事物的發展過程中；其二是說，每一事物的發展過程中存在著自始至
終的矛盾運動。⓮運用矛盾論的思想來分析圖書館，可以發現，圖書
館諸要素之間、圖書館的不同層面、圖書館發展的不同階段都存在著
大量的矛盾，黃宗忠對此有精闢的論述，「圖書館既是矛盾的統一
體，又是一個完整的整體或系統，在這個系統中包含有要素、特殊矛
盾、主要矛盾、矛盾的主要方面。要素是矛盾運動的基礎；圖書館運
動形態是由矛盾決定的；圖書館規律是矛盾發展的結果；特殊矛盾是
區別不同學科研究對象的特殊點，規定了圖書館特有的本質；主要矛
盾推動了圖書館的發展。」⓯他還認爲，「藏與用」是圖書館的主要
矛盾和特殊矛盾。然而，在網絡時代的今天，「藏與用」的觀點還具
有普遍的適用性嗎？

如前所述，矛盾分析總是與要素分析聯繫在一起用的，「事物發
展的根本原因，不是在事物的外部而是在事物的內部，在於事物內部
的矛盾性，」⓰而事物內部的矛盾性首先表現爲事物諸要素之間的矛
盾運動；當事物的組成要素發生變化後，事物的主要矛盾也會有所變

⓮　毛澤東，毛澤東選集（一卷本），北京：人民出版社，1964．280, 276, 297．

⓯　同註❷。

⓰　同註⓮。

化。一分爲二地分析「藏與用」觀點，我們認爲，它是對傳統圖書館即特定歷史階段的圖書館的本質的準確揭示，它在今天依然有存在價值，但卻不是對包括電子圖書館在內的所有圖書館（即作爲「類」的圖書館）的本質的最爲準確的揭示。

在本書所界定的四要素的範圍內討論圖書館的主要矛盾，我們認爲，信息資源與用戶信息需求的矛盾是圖書館的主要矛盾；但這樣的表述還不夠精確，因爲信息資源與用戶信息需求從表面上看似乎沒有必然的矛盾關係，只有對它們加以限定才更有說服力，換言之，信息資源的有限性與用戶信息需求的無限性的矛盾才是最爲準確的表述。回顧歷史，可以說，是這一矛盾導致了圖書館的產生；考察現實，可以說，是這一矛盾維持著各級各類圖書館的生存；展望未來，可以說，只要這一矛盾運動還存在，圖書館現象就不會消亡；比較不同發展階段、不同地域的圖書館，可以說，凡是受人推崇的圖書館都是成功地解決了這一矛盾的圖書館；聯繫其它信息服務系統進行分析，圖書館是通過建立信息資源體系的方法來解決這一矛盾的，信息資源體系與用戶信息需求體系的差異（差異本身也是矛盾）是圖書館的特殊矛盾，是圖書館區別於其它事物的本質之所在。

任何矛盾都是由矛盾著的兩個方面所構成的。「矛盾著的兩方面中，必有一方面是主要的，他方面是次要的。其主要的方面，即所謂矛盾起主導作用的方面。事物的性質，主要地是由取得支配地位的矛盾的主要方面所規定的。」❼就圖書館的主要矛盾而言，哪個方面是主要方面呢？從圖書館發展史的角度分析，主要方面與非主要方面有

---

❼　同註❹。

一個轉化與發展過程：古代圖書館時期，由於信息資源的生產極爲有限，文化教育很不發達，信息資源是矛盾的主要方面，圖書館因而也稱爲「藏書樓」；近代圖書館時期，先進的印刷技術等促成了信息資源的規模生產，資產階級民主思想喚醒了工業時代的用戶的信息需求，信息資源不再是特權和地位的象徵，但仍是矛盾的主要方面，圖書館有「社會大學」之稱；現代圖書館時期，科學文化教育的普及一方面使信息資源生產成爲一種普遍的社會活動，另一方面又極大地擴展了圖書館用戶的數量，而現代信息技術又爲用戶利用信息提供了便捷的手段，在此情況下，用戶信息需求順理成章地變爲矛盾的主要方面，如果圖書館不以此爲中心來組織信息資源和提供服務，圖書館就可能被信息市場中的競爭對手擠垮，它實質上已演變爲一種「信息港」。

信息資源的有限性與用戶信息需求的無限性的矛盾是圖書館的主要矛盾，但卻不是唯一的矛盾，圖書館還有許多次要的矛盾。首先是圖書館信息人員與其它要素的矛盾：信息人員的知識結構與信息資源體系的結構之間存在矛盾關係，信息人員只有不斷地更新自己的知識結構才能解決這個矛盾；信息人員與用戶之間存在矛盾關係，他們在許多方面利益是不一致的，譬如，用戶希望多看一會書而信息人員希望早些回家，用戶希望信息人員博學多聞而信息人員則希望用戶最好自己解決問題，等等；信息人員與信息設施之間存在矛盾關係，以現代信息設施的應用而論，信息人員不掌握現代信息技術會被淘汰，掌握現代信息技術也可能被裁減（現代信息設施能夠做一些簡單的機械的工作，從而會導致人員裁減）；信息人員與主要矛盾之間也存在矛盾關係，如果信息人員社會地位不高、待遇偏低，那麼即使抓住了主要矛

盾，其它矛盾依然無法「迎刃而解」。其次是信息設施與其它要素的矛盾：信息設施與信息資源之間存在矛盾，在經費有限的前提下，增加信息設施就意味著減少信息資源的補充；信息設施與用戶信息需求的滿足之間存在矛盾關係，不引進現代信息設施難以滿足用戶自身的需求，引入信息設施則既要學習使用技術又要付費；信息設施與主要矛盾之間也存在矛盾關係，信息設施的引進、二次開發和推廣使用已成為現階段制約大多數圖書館發展的「瓶頸」問題。圖書館各要素內部還存在著矛盾，如用人不當和分配不公所引起的信息人員之間的矛盾、現代信息設施的應用所引起的傳統信息技術與現代信息技術之間的矛盾等。總之，矛盾存在於圖書館發展的全過程及圖書館的各個層面之中，如果處理不當，任何一個細小的矛盾都會影響圖書館的有序運行和正常發展。

　　圖書館是一個矛盾的統一體，圖書館內部的各種矛盾以及圖書館與其它事物之間的矛盾是永無止境的，舊的矛盾解決了，新的矛盾又會產生，如此不斷地產生矛盾、不斷地解決矛盾，圖書館也因而不斷地向前發展，不斷地從低級發展為高級，從簡單走向複雜。而在圖書館的諸矛盾中，信息資源有限性與用戶信息需求無限性矛盾正是圖書館發展的根本原因。

第二節　圖書館結構與功能分析

(一)圖書館結構與功能

「系統是由兩個以上的要素構成的集合體，各個要素之間的相互

聯繫和相互作用，形成特定的整體結構。系統的結構是要素之間相互聯繫和相互作用的形式。要素的要互聯繫和相互作用，必須通過交換信息來實現。因此，在形式上，要素之間就要發生加和性和非加和性、正反饋和負反饋以及因果等聯繫和作用。我們稱這種聯繫和作用為形式結構。它又是同系統的空間結構和時間結構結合在一起的。要素在空間上的排列秩序，構成了系統的空間結構，要素在時間上前後相繼的順序，構成時間結構。」⑱也就是說，圖書館的結構分析從大的方面主要可分為形式結構分析、時間結構分析和空間結構分析三部分，其中，本節重點分析形式結構，時間結構和空間結構將在第四章第三節和第四章第四節兩節中論述。

圖書館的形式結構主要是指圖書館諸要素通過相互聯繫和相互作用而形成的整體結構。作為類事物，圖書館本身是一個系統，而「系統的結構是整體與部分之間相互聯繫的中介，」⑲換言之，正是通過圖書館的結構圖書館諸要素才形成了一個整體。圖書館的形式結構主要有三種類型：一是以信息資源和用戶信息需求的相互聯繫和作用為主體整合圖書館信息人員和信息設施而形成的「流程結構」；二是基於流程結構、以圖書館信息人員為主體而形成的「組織結構」；三是基於流程結構、以現代信息設施為主體而形成的「信息基礎設施結構」。在圖書館的三種結構中，流程結構是核心，它也是銜接傳統圖書館工作與現代圖書館工作的媒介。

結構分析對於認識圖書館信息資源體系的運動規律及預測它的發

---

⑱　辭海編輯委員會，辭海（縮印本），上海：上海辭書出版社，1989．1731．
⑲　同註❶。

展趨勢而言是一種無可替代的重要手段，它的重要性還在於結構對功能具有決定的作用。「結構反映系統內部要素之間的關係，功能則反映系統與外部環境之間的關係，表達系統的活動和行爲。系統的功能是系統整體在與外部環境相互作用中表現出來的適應環境、改變環境的能力和行爲。」「功能分析方法是從分析系統與要素、結構、環境的關係來研究系統功能的系統科學方法。」❷具體到圖書館功能的分析，我們認爲，圖書館諸要素量與質的不同影響圖書館功能的差別，圖書館結構決定圖書館的基本功能，圖書館與環境的相互作用則決定圖書館的社會功能。其中，又以基本功能爲主體，社會功能是基本功能在社會大環境中的表現形式，功能差別則是指基本功能和社會功能的組合形式及重心等方面的變化。

㈡圖書館的流程結構

圖書館的流程結構是信息資源的有限性與用戶信息需求無限性之間的矛盾運動的產物，是信息資源體系的形成、維護、發展和開發過程的濃縮和揭示，它本身是由信息資源的採集（含圖書館目標的確立、用戶信息需求分析和反饋分析、信息資源的選擇等）、組織（含信息資源的本體、目錄和媒體的組織）、檢索、開發、提供服務等環節組成的有機整體（見圖4-1）。

在上圖中，一方面圖書館信息人員利用一定的信息設施，根據圖書館所確定的目標以及用戶信息需求分析和追踪（反饋）的結果，從社會上廣泛存在的信源中不斷地選擇和收集所需的信息資源，並利用

---

❷　同註❶。

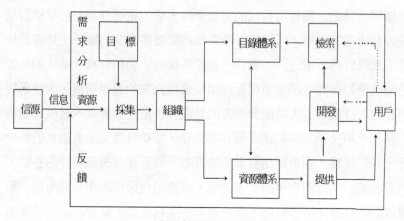

———▶爲信息資源流及其方向

……▶爲用戶信息需求流及其方向

圖4-1　圖書館流程結構模型

所掌握的專業知識和技能對這些信息資源實施組織──結果產生了兩種產品：一是表徵這些信息資源的目錄體系，二是信息媒體依據一定結構而組成的資源體系，它們共同構成了圖書館的信息資源體系；另一方面，圖書館用戶基於自身的需求或直接通過檢索提出服務要求並得到圖書館所提供的服務，或間接地通過圖書館信息開發人員的勞動而得到附加值高的信息產品；可以看出，信息資源流和用戶信息需求流的匯聚點是信息資源體系，圖書館的各種活動也是圍繞著它而進行的，這進一步驗證了我們對圖書館學研究對象的認識。若根據不同環節之間相關性的強弱來集約圖書館活動，圖書館流程結構又可分爲四大板塊，即圖書館信息資源活動的規劃與管理、信息資源的採集與補充、信息資源的組織、信息資源的服務。

　　信息資源活動的規劃與管理是指圍繞圖書館目標的制定和實施而
展開的系列活動，主要包括：目標和規劃的制定；政策與規章制度的
形成和管理；預算的準備和管理；信息設施的規劃和維護；工資表的
提供；人員的任命、升遷、調動和解雇；分工與授權；工作監督；進
行調查研究，準備和分析報告、統計資料和記錄；參與公共關係活動；
等等❷。

　　信息資源的採集與補充主要是與信息資源體系的形成和發展有關
的活動。一般而言，圖書館信息資源體系的規模、性質與內容，主要
是由圖書館目標和用戶信息需求兩方面的因素決定的。信息資源的採
集和補充就是根據這兩方面的因素選擇和獲取信息資源的過程。信息
資源的選擇要求信息人員具備廣博的信息源知識及圖書館已有信息資
源方面的知識，要求他們熟練地掌握各種信息源工具（如新書目、回溯
書目、新書評介、報刊索引等），要求他們具備評價和選擇那些能夠最
有效地滿足用戶群信息需求的信息資源的能力；信息資源的選擇意味
著在主題內容和媒體類型兩方面維持一個具有生命力的、動態平衡
的、時新的信息資源體系；信息資源的選擇既包括新資料的補充，也
包括過時的和無人利用的資料的剔除。信息資源的獲取則要求信息人
員掌握出版商的知識，掌握罕見資料和脫銷資料的來源，了解直接從
出版商那裡購買還是通過中介商購買較為有利，了解訂購的政策和程
序，等等。

　　信息資源的組織活動主要涉及信息資源體系的形成和維護兩個方

---

❷　Jean Kay Gates. Introduction to Librarianship. New York: Neal-
Schuman Publishers, Inc., 1990. 107~111.

面。傳統的圖書館信息組織活動主要包括分類與編目兩個方面。分類（或稱歸類）是一種語義信息組織，其依據是各種圖書分類法如《杜威十進分類法》（DC）、《中圖法》、《科圖法》等，其實質是析出一種信息資源的主題並找出分類表中與它相對應的類目，然後將該類目的類號分配給該種信息資源作爲排檢標識的過程；編目則是一種語法信息組織，「編目過程涉及對一份出版物的著者、標題、出版地、出版者、出版時間、提要項（頁數、插圖等）和主題項的系統描述。」❷其實質是依據一定的標準來安排這些著錄事項以形成一份份款目的過程；而目錄體系則是這樣款目依據一定的規則而組成的體系，由於所依持的規則不同，目錄體系有分類目錄、著者目錄、標題目錄、主題目錄之分。信息資源的貯存主要也是一種信息組織活動，其實質是依據分類的結果、兼顧空間的利用和存取的方便、合理排列和調整信息資源的過程。

　　信息資源服務活動主要包括檢索、開發和提供服務三大部分。信息資源的檢索是利用圖書館的前提，有手工檢索和計算機檢索之分，其實質是將用戶信息需求具體化爲有效的檢索詞，並進而通過目錄體系搜尋和確定對應的信息資源的過程；信息資源的開發是圖書館信息人員根據用戶的要求選擇、提取、濃縮、評論、預測和序化相關信息資源，並形成附加值高、針對性強的信息產品的過程；信息資源的提供服務主要包括傳統的借閱服務、參考諮詢和用戶教育等活動，以及現代化的網絡信息資源導航和提供服務。

---

❷　同註❷。

(三)圖書館的組織結構

圖書館的組織結構是以圖書館的目標、功能和活動爲依據，以圖書館流程結構爲基礎、以圖書館信息人員爲主體而形成的一種結構，它常常隨圖書館類型的不同而不同，如圖4－2、圖4－3、圖4－4所代

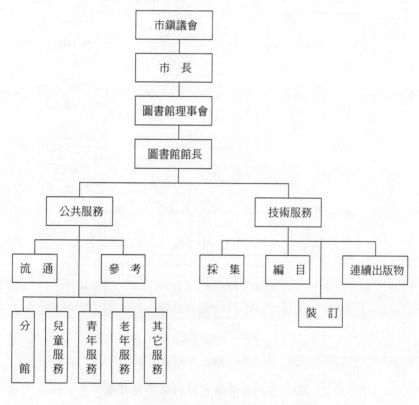

圖4－2 公共圖書館的組織結構㉓

㉓ 同註❸。

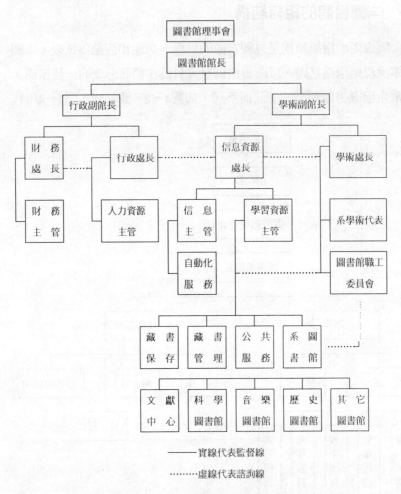

圖4-3　大學圖書館的組織結構⓴

⓴　同註❸。

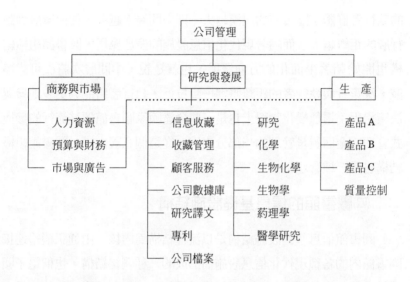

圖4－4　專門圖書館（或信息中心）組織結構㉕

表的就是目前三種主要類型的圖書館的組織結構，可以看出，它們有
著較大的區別。進一步分析，這種區別固然源於不同類型圖書館目
標、功能和活動的差異，同時也與圖書館的規模及其所裝備的信息設
施等因素有關。

　　圖書館的組織結構是實現圖書館目標和開展圖書館活動的組織保
證。傳統的組織結構通常呈金字塔型，處於塔尖的是圖書館理事會、
館長和副館長組成的決策者群體，處於中間層的是由圖書館各部門負
責人所組成的管理者群體，處於基層的是不同類型的信息人員所組成

㉕　同註❸。

的執行者群體；圖書館的規模越大，則中間層次越多，從決策層到執行層的距離越大。而隨著現代化信息設施的廣泛應用，圖書館組織結構也開始朝著平面化的方向發展，也就是說，中間層次將盡可能縮減，決策者與執行者的距離將進一步拉近，執行者將能夠更多地參與決策過程；這種變化實際上也是一些發達國家圖書館領域流行的參與式管理或全面質量管理的一部分內容，從這個意義上講，圖書館組織結構也是一種管理結構。

㈣圖書館的信息基礎設施結構

圖書館信息基礎設施結構是以流程結構為內核、由通訊網絡連接圖書館內的各種現代化信息設施而形成的一種網絡結構，也稱電子圖書館結構。與前述流程結構和組織結構相比，信息基礎設施結構是一種更為開放的結構，它置身於單位網、地區網、國家網、因特網等各種各樣、或大或小的網絡之中，只要滿足一定條件，便可自由進出這些網絡並利用其豐富的信息資源，它或者可以說就是這些網絡的一個觸角。在此，我們分析兩種電子圖書館模型，以期對圖書館信息基礎設施結構有一個具體的認識。

一種是英國德蒙特福特（De Montfort）大學、英國圖書館、國際商用機器公司（IBM）英國公司合作研究的ELINOR（Electronic Library Information Online Retrieval）電子圖書館項目，他們所設計的「電子圖書館原型系統」更多地展示了電子圖書館的工作原理（見圖4-5）[26]。

---

[26] 同註[13]。

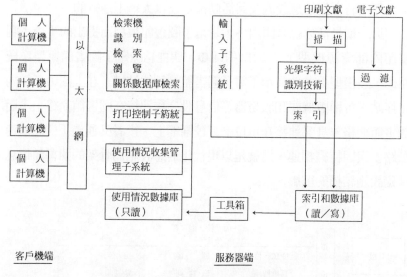

圖4－5　ELINOR電子圖書館原型系統

　　在上圖中，ELINOR電子圖書館系統採用客戶機／服務器體系結構，一台IBM RS6000 520工作站做數據庫服務器，掃描工作站是一台486PC機，用戶工作站是4台486PC機；遵循的協議是TCP／IP協議（傳輸控制協議和内部協議），但也支持校園網運行的Novell Netware IPX協議。其中，服務器功能的實現，是通過檢索機、文獻輸入系統、使用情況統計數字收集與管理子系統、打印控制子系統、工具箱（包括操作數據庫的工具）等協同完成的；外部的印刷文獻必須用DIP（文獻圖像處理）技術掃描進入系統並以圖像形式貯存，目次頁、索引頁等還須用OCR（光學字符識別）技術轉換爲ASCII文本，以便於索引和自由檢索；電子文獻經過濾後則可直接供索引和自由檢

索；而所有上述信息設施及其活動都是在以太網上運行的。

　　另一種是汪冰綜合國內外大量電子圖書館模型而提出的「電子圖書館內部資源模型」（見圖4－6）**❷**，與ELINOR電子圖書館原型系統相比，該模型更多地展示了電子圖書館的靜態結構：在上圖中，館內工作站、各種數據庫和服務器等信息設施均連接在圖書館網絡上，而圖書館網絡本身又連接在單位網或校園網上，後者又通過「信息高速公路」與因特網相連，這就是以現代化信息設施爲骨架的圖書館信息基礎設施結構的縮影。

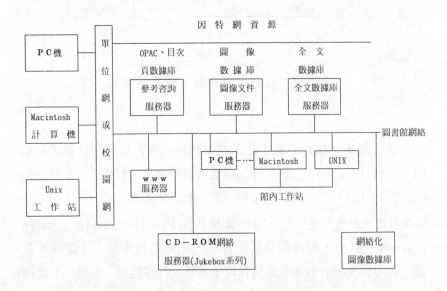

圖4－6　電子圖書館的內部資源模型

---

❷　同註**❸**。

電子圖書館還處於研制和初試階段，目前尚未形成標準化的廣為接受的模型結構，但根據現有資料推測，無論如何變化，上述兩種電子圖書館模型所展示的原理結構都將是適用的，變異將主要與特定圖書館的具體情況以及所選用的現代信息設施和技術有關。

(五)圖書館的功能分析

圖書館的功能是由圖書館的要素、結構及其與外部環境的相互作用共同決定的。圖書館要素對圖書館功能的影響表現在三個主要的方面：一是要素數量對圖書館功能的影響。圖書館要素直接決定著圖書館的規模，而規模不同功能也有差異，譬如，北京圖書館與北京市海淀區圖書館的功能就不可相提並論，前者具有流通、閱覽、參考、諮詢、開發、組織（全國聯合編目活動等）、協調（圖書館學研究活動等）、外事等功能，後者可能只有流通、閱覽和簡單的參考功能；二是要素質量對圖書館功能的影響。對於規模大致相同的圖書館，由於要素質量的差別功能也會有所不同，經驗證明，如果一個圖書館信息人員的整體素質比較高，那麼該圖書館的功能就會增強和擴展，反之就會減弱和萎縮，清華大學圖書館近年來的崛起就提供了一個正面的例子；三是諸要素的比例結構對圖書館功能的影響。可以說，圖書館諸要素比例結構的不同是導致圖書館類型分化的主要原因之一，如圖4－4專門圖書館信息資源體系的構成就明顯不同於圖4－3大學圖書館信息資源體系的構成，專門圖書館相對較少重視信息資源的收藏而較多注重信息人員的整體素質和信息設施的更新換代，因此它更接近於情報服務。需要指出，圖書館要素對功能的影響一般是間接的，是以圖書館結構為中介的。

　　圖書館結構對圖書館功能具有決定的意義。在上述三種結構中，流程結構是圖書館的根本結構，組織結構只是圍繞流程結構的人員安排，信息基礎設施結構只是支撐流程結構的技術基礎，所以，由流程結構所決定的圖書館功能也就是圖書館的基本功能。圖書館的基本功能主要包括四個方面：一是信息資源體系的建立；二是信息資源體系的維護；三是信息資源體系的發展；四是信息資源體系的開發。對於所有的圖書館而言，它們都具備這四方面的功能，差別僅在於信息資源體系的規模大小、質量高低、支撐技術的先進與落後、開發的深度與廣度、諸要素的組合方式等方面有所不同而已。

　　「每一個系統，儘管它具有多種功能，但是，在特定條件下，總有一種功能是主要的。其他的功能只是作爲一種可能狀態而存在。當條件發生變化時，作爲可能而存在的功能，就會轉化爲現實發揮作用的功能。」❷⓼就圖書館而言，現代信息技術的介入就是這樣一種「條件」，它通過影響圖書館的要素和結構進而激活了圖書館的一些潛在功能。道林（K. E. Dowlin）在談到電子圖書館的功能時指出，電子圖書館主要具備五方面的功能：(1)服務指南功能。電子圖書館通過指南系統可以爲用戶提供服務選擇；(2)專家介入功能。電子圖書館可以自動地把用戶指引給信息專家；(3)資源功能。電子圖書館允許用戶檢索非電子形式出版物的目錄，並以手工方式傳遞資料；(4)信息功能。電子圖書館能夠充當社區信息中心；(5)通訊功能。用戶可以把電子圖書館作爲一個結點，進入其它電子圖書館或數據庫提供者的網絡。❷⓽

---

❷⓼　同註❶。

❷⓽　同註⓭。

電子圖書館確實擴展了圖書館的功能，但仔細分析，道林所論及的功能絕大多數已包容在圖書館的基本功能之中，只是由於條件不具備它們一直處於潛在狀態或功能較弱而已。

　　圖書館的社會功能則是圖書館與外界環境相互作用的產物，是其基本功能的社會表現形式。1975年國際圖聯（IFLA）在法國里昂召開的圖書館職能科學討論會認為，圖書館的社會職能主要包括四個方面，一是保存人類文化遺產；二是開展社會教育；三是傳遞科學情報；四是開發智力資源。❸❶後來有人認為這種概括不盡全面，又添加了「文化娛樂功能。」❸❶如今，圖書館已發展到「虛擬圖書館」時代，其社會功能是否也發生了變化呢？

　　系統科學認為，「系統的功能只有在系統與環境的相互作用的過程中，才能得到發揮。環境總是不斷地變化著的，系統的功能必須適應環境的變化。」❸❷同時，環境也會對系統功能進行選擇，可謂「適者生存」。以系統科學原理為指導，聯繫電子圖書館的新發展，我們認為，圖書館的社會功能應做以下調整：(1)「保存人類文化遺產」應改為「保存人類信息資源」。文化一詞「廣義指人類社會歷史實踐過程中所創造的物質財富和精神財富的總和。狹義指社會的意識形態，以及與之相適應的制度和組織機構。」❸❸但無論哪一種涵義，均超越了圖書館的職能範圍，故以改為「信息資源」為宜；(2)「開展社會教育」應併入「開發智力資源」之中。因為圖書館不僅是一種重要的社

❸❶　同註❷。
❸❶　同註❷。
❸❷　同註❶。
❸❸　同註❶❽。

會教育機構同時也是學校教育的重要組成部分，另一方面，教育過程主要是開發智力資源的過程；(3)「傳遞科技情報」應改爲「傳遞適用信息」。因爲圖書館收藏的只是信息而不僅是情報，同時圖書館也不僅僅傳遞科技信息，它也傳遞經濟信息、政治信息、文化信息、生活信息等；(4)「提供文化娛樂」應改爲「提供信息娛樂」。因爲目前流行的「虛擬實在（Virtual Reality, VR）技術」等所提供的更多地是一種信息娛樂而不是文化娛樂；(5)應增加「開發信息產品」和「開展網絡導航」兩項功能。因爲隨著環境的變化和圖書館信息人員素質的提高，開發信息產品並發展信息產業已是圖書館所面臨的重要議題；同時，由於網絡進入了普通人的生活，如何幫助用戶在浩瀚的信息網絡中迅捷地尋求所需信息資源也成爲圖書館不可推卸的一項義務。綜上所述，現代圖書館的社會功能應包括六個方面：

(1)保存信息資源

(2)開發智力資源

(3)傳遞適用信息

(4)開發信息產品

(5)提供信息娛樂

(6)開展網絡導航

在上述六個社會功能中，又以「保存信息資源」爲圖書館根本的社會功能，它反映了圖書館在信息服務業社會分工中的側重點，是圖書館區別於其它信息服務部門的重要標誌，圖書館的其它社會功能都是由它派生出來的，是以它爲本的。

第三節　圖書館時間結構分析

㈠圖書館的歷史分期

　　「把系統中的結構按時間上延續的順序，劃分爲若干獨立的部分，揭示系統的進化過程和各相繼延續的穩態結構之間的相互聯繫和相互作用，這就是時間結構方法。」❸世間萬物莫不是在時間結構中發生、發展和消亡的，事物在時間維上的產生、延續、變遷及其規律性就是時間結構分析的重點。

　　圖書館時間結構分析始於對圖書館起源的分析，對此，謝拉曾有精闢的論述：「圖書館正是社會的這樣一種新生事物：當人類積累的知識大量增加以至於超過了人類大腦記憶的限度時，當口頭流傳無法將這些知識保留下來時，圖書館便應運而生了。」❸謝拉的論述隱含著兩層意思：其一，圖書館的產生本身就是一個從量變到質變（積累）的過程；其二，圖書館是一種物化（非口語化）的知識體系（積累的結果）。聯繫我們對圖書館要素的分析來考察歷史上的圖書館，可以認爲，公元前30世紀兩河流域蘇美爾人的泥版藏書❸和公元前16～11世紀我國商代的甲骨文收藏❸已初步具備了圖書館（實質上是圖書館和檔案館的自然統一體）的雛形，因爲它們擁有較爲穩定的用戶群（主

---

❸　同註❶。

❸　杰西・H・謝拉著，張沙麗譯，圖書館學引論，蘭州：蘭州大學出版社，1986．1。

❸　楊威理，西方圖書館史，北京：商務印書館，1988．4，18～19.

❸　謝灼華，中國圖書和圖書館史，武漢：武漢大學出版社，1987．6～10。

· 現代圖書館學理論 ·

要是神職人員和王宮貴族）、一定的信息資源積累（如泥版圖書和甲骨文獻）和相對專職的信息人員（據考古發現，甲骨文是依年代或商代統治者的順序收藏的，這說明有專職人員管理）。

圖書館產生後，在相當長時期內呈現出緩慢發展的態勢，這個時期也稱爲古代圖書館時期。古代圖書館又稱藏書樓，它是爲統治者、宗教神職人員和少數知識擁有者服務的，通常表現爲宮廷和宗教的附屬品；它的主要職能是搜求和保存各種知識載體，這些知識載體在擁有者的意識中已更多地異化爲一種財產；它的主要業務活動是知識載體的整理（包括搜求），但有時也擴展到知識載體的開發和生產，如大型藏書樓附設的抄寫室或刻書坊就是從事知識載體的批量生產的。古代圖書館在世界範圍內大約從公元前30世紀一直延續到公元18世紀末期，在我國則從公元前16世紀一直延續到公元19世紀末期。

古代圖書館發展的緩慢態勢到19世紀終於被工業革命所導致的科學技術進步和資產階級革命成功所推動的民主化進程所改變，圖書館至此進入了近代圖書館時期。近代圖書館又稱傳統圖書館，從理論上講它是面向社會爲所有人服務的，但實際上它的最大受益者是城市居民，農村居民所得到的圖書館服務是有限而不能令人滿意的；它的主要職能已從片面注重保存信息資源擴展到強調社會教育等方面，它的主要業務活動也從整理爲主擴展爲包括採集、組織、貯存、提供利用等科學工序在內的科學工作體系，它所採用的信息設施也漸趨複雜化並日益走向機械化，它的工作人員則越來越多地接受過正規的專業訓練。近代圖書館的標誌是公共圖書館的出現，公共圖書館是一種相對獨立的圖書館，它的存在表明圖書館已成爲社會生活中不可缺少的一個組成部分，圖書館活動已成爲一種經常性社會活動。近代圖書館在

· 204 ·

世界範圍內大約從19世紀上半葉一直持續到20世紀中期，在我國則從20世紀初持續到70年代末。

　　現代圖書館的出現主要有兩個標誌：一是圖書館合作的國際化，1946年成立的聯合國教科文組織（UNESCO）為圖書館的國際合作提供了組織保證；二是圖書館信息設施的智能化，1954年計算機技術首次應用於圖書館標誌著一場圖書館革命的開始。在我國，由於社會歷史等多方面的原因，圖書館現代化進程直至70年代中期方才起步，70年代末的改革開放標誌著我國進入了全面的圖書館現代化建設時期。現代圖書館的主要特徵包括如下幾個方面：(1)圖書館服務對象已超越讀者範圍而發展為信息用戶；(2)圖書館業務範圍已超越單個圖書館而擴展到圖書館網絡；(3)圖書館業務活動已由手工操作發展為人機聯合作業；(4)圖書館信息設施強有力地牽動圖書館的發展，成為現代圖書館時期最活躍的要素；(5)圖書館信息資源體系突破「藏書」框架而呈現出整合發展的態勢；(6)圖書館信息人員已具備了適應現代化圖書館的知識結構和職業技能；等等。

　　圖書館的發展是連續性和間斷性的統一。連續性表現為漸進的量變過程，表現為信息資源體系的積累和進化過程；間斷性則表現為革命的質變過程，表現為圖書館結構和功能的變革和突進過程，公共圖書館和電子圖書館的出現就可視為一種「質變」。圖書館的發展還揭示了圖書館進化的方向性、節律性、協變性和不均衡性等方面的規律，這些都是圖書館時間結構分析的內容。

(二)中國圖書館的產生與發展❸

我國最早的圖書館雛形出現於殷商（公元前16～11世紀）時期，本世紀初在河南安陽小屯村發現的大量甲骨文收藏已具備了圖書館的要素特徵。殷代以降，周朝有專掌圖書的史官，相傳道家的老子就是「第一任國家圖書館館長」——柱下史。該時期出現了新的文字載體即竹簡和縑帛，成語「學富五車」，指的就是竹簡文獻。戰國時期，私人藏書隨著「士」階層的形成而逐漸產生，這是文獻普及的象徵，也是「學術統於王者」時代結束的標誌。

秦滅六國，收天下之書聚於咸陽，設御史大夫執掌圖籍。漢代統治者進一步解除「挾書之律」，使民間藏書合法化；同時又「廣開獻書之路」，極大地豐富了官府藏書。兩漢時期出現了古代圖書館史上的兩件大事：一是《七略》的編制。《七略》是我國最早的圖書分類法，它的出現標誌著圖書館技術與管理已發展到了一個新的階段；二是東漢蔡倫發明造紙術。紙的發明既彌補了竹簡笨重不便也彌補了縑帛昂貴難得的缺點，從而極大地促進了圖書的激增和圖書館的發展。

魏晉南北朝時期，官府藏書和私人藏書發展都很迅速。該時期出現了寺院藏書。佛教於東漢時傳入中國，至此才急速普及開來；由於人們厭惡戰爭而又無可奈何，信佛信道者頗眾，加之寺院得到官方的支持，有錢有勢，因而在藏書方面也不甘落後。但該時期戰亂頻仍，藏書多有損毀。該時期發生的一件大事是確立了經、史、子、集的「四分法」體系，這種分類法一直沿用到清末，迄今各大圖書館古籍

---

❸ 同註❸。

藏書仍沿用此法。

　　隋唐五代圖書館的發展達到了一個高潮。唐代是中國歷史上一個值得自豪的時代，是當時世界上最爲發達的國家之一，無論官府藏書、私人藏書還是寺院藏書，規模都很大。唐代雕版印刷術的發明是圖書館史上的又一件大事，它加快了圖書生產速度從而加速了圖書館的發展。

　　宋元時期，官府藏書成爲朝廷文化事業建設的重要內容，規模進一步擴大，分工漸趨細密，它同時還是朝廷的學術中心，如宋代四大類書（《太平御覽》、《太平廣紀》、《文苑英華》、《冊府元龜》）就是官府藏書機構組織編寫的。宋代開始設書院，類似於今天的大學，著名的四大書院爲「白鹿洞書院」、「岳麓書院」、「應天書院」和「嵩陽書院」，書院皆備有藏書，這是我國古代的第四大藏書體系。此外，宋代畢昇發明活字印刷術，進一步加速了各類藏書的發展。

　　明清時期，古代圖書館的發展達到頂峰，其標誌是明代《永樂大典》和清代《四庫全書》的編纂，這是我國古代圖書的兩次大匯總。該時期的私人藏書頗具規模，如明代末年江南藏書家毛晉的「汲古閣」共收書達84,000冊之多，他同時還是刻書家和書商。19世紀中期之後，由於封建經濟的解體及太平天國農民起義的衝擊，封建藏書樓開始走向衰落，部分藏書家公開藏書供人閱讀，近代圖書館已然萌芽。

　　我國近代圖書館出現於20世紀初。1902年，浙江紹興古越藏書樓對外開放，是爲中國近代圖書館出現的標誌。1904年，湖南省和湖北省圖書館相繼建立，這是最早以「圖書館」命名的機構。1912年，北京圖書館的前身京師圖書館正式對外開放。1917～1927年，從歐美留

學歸國的有識之士發起了「新圖書館運動」，促進了公共圖書館的發展與普及。1925年，中華圖書館協會成立，並開展了有限的國際交流活動。1936年，近代圖書館發展達到第一個高峰，各類型圖書館總計達5,196所。抗戰期間和解放戰爭期間，圖書館急劇減少，1943年爲940所，1949年僅存391所。

20世紀50年代之後，我國圖書館進入了一個新的發展階段，但直到70年代末仍處於近代圖書館時期。50年代初至60年代中期，主要的成就是完成了圖書館的所有制改造，初步建立了門類齊全的圖書館體系，發展了傳統的圖書館技術與管理，促成了《全國圖書協調方案》的批准與實施，培養了一批圖書館幹部。10年「文革」期間，圖書館建設幾無成就可言，唯一值得提及的是70年代中期《中國圖書館圖書分類法》和《漢語主題詞表》的編制，以及1974年8月「漢字信息處理工程」的實施。70年代末80年代初，開放的中國圖書館界啓動了現代化工程，這可以視作現代圖書館的發端。

70年代末有兩件大事影響了我國現代圖書館的出現：一是中國圖書館學會的成立（1979），二是中國科學院宣布在全院實行圖書情報一體化體制；其中，前者爲我國重返國際圖聯鋪平了道路，後者則提供了一種適合現代圖書館的新體制。1980年，北京圖書館、中國科學院圖書館、北京大學圖書館、清華大學圖書館、中國人民大學圖書館和中國圖書進出口公司共同成立了「北京地區研究試驗西文圖書機讀目錄協作組」，並於1981年研制成功利用LC MARC磁帶編制西文圖書目錄的模擬系統，這個事件有力地推動了我國圖書館自動化進程，是我國圖書館進入現代圖書館時期的標誌。整個80年代，圖書館自動化研究蔚然成風，引進和開發並舉，成績不俗，於1991年通過鑑定的圖

書館自動化集成系統（ILAS，深圳圖書館等單位研制）就是我國自行開
發的代表成果之一。90年代，我國圖書館又開始了網絡化研究和試
驗，北京「中關村地區教育科研示範網（NCFC）」是其中的重頭戲。
1996年，我國成功地組織了國際圖聯96年會；與此同時，許多圖書館
進入了因特網並建立了自己的主頁（homepage），圖書館國際合作已
初具雛形；這些事實說明，我國圖書館已在現代化的道路上邁出了堅
實的一步。

㈢世界圖書館的起源與發展❸❾

　　世界上最早的圖書館要數在伊拉克境內尼普爾的一個寺廟廢墟中
發現的泥版圖書，據估計，這是公元前30世紀蘇美爾人所刻制的。古
埃及也曾有過圖書館，其藏書是用紙草紙寫就的。西方所公認的第一
個圖書館是公元前7世紀亞述帝國建立的尼尼微皇家圖書館，該館收
藏了大約25,000塊泥版圖書。

　　古希臘羅馬時期，一些面向「市民」開放的公共圖書館出現了，
但當時的市民大多擁有奴隸，他們實質上是統治階級的成員。該時期
最宏偉的圖書館建立在埃及的亞歷山大城，該館的藏書據估計有70萬
卷，該館於公元7世紀被入侵的回教徒燒毀。古希臘的私人藏書也很
發達，著名哲學家柏拉圖（Plato）和亞里士多德（Aristoteles）都
有自己的藏書。該時期唯一可以與亞歷山大圖書館相媲美的，是建於
小亞細亞（今土耳其）的拍加馬圖書館，據記載，該館的藏書有20萬
卷之多。

---

❸❾　同註❸❻。

在古羅馬，愷撒（Gaius Julius Caesar）計畫建立一座公共圖書館，但在該館建立之前他就被殺身亡。公元前37年，愷撒的部下波利奧（Gaius Asinius Pollio）建立了羅馬第一個公共圖書館，老普林尼（Gaius Plinius Secundus）在《自然史》中這樣寫道，「他（波利奧）使人們的聰明才智爲社會所共有。」其後，愷撒的繼任者奧古斯都（Augustus）及其他幾任皇帝也建立了一些圖書館，到公元4世紀，羅馬共有28座圖書館。不過當時建立的公共圖書館是專供學者們使用的，不對平民百姓開放，與近代的公共圖書館意義不同。古羅馬的私人藏書也很豐富，但這些藏書隨著羅馬帝國的崩潰大部分被北方蠻族毀掉了。

中世紀，西方爲宗教統治所籠罩，當時幾乎只剩下了宗教圖書館。但也正是這些宗教圖書館保存了西方的文化。中世紀的寺院都有抄寫室，寺院圖書館規模不大，約爲200～600卷左右。當西方處於宗教的黑暗統治之際，中近東的伊斯蘭國家逐漸壯大起來。哈里法諸王執政期間（750～1100），僅巴格達一城就有30所公共圖書館。1228年，有位地理學家訪問巴格達，他觀察到，大約有12家圖書館對公衆開放，且借閱制度慷慨，他一次就借出了200冊圖書。古希臘羅馬時期的許多著作就是回教徒保存下來的。

12～13世紀，大學在歐洲興起。早期的大學不設圖書館，教師與學生都用自己的藏書。1250年，教父索邦（Robert de Sorben）給巴黎大學索邦學院捐贈了一筆錢和一批書，建立了最早的大學圖書館。14世紀，牛津大學和劍橋大學也開始設圖書館。但那時圖書館的藏書大多是用鐵鏈繫在書架上的，不外借；室內採用自然光，開放時間很短。

　　文藝復興時期意大利出現了藏書熱。當時意大利的美弟其家族在佛羅倫薩建立了洛倫佐圖書館，該館是由藝術大師米開朗琪羅（Michelangelo Buonarroti）設計的，氣魄宏偉。該館向公眾開放。該時期，經過重建和擴充的梵蒂岡圖書館也成了歐洲著名的藏書中心，它同樣是由著名建築師設計的，向學者開放。本時期的圖書館建築追求外觀美，它本身就是一件藝術品。隨著時間的推移，建築設計有了變化，變得愈加有利於增加藏書和確立使人們更自由地接觸圖書館的思想。該時期一些重要的私人圖書館、王侯圖書館、教會圖書館也發展起來，它們中的一部分後來成了國家圖書館或公共圖書館的核心。1537年，法國國王弗朗斯瓦一世（Francois Ⅰ）頒布了呈繳本法令，爲國家圖書館的產生奠定了基礎。

　　17～18世紀，歐美許多國家都建立了全國性的圖書館。法國皇家圖書館淵源於14世紀，法國大革命後於1792年改爲國家圖書館並向公眾開放。英國不列顛博物院圖書館成立於1753年，美國國會圖書館則成立於1800年。該時期大學圖書館也呈現出蓬勃發展的勢頭，專有圖書館雖出現於16世紀，但在該時期才得到了較大的發展。該時期值得一提的還有在英美等國出現的會員圖書館，它採取個人入股的方式籌建，共建共享，風行一時。

　　19世紀中期，西方國家已進入近代圖書館時期，1833年，美國新罕布什爾州的彼得博羅鎮建立了一個由地方財政資助、面向全鎮居民免費服務的圖書館，可以說是最早的公共圖書館。1850年，英國議會通過了世界上第一個「公共圖書館法」，標誌著世界圖書館發展進入了近代圖書館時期。1852年，英國曼徹斯特和美國波士頓同時建立了公共圖書館，這是根據圖書館法建立的最早的公共圖書館。此後，公

共圖書館迅速在西方國家發展起來，世界其它地區公共圖書館的發展
則多是20世紀之後的事情。

圖書館組織的建立和圖書館學教育的興起也是近代圖書館的重要
特徵。1876年，美國圖書館協會成立，這是世界上最早的圖書館國家
組織；1895年，國際文獻聯合會（FID）在比利時成立，這是圖書館
領域最早的國際組織；1927年，國際圖聯在英國愛丁堡成立，這是迄
今爲止圖書館領域影響最大的國際組織；這些組織的出現加強了圖書
館之間的合作，促進了圖書館的發展。圖書館學教育源於1887年杜威
創建的哥倫比亞大學圖書館學校，在20世紀上半葉開始遍布五大洲，
它的興起和普及標誌著圖書館職業的成熟與繁榮。

20世紀中期，聯合國教科文組織的成立（1946）和計算機技術在
圖書館的應用（1954）將世界圖書館帶入了現代圖書館時期。50年
代，計算機技術在圖書館的應用研究主要發生在美國圖書館領域，
1954年，美國海軍兵器中心圖書館利用IBM－701型計算機建立了世界
上第一個計算機情報檢索系統，這是圖書館史上劃時代的大事。60年
代，聯機檢索成爲研究熱點，美國國會圖書館成功地研制（1966）和
發行（1969）MARC（計算機可讀目錄）磁帶、俄亥俄學院圖書館中心
（OCLC）成立以及更多的國家（如德、日、英、法、蘇等）參與圖書館
自動化的研究是60年代的三件大事。70年代是聯網檢索的時代，據統
計，1979年全世界共有100多個檢索網絡，500多個機讀型數據庫，聯
網檢索已成功地實現了商業化運營。80年代，圖書館自動化研究成爲
世界性潮流，發達國家研制成功圖書館自動化集成系統，電子圖書館
成爲新的熱點。90年代，信息高速公路和因特網的出現爲圖書館發展
提供了全新的網絡環境，虛擬圖書館（virtual library）成爲時

尚，資源共享初見成效，世界圖書館正在朝著一體化的全球信息資源體系發展，圖書館人世代的理想正在一步步地變爲現實。

㈣圖書館的變遷規律

圖書館在時間維上的發展從總體上而言屬於一種社會變遷現象。「社會變遷是客觀存在的普遍現象，有它內在的客觀規律性，是一個自然歷史過程。社會雖然是人自己創造的，但並不是說人們可以隨心所欲地創造歷史。人們的活動包括他們的思想、觀點，歸根到底都要受到現實的社會關係、經濟狀況所制約。只有當人們的活動符合社會發展規律，才能推動社會的進步，否則就會阻礙或者延緩社會的進步。」❹同理，圖書館變遷也有其自身的規律性，人們不能隨意曲解和改造圖書館，而只能順應圖書館的規律，因勢利導，積極倡變。圖書館變遷的規律性主要包括方向性、節律性、協變性和不均衡性等幾個方面。

方向性也稱目的性。「系統的進化，一定要到達於某一個終點，這個終點，就是系統的目的。」❹綜觀圖書館的發展，它一直在朝著建立全球信息資源體系的方向運動；如前所述，這樣的體系對應於人類全部的認識成果，而以人類所創造和積累的全部信息資源服務於人的全面發展，正是圖書館的崇高理想和終極目的，只要圖書館一息尚存，它就會鍥而不捨地向著這個目標邁進。回顧一下亞歷山大圖書館

---

❹　社會學概論編寫組，社會學概論，天津；天津人民出版社，1984．248～259, 250。

❹　同註❶。

擴充館藏的歷程，有助於我們理解圖書館的目的，「國王經常派專人到各國，支付高價購買圖書。只要在亞歷山大城出現好書，就有這個圖書館的採購人員前去搶購。他們還借來不少書籍，抄成複本。埃及國王爲了搜集圖書甚至採取了專橫手段。」他下令強行「租借」進入亞歷山大港的船隻上的書籍，然後將抄寫本予以退還；他還用保證金借來雅典的珍本，同樣只退回抄本；等等。❷亞歷山大圖書館如此「不擇手段」，無非是希望建立一個包羅萬象的圖書館，一個能夠覆蓋所有人類認識成果的圖書館，其原始衝動與20世紀90年代因特網所要達到的目的沒有區別。圖書館變遷的方向性還意味著其發展是一個從低級到高級、由簡單到複雜的過程，是由一個個具體的信息資源體系逐漸整合爲一個互爲聯繫的一體化信息資源體系的過程。

　　節律性也稱周期性。「系統進化的出發點和歸宿都是穩定態。一個處於穩定態的系統，由於外界的干擾到達臨界點，系統偏離穩定態之後，不能回到原來的穩定狀態，但又未到達新的穩定態。這時，系統處在失穩態。經過失穩態，系統才到達新的穩定態。因此，系統的進化是『穩態——失穩——穩態』的不斷循環。」❸圖書館也是如此。儘管從總體上看圖書館是不斷地向著目的地前進的，但具體到各個發展階段，它又是在重複著一個模式。這就是「穩態——失穩——穩態」的發展模式。我國20世紀的圖書館發展史有助於說明這個問題：20世紀初藏書樓的穩態模式被打破，圖書館發展進入失穩狀態，到30年代中期達成新的穩態，但隨之而來的戰爭又使圖書館進入失穩

---

❷　同註❸。

❸　同註❶。

發展；50年代，所有制改造完成後，圖書館逐步進入穩態發展，但又遇上了60～70年代的10年動亂；80年代初，圖書館開始走向新的平衡態，但急劇發展的現代信息技術又打破了圖書館的平衡，……總之，圖書館是在「穩態──失穩──穩態」的反復過程中向前發展的，「發展似乎是重複以往的階段，但那是另一種重複，是在更高基礎上的重複」❹（列寧語）這種重複每進行一次，圖書館的有序度就會提高一步。

　　協變性是指圖書館與社會協同發展的規律性。從總體上考察，圖書館是與人類文明同步發展的，圖書館產生於人類文明的形成時期──農業社會，發展於人類文明的成熟時期──工業社會，發達於人類文明的飛躍時期──信息社會。具體考察，圖書館與下述因素密切相關：(1)推進圖書館事業發展的基本動力是經濟。圖書館史證明，歷史上最強盛的國家大都建立了最好的圖書館，如亞述圖書館、亞歷山大圖書館、梵蒂岡圖書館、英國不列顛博物館、美國國會圖書館、前蘇聯列寧圖書館等都是這樣的圖書館；(2)科學技術的進步是圖書館發展的催化劑。在圖書館史上，紙的發明、印刷術的發明、電子計算機的發明都曾帶來了圖書館的革命性變化；(3)活躍的學術空氣是圖書館事業發展的重要條件之一。圖書館最直接地與學術研究聯繫在一起，所以，大凡學術活躍的時期，也是圖書館昌盛的時期，如古希臘時期、文藝復興時期、我國20世紀後半葉的改革開放時期都產生了大量的圖書館；(4)領導人物的重視是圖書館發展的重要外因之一。圖書館是上層建築的一部分，統治階級尤其是領導人物的圖書館觀念對特定時期

---

❹　同註❹。

的圖書館發展能夠產生重大影響，如愷撒諸帝與古羅馬公共圖書館、列寧夫婦與前蘇聯圖書館就是例證。圖書館的協變性表明，無論何時何地的圖書館，只要能夠處理好與社會的協同作用，就可以發展得快一些，發揮的作用也就大一些。

不均衡性是協變性的延伸。由於不同社會、不同時期圖書館與社會協同作用的性質不同，圖書館進化的先後快慢亦有區別。圖書館史證明，凡是發達國家圖書館發展就快一些，數量就多一些；凡是落後的國家，數量則少一些；先發達後衰落的國家，圖書館也經歷了由多到少的發展。從發展速度來看，古代圖書館時期極爲緩慢，近代工業革命之後開始加快，現代信息社會到來後更是突飛猛進、一日千里；從發展階段來看，歐美等發達國家已進入電子圖書館時代，在亞非拉的一些地區，圖書館尚處於近代圖書館初期。總之，圖書館發達的均衡是相對的，不均衡是絕對的，在不均衡中尋求均衡正是圖書館人的重要使命之一。

第四節　圖書館空間結構分析

(一)圖書館的分布與規劃

「研究系統的要素在空間上的排列次序和方式的方法，就是空間結構方法」。「系統的空間結構，有三種類型，第一種類型是等級結構，第二種類型是并列結構，第三種類型是等級一并列綜合結構。因此，空間結構方法也有三種，即等級結構方法、并列結構方法和等級

一并列結構方法。」❹然而，這只是一種較爲單純的空間結構分析，在現實中，空間與時間是不可分割的；以上述三種空間結構方法爲內核，聯繫時間結構分析，我們認爲，圖書館空間結構分析主要包括三方面的內容：⑴圖書館分布。主要研究某一時間點上圖書館的空間排列狀況，這種空間排列實質上是圖書館在時間結構中發展的積淀；⑵圖書館的資源配置。以圖書館分布爲依據，綜合用戶信息需求分布，對圖書館的空間排列實施調整和優化，其實質是一種面向未來的空間結構分析；⑶圖書館網絡規劃。以資源配置爲前提，以資源共享爲目的，以現代化信息設施爲手段，鏈接所有的圖書館，其實質是在理論認識的指導下自主自覺地參與圖書館變遷，改變圖書館現狀。

(二)圖書館分布

圖書館分布是一種社會歷史現象，是圖書館歷史發展軌跡在現實空間中的積淀形式。探討圖書館的分布，著重要了解三方面的內容：一是現實空間中圖書館分布的數量特徵，二是特定空間中不同類型圖書館的組合結構，三是特定空間中圖書館的信息資源體系及其特色。圖書館分布的數量特徵主要涉及二個方面：一是不同國家或地區擁有的各類型圖書館的數量，以及由此派生出的平均每館服務區域（平方公里）、平均每館服務人數等指標；二是不同國家或地區各類圖書館所擁有的信息資源總量，以及由此派生出的平均每館擁有信息資源總量、人均圖書館信息資源量等；圖書館分布的數量特徵能夠粗略地從總體上反映一個國家或地區的圖書館發展水平。從附錄一所反

---

❹　同註❶。

映的統計數字來看，世界範圍內的圖書館分布是極不均衡的，一般來說，發達國家擁有的圖書館數量要多一些、平均每館服務人數要少一些，發展中國家的圖書館數量要少一些、平均每館服務人數要多一些，但也不盡然，譬如，同樣是發展中國家，南亞的印度、尼泊爾、斯里蘭卡等國的圖書館數量就要多於東南亞的印度尼西亞、泰國、緬甸等國；東西歐國家儘管經濟發展水平有較大差距，圖書館數量方面的指標卻很接近；而越南和古巴的圖書館數量指標則要遠遠超過大多數發展中國家；等等。究其原因，圖書館主要是一種社會文化現象，除經濟發展水平的制約外，它還受城市化水平、文化傳統、國家制度、圖書館觀念等因素的影響，切尼克對此有過簡約的論述，「當一個社會特定的社會、政治、經濟等方面的綜合條件具備之後，圖書館就易於繁榮起來。圖書館繁榮於穩定的社會環境之中，相對和平和安寧的時期有利於人們開展各種閒暇活動。圖書館繁榮於文化人居多的社會中，文化人對藝術和文化、自我實現、智力創造活動的追求有利於圖書館的發展。圖書館也繁榮於城市化變遷的社會，城市社區對科學發現和技術進步的激勵有利於圖書館的增長和使用。圖書館還與一個社會的各種機構有共生關係，當社會的各種機構——學校和政府——需要爲公民提供教育和信息時，圖書館就會變得很重要。最後，圖書館的繁榮離不開經濟的支撐作用，經濟繁榮及社會財富的增加是圖書館繁榮的財政基礎。」❹❻圖書館的發展與繁榮需要多方面的條件，當這些條件在某一社會（空間）成熟時，該社會的圖書館數量就會迅速增加，從而形成一個生長點，並能夠帶動周圍地區的圖書館發展；據我

---

❹❻　同註❸。

們的分析，獨立後的印度就形成了一個圖書館生長點，由於阮岡納贊及幾代印度圖書館學家的努力，圖書館觀念在印度深入人心，印度的崛起還促進了周邊國家如尼泊爾、斯里蘭卡等國圖書館的發展。從發展上來看，古希臘、古羅馬、中世紀的阿拉伯帝國、文藝復興時期的意大利、工業革命時期的英國、現代的美國和前蘇聯、20世紀80年代後我國的長江三角洲地區和珠江三角洲地區，都可以稱之爲圖書館的生長點──圖書館生長點及其成因與擴散規律是圖書館分布研究的重點之一。

　　評價一個國家或地區的圖書館發展水平，不能僅僅考慮其圖書館數量，我們還須進一步考察其圖書館構成，具體地講，包括兩個方面：一是各類型圖書館的比例結構，二是不同進化階段圖書館的比例結構。「由於事物發展的不平衡，使同一類型的系統在進化過程中，不可能同時處於一個階段，從而使同一類型的系統，在同一時間點上，處於進化過程中的各個不同的形態，各自具有不同的空間結構，並列地分布在空間中。」❹也就是說，現實空間中的具體圖書館往往處於進化過程的不同階段，而不同進化階段的圖書館又有著不同的空間結構，這些不同的空間結構同時並存於某一國家、地區或城市的現象，我們稱之爲進化結構，這是圖書館分析研究的又一重點；但由於該方面的課題較爲複雜兼且資料不足，本書不擬展開論述。本書將重點探討的是不同類型圖書館在特定空間的聚合所形成的類型結構，它能夠在一定程度上展開特定空間圖書館發展的特色。以法國和日本爲例，它們的圖書館類型結構如下：

---

❹　同註❶。

表4－1　法國和日本的圖書館類型結構比較

國別	公共圖書館	高校圖書館	專門圖書館	學校圖書館
法國	1,697	67	10,000	7,828
日本	1,928	926	2,116	41,591

（資料來源見附錄一）

可以看出，法國更強調專門圖書館的發展，而日本則注重在教育方面的投入。再以我國的北京和上海爲例，若僅看統計數字（見附錄一），則上海人均公共圖書館藏書量（1.1冊）高於北京（0.6冊），但實質上，位於北京的國家圖書館（北京圖書館）的讀者主要是北京讀者，將國家圖書館的藏書考慮進來，則北京人均公共圖書館藏書量爲2.4冊；北京和上海還擁有大量的其它類型圖書館尤其是大型的高校或科技圖書館，若與其它省（區）比較，其優勢自不待言。

圖書館分布研究的第三個方面是特定空間各類型圖書館的信息資源體系及其特色，具體內容包括以下幾個方面：一是特定空間各類型圖書館的信息資源收藏總量；二是各類型圖書館信息資源體系之間的協調程度；三是特定空間各類型圖書館信息資源體系所組成的整體的特色；四是個體圖書館信息資源體系的特色。從附錄二各省級公共圖書館的藏書特色來看，我國圖書館界的觀念尚需要更新，因爲，他們更多地將古籍善本和地方史志視爲「特色」的同義詞，而事實上，圖書館信息資源體系的特色首先應還原爲它所服務的用戶的信息需求體系的特色，在這方面，北京市東城區圖書館和崇文區圖書館就做得非常到位，前者根據本區服裝企業多的特點建立了「服裝資料館」，後

者則根據市場信息需求分析建立了「包裝資料館」，它們的創辦和服務均得到了用戶的認可並取得了良好的社會和經濟效益。

圖書館的空間分布既是歷史發展的結果，也是現實因素的產物，深入分析，它的形成和變遷是有規律可循的，這就是「集聚效應和擴散效應。」❹所謂「集聚效應」，是指圖書館在布局上是信息資源導向的，它傾向於布局在信息資源生產和消費集中的大城市，從而形成圖書館的集聚現象；所謂「擴散效應」，則是指圖書館從本質上而言是一種服務業，其最終目的是要謀求產品市場的擴大或者說信息產品與服務的擴散。圖書館在布局上是集聚的，在服務上則是擴散的，這是一個問題的兩個方面，是我們研究資源配置和網絡規劃的指導思想之一。

㈢圖書館資源配置

圖書館資源配置涉及信息資源、信息人員和信息設施三個方面，但以信息資源的配置爲主。信息資源配置也稱信息資源布局，其核心問題是用有限的信息資源滿足用戶更多的信息需求，爲此，就需要對現實的圖書館分布格局進行調整，以期它能與動態發展的用戶信息需求格局相適應。

在信息資源供給的有限性和信息資源需求的無限性同時併存的條件下，圖書館及其它信息服務部門必須對信息資源配置做出選擇。信息資源配置的選擇包括三個方面：⑴在不考慮資源的多種用途的條件

---

❹　霍國慶，信息產業的積聚效應和擴散效應，中國信息導報，1994（8）：17。

下，確定資源的使用方向及數量。也就是說，在資源供給有限的情況下，圖書館必須依據最小機會成本原則，按用戶信息需求的重要性順序來安排信息資源的補充和提供活動，儘量使重要的需求優先得到滿足；(2)在考慮資源的多種用途的條件下，確定資源的使用方向和數量。由於社會上存在著多種類型的信息服務部門，一種信息資源既可配置在圖書館，也可配置在情報部門、檔案館、經濟信息中心或專利局，這樣就勢必導致這些服務部門在大的分工的前提下的競爭，而效益好的服務部門將會得到更多的資源配置；(3)使資源盡可能有效地被加以利用，杜絕浪費。圖書館在空間上的集聚易於造成資源的重複配置和浪費，為此，在加強集聚區圖書館協作的前提下，應適當地促進圖書館服務的擴散化和資源配置的逆向流動，即信息資源向貧集的廣大農村地區的流動。

圖書館的資源配置也不可避免地要受市場經濟的影響。一般來說，「在市場經濟條件下，資源的有效配置是通過價值規律來實現的，而價值規律的作用機制又具體表現為市場功能，所以資源有效配置在市場經濟條件下的實現體制就是市場功能。」[49]圖書館誠然也是在信息市場中生存與發展的，它雖然不直接由價格機制來調節，但它卻要受用戶信息需求的左右，如果圖書館不能很好地滿足這些需求，用戶就會轉向其它信息服務部門，事實上，近年來圖書館已流失了不少用戶。有鑒於此，圖書館之間進行資源配置時，也不妨引入競爭機制，以促使資源向管理好、效益好的圖書館流動。

---

[49] 魏杰，林亞琳，中國經濟體制的新選擇──中國市場經濟通論，成都：四川人民出版社，1993．204。

當然，圖書館畢竟是一種事業性質的社會實體，它不能夠完全遵循市場規律來實施資源配置，社會效益將長期是它考慮的主要產出物。圖書館資源配置的社會效益原則包括三個方面的內容：從國家的角度考慮，它應成為國家的信息資源儲備體系，成為國家長遠發展的信息資源基礎；從社會的角度考慮，它應成為社會的記憶，應成為人類文明延續和發展的知識源泉；從社會組織的角度考慮，它應成為社會組織的窗口，成為社會組織了解外界環境和開展各種活動的信息保證。

圖書館資源配置的目標是在兼顧效益和公平的原則下，盡可能實現信息資源的均衡配置。均衡是相對於用戶信息需求而言的，它絕不等同於「平均」。均衡也是一種理想狀態，現實的信息資源分布總是不均衡的，即使暫時實現了均衡，也會很快被動態發展的用戶信息需求所打破，所以，圖書館資源配置是一項未來導向的、動態的、長期的艱巨任務。

㈣圖書館網絡規劃

圖書館信息資源配置的最終目標是實現資源共享，而資源共享的前提則是圖書館的網絡化。圖書館網絡化是多行業參與的複雜的系統工程，圖書館信息人員所參與的只是其中的一部分工作，從理論的層面來認識，圖書館信息人員研究的重點就是網絡規劃問題。

圖書館網絡是由以下幾個部分組成的：⑴通信網。又分公用網和專用網兩部分，公用網包括地區公用網、國家公用網和國際（洲際）互連網，專用網則是指圖書館內部的局域網或通信網路，這部分工作基本上不屬於圖書館信息人員的權限範圍；⑵計算機應用系統。包括

兩大部分，一是常駐在通信網上用以提供智能交換和加強網絡服務的高性能計算機，二是面向圖書館業務和用戶的應用軟件，其中，圖書館信息人員主要負責應用軟件的開發和更新換代，以及計算機硬件的維護和一般故障的處理；(3)數字化信息資源。一般以數據庫的形式存在，是圖書館信息人員的工作核心；(4)動態發展的用戶信息需求；(5)掌握現代信息技能和專業理論知識的信息人員。可以看出，與圖書館的組成要素相比，圖書館網絡增加或者說突出了「通信網」這一要素——正是通信網使單個圖書館連爲一體，使單個圖書館的工作發生了質變，使單個圖書館必須在更大的空間中重新定位，換言之，單個圖書館在網絡環境中已變換爲集成化圖書館網絡的要素，這是一種脫胎換骨，是涉及技術、觀念、行爲模式、工作方法、管理思想、人員素質等因素的一場圖書館變革，是以現代化信息技術爲手段，以資源的合理配置爲內核，以資源共享爲目標的圖書館變遷過程，這個過程即通常所謂的網絡化過程。

圖書館網絡化是圖書館信息人員在理論認識指導下自主自覺地參與圖書館變遷的過程，其突出特徵是「有計畫性」，具體地講，圖書館網絡化必須在網絡規劃的指導下組織實施。網絡規劃也就是尋求圖書館網絡化的最佳方案的過程，它主要是在宏觀層面進行的，有時也稱網絡化戰略規劃，主要內容包括四個方面：一是確立網絡化的戰略指導思想，二是確立網絡化的戰略目標，三是確立網絡化的戰略核心，四是制定網絡化的具體措施。❺

---

❺ 霍國慶，面向21世紀的中國圖書情報檔案網絡化發展戰略構想，圖書館，1967(3)：9～11。

　　戰略指導思想是網絡規劃的綱領和指南，以我國爲例，圖書館網絡化應遵循下述指導思想：⑴特色化。要結合我國的國情及圖書館的獨特性質，集中有限的資金、資源和技術，區別輕重緩急，分期分批地逐步地建設和發展圖書館「信息資源網」；⑵共建共享。「共建」既包括圖書館行業與檔案館、科技信息系統、經濟信息中心、專利局等信息資源大戶的分工與合作，也包括圖書館行業內部各系統圖書館、各地區圖書館及各個具體圖書館之間的分工與合作，「共享」則是共建的目標與結果；⑶國際合作。積極謀求與國際網絡接軌，在國際範圍內定位，與世界各國共建國際信息市場；⑷管理先行。發揮社會主義制度的優越性，加強集中管理和宏觀調控，立足現實，科學規劃，服從全局，突出重點，統籌兼顧，瞻前顧後，以管理帶動技術發展，以管理促進資源共享。

　　戰略目標是網絡規劃的重心。立足網絡化現狀，面向世界和未來，我國圖書館網絡化的總體目標可確定爲：爭取在21世紀中期之前，逐步建立以七個國家級信息資源中心（北京、上海、沈陽、蘭州、成都、武漢、廣州）爲網絡中心，以省級公共圖書館、中科院和社科院地區中心圖書館、大學圖書館爲節點，以中心城市級和縣級圖書館爲網點，以廣大的基層圖書館爲網員，連接國內所有地區網和專業網的網際網，最大限度地實現信息資源共享。

　　戰略核心是網絡規劃的重中之重，是戰略目標的關鍵部分。圖書館網絡化的戰略核心包括三個方面：一是信息資源的數字化，也即數據庫的建設；二是應用軟件的開發和更新換代；三是圖書館信息人員的培訓和提高。這三個方面無論哪一個方面處理不好，都會影響網絡化的全局。

　　戰略措施是網絡規劃的著力點，是戰略指導思想和戰略目標的具體化。我國圖書館網絡化的戰略措施主要包括以下方面：⑴在國務院信息化領導小組之下設圖書館網絡化管理委員會，負責網絡化的規劃、組織、協調、監督和管理工作；⑵加強政策導向，實施投資傾斜，重點建設一批分工明確、布局合理、能夠充分體現我國特色的超大規模電子信息資源中心，以期形成拳頭和規模效益，積極參與國際信息市場的競爭；⑶堅持高起點原則，審慎地選擇適用技術，積極地開發網絡應用軟件並不斷促成其更新換代，有效地實施技術的標準化，妥善地謀求與國際信息網絡接軌；⑷堅持需求導向原則，面向市場，合作與競爭並舉；⑸堅持連續發展原則，慎重處理印刷型信息資源和電子信息資源的關係，在變革中求生存、求發展；⑹堅持可持續發展原則，強化教育培訓，切實提高圖書館信息人員的素質與技能；等等。

　　圖書館網絡規劃是一種以空間結構分析爲主兼顧時間分析的應用研究，與任何空間研究一樣，它強調特色化，突出「生長點」，力圖通過生長點的突破帶動網絡化的全局發展，如「中關村地區教育與科研示範網（NCFC）」就可視爲一個生長點，它的突破必將帶動北京地區和高校系統圖書館網絡的全面發展。圖書館網絡規劃也是一個連續的過程，伴隨著規劃的實施，規劃本身需要調整、修改和完善，有時還須重新規劃。圖書館網絡規劃還是一個強化圖書館與用戶、市場和社會的交互作用的過程，網絡規劃將尋求一種最優方案，從而能夠使圖書館在動態平衡中向前發展。

第五節　圖書館動態平衡分析

㈠圖書館是一個生長著的有機體

通常說，「圖書館是一個生長著的有機體」，然而，何爲「生長著的有機體」？緣何圖書館能夠成爲一個生長著的有機體？對此，阮岡納贊的解釋是不能令人滿意的，他的解釋更多的是一種直覺，「第五定律指出，圖書館是一個生長著的有機體。生長著的有機體能獨自生存，停止生長的有機體將會僵化，直到死亡，這是公認的生物學事實。第五定律使我們注意到這樣的事實：作爲一種機構的圖書館具有生長著的有機體的一切屬性。生長著的有機體吐故納新、改變大小，形成新的形狀和結構。它除了變態過程中突然的、明顯的、不連續的變化外，也肯定有導致生物學上所謂『變異』和向新的結構演變的緩慢而持續的變化。……在所有這些形態變化中有一點始終保持不變，這就是生命的基本原理。就圖書館而言，也是如此。」「在圖書館中生長著的有機體的主要部分就是圖書、讀者和工作人員。」❺可以看出，阮岡納贊只是將圖書館與生長著的有機體作了簡單的對比，並沒有進一步解釋什麼是「生命的基本原理」；當然，他對圖書館中生長著的部分的分析是完全正確的，在20世紀30年代能夠達成這樣的認識也是難能可貴的。我們認爲，圖書館之所以能夠成爲一個生長著的有機體，是因爲圖書館是一個有人（包括圖書館信息人員和用戶）參與

---

❺　阮岡納贊著，夏云等譯，圖書館學五定律，北京：書目文獻出版社，1988.
308～309。

的人造系統，它具有自適應、自學習和自組織能力，能夠與外界進行不斷的物質、能量和信息的交換，並能夠隨外界環境的發展變化保持動態平衡。

「一個系統能獲得不斷的進化，必須有自適應的能力，在環境迅速變化的條件下，獲得生存和發展。爲了維持生存，在環境發生變化時系統要適應環境的變化，而保持自己的穩定狀態，不至於被淘汰。這種系統必須具備將組織結構維持在穩定狀態中的能力。顯然，這種對系統穩定性的維持，並不是保持結構和功能的絕對不變性，而是不斷地按照外界環境條件的變化，自動地調整系統自身的結構和行動，從而使系統在適應環境的過程中獲得進化。這種進化過程，就是自適應過程，這種系統，就是自適應系統。可見，系統的進化，既是對外部環境的適應過程，又是對內部要素和結構的調整過程。這種『適應』和『調整』都是自動實現的，因而是自組織的過程。」「自學習系統是自適應系統的進一步發展。自學習系統能夠綜合地造出一些目標參數來衡量控制行爲的『好』和『差』，並相應地作出對原來的系統作『加強』與『修正』的選擇，使有關係數逐步達到最優或較優的程度。」❷在此，系統論所闡釋的實際上就是「生命的基本原理」，有生命的機體具有自適應、自學習和自組織能力，所以能夠「生長或發展」，而這三種能力又可合稱爲「維持動態平衡的能力。」

依據系統論原理來考察圖書館，我們認爲，圖書館維持動態平衡的能力主要取決於作爲主體的圖書館信息人員的能力以及部分具有

---

❷　同註❶。

「智能」的信息設備的能力，他（它）們的能力決定著圖書館的「生長或發展」，決定著圖書館的興衰榮辱。具體地講，圖書館要維持自身的動態平衡發展，需要解決三個方面的問題：一是搞清圖書館與社會環境的相互作用，二是識別圖書館的競爭環境，三是探索圖書館的可持續發展。

(二)圖書館發展的社會環境

圖書館是一個開放的人造系統，它是在社會環境中生長與發展的，或者說，它就是社會大系統的一個子系統，是人類社會能動的記憶系統。圖書館需要從社會上輸入信息資源、信息人員、信息設施、經費、能源及其它必要的資源，輸入活動本身是社會對圖書館的作用過程；同時，圖書館通過對信息資源的選擇、整序、保存、開發和提供，也需要向社會輸出信息產品和信息服務，輸出活動是圖書館對社會的反作用過程；圖書館正是在與社會環境進行不間斷的物質、能量和信息的交流過程中，得以維持動態平衡和循序進化的。圖書館的社會環境是一個複雜的綜合體，幾乎牽涉到社會的各個方面，其中，對圖書館具有直接的、重要影響的社會環境因素主要包括政治環境、經濟環境、科技環境、教育環境、交流環境等。❸

政治環境。圖書館自產生起，就與社會政治活動發生了密切聯繫。最早的圖書館一般都是王室圖書館，其收藏的檔案文獻是直接為維持和延續王室統治服務的。圖書館歷史證明：一個穩定的政治環境是圖書館發展與繁榮的必要前提，而良好的社會信息資源體系的存在

---

❸　宓浩，圖書館學原理，上海；華東師範大學出版社，1988．48～51。

則是社會進步與昌盛的象徵和重要保證。圖書館與政治的關係還通過一個社會的統治階級尤其是領導者對圖書館的認識與態度表現出來，如前所述，歷史上重視圖書館發展的國家元首，都曾深刻地影響了其所處社會的圖書館，有時，這種影響還擴展到鄰近國家或地區，列寧與社會主義國家圖書館的發展就是一個例證。

經濟環境。圖書館的發展取決於社會經濟的發展：一方面，只有當社會經濟有了一定的發展、社會有相對多餘的財力來支持圖書館發展時圖書館才會產生，只有當社會經濟發展到較高水平時社會才能提供更多的資金和物力來保障圖書館的發展，一定的經濟環境決定著一定社會的圖書館發展規模和水平；另一方面，經濟的發展增加了社會成員的閒暇時間，使他們有更多的時間從事信息資源的開發與利用，這樣就從另一個側面帶動了圖書館的發展。同時，社會經濟的發展也需要信息資源體系的支持，在現代社會，信息資源已成為一種普遍的生產要素，物質經濟正在向信息經濟轉化，圖書館對經濟發展的促進或制約的作用也有增強的趨勢。

科學環境。科學環境對圖書館的作用主要表現在四個方面：其一，科學的發展活躍了學術空氣，推進了人們認識的廣泛與深入，促進了信息資源總量的迅速增加，從而為圖書館信息資源體系的建立提供了豐富的信息源；其二，科學通過技術的發展直接促進了信息載體和信息設施的進化，並從而帶動了圖書館的發展；其三，科學工作者是圖書館最為重要的用戶群，他們在一定程度上支撐著圖書館的發展；其四，圖書館學本身是科學知識體系的組成部分，它的發展受科學知識體系的制約，而它又在很大程度上決定著圖書館活動的效率與反作用。圖書館對科學環境的反作用則主要表現為：其一，圖書館工

作是科學研究的前期工作，其水平與效率決定著科學活動的生產率；其二，圖書館所提供的信息資源是科學生產的原材料和催化劑，圖書館的信息資源體系還是科學發展軌迹的物化形式，是衡量科學發展的重要標準之一。

教育環境。嚴格地講，圖書館是伴隨著教育的興起而出現的社會現象，教育職業形成之前的圖書館難以區別於檔案館。教育對圖書館的作用主要表現在三個方面：其一，由於教育活動而產生的信息資源是圖書館的主要信息資源之一；其二，教育的普及所造就的「文化人」是圖書館的主要用戶群體，他們的需求決定著圖書館的發展；其三，教育也造就了高素質的圖書館信息人員，他們是圖書館發展的決定力量。圖書館對教育的反作用則表現爲：其一，圖書館是學校教育的重要組成部分，它在一定程度上決定著教育的深度與廣度；其二，圖書館是自學教育和終身教育的主導形式之一，它能夠通過用戶進而影響社會的發展。

交流環境。交流環境是圖書館最爲直接的外部社會環境。圖書館本身只是社會交流過程的一個環節，是社會交流系統的一部分，社會交流系統的完善程度極大地制約著圖書館的發展，同時，圖書館的發展水平也對社會交流系統的社會功能有重要影響。以因特網爲例，一方面，因特網爲圖書館的整合和資源共享提供了必要的交流環境；另一方面，因特網上主要的信息源又是圖書館，圖書館使因特網更有價值。

圖書館與社會環境是息息相關的，它只有不斷適應時時變化的社會環境，才能維持自身的生存並求得發展。爲此，圖書館一方面要了解自身與社會的作用與反作用機制，另一方面還要建立一個反饋系

統，隨時監測社會環境的發展變化，並採取適當措施與之保持同步發展。需要指出，雖然社會對圖書館的作用是直接的和多方面的，圖書館對社會的作用卻是間接的，它主要是通過用戶這一「媒介」而起作用的，所以，圖書館應更多地關注用戶的需求和反饋，這是圖書館維持動態平衡發展的關鍵。

㈢圖書館的競爭環境

構成圖書館競爭環境的主要是交流環境內部以信息資源的整序、傳播、開發和提供爲內容的各種信息資源管理系統，主要包括大眾傳播系統、書刊出版發行系統、科技信息系統、經濟信息系統、商業化網絡信息檢索系統和個體書社系統等。競爭環境不同於社會環境之處在於：一定時期內社會投入信息資源服務業的資源是有限的，這些有限的資源將在上述有關信息資源管理系統之間進行分配，而效益好的系統將得到更多的資源。進一步分析，爲了得到更多的資源，這些系統之間必然展開激烈的競爭，而它們爭取的主要對象就是用戶。

用戶是圖書館的生命線。決定圖書館存在價值的不是它本身的什麼，而是它擁有的用戶：用戶的數量、用戶利用圖書館的程度、以及用戶所取得的社會效益和經濟效益。圖書館的用戶服務能力（包括服務項目的多少、服務的廣度和深度、服務方式等）是衡量圖書館發展水平的依據。圖書館的既定目標是爭取用戶，爭取一切能夠利用圖書館的社會成員成爲圖書館的用戶。❸

在眾多競爭對手中，電視與圖書館的用戶之爭最具代表性。電視

---

❸　周志華，論圖書館的競爭環境，圖書館學通訊，1989（3）。

的競爭優勢表現在三個方面：一是通過它的娛樂功能吸引了大批圖書館的消遣型用戶；二是以其時差短、報導及時、專用頻道的開設，吸引了部分圖書館的重點用戶；三是以其便利和多樣化的節目侵占了圖書館用戶的閒暇時間，從而影響了用戶對圖書館的充分利用。面對電視的競爭，圖書館應採取以下措施：(1)充分發揮信息資源體系累積時間長、覆蓋面寬、選擇自由度大等優勢，注重信息資源服務的層次性，逐步形成與電視系統的分工互補關係；(2)擴大服務範圍，增加服務項目，使信息資源的利用更爲便利；(3)加速信息資源的數字化，力爭使圖書館信息資源服務儘快進入用戶辦公和居家所在。

　　書刊出版發行系統與圖書館的競爭關係較爲複雜：一方面，出版發行系統是圖書館信息資源的主要供應者，它與圖書館是唇齒相依的關係；另一方面，出版發行系統又直接面向用戶，減少了用戶對圖書館的依賴。出版發行系統的優勢主要包括：(1)極爲重視用戶研究與圖書宣傳；(2)十分注重信譽和服務質量；(3)講究競爭技巧，注重時效；(4)擁有較爲發達的發行網絡。對此，圖書館應做到：(1)發揮自身累積性資源體系和免費服務的優勢，爲用戶提供系統全面的服務；(2)注重用戶研究和信息資源體系的宣傳；(3)改進服務方式；(4)縮短時差；(5)建立高效的圖書館網絡。

　　圖書館與科技信息系統、經濟信息系統的競爭則集中表現在重點用戶的爭奪方面。重點用戶多處於科研、生產的第一線或決策層，他們需要針對性和實用性強的再生型信息，而科技、經濟信息系統由於自身的人才優勢和技術優勢，在提供再生型信息方面具有較強的競爭力；對此，圖書館應發揮自己的資源優勢，強化開發力量，提供多層次、多樣化的信息產品和服務，吸引更多的重點用戶。

網絡數據公司主要是指各種新興的數據庫公司，它們得風氣之先，以自建或購買的數字化信息資源體系（數據庫）爲依托，利用四通八達的先進網絡通信手段，爲各類用戶提供便捷、高效的信息服務；它們的優勢主要在於擁有高素質的專業化隊伍和較強的市場開發力量。面對網絡數據公司的競爭，圖書館要加快信息資源數字化速度，加速圖書館網絡建設，加強網絡市場的研究。

個體書社對圖書館的衝擊主要表現在它們更爲接近用戶、更能把握用戶需求的時代脈博、相對靈活的服務方式和寬鬆親和的人際關係等方面；個體書社所吸引的主要是一般用戶。對此，圖書館應發揮資源豐厚和免費服務的優勢，通過增設分館和服務點縮小服務半徑，通過融資等方式及時調整信息資源體系結構，提供針對性強的特色服務，等等。

圖書館的競爭對手相當於圖書館的「替代品」，如果圖書館在競爭中稍有不愼，競爭對手就有可能取而代之。引入競爭戰略分析，❺❺我們認爲，圖書館相對於上述競爭對手的主要優勢主要在於它擁有一個長期積累的、具有一定規模的信息資源體系，這個體系構成了「進入壁壘」，任何試圖進入圖書館領域的競爭對手都會對此望而生畏，有鑒於此，圖書館應以信息資源體系的建設和優化爲競爭戰略核心，同時加大資源開發力度，加強信息市場研究，加快網絡系統的建設，最大限度地吸引一切現實的和潛在的用戶，確保在競爭中處於不敗之地。

---

❺❺　邁克爾‧波特著，陳小悅譯，競爭戰略，北京：華夏出版社，1997。

㈣圖書館的可持續發展

根據聯合國有關組織的定義，可持續發展（susainable development）是指既能滿足當代的需求，又不對後代滿足其需求能力構成危害的發展的精神；可持續發展的目標是既要滿足現代人的需求，又要照顧到後代人的未來需求，也就是要滿足全人類能過好生活的合理願望。❺「可持續發展既是一種發展模式，又是人類近期的發展目標，其核心實際上是資源（物質資源）作爲一種物質財富和文化作爲一種精神財富，在當代人群之間以及在代與代人群之間公平合理的分配，以適應人類整體的發展要求。」❺簡言之，持續發展就是面向未來、充分協調人與自然關係的一種新型發展模式。

圖書館本身是社會持續發展的重要組成部分，正如記憶是一個人智力發展的前提一樣，作爲人類社會記憶系統的圖書館也是人類社會進一步發展的必要前提之一。就圖書館自身的持續發展而言，如何處理好信息資源的保存與利用是持續發展的核心，如何肯定圖書館信息人員的主體地位和發揮他們的能動作用是持續發展的關鍵，如何預知和滿足用戶的信息需求並進而促進社會的協調發展是持續發展的目標。

圖書館最本質的社會功能是保存人類的信息資源，「保存」本身是一種面向未來的活動，是確保人類社會連續發展的最爲重要的條件之一，從而也是確保圖書館持續發展的最爲重要的基礎。然而，近年

---

❺　北京大學中國持續發展研究中心，可持續發展之路，北京：北京大學出版社，1995．53, 58, 34。

❺　同註❺。

來圖書館領域流行的一些觀念和做法卻與保存的宗旨背道而馳，這些觀念和做法已嚴重地侵蝕了圖書館生存的基礎，具體表現在：(1)片面強調利用，大規模削減複本，部分圖書館甚至取消複本，還有一些圖書館以流行書刊爲收集重點，強調用戶即時需求的滿足，而置長遠發展於不顧；(2)曲解或生搬硬套市場經濟理論，倡導多途徑「開發」和創收，以致本末倒置；(3)在不具備條件的情況下強行上馬現代化工程，擠占了本應用於保存的有限資金；(4)在網絡環境中不適當地強調存取而忽視保存，致使圖書館的性質發生變化，最終必將使網絡無可存取之「源」；等等。針對這些情況，圖書館必須採取有力措施以圖持續發展：(1)變換觀念，充分認識圖書館在社會中的地位與作用，擺正保存與利用的位置；(2)處理好信息資源保存與網絡建設、資源開發的關係，以用戶信息需求爲「的」，以信息資源的保存爲「本」，以網絡建設和資源開發爲「矢」；(3)處理好網絡環境中信息資源的保存（collection）與存取（access）的關係，在加強數據庫建設的同時，積極開發和利用網絡信息資源。

圖書館持續發展的關鍵是圖書館信息人員，他們的意識、知識、技術、能力和綜合素質決定著圖書館持續發展的成敗得失。而目前圖書館信息人員的整體素質依然偏低，人員結構也不能適應現代圖書館的要求，優秀人才又大批流失，爲此，圖書館應採取以下措施：(1)強化圖書館信息人員的教育與培訓，堅決執行持證上崗制度；(2)灌輸可持續發展思想，培養可持續發展意識；(3)制定和落實圖書館信息人員定期輪訓和提高制度，鼓勵自學成才和自我實現；(4)逐步調整圖書館信息人員的知識結構、專業技能結構、學歷結構和職稱結構，確保圖書館現代化的順利實施；(5)創造使優秀人才脫穎而出和發揮才幹的氣

氛和機會，以人才競爭贏得信息服務業之間的競爭；等等。圖書館信息人員的培養和提高已成爲制約圖書館現代化的「瓶頸」問題，對此，各級管理部門應予以高度重視。

　　圖書館持續發展的最終目標是不僅要滿足當代人的信息需求，而且也要爲滿足後代人的信息需求而完整、系統地保存歷代和當代所有重要的信息資源。「持續發展的根本問題是資源分配，既包括不同代之間的時間上的分配，又包括當代不同國家、地區和人群間的資源分配。它包括需要、限制、平等三個概念。」❺❽所謂需要，即發展的目標是滿足人類需要；所謂限制，包括技術狀況和社會組織對環境滿足眼前和將來需要能力施加的限制；所謂平等，既包括各代之間的平等，也包括當代不同地區、不同人群之間的平等。具體到圖書館領域，持續發展的目標也就是實現全人類的資源共享，以人類創造的所有信息資源來爲全人類服務，爲此，圖書館應從以下幾方面做起：(1)所有圖書館都應認識到保存人類信息資源是它們共同的使命，它們應超越意識形態，携起手來，共建人類的信息資源關係；(2)圖書館網絡是實現資源共享的最佳形式，所有圖書館應在分工合作的基礎上，共建全球圖書館信息資源共享網絡，使當代不同地區、不同人群能夠平等地利用人類迄今爲至所創造的信息資源；(3)加強圖書館的信息資源開發，增強圖書館的輸出功能，在社會持續發展中發揮信息保證和導引作用，確保圖書館與社會環境的協調發展和動態平衡。

---

❺❽　同註❺❻。

第五章　圖書館類型的理論重組

第一節　常見的圖書館類型劃分

(一)圖書館類型劃分的常見標準

　　圖書館類型是社會分工的產物。隨著社會分工日益向專門化方向發展，不同人群對圖書館的需求也日趨多樣化和專門化；而爲了滿足不同人群的不同需求，不同類型的圖書館便應運而生了。在世界上，不同類型的圖書館是次遞產生和發展起來的，當它們發展到一定數量時，爲了管理、交流和合作的方便，就需要對它們進行分類研究，這種分類研究也稱圖書館類型劃分。

　　圖書館類型劃分實質上是對自然形成的圖書館類型的整序，它將性質相同或相近的圖書館歸併在一起，將性質相異的圖書館區別開來，其目的是把握不同類型圖書館的不同特點和發展規律，充分發揮各類型圖書館的作用，並爲特定國家或地區圖書館資源配置、網絡規劃和資源共享提供理論依據。圖書館類型劃分由於所採用的標準不同而有較大差異，常見的標準有：(1)圖書館所屬部門的性質，依此可劃分爲高校圖書館、中小學校圖書館、科學院圖書館、企業圖書館、政府機關圖書館等；(2)信息資源體系的覆蓋面，依此可劃分爲綜合性圖書館、多科性科學技術圖書館、專科圖書館；(3)用戶特徵，依此可劃分爲兒童圖書館、青年圖書館、盲人圖書館、少數民族圖書館等；(4)

圖書館現代化程度，依此可劃分爲傳統圖書館和電子圖書館；等等。但在現實中，圖書館類型劃分很少單純採用上述某一標準，不同國家常常兼顧本國歷史發展、綜合幾種標準以形成本國圖書館類型劃分的特有標準，這樣也就形成了各具特色的圖書館類型劃分，本節將主要介紹國際標準化組織（ISO）的統計標準，世界主要國家的圖書館類型劃分和我國實際的圖書館類型劃分。

㈡圖書館類型劃分的國際標準

爲了避免因圖書館類型劃分標準的不同而給圖書館統計和圖書館國際交流造成困難，在聯合國教科文組織（UNESCO）的支持下，國際標準化組織和國際圖聯（IFLA）從1966年開始就圖書館統計的國際標準制訂事宜進行了合作；1974年，《ISO 2789－1974（E）國際圖書館統計標準》頒布實施，從此揭開了圖書館國際交流新的一頁。在該標準中，專門有「圖書館的分類」一章，它將圖書館區分爲國家圖書館、高校圖書館、其它主要的非專門圖書館、學校圖書館、專門圖書館和公共圖書館六大類型。❶

國家圖書館是指按照法律或其它安排，負責搜集和保管國內出版的所有重要出版物的副本，並且起貯藏圖書館作用的圖書館。其主要功能包括：編制全國總目錄；擁有並更新一個大型的有代表性的外國文獻館藏；編制聯合目錄；出版回溯性全國總書目；等等。

高校圖書館是主要服務於大學和其它第三級教學單位的學生和教師的圖書館。它們也可能向公衆開放。

---

❶ 黃宗忠，圖書館學導論，武漢：武漢大學出版社，1988. 245～289.

　　其它主要的非專門圖書館是指有學術特徵的非專門圖書館，它們既不是高校圖書館，又不是國家圖書館，但它們對特定的地理區域履行一個國家圖書館的作用。

　　學校圖書館是指屬於第三級院校以下的所有類型的學校圖書館，雖然它們也向公衆開放，但主要服務於這些學校的教師和學生。

　　專門圖書館是指那些由協會、政府部門、議會、研究機構（高校研究所除外）、學術性學會、專門性協會、博物館、商業公司、工業企業商會等或其它有組織的集團所支持的圖書館。它們收藏的大部分是有關某一特殊領域或課題諸如自然科學、社會科學、農業、化學、醫學、經濟學、工程、法律、歷史等方面的書刊。

　　公共圖書館是指那些免費或只收少量費用爲一個團體或區域的公衆服務的圖書館。它們可以爲一般群衆服務，或爲專門類型的用戶，例如兒童、軍人、醫院患者、囚犯、工人和雇員等服務。

　　《國際圖書館統計標準》頒布後，得到了國際上部分國家的贊同，但也有相當一部分國家因爲種種原因未採用該標準。略加分析，可發現，該標準所選擇的劃分標誌雜亂且不具有普遍代表性，它似乎想遷就所有國家（主要是西方國家）圖書館類型的現實存在，但結果又不符合大多數國家的實情，譬如「其它主要的非專門圖書館」就令人莫名其妙；這樣的標準自然不能夠被國際社會普遍地接受。

㈢美、英及前蘇聯的圖書館類型劃分

　　美國、英國、前蘇聯因爲各自圖書館的歷史發展、社會政治體制、文化傳統及國家戰略的不同，圖書館類型劃分也各有特色。其中，美國以「中小學媒體中心」的建立而獨樹一幟，英國更強調圖書

館爲工商業服務，前蘇聯則突出圖書館爲居民服務。

美國圖書館界一般將圖書館劃分爲公共圖書館、中小學媒體中心、高校圖書館和專門圖書館四大類型，具體情況見表5－1❷：

表5－1　美國的圖書館類型分析❸

圖 書 館 類 型	目 標 或 功 能	用 戶	財政資助
公共圖書館 　地方 　縣 　跨縣	娛樂 信息 自學（Self-education） 文化 社會職責	一個社區或一個區（district）的所有居民	公共稅收
中小學媒體中心 　小學 　中學	教育 研究 信息 保存	學校師生	公共稅收（公立學校） 學費、捐贈（私立學校）
高校圖書館 　學院（colleges） 　大學（universities） 　兩年制學院	教育 研究 信息 保存	學生，教職員工，校友及一般公眾	公共稅收 學費 捐贈
工業 商業	研究 信息	專業人員和顧客	商務預算
組織 協會	研究 信息 保存	組織或協會成員	非贏利組織的預算
公共機構 （Institution）	娛樂 信息	病人、犯人等	公共機構預算
聯邦	所有上述目標或功能	專業人員、納稅者	聯邦稅收

---

❷　B. E. Chernik. Introduction to Library Services. Englewood: Libraries Unlimited, Inc., 1992. 65, 85, 108, 91, 117, 126, 121.

❸　同註❷。

　　從表5-1中可以看出，美國的高校圖書館(Academic Libraries)不同於我國的高校圖書館，它包括兩年制學院（post-secondary schools，相當我國的中等專業學校）圖書館在內；此外，美國的3所國家圖書館皆被劃歸專業圖書館。

　　英國圖書館領域則將圖書館劃分為國家圖書館、公共圖書館、學校圖書館（Academic Libraries）、工商業圖書館、信息和諮詢中心（見表5-2）❹五大類型，這實質上是一種圖書情報一體化的分類結構，後兩類圖書館與我國的情報機構沒什麼區別。英國學者將高校圖

表5-2　英國的圖書館類型劃分❺

圖　書　館　類　型		主　要　目　標　或　功　能
公共圖書館		教育、信息、文化、閒暇與消遣
學校圖書館 　大學、學院、中小學		滿足學術需求、提供資料、提供學習區、提供外借服務、提供信息服務
國家圖書館		國家藏書中心、國家書目中心、圖書館學研究中心等
工業和商業圖書館		生產和分配與公司產品有關的信息簡報、根據關鍵職員的興趣提供原始資料、建立館藏、提供文獻檢索
信息與咨詢中心	法律咨詢中心 市民咨詢局 旅遊信息中心	為負擔不起一般法律服務的人提供咨詢和法律支持；提供消費、家庭、財政和社會服務等方面的咨詢；為旅遊者提供當地信息

❹　R. Beenham, Colin Harrison. The Basics of Librarianship. London: Library Association Publishing Ltd, 1990. 1~11.

❺　同註❹。

書館和學校圖書館合而爲一是一種創舉，作爲學校圖書館，它們都是爲教師和學生服務的。

前蘇聯的圖書館類型劃分另具特色。根據丘巴梁的《普通圖書館學》，前蘇聯的圖書館可分爲農村圖書館（包括國立農村圖書館、集體農莊圖書館、國營農場工會圖書館、附屬俱樂部圖書館和區立圖書館）、城市圖書館（包括市中心圖書館、區中心圖書館、分館、流動圖書館、企業工會圖書館等）、兒童和青少年圖書館（包括兒童圖書館、青年圖書館、農村或城市圖書館的兒童部、青少年部）、科學與專門圖書館（包括州立圖書館、加盟共和國圖書館、技術圖書館、國立公共科技圖書館、農業圖書館、醫學圖書館、科學院圖書館、高校圖書館）和國家圖書館五大類型，其中前三類合稱大衆圖書館，後兩類合稱科學圖書館❻。丘巴梁以普及和提高爲準繩，將圖書館劃分爲面向居民的大衆圖書館和面向專家的科學圖書館，這樣的劃分雖然失之簡略，但卻是以用戶的綜合特徵爲標準的，因而是值得借鑒和耐人尋味的。

㈣中國的圖書館類型劃分

在現實的研究與實踐中，我國圖書館界一般是以圖書館的主管部門爲主要依據，結合圖書館的性質、讀者對象和藏書範圍等標準對圖書館進行劃分的。我國的圖書館主要包括國家圖書館、公共圖書館、高校圖書館、科學和專門圖書館、工會圖書館、軍隊圖書館和學校圖書館七大類型。

---

❻　O．C.丘巴梁著，徐克敏等譯，普通圖書館學，北京：書目文獻出版社，
　　1983．194～386，94～193。

　　我國的國家圖書館是北京圖書館。其前身是清末籌建的京師圖書館，1912年正式對外開放。1987年，新落成的館舍開始接待讀者，建築面積達14萬平方米。到1995年底，北京圖書館共有工作人員1,946人，文獻總藏量達1,959萬冊（件），年投入經費達9,421萬元，年流通人次達133.2萬人次。❼北京圖書館還在文津街設有分館。

　　我國的公共圖書館一般按行政區域設置，包括省（直轄市、自治區）圖書館，地（盟）、市圖書館、縣（旗、區）圖書館、農村鄉鎮圖書館、城市街道圖書館和兒童圖書館。到1995年底，我國共有縣級以上公共圖書館2,615所，農村鄉鎮和城市街道圖書館（室）約53,000個，獨立建制的少兒圖書館71所；其中，縣級以上公共圖書館共有工作人員45,323人，文獻總藏量達3.09億冊（件），全年接待讀者1.8億人次。❽

　　我國的高校圖書館包括大學、學院和高等專科學校圖書館。到1995年底，我國共有高校圖書館1,080所，文獻總藏量達4.2億冊，工作人員38,162人。❾其中，規模最大的北京大學圖書館文獻總藏量達430萬冊。

　　我國的科學與專門圖書館門類很多，主要包括研究機構圖書館、企業技術圖書館、中央及國家機關圖書館、社會團體圖書館和事業單位圖書館等。據1994年的調查統計，各類科學與專門圖書館的總數約8,000～9,000所，文獻總藏量約10.6億冊（件），工作人員約8.89萬

---

❼　中國圖書館年鑒編委會，中國圖書館年鑒（1996），北京：北京圖書館出版社，1997. 472～485, 20～55。

❽　同註❼。

❾　同註❼。

人，年度經費約2.7億元。其中，規模最大的中國科學院文獻情報中心的文獻總藏量達560萬冊（件）。❿

　　工會圖書館包括中華全國總工會及其所屬各級工會圖書館（室）和廠礦、企業的工會圖書館（室）等。到1991年底，我國的工會圖書館共有195,029所，文獻總藏量達10.8億冊，專職工作人員113,091人。⓫

　　軍隊圖書館包括軍區、集團軍、師、團和連隊圖書館（室）。據不完全統計，到1987年底，我國軍隊圖書館（室）達32,264個，文獻總藏量達1,864.3萬冊。⓬

　　學校圖書館則包括中等專業學校、職業技校、職業高中和中小學圖書館。據1995年統計，中專圖書館和職業技校圖書館共有16,246所，年服務讀者750萬人次。⓭中小學圖書館統計數字不詳。

　　我國的圖書館類型劃分也是遷就圖書館發展現狀的產物，以公共圖書館（主要是縣級以上公共圖書館）、高校圖書館、科學和專門圖書館三大系統爲支柱，將剩餘的圖書館歸併在一起形成「其它圖書館」，是我國圖書館類型劃分的特色。然而，圖書館的「主管部門」只是圖書館的外在特徵，以此爲類型劃分的主要依據是不科學的；事實上，我國長期存在的嚴重的條塊分割的弊端，就與這種類型劃分有關。

---

❿　同註❼。

⓫　圖書館學百科全書編委會，圖書館學百科全書，北京：中國大百科全書出版社，1993．701～703, 355, 711～712。

⓬　同註⓫。

⓭　同註❼。

㈤圖書館類型的理論重組

　　比較和分析現實存在的各種圖書館類型劃分，可以肯定，它們都存在著這樣或那樣的問題，因而都是不科學的。究其原因，圖書館類型劃分不等於承認圖書館類型存在的史實，相反，劃分是對現實存在的圖書館類型進行重新整序，劃分作爲一種分類過程要盡可能遵守分類規則，否則就會出現各類型圖書館互相重疊、交叉、「漏分」等現象。譬如，《國際圖書館統計標準》所劃分的「其它主要的非專門圖書館」與「公共圖書館」就存在重疊的問題，大型公共圖書館多具有學術特徵而在特定地區又相當於履行國家圖書館的作用（我國的省級公共圖書館就是如此）；若以經費來源爲區分公共圖書館的主要標準，那麼表5-1中美國的公共圖書館、中小學媒體中心和部分高校圖書館之間就存在交叉問題，在美國，相當一部分高校圖書館和中小學媒體中心是向居民開放的；我國圖書館類型劃分以「主管部門」爲主要依據也是不恰當的，以教委系統的圖書館爲例，「高等學校圖書館由國家教育委員會、有關部門（委、局）和各省（市）教育廳（局）以及所在學校分別管理」，「中小學圖書館由各地教育機構及所在學校管理」，❹然而，中專圖書館呢？在權威的《圖書館學百科全書》中，圖書館類型劃分居然漏掉了「中專圖書館」，❺這不能不說明類型劃分體系本身存在問題。

　　圖書館類型劃分本身是一個分類問題，科學的分類必須遵守基本的分類規則：⑴在每一次劃分時，只使用一個劃分標準，不同時使用

---

❹　同註❶。

❺　同註❶。

兩個或兩個以上的劃分標準，否則會出現劃分後所得各子類互相交叉、重疊的混亂現象；(2)劃分後所得各子類的外延之和應等於其母類的外延，避免「不完全劃分」的錯誤和「多出子類」的錯誤；(3)要選擇事物本質的、符合分類目的的屬性作爲劃分標準，否則分類便失去科學性和實用價值。❻根據這些規則對圖書館類型實施整序，也就是我們所說的理論重組。

　　圖書館本身具有多種屬性，每一種屬性皆可做爲類型劃分的標準，但問題的關鍵在於，哪一種屬性是圖書館的本質屬性呢？無疑，用戶的信息需求，只有用戶的信息需求才是決定圖書館類型的最本質的屬性。進一步分析，圖書館從來不是爲單個的用戶服務的，它是爲用戶群或者說社會組織服務的，而社會組織又可整合爲兩大體系，即行業體系和社區體系；❼與此相關，圖書館也可劃分爲行業圖書館和社區圖書館兩大類型。一般來說，公共圖書館應該屬於社區圖書館，其它圖書館皆歸屬行業圖書館；但在世界上一些國家尤其是我國，公共圖書館既非行業圖書館又非社區圖書館，其服務對象極不明確，社會效益也就不盡人意，爲此，在實施圖書館類型的理論重組之前，必須對公共圖書館進行理論上的改造。

---

❻　張琪玉，情報檢索語言，武漢：武漢大學出版社，1983．24．

❼　社會學概論編寫組，社會學概論，天津：天津人民出版社，1984．111～115，106～107。

第二節　公共圖書館的改造

㈠公共圖書館起源的理論分析

要改造公共圖書館，首先需要搞清公共圖書館的來龍去脈。公共
圖書館爲何興起？對此，美國圖書館學界的研究成果最爲豐碩，謝
拉的博士論文就是以此爲題的，其原名爲「關於1629～1855年間新
英格蘭公共圖書館的起源」，正式出版時改名爲《公共圖書館的基
礎》。⓲

謝拉認爲，美國波士頓公共圖書館之所以產生，有以下幾方面的
原因：⑴歷史研究的需要；⑵文化保存的需求；⑶國家與地方的自
尊；⑷全民教育的信仰；⑸職業訓練的需求；⑹宗教的貢獻；⑺經濟
能力；⑻歐洲的影響。其中需要解釋的是第6條，19世紀美國新英格
蘭地區的宗教認爲閱讀是「好事」，宗教徒相信圖書館透過書籍可以
讓罪惡悔改，使道德提升，所以，謝拉認爲宗教對公共圖書館的產生
做出了貢獻。⓳

另一位美國圖書館學家斯賓塞（Gwladys Spencer）研究了芝加
哥公共圖書館的起源，她認爲，主要原因有8條：⑴經濟的因素；⑵
教育的因素；⑶社會圖書館運動的影響；⑷新英格蘭的影響；⑸合適
的領袖的出現；⑹組織化宗教的影響；⑺報紙的影響；⑻立法的影

⓲　袁咏秋，李家喬，外國圖書館學名著選讀，北京：北京大學出版社，1998.
387。

⓳　賴鼎銘，圖書館學的哲學，台北：文華圖書館管理資訊股份有限公司，
1993. 105～134。

響。⑳這種認識與謝拉的認識大同小異。

對於謝拉和斯賓塞的觀點，美國圖書館學界認同者並不多，一些學者更傾向於以人道主義史觀解釋公共圖書館的起源。狄強（Sidney Ditzion）認爲，早期公共圖書館之所以產生，最主要的目的是推動社會的進步：⑴讓窮人的生命更光明；⑵幫助遠離家鄉和親人在城市謀生的芸芸衆生擺脫城市的不良誘惑。㉑羅伯特・李（Robert Lee）也認爲，波士頓公共圖書館之所以產生是基於下列三個信仰：⑴人是無限的完美；⑵書籍是人類邁向思想完善的主要工具；⑶書籍價格太高，並非平常人所能買得起。㉒人道主義者提供了又一種解釋，根據他們的觀點，公共圖書館的產生基於人類可能趨向完美的信仰，而爲了幫助人民達到完善，就需要圖書館這樣的公共機構。

然而，人道主義的解釋也遭到了一些學者的抨擊。哈里斯(Michael H. Harris)認爲，當初創建公共圖書館的其實不是人道主義者，而是具有權威性格的精英分子，他們懼怕不理性的行爲，擔心社會的不安定，企圖通過圖書館這樣的社會機構對移民中的「危險階級」實施「教化」或「控制」，加上他們對教育的無上信仰，對文字影響與模塑人類行爲的功效的信仰，就促成了波士頓公共圖書館的產生。㉓哈里斯的觀點理所當然地受到了其他圖書館學家的批評，他們認爲，「歷史應該讓它如實地表達；去使用它是種聰明，但如果試圖

---

⑳ 同註⑲。
㉑ 同註⑲。
㉒ 同註⑲。
㉓ 同註⑲。

改造歷史則是不智的。」❷

　　美國圖書館學界並未就公共圖書館起源的認識達成一致，可以說，上述每一種觀點都或多或少有可取之處。與美國學者的認識相比，我國學者楊威理的認識又有不同，他在談到公共圖書館產生的歷史背景及其歷史意義時認為：(1)產業革命後，出現了大城市，城市中迅速增加的工人階級及其他中下層貧民對知識和教育的要求日益增多；(2)英國的公共圖書館法不是在民眾的壓力下被迫採納的；(3)公共圖書館的設立是符合資產階級的利益的，因為掌握一定知識和技術的工人和民眾的存在是資本主義生產繼續發展的必要條件；(4)資產階級把公共圖書館的建立看成是一種所謂的「社會政策」，試圖以此達到緩和階級矛盾的目的；等等。❷楊威理的認識雖然存在「階級分析」的傾向，但也不無道理。

　　我們認為，公共圖書館之所以產生，最主要的推動力是社會信息需求的迅速增加，具體而言，有以下幾方面的原因：(1)工業革命的產物，源於17世紀英國的產業革命極大地改變了社會生產方式，新的工業化大生產需要掌握一定知識和技術的勞動者，這樣就刺激了意圖就業的廣大勞動者的信息需求；(2)資產階級革命的產物。相對於封建地主階級，資產階級是進步的，他們意識到「愚民政策」是阻礙社會進步的主要因素之一，因此，他們中的優秀分子積極提倡在民眾中普及文化和教育，公共圖書館就是這種思潮的產物，如謝拉就認為，法國大革命「對圖書館的主要影響之一是發展了國家圖書館。……第二個重

---

❷　同註❾。
❷　楊威理，西方圖書館史，北京：商務印書館，1988．184～195, 243。

要的結果是確定和實施了便於普通公眾使用圖書的各項原則」；㉖(3)城市化的產物。產業革命後破產的農民都湧入了城市，城市在迅速膨脹的同時積累了一定的財富，因而有能力爲那些需要知識和教育的人們提供一所圖書館，同時，新興產業在城市的集聚也使公共圖書館有可能募集到所需經費，(4)到18世紀，社會信息需求已增加到一個臨界點，一些身處中下層的市民自發成立了「會員圖書館」，以個人入股方式共同購買和利用圖書，「會員圖書館的出現和發展，已經預示了公共圖書館即將應運而生」；㉗(5)到19世紀，在近代工業最爲發達的英國和美國，已基本上具備了公共圖書館產生的各種條件，公共圖書館終於在大西洋兩岸同時誕生。

公共圖書館是特定歷史時期社會進步的產物，是多種因素綜合作用的結果。其中，近代工業革命所引發的社會成員信息需求的迅速增加是其產生的內因，資產階級的進步意識和新興城市的經濟實力是外部條件，會員圖書館的出現與發展則是直接的誘因。公共圖書館也是人類理想的一種實踐，它體現了「人人有權利用人類所創造的信息資源」的公理；然而，理想的實現注定是一個漫長而艱巨的過程，公共圖書館還需要在發展中不斷完善。

㈡公共圖書館的發展模式

最初的公共圖書館幾乎無一例外地產生於城市，從這個意義上

㉖　杰西・H・謝拉著，張沙麗譯，圖書館學引論，蘭州：蘭州大學出版社，1986．28～29, 182。

㉗　同註㉕。

說，公共圖書館是城市文明的產物。在歷史上，羅馬帝國的「公共圖書館」就是爲自由市民服務的；在近代，西方各國的公共圖書館伴隨城市化而興起，又伴隨城市化的發展而發展；在我國，公共圖書館迄今仍徘徊在城市，廣大農村居民實際上無緣接受公共圖書館服務。公共圖書館與城市的親緣關係決定了它是一種更適合城市或城市化地區的圖書館發展模式。

早期的公共圖書館一般設在大城市且每座城市只有一個。單一的公共圖書館只能滿足少數人的求知需求，雖然它在理論上是向特定地區的所有居民開放的，但由於它的服務能力有限以及地理距離方面的原因，經常性的用戶多爲周圍社區的居民。要實現公共圖書館的理想，市政當局及公共圖書館實踐者就不能僅僅滿足於免費向所有居民開放，他們還要設法做到「使所有居民都能夠方便地利用圖書館」，這將是一個長期的探索和實踐過程。

進入20世紀，西方國家的公共圖書館開始尋求發展。它們首先是在城市內各大區設立分館，然後通過圖書流動車使圖書館接近居民。在發展較快的英國，公共圖書館服務已開始向農村地區延伸。1915年，受卡內基托拉斯的委託，牛津大學教授亞當斯(W. G. S. Adams)對公共圖書館現狀進行了調查並提交了《亞當斯報告》；該報告建議加強農村圖書館的建設，要求把農村的公共圖書館變成農民的精神生活的中心；但這一建議並沒有立即引起英國政府的重視，只是由卡內基托拉斯建立了試驗性的農村公共圖書館。根據1925年的圖書館法，各郡開始建立中心圖書館，到1926年，除5個郡外各郡都建立了圖書館，其中有一些是個人捐獻的。❷❽但總的來說，第二次世界大戰之

---

❷❽　同註❷❺。

前，英國農村地區的公共圖書館服務沒有很好地開展起來。「從1958年起，全國（指英國）重新掀起修建公共圖書館的熱潮，各市、鎮、郡修建了幾百個分館」，「無論在英國農村的什麼地方，一英里之內就總有一個圖書館。」❷❾70年代，隨著英國地方政府的改組，公共圖書館系統也進行了大的調整，歷史上形成的城鎮館、鄉村館和郊區圖書館的分離消除了，「一個以市、郡圖書館爲中心設總館，下設分區（鎮）中心館組，再設分館和汽車圖書館的網絡形式已經形成。總館負責統一管理、統一圖書採編加工等項工作，分館主要是辦理閱覽和外借等項工作。」❸❶經過一個多世紀的發展，英國公共圖書館完成了從單一的城市公共圖書館到城鄉結合的社區圖書館體系的轉變，這是一種比較理想的公共圖書館發展模式，它的形成也對西歐公共圖書館的發展產生了一定影響。「西歐公共館發展是以社區爲中心的，公共館成爲社區重要的教育和文化機構。隨著通信和交通的發展，公共館逐漸形成了網絡，產生了英國城鄉結合的網絡模式，德國以城市爲中心的圖書館網絡，以及北歐以社區爲中心的公共館網絡。」❸❶需要指出，西、北歐諸國的國土面積均較小，而城市化程度又很高，公共圖書館的發展模式是一種較好的選擇，但對於多數發展中國家，這種模式就未必是最好的選擇。

美國公共圖書館的演變證實了英國模式的局限性。美國公共圖書館有城市館、縣館、地方館（或跨縣館，即由幾個縣聯合組建的公共

❷❾　孫光成，世界圖書館與情報服務百科全書，成都：四川民族出版社，1991.
　　　234～235, 51～57, 408, 412, 409, 18, 16。

❸❶　鄭挺編譯，西歐圖書情報事業，北京：北京大學出版社，1989.39～47,5。

❸❶　同註❸❶。

圖書館）之分。城市館的發展模式與英國相仿，基本上遵循「市館——分館——圖書流動車」的擴展方式，由點到面，覆蓋城市社區，譬如，紐約市公共圖書館於1901年在市內曼哈頓、布朗克斯和期塔騰島3個區各設一個分館中心，其後又陸續在市內人口集中的區域設置了分館，到1987～1988年度，該館已擁有3個分館中心、78個分館和若干輛圖書流動車，從而由最初單一的公共圖書館發展爲一個完備的社區圖書館服務體系。❸❷但美國各州圖書館的發展卻與此有別：19世紀上半葉，一般的趨勢是將圖書館作爲州政府的一部分加以建設，到1876年，每個州都在州府所在地建立了一所圖書館；19世紀末，許多州都設立了州圖書館局，旨在將公共圖書館服務擴展到全州境內；20世紀初，一些社會成員、俱樂部、協會、書商、慈善組織爲圖書館提供了有限的資助，圖書館服務開始通過流動書車、郵寄借書、電話諮詢等方式向城市周圍的鄉鎮社區輻射，但圖書館服務的擴展由於30年代的經濟蕭條和40年代的戰爭而停頓下來；到50年代後期，「29個州的319個縣沒有地方公共圖書館服務，州政府的圖書館撥款只有29％到了縣或跨縣圖書館。30年後（80年代），187個縣仍沒有地方公共圖書館服務。23個州的至少650萬人未能接受圖書館服務。」❸❸可見，即使在美國這樣經濟發達的國家，由於幅員廣闊，公共圖書館的模式也運行不暢；鄉村地區圖書館的發展還須探索新的模式。

　　同樣是幅員遼闊的大國，前蘇聯大衆圖書館的發展模式就要適用

---

❸❷　同註❶❶。

❸❸　Jean Key Gates. Introduction to Librarianship. New York: Neal-Schuman Publishera, Inc., 1990. 123～138, 197, 187～194.

一些。大眾圖書館與其說是公共圖書館，不如說是社區圖書館。大眾
圖書館淵源於十月革命前俄國的國民圖書館，但又有「質」的不同。
國民圖書館產生於19世紀後期，是由一批資產階級民主主義知識分子
和地方自治局創建的，1914年，俄國共有大眾圖書館13,900所（其中
農村圖書館11,300所），但「能夠利用這類圖書館的讀者範圍，只是極
有限的一部分民眾。」❸十月革命後，前蘇聯對國民圖書館進行了徹
底的整頓，他們以閱讀的普及性爲依據，結合各地人口分布情況和民
族生活特點，確立了圖書館的普及性原則，其內涵包括：(1)免費使用
圖書館；(2)圖書館接近居民；(3)運用各種積極的和靈活的方式爲居民
服務和宣傳圖書館；(4)圖書館的建立要最大限度地方便讀者。普及性
原則突出了爲居民服務，它「依靠不斷地增加圖書館的數量（固定的
和流動的），並且將圖書館分布在各個居民點和工作地點，使人人都
能通過最方便的方式經常利用圖書館的藏書。」❸這比之公共圖書館
僅強調「免費向所有居民開放」要進了一步。普及性原則的第二個優
越性是劃定了圖書館服務區，「圖書館服務區（小區）包括了別的居
民點，或者是大規模居民點的一個部分，或者是一批小的居民點。這
就是固定圖書館的明確的活動範圍。」「圖書館服務區的活動範
圍，是由：第一，居民的密度和一所圖書館能容納居民人數的大致標
準；第二，每所圖書館的活動半徑來決定的。」❸根據圖書館的服務
能力來確定其服務範圍，正是公共圖書館與社區圖書館的主要區別之

---

❸ 同註❻。
❸ 同註❻。
❸ 同註❻。

一。除普及性原則外，前蘇聯還確立了圖書館網建設的計畫性和統一性原則、圖書館事業的集中管理原則和圖書館發展的社會性原則。社會性原則鼓勵各種社會團體和廣大居民參與圖書館的建設和管理，鼓勵社會人士創辦圖書館並盡可能將其納入為居民服務的統一的圖書館網，這樣就衝破了公共圖書館的最後一個「堡壘」，即公共圖書館必須由地方稅收維持的原則，形成了適合前蘇聯國情的大眾圖書館發展模式。

　　我國早期的公共圖書館是20世紀初由各省政府所興辦的省級公共圖書館，一般座落在省會所在地，無分館。建國以後，我國公共圖書館的發展借鑒了蘇聯模式，提出了「國家辦館與群眾辦館相結合」等原則，但遠未吸取蘇聯模式的精華；事實上，我國公共圖書館的發展模式主要是早期公共圖書館發展模式的變體，其特徵是多頭並行設置、既無分館發展計畫又無各館之間的分工協作計畫，只注重公共圖書館免費開放之「名」而不注重方便利用之「實」，致使我國公共圖書館發展遠遠落後於發達國家乃至一些發展中國家。

　　仔細地劃分，世界各國公共圖書館的發展模式是多種多樣的。但歸納起來，主要有3種：一是英國的城鄉一體化發展模式，二是美國的以城市為中心向鄉村輻射的模式，三是前蘇聯以社區為中心的發展模式。比較而言，我國更適合採用蘇聯的模式，這也是城市化不發達國家或地區較為理想的發展模式。

㈢公共圖書館的誤區

　　公共圖書館在近兩個世紀的發展過程中取得了巨大的成就，它事實上已變成了許多公民追求進步的中心。「公共圖書館作為一個機構

存在是爲了提供人與人之間交流經驗和思想的資料。這種功能就是收集、組織和保存印刷和非印刷資料並使這些資料容易爲所有人利用。這些資料將幫助他們：不斷教育自己；跟上所有知識領域進步的步伐；成爲家庭和社區中更好的成員；履行政治和社會義務；提高其日常工作的能力；發展其創造能力和精神能力；欣賞和享受藝術作品和文學作品；利用業餘時間來促進個人和社會的健康；對知識的增長做貢獻」。㊲公共圖書館的作用其實還不止這些，它也從整體上加速了人類的進化速度和促進了社會的進步，它的功能是有目共睹的和不可磨滅的，這一點勿庸諱言。然而，公共圖書館在發展的同時也存在一些誤區，主要包括：

誤區之一：公共圖書館是爲所有人服務的。幾乎所有的公共圖書館都標榜自己是「免費向全體人民開放的」。譬如，《世界圖書館與情報服務百科全書》中「公共圖書館」條目這樣寫道，公共圖書館應「滿足盡可能多的生活在社區內的各種團體的需要，包括識字的人、文盲、受過教育的人、未受過教育的人、兒童、成年人、老年人、多數人的文化和少數民族文化」；㊳我國圖書館學界的表述則更抽象更全面，「讀者對象十分廣泛，包括工、農、商、學、兵、幹部、知識分子、兒童等各種職業、各種年齡、各種文化程度的讀者。有的館還有少數民族的讀者。」㊴對此，我們不禁要問：公共圖書館有能力爲所有人服務嗎？即便條件允許，有這個必要嗎？社會上還存在著其它

㊲　同註㉙。
㊳　同註㉙。
㊴　同註❶。

類型圖書館，公共圖書館沒必要大包大攬，它應有所選擇。要明白，
為所有的人服務意味著沒有明確的服務對象，這對於服務性行業是致
命的問題。

誤區之二：公共圖書館滿足所有的需求。這是誤區之一邏輯發展
的必然結果。對此，我國圖書館學界的表述是：「公共圖書館擔負著
為科學研究服務和為大眾服務兩大任務。」❹國際上部分國家雖有所
側重，但流行的認識依然是「包醫百病」。顯然，這也是一種誤導。
社會成員除尚未就業的兒童和待業者以及退休的老年人外，其社會活
動可粗略地分為兩大部分：一部分是職業活動，另一部分是生活、社
交和休閒等活動；一般而言，各類行業圖書館所滿足的主要是由職業
活動所引發的信息需求，公共圖書館或者說社區圖書館體系所滿足的
是後一部分活動所激發的信息需求。

誤區之三：公共圖書館全部是由公共基金來維持的。聯合國教科
文組織1949年發表經國際圖聯1972年修改的「公共圖書館宣言」明確
規定，「公共圖書館的生存完全由公共資金來維持，它對任何人的服
務都不應該直接收取費用。」❹這一原則一直是公共圖書館賴以生存
的根本之一。然而，我們可做這樣一個推論：既然公共圖書館是為所
有人服務的，那麼公共圖書館就不能只是城市的點綴，它應該是觸角
延伸到每一個居民點的龐大的公共圖書館網，這個網的建設、運行和
維持費用均應由公共資金承擔，可是，像我們這樣人口多、底子薄的

---

❹　同註❶。

❹　H．C．坎貝爾著，黃健元、張保明譯，公共圖書館系統及其服務，北京：
　　科學技術文獻出版社，1986．157～161, 8, 3。

大國能承擔起如此龐大的費用嗎？如果承擔不起，只好引進社會資金，合資辦館，但這又與公共圖書館的定義不符；看來只有兩個辦法可以解決這個矛盾，一是徹底改造公共圖書館的運營和發展模式，二是有限改造公共圖書館同時大力發展社區圖書館。

誤區之四：公共圖書館的服務是免費的。這是誤區之三的邏輯發展，「公共圖書館宣言」規定「對任何人的服務都不應該直接收取費用」。這是一個值得商榷的問題。從理論上推導，一般居民都盡了納稅的義務，他們完全應該擁有平等地利用圖書館的機會，但由於種種原因，利用圖書館或經常利用圖書館的用戶總是少數，這部分用戶是否應該爲他們的超額利用而做出補償？在實踐中，圖書館服務有多種類型，一般的借閱和參考服務可以不收費，但信息資源開發服務、網絡檢索服務等是否應該收費？可見「免費服務」不能一概而論。事實上，歐洲有許多公共圖書館就收取一定的費用，在美國則有人提出，根據今天影響信息分配的迅速變化著的技術力量和經濟力量，公共圖書館必須拋棄其「爲了公衆的利益，信息應當免費」的道德觀念。❷

誤區之五：公共圖書館歸屬文化系統或其它社會部門。這實質上是一種傳統的近代圖書館觀念，它認爲圖書館是一種文化機構。以我國爲例，公共圖書館歸文化部下屬的圖書館司領導，這種歸屬使公共圖書館失却了爲社區服務的色彩而更多地演化爲一種半官僚的系統圖書館。而在歐洲各國，公共圖書館多屬議會或地方議會下屬的圖書館局領導，這樣更爲合理一些。其如英國公共圖書館70年代前屬地方議會下的圖書館局領導，70年代後歸地方政府中的開暇委員會或教育委

---

❷ 同註❷。

員會領導，這種歸屬的變化直接影響了公共圖書館的發展，因爲這些委員會多認爲公共圖書館無足輕重，而館長又失去了與地方最高行政長官的直接聯繫。❸

　　公共圖書館從它產生的那一天起就一直在不斷地變化著。坎貝爾（H. C. Campbell）在《公共圖書館系統及其服務》一書中談到，「每隔10年，地方、地區和國家公共圖書館系統的目標和目的就會發生許多變化。上一代人的目標，由於情況的變化，下一代人要對它進行修改和補充。一個圖書館系統是否取得成績一定要同它的目標和目的聯合起來考慮，如果圖書館取得的成績甚微，那麼，反過來它就不能期望人們會對它有很大的支持。」❹上述誤區或者說問題正是公共圖書館在發展的同時暴露出來的，它們同樣需要在發展中解決。

㈣公共圖書館的改造

　　時代在發展，社會在進步，公共圖書館也必須隨之調整和改造。所謂改造，就是根據時代和社會的要求，針對上述誤區，重塑公共圖書館形象的過程。在此，我們主要以中國公共圖書館的現在和未來爲考察對象，從理論上闡明其發展方向。我們認爲，公共圖書館應在以下幾個方面實施改造：

　　首先，縮小公共圖書館的概念，區分公共圖書館和社區圖書館。公共圖書館保留最初的涵義，由公共基金維持，免費向特定地區的所有公民開放，但其延伸的功能「使所有居民都能夠方便地利用圖書

---

❸　同註❸。
❹　同註❹。

館」，將由社區圖書館來承擔。具體到我國的公共圖書館，可做以下調整：(1)公共圖書館的概念僅用於指完全由國家或地方稅收支持的縣級以上公共圖書館（含兒童圖書館），縣級以下的城市街道圖書館、鄉村圖書館、兒童圖書館以及現有的工會圖書館均應改造爲社區圖書館；(2)社區圖書館應歸屬公共圖書館統一管理，鼓勵公共圖書館與居民區合辦分館體系，國家或地方政府應投入部分經費，將社區圖書館納入以公共圖書館爲骨幹網的統一的公共——社區圖書館網絡；(3)對於暫時無法建立分館或服務點的居民區，公共圖書館有義務以圖書流動車、郵寄借書等方式提供一定的圖書館服務。

其次，理順公共圖書館的歸屬，形成公共圖書館網絡。公共圖書館是爲全體人民服務的，它不僅是文化教育中心，而且也是信息中心和未來的經濟增長點之一，「每一個國家的公共圖書館系統對於提高生活水平和征服貧窮，都起著重要的作用。」❹有鑒於此，我們認爲公共圖書館應歸屬代表廣大人民的「人民代表大會常務委員會」領導，具體而言，可以在人大常委會下設圖書館局，全面負責公共圖書館的規劃、預算、管理、協調、合作、監督以及公共圖書館與其它類型圖書館的合作和資源共享等事宜。需要強調，公共圖書館包括國家圖書館、省級圖書館、地市級圖書館、縣級圖書館之間必須自成體系，形成明確的分工協作乃至一定程度的領導與被領導關係，堅決杜絕目前存在的「一個城市並存省館、市館、區館而又互不往來和各自爲政」的現象，必須保證廣大人民的每一分錢都花在最有價值的地方。

---

❹　同註❹。

　　第三，明確公共圖書館的服務對象，提高公共圖書館的服務效率。公共圖書館不可能也沒有能力為所有的人服務，「檢測現在和未來的需求，公共圖書館面臨著一個主要的窘境（dilemma），那就是『為所有的人提供服務』。作為唯一的一個服務於人們從出生到老年全過程的機構，公共圖書館在以往的歲月裡為所有的人盡了最大的努力。公共圖書館人試圖為到館的各種年齡和興趣群體的用戶提供平等的服務，他們引以為榮的是公共圖書館能夠比其它類型圖書館為用戶提供更多主題領域的更多的資料和服務。然而，隨著80年代角色選擇和目標定位概念的出現，90年代的圖書館開始重新評估單方面提供圖書館服務的要求（this need to provide unilateral library services）問題。當發展滿足所有用戶的需求的規劃和服務時，公共圖書館會考慮圖書館經濟的波動、電子技術的利用、與其它圖書館聯網的能力等問題。」❹❻美國圖書館學領域對公共圖書館認識的變化足以說明公共圖書館不切實際的觀念已到了非改不可的地步。我們認為，應該樹立兩種新觀念：其一，公共圖書館為所有人提供平等服務而不是平均服務，它所強調的是公共圖書館面前人人平等，而不是在公共圖書館的信息資源體系中為每一個人都準備所需的信息資源；其二，在社會經濟尚不發達的情況下，全體人民的需求應通過國家、社區組織乃至個人合作建立的社區圖書館體系來滿足，公共圖書館的重點是滿足特定國家或地區決策集團、重大工程和科研項目、龍頭企業和支柱產業等方面的信息需求，可以相信，這些需求的滿足必將會造福全體人員，更有力地推動社會的進步，從而也更為符合全體人民的

---

❹❻　同註❷。

利益。與此相關，公共圖書館的主要服務對象應是特定國家或地區的黨、政、軍、群決策人員，重大項目研究人員，重大工程設計和建築指揮人員，支柱產業和骨幹企業的決策者、管理者和研究發展人員，以及其他社會經濟和文化發展所需的戰略研究人員；在此前提下，公共圖書館免費向全體人民開放。

第四，確立公共圖書館的特色，再造人類地域記憶系統。公共圖書館信息資源體系的建設應置於統一的圖書館網絡和現代信息技術所提供的信息資源存取網絡中加以考慮和規劃，其特色主要表現在兩個方面：一是建立滿足上述主要服務對象信息需求的特色信息資源體系，二是建立較完備的本國（或地區）出版物和與本國（或地區）有關的出版物所組成的地域信息資源體系，這也是公共圖書館區別於其它類型圖書館的根本點之一。

第五，實現公共圖書館的戰略轉變，完善公共圖書館的服務體系。新型的公共圖書館是戰略層次的研究型圖書館，是社區圖書館網絡的資源保障，它的主要任務包括：(1)從國家或地區的角度規劃和協調信息資源的配置；(2)與其它類型圖書館合作，共建國家或地區的統一的圖書館網絡；(3)領導、指導、支援和補充社區圖書館服務體系，充當社區圖書館的組織者和協調者；(4)協助國家或地區人大常委會制訂有關圖書館的法規、政策、標準及其它指導性文件，參與圖書館事務的決策過程。具體到公共圖書館自身的服務體系，應將工作重點轉到信息資源的開發和高層諮詢服務方面，同時繼續面向大眾免費提供一般的借閱和參考服務，但附加值高的技術服務和諮詢服務應適當收取費用。

第六，走自己的路，建設有中國特色的以公共圖書館為龍頭的統

一的圖書館網絡。我國公共圖書館的發展既不能照搬歐美的模式，也不能挪用前蘇聯的模式，既要承認現狀更要考慮未來的發展，這注定是一條有中國特色的「未來之路」──它將以公共圖書館爲骨幹帶動和推動社區圖書館的發展，將形成面向廣大居民的以公共圖書館爲核心的公共──社區圖書館網絡。從更大的範圍來講，由於改造後的公共圖書館是歸屬人大常委會領導的戰略圖書館體系，它具有最廣泛的代表性和更濃厚的全局色彩，因此，在全國統一的圖書館網絡的建設中，公共圖書館亦應充當組織和協調的角色。

第三節　社區圖書館[47]

(一)社區圖書館的界定

社區圖書館是爲特定地域內的所有居民服務的圖書館。所謂社區，歸根結蒂是一種「人類生活群體」，參照社會學家對社區的種種定義，[48]我們可以將社區界定爲「一定地域中具有共同聯繫和社會互動關係的人類生活群體」。社區強調地域特徵，強調人們之間的共同聯繫和社會互動，社區的這些屬性也是我們界定社區圖書館的重要基礎。

社區圖書館首先是社區的有機組成部分。作爲一種人類生活群體，社區是由各種社會組織相互聯繫、相互作用而構成的，這些社會

---

[47]　霍國慶，金高尚，論社區圖書館，中國圖書館學報，1995（4）：54～59。

[48]　何肇發，社區概論，廣州：中山大學出版社，1991．1～120。

組織各自擔負著社區某一方面的功能，譬如，居委會是從事社區日常管理的，派出所負責社區治安，社區圖書館則擔負著社區的記憶功能和溝通功能。所謂記憶功能，是指社區通過搜集、組織和貯存有關社區的信息資源，能夠反映社區的歷史和現狀，並有助於人們規劃社區的未來。所謂溝通功能，是指社區圖書館通過信息資源服務能夠實現社區與外界、社區的過去與未來、社區內部組織以及個人之間的交流。社區圖書館是由社區與所在地區公共圖書館合辦或由社區出資、集資興辦的圖書館，它不僅對社區內的所有居民開放，而且也能夠使所有居民方便地利用，其發展水平已成為衡量一個社區發達與否的重要標誌。

社區圖書館也是一種特殊的圖書館類型，在現有的圖書館分類體系中，它最容易與公共圖書館以及城市街道圖書館和農村鄉鎮圖書館相混淆。一般來說，圖書館是全部由公共資金維持，面向一定地區不特定的所有人免費開放的圖書館，社區圖書館則是為特定居住點的特定居民服務（包括有償與無償兩種方式）的圖書館，經費來源於多種渠道。街道圖書館和鄉鎮圖書館與社區圖書館有更多的相似之外，但現有的街道圖書館或鄉鎮圖書館通常是為一部分居民（如待業青年、街道工廠工人、社區管理人員、退休人員等）服務的，社區圖書館則是為全體居民服務的，在今後的發展中，街道圖書館和鄉鎮圖書館都有待於改造為社區圖書館。

西方發達國家的圖書館實踐證明，要真正滿足所有居民的信息需求，公共圖書館必須發展為社區圖書館體系。但我國是一個人口多、底子薄的大國，完全靠國家投資興辦公共圖書館來滿足所有居民的需求是不現實的，為此，我們必須充分調動廣大社區居民的積極性，在

條件成熟的社區積極興辦社區圖書館，同時充分發揮公共圖書館的骨幹作用、協調作用和中心作用，將社區圖書館組織起來，逐步建立面向12億人民的公共——社區圖書館網絡。

㈡社區圖書館的特徵和類型

與公共圖書館和行業圖書館相比，社區圖書館具有區域性、全民性、系統性和多樣性四個明顯的特徵。

區域性。在現有各類型圖書館中，除公共圖書館外，其它類型圖書館可統稱為「行業圖書館」，它們都是為某個行業服務的，不具備區域性特徵。公共圖書館(主要指我國)雖然是一種地區性的圖書館，但其服務邊界模糊（沒有確定的服務對象），服務範圍（一個省、一個市或一個縣）過大，又沒有分館和服務點延伸服務半徑，實際上無法滿足它所界定的服務地域的所有用戶的需求，對於農村居民而言，它更似一個抽象的概念。而社區圖書館強調服務半徑和服務邊界，強調圖書館的承載能力，強調社區圖書館在社區中的紐帶作用，這一切都是其區域性特徵的集中表現。

全民性。如前所述，行業圖書館一般不對行業組織以外的人開放，公共圖書館雖然面向全社會，但「心有餘而力不足」，所以它們都不具有全民性。而社區圖書館分布在人口集中的居民區，服務半徑小，能夠為特定居住區的所有居民服務，它在區域內具有全民性，因而通過區域的全民性也能達到普遍的全民性。此外，社區圖書館以居民點為布局依據，能夠有效地避免現有圖書館類型劃分所造成的部分居民無法得到圖書館服務的現象，這也是其全民性的表現。

系統性。社區圖書館非常注重科學的「切分」和內在的聯繫性，

這是其系統性的集中體現。在具體工作中，把大規模的居民點（如百萬人口以上的大都市）劃分爲幾十個甚至上百個既相互獨立又彼此聯繫的社區圖書館服務區域，就必須運用系統論的觀點和方法，在注重統一規劃的前提下，充分考慮社區的人口分布及其內在的聯繫，合理地確定每一個社區圖書館的服務半徑和服務邊界，譬如，英國倫敦70年代時共劃分大區32個，每區人口25萬，設一個區中心圖書館，其下再設分館和汽車圖書館，以便利全區居民利用，❹這是一種典型的系統規劃方法，結果自然形成了內在統一的社區圖書館服務體系。

多樣性。我國幅員遼闊，各地歷史文化、環境資源及經濟發達程度不盡相同，因此，不同區域中人們對圖書館的需求也各各有別。社區圖書館根據不同區域中人們的主體需求建立獨特的信息資源體系，小型多樣，靈活方便，這是最適合當今社會發展的圖書館模式，它能充分地滿足現代人多樣化的需求。

社區圖書館還可以依據不同的標準進行細分。在此，我們主要從布局的角度，以人們在生產和生活中的自然聚居情況爲依據，將社區圖書館劃分爲三大類，即都市社區圖書館、小城鎮社區圖書館和鄉村社區圖書館。(1)都市社區圖書館是指爲都市特定區域內所有居民服務的圖書館所組成的體系。都市社區圖書館通常不是指一所圖書館，它是由統一劃分、分區設置、相對獨立又相互聯繫的若干社區圖書館所組成的集合，如上述倫敦市社區圖書館體系就是由倫敦市館、32個區中心圖書館和若干個分館、汽車圖書館所組成的，都市社區圖書館主要是社區的文化中心；(2)小城鎮社區圖書館是爲縣城和建制鎮居民

---

❹　同註❸。

服務的圖書館。它可以是由幾個區域（如街道或城區等）的社區圖書館所組成的體系，也可以是小城或小鎮上唯一的爲全體居民服務的圖書館；由於小城鎮介於都市和鄉村之間，是城鄉之間的紐帶，所以，小城鎮社區圖書館既是特定區域的文化中心，同時也是信息交流中心；(3)鄉村社區圖書館是爲廣大鄉村居民服務的圖書館。鄉村社區圖書館大多設置在人口集中的農村居民點，它是社區圖書館網絡的基層網點，也是我國今後需要重點發展的圖書館類型；鄉村社區圖書館是鄉村的文化中心、信息交流中心和社會交往中心。

㈢社區圖書館的功能

社區圖書館主要具有促進社區發展、培育社區文化、開發閒暇時間和傳遞實用信息四個方面的功能。

促進社區發展。「社區發展」是國際間通用的一個名稱，它是一種組織民衆、教育民衆、引導社區變遷和促進國家現代化的過程，是社區中的人們以積極的行動來改造社區使之更適合於環境和人們的生活願望的過程。❺社區發展包括兩方面的內容：一是經濟發展，二是社會進步。作爲社區重要組成部分的社區圖書館，對於社區發展負有不可推卸的神聖使命。通過對社區的自然環境、社區人口、社區組織、社區文化和社區變遷等方面的調查研究，並有計畫地組織信息傳播，社區圖書館能夠普遍地提高社區居民的文化素質，增進社區成員的交往和聯繫，激發社區成員關心、支持、參與社區建設和發展的意識，培育和諧進取的社區文化，推動社區經濟繁榮，並有利於社區物

---

❺　鄭杭生，社會學概論新編，北京：中國人民大學出版社，1987．301。

質文明和精神文明的協調發展。

　　培育社區文化。培育社區文化是社區圖書館促進社區發展的最主要的方式。社區文化泛指具有社區特徵的文化風貌，既包括有形的建築、裝飾和技術發明等，也包括無形的知識、信仰、價值、藝術、道德、習慣、法規和制度等，❺其核心是價值觀和社會規範。而社區圖書館在其信息傳播活動中，一方面能夠幫助社區成員樹立正確的價值觀、人生觀和世界觀，引導他們將個人目標與社會目標協調一致，並進而引導他們接受新思想、新風尚、新技術，移風易俗，推陳出新；另一方面，又能夠引導社區成員通過社會許可的途徑來追求和實現自己的目標，使他們善於約束自己的行為，善於調整個人與社會、個人與集體、個人與個人之間的社會關係，從外在行為到內心世界都盡可能合乎社會的需要。總之，社區圖書館是通過組織閱讀和提供信息資源來培育社區文化的，通過這些活動，將能夠在社區內部形成一種團結的精神、和諧的人際關係、積極的人生態度和文明的社會環境。

　　開發閒暇時間。這是社區圖書館獨具特色的功能。所謂閒暇時間，「一般是指人們每天除了必要的工作時間、滿足生理需要的時間（睡眠、個人衛生、吃飯等）、家務勞動和上下班往返時間外，可供自己自由支配的時間。」❺從現狀看，公共圖書館和行業圖書館主要分布在工作地點，為生產和學習服務，開放時間與人們的工作時間耦合，不太注重開發閒暇時間。社區圖書館則主要分布在居住地點，兼顧為生活和生產服務，而以生活服務為主，開發閒暇時間是其最主要

---

❺　同註❸。
❺　同註❺。

的一種功能。該功能也對社區圖書館提出了要求：(1)要延長或適當調整圖書館開放時間；(2)要研究社區居民的閒暇活動和閒暇時間利用結構；(3)要改進圖書館服務方式，加強宣傳，吸引居民，提高居民利用圖書館時間在閒暇時間中的比例；(3)要引導居民接受多方面的知識和訓練，自覺地追求自我的全面發展。

傳遞實用信息。該項功能集中地體現了社區圖書館為居民生活服務的實質。社區圖書館擔負著溝通社會組織和社區成員的任務，在特定的社區中，它不僅是文化中心，同時也是信息交流中心。社區圖書館以傳遞實用信息為主。所謂實用信息，泛指技術信息、商品信息、消費信息、證券信息、價格信息、娛樂信息、宗教信息、就業信息、社區活動信息、社區發展與規劃信息、以及與社區居民生活密切相關的各種信息。社區圖書館組織專門人員收集、處理、編輯和傳播各種實用信息，上可為社區發展規劃的制訂提供依據，下可滿足社區居民的多方面需求，同時有助於提高社區圖書館服務的整體水平，強化社區圖書館的紐帶作用。傳遞實用信息實質上也是社區圖書館參考諮詢功能的外延發展。

㈣社區圖書館的組建

由於我國社區圖書館的發展水平還很低，組建與發展社區圖書館時應堅持以下原則：(1)統一規劃，合理布局。具體而言，一要由公共圖書館牽頭，制訂統一的發展規劃、標準和法規，加強統一管理；二要借鑒西方發達國家公共圖書館布局的經驗和銀行設置營業點的做法，即首先在都市的重要區域設點滲透，然後在其它都市社區和小城鎮社區推廣，最後在鄉村社區推廣。(2)自願自主，穩步發展。組建社

區圖書館要充分調動社區的積極性，堅持「自願建館，自主管理」的原則，條件成熟一個設置一個，堅決杜絕一哄而上，大起大落；(3)密切聯繫，協調發展。社區圖書館的組建與發展要以公共圖書館爲核心和保障，鼓勵社區圖書館以分館的形式運行；社區圖書館之間則要加強協作與合作，力求互爲補充、協調發展；(4)城鄉結合，資源共享。社區圖書館的發展要以都市爲中心，圍繞每個都市，形成「都市—小城鎮—鄉村」三級結構，組建城鄉結合的都市中心圖書館網絡，並逐步實現都市中心圖書館網絡之間的聯網，最終形成覆蓋全國、面向12億人的公共——社區圖書館網絡。以這些原則爲指導，結合社區圖書館的多樣性，各類社區圖書館的組建和發展都可以採用多種模式，在此，我們著重分析三大類社區圖書館組建的一般模式。

都市社區圖書館是一個體系，組建前應參照社會學中的都市區位理論以及都市的人口分布及其內在聯繫，對都市進行區域細分，從而確定每個社區圖書館的位置和服務範圍。根據區域細分的結果，在條件成熟的區域逐步組建社區圖書館，並進而通過合作或聯網的方式實現資源共享，這就是都市社區圖書館組建的一般模式。由於都市中同時並存著公共圖書館和各種行業圖書館，它們又分散在各個社區中，這就爲都市社區圖書館的組建提供了有利的條件和多種可供選擇的模式：模式之一，由公共圖書館與社區合作，在特定區域設置分館，既發揮大型公共圖書館的核心和調劑作用，又便於接近用戶提供服務，還有利於自然形成網絡式服務；模式之二，將特定區域中的某個行業組織圖書館改造爲社區圖書館，譬如，可以通過協商或合作等方式，讓社區中的高校圖書館向社區居民開放，這在美國等西方國家不乏先例；模式之三，由社區出資或集資、集書（向社區成員及社會組織徵集

圖書），興辦社區圖書館，以社區稅收或收費服務、開發創收等方式維持生存與發展；等等。總之，都市社區圖書館得天時地利之便，組建模式可以不拘一格，問題的關鍵在於「人和」，換言之，只要社區領導重視，社區管理組織和社區居民能達成共識，那麼，都市社區圖書館的組建就會化爲行動，成爲事實。

　　小城鎮社區的規模較之都市要小得多，社區結構也比較簡單，這爲小城鎮社區圖書館的規劃與布局提供了極爲有利的條件。對於小城鎮社區圖書館的組建，我們認爲應更多地採用改造方式，將社區中的公共圖書館或行業組織圖書館改造爲社區圖書館；這樣可以集中有限的經費加強現有圖書館的建設，提高其服務能力，必要時再通過設立服務點等方式擴大服務半徑。具體而言，小城鎮社區圖書館的組建可以採用以下方式：(1)社區與公共圖書館合作，由社區出資或主辦，由公共圖書館以設置分館的方式組建小城鎮社區圖書館；(2)將原有的街道圖書館（室）、鎮圖書館（室）、中學圖書館（室）或工會圖書館（室）改造爲面向全體居民的社區圖書館；(3)由城鎮企業贊助並責成團組織、婦聯等群衆組織承辦，充分發揮群衆組織的普及作用，使社區圖書館成爲群衆組織的活動陣地，同時借群衆組織普及圖書館服務；等等。小城鎮處於都市和鄉村的聯接地段，其特殊地位決定了小城鎮社區圖書館功能的集約化特點：它不僅要成爲社區的文化中心，而且也可成爲社區的信息中心、娛樂中心、發行中心和科學技術普及中心。

　　鄉村社區圖書館面向廣大的農村居民，其布局的主要特點是點多面廣，小型多樣。組建鄉村社區圖書館應注意以下問題：(1)鄉村社區圖書館的發展規劃應納入小城鎮社區圖書館體系的統一規劃之中；(2)

鄉村社區圖書館應該成爲鄉村社區唯一的圖書館，這樣可以集中有限的人力、物力、財力，爲廣大居民提供更好的服務；(3)鄉村社區圖書館要設置在規模較大、交通便利的居民點，服務半徑可適當大一些；(4)鄉村社區圖書館應該成爲鄉村社區的綜合文化信息中心，既傳播知識和技術，也進行信息交流，同時還是鄉村的娛樂中心、社會交往中心、輿論中心和議政中心。具體到鄉村圖書館的組建，要因時因地制宜，方式有：(1)以鄉村社區集體投資或集資的方式組建圖書館；(2)鼓勵先富起來的社區成員興辦圖書館，爲家鄉和子孫後代造福；(3)多方動員和宣傳，接受捐書和贈書，積少成多，逐步籌建；(4)將鄉村學校圖書館改造爲社區圖書館，增加投資，服務居民；(5)作爲集體讀者加入城鎮公共圖書館服務體系，隨著社區居民信息需求的增加，循序建立服務點和鄉村社區圖書館。我國是一個農業大國，農村居民占總人口的比例很大，如何切實提高廣大農村居民的文化素質和科技水平，是關係到國家和民族發展的大事，因此，建立和發展鄉村社區圖書館應成爲今後我國圖書館發展戰略的重點。

第四節　行業圖書館

㈠行業圖書館概述

顧名思義，行業圖書館就是爲一個行業服務的圖書館。行業也泛指職業，「是個人在社會中所從事的作爲主要生活來源的工作。」[53]

---

[53] 中國社會科學院語言研究所詞典編輯室，現代漢語詞典，北京：商務印書館，1980．1468。

從社會的角度來認識，行業就是社會成員團繞專門化的社會活動而形成的社會組織體系，這個社會組織體系通常也稱為一個部門或系統，如政法、財經、文教、衛生、體育、交通運輸、郵電、商業等不同的部門都各自構成了一個行業。行業是社會分工的產物，專門化是其最主要的特色，與此相關，行業圖書館也就是專門化的圖書館，這與公共圖書館的綜合性和社區圖書館的全面性（為全民服務）適成對照。

　行業圖書館與社區圖書館是相對而言的，它們也就是通常所說的「條條、塊塊」。與社區圖書館相比，行業圖書館具有以下幾方面的特徵：(1)專門化。所謂專門化，是指特定行業的圖書館是為從事特定職業的用戶群服務的，它所滿足的主要是與該職業有關的信息需求，它所建立的信息資源體系也能夠反映該職業的特色，它的信息人員不僅要掌握圖書館學理論知識和方法技能，而且也要了解該職業的理論知識和方法技能；(2)依附性。公共圖書館和社區圖書館都是相對獨立的，是與社區中的其它行業並列的一種專門職業，它們要滿足不同行業居民的信息需求，但行業圖書館僅僅是行業組織的一個組成部分，有時甚至是行業組織某個部門的組成部分（如企業圖書館往往是R&D部門的一個分支），「組織中的工作可分為兩大類：為環境中基本服務對象服務的主幹性工作，它是組織的主業；以及為進行這主幹性工作服務的輔助性工作，它的服務對象主要是組織成員自身」，❺❹圖書館工作無疑屬於行業組織的輔助性工作，它的服務範圍是本組織的成員；(3)不完整性。一個國家或地區的所有行業圖書館加和起來不能夠

---

❺❹　魯品越，社會組織學原理與中國體制改革，北京：中國人民大學出版社，1992．152～153。

覆蓋所有信息用戶的需求，它們所覆蓋的主要是職業用戶群的信息需求，而社會成員中的兒童、失業者、退休的老人、醫院的病人、監獄的犯人及其他無業者一般不是行業圖書館的服務對象，這些用戶是社區圖書館服務的重點，但社區圖書館也爲職業用戶群服務——社區圖書館所滿足的主要是職業用戶群閒暇時間的信息需求；(4)互補性。這是不完整性的延伸，由於每一行業圖書館的信息資源體系都是與某一專門化社會活動相對應的，只能最大限度地滿足用戶某一方面的信息需求，所以，它們之間只有相互聯繫、互爲補充，才能滿足用戶多方面的信息需求，這種互補性對於社區圖書館就不是特別重要。

　　社會中的行業種類很多。我國的行業組織一般分爲經濟組織、政治組織、教（育）科（研）文（化）組織、群衆組織和宗教組織五大類，其中經濟組織又可分爲15類行業，即農業（包括種植業、畜牧業、水產業、農村工副業、水利、氣象事業）、林業（包括造林、採伐運輸和林產加工）、消費品工業（主要包括紡織、造紙、食品、醫藥、耐用消費品、日用化學、輕工業等）、能源工業（包括煤炭、石油、電力工業）、冶金工業（包括鋼鐵、有色金屬工業）、化學工業（包括化肥、農藥、基本化學、石油化學、精細化學等）、建築材料工業、地質勘探業、機械和電子工業、建築業、運輸和郵電（包括鐵路、公路、水運、民用航空、郵電通信）、國內商業、對外經濟貿易（包括進出口貿易、旅遊、海關和商品檢驗）、手工業和金融業。❺❺發達國家的職業分工則更細密，據美國勞動部統計，僅合法職業就有2萬餘種。❺❻應該說，有多少種行業，就

❺❺　同註 ❶❼。

❺❻　伊恩‧羅伯遜著，黃育馥譯，社會學（下冊），北京：商務印書館，1991.
　　604。

有多少種行業圖書館；但在實際的分類過程中，人們總是堅持「最簡化原則」，捨棄不同行業圖書館的一般性差異，而根據其共同的特有的性質加以區分和歸類，這樣，所有的行業圖書館就可以歸入兩大類型圖書館即學校圖書館和專門圖書館之中。

　　學校圖書館包括高校圖書館、中專圖書館和中小學圖書館。學校圖書館同其它行業圖書館的區別在於它是爲所有行業培養後備人才的，因而與每個行業都有關係，部分學校圖書館還具有綜合性的特徵；但學校圖書館通常只爲本校師生服務，就此而言，它不同於社區圖書館。在以往的類型劃分中，高校圖書館（含中專圖書館）常與中小學圖書館並列爲兩種類型，它們之間確有較大的差別，但它們之間同樣有更多的相似之處，「我們把學校圖書館和高等院校圖書館放在一起考慮，因爲這兩種圖書館有許多共同之處。這兩者都是規定目標、決定發展方向的一個大型組織的不可分割的部分。兩者在各自的院系中都有智囊團提供幫助，兩者在滿足師生需要方面都達到一定的效果。」❺❼謝拉的分析基本上說明了中小學圖書館和高校圖書館的共同性質，需要補充的是，中小學主要是一種基礎素質教育，強調全面發展，且中小學學生的主要活動範圍是社區，因此，中小學圖書館與社區圖書館亦有很多共同之處，在我國廣大農村社區及部分城鎮社區，應提倡中小學圖書館和當地社區圖書館合併。

　　專門圖書館包括的種類較多，主要有科研機構圖書館、企業技術圖書館、政府部門圖書館、社會團體圖書館、文化組織圖書館、軍隊圖書館和宗教圖書館等。需要說明：⑴我國的科技信息（情報）機構

---

❺❼　同註❷❻。

實質上就是一種專門圖書館；(2)為數眾多的工會圖書館主要是滿足企事業單位職工閒暇時間的信息需求的，因此應改造為社區圖書館，對當地居民開放，它們不再列為一種專門圖書館；(3)群眾組織如共青團、婦聯所舉辦的為數不多的圖書館也劃歸社區圖書館，因為這些圖書館的用戶涉及多個行業，具有較大的普遍性。

行業圖書館與公共圖書館、社區圖書館一起構成了新的圖書館分類體系，這是兼顧用戶信息需求的差異性、圖書館的戰略分工、圖書館的社會歸屬和經費來源等標準而劃分的結果。其中，公共圖書館是全部由國家投資的戰略型圖書館，社區圖書館是由國家、集體乃至個人聯合興辦的普及型圖書館，行業圖書館則是由社會各行業建構的專門型圖書館，它們各自又包括若干子類，這樣就形成了體系完整、層次分明、點面結合的圖書館類型結構（見圖5-1）。

㈡學校圖書館

學校圖書館是從屬於教育職業的行業圖書館。在教育系統，教學是主幹性工作，「通過教學，學生在教師有目的、有計畫和有組織的指導下，積極、主動地掌握系統的文化、科學、技術知識和技能，發展智力和體力，陶冶一定的審美觀點，培養一定的思想品德。」❺❽這也可稱為教育的目標，學校圖書館就是為這個目標服務的，它屬於一種教學輔助機構。

---

❺❽　辭海編輯委員會，辭海(縮印本)，上海：上海辭書出版社，1989.1657。

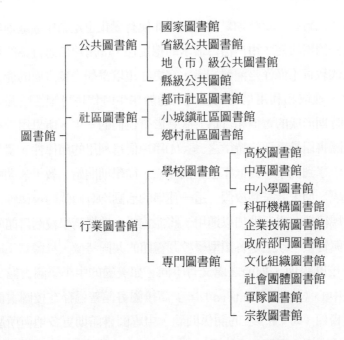

圖5-1　理論重組後的圖書館類型結構

　　學校圖書館在所有的圖書館類型中屬於一種比較單純的圖書館，它的服務對象整齊劃一，它的服務工作節律性很強，它的服務內容明確而穩定，這些都有助於它開展深入的導讀和諮詢工作。具體地講，學校圖書館具有這樣一些共同特徵：(1)用戶構成的同質性。學校圖書館的服務對象主要是教師、學生和教輔人員（高校圖書館雖包括研究人員，但他們大多兼做教師），教師和教輔人員一般比較固定，學生雖在不斷流動，但他們在年齡、文化水平、將要學習的課程等方面具有高度的同質性，其信息需求是近似穩定的；(2)用戶信息需求的穩定性。學校的教學活動是圍繞培養目標、教學計畫和教學大綱而展開

的，這些內容在一定時期是穩定的，即使有變化也是循序漸進地發生的，這些因素決定了用戶信息需求的穩定性；(3)用戶信息行為的可塑性。現代教育不僅僅是灌輸知識，它更注重培養學生多方面的能力包括檢索、獲取和利用信息的能力，由於學生時代是可塑性較強的時期，該時期形成的習慣和行為方式會影響他們的一生，所以用戶教育是學校圖書館最重要的特徵之一；(4)用戶信息利用的節律性。學生從小學、中學到大學，從低年級到高年級，從學期開始、教學、期中考試、教學、期末考試到放假，這一連串的活動均有極強的規律性，掌握這些規律性並靈活地加以運用，將能夠極大地提高學校圖書館的服務效率與質量。以上是各類型學校圖書館的共同特徵，具體到不同類型的學校圖書館，細節之處又有不同，如美國的中小學圖書館又稱「媒體中心（Media Centers），」高校圖書館普遍存在校圖書館與院系圖書館（或資料室）的關係問題，中專圖書館則更多地與所屬的行業關係密切，等等。

高校圖書館通常與公共圖書館、科研機構圖書館一起並稱為我國圖書館的三大系統。高校圖書館又有大學圖書館和專科學校圖書館之分，國外的高校圖書館還包括兩年制學校（相當於我國的中專）圖書館。高校圖書館的主要服務對象是本校的教師、學生和研究人員，但也適度地向校外的相關研究人員開放。高校圖書館的主要任務是為教學和科研服務，「各大學圖書館收藏的資料必須對研究生和大學生兩級教學大綱有直接幫助，而且還要求收藏綜合性資料，以幫助學生和全體教師的學術研究。」❺❾高校圖書館除開展傳統的流通閱覽、館

---

❺❾　同註❷❾。

際互借和參考諮詢等服務項目外，還重點地開展了用戶教育、導讀服務和技術服務三個方面的工作，這些工作在一定程度上改變了高校圖書館的形象，「圖書館不再是一個機構的被動成員，它開始超越傳統的局限性而參與學習過程（learning process）。圖書館提供藏書、媒體和圖像生產設施、訓練設備，包括聽力實驗室、電視和照像機、電影放映機等。圖書館人員開始參與教學過程，他們或與教師共同發展目錄單元或課程，或獨立發展圖書館指向的目錄單元或課程。一些機構的圖書館甚至發展成爲『圖書館大學』，從而在學生的教育過程中成爲首要的因素。另一些圖書館確實變成了『大學的心臟』」。「這些新的圖書館發展了新的稱謂，諸如學習資源中心（learning resource centers）、媒體中心（media centers）、學習中心（learning centers）等。」❻⓪高校圖書館的館際協作工作在各類型圖書館中也是開展得最有成效的，著名的OCLC就是在高校圖書館領域發展起來的。高校圖書館所面臨的特殊問題是校中心圖書館與院系圖書館（或資料室）的關係問題，就此而言，集中化管理是發展潮流和趨勢，「較大型的大學圖書館探索了種種使它們收藏的努力更系統更協調的方法。從前的大多數系科圖書館有的已轉變爲中心圖書館系統的分館，有的則納入了主要圖書館的館藏」。❻①高校圖書館是研究型圖書館，它在我國圖書館體系中占有舉足輕重的地位，如果說國家圖書館是全國信息資源保障的最後一道屏障，那麼高校圖書館就是第二道屏障的主力。

---

❻⓪　同註❷。

❻①　同註㉙。

　　中等專業學校圖書館（簡稱中專圖書館）是介於高校圖書館和中小學圖書館之間的一種學校圖書館，其最顯著的特徵是職業技術性。在我國，中專圖書館大致分爲三類：(1)爲各部門培養專門人才的中專圖書館，如銀行學校圖書館、公安學校圖書館、衛生學校圖書館、水利學校圖書館等；(2)爲各類生產部門培養初級技術人員的技工學校圖書館，如機械學校圖書館、烹調學校圖書館等；(3)爲社會各行業培養受過基本訓練的專門人員的職業高中圖書館，如美術學校圖書館、外語學校圖書館等。中專圖書館的主要服務對象是教師、學生和教輔人員，收藏特色與所依附的行業或所面向的生產領域密切相關，收藏範圍涉及基礎科學、技術科學及與本專業有關的信息資源。中專圖書館的主要任務是爲教學和實踐服務，注重實驗、實習、技術實踐或生產實踐是中專教學的主要特色之一。在國外，中專相當於兩年制學院，「到70年代末，美國大約已有1,000所兩年制學院。人們常常把這些院校圖書館叫做學習資源中心。這種叫法反映了圖書館的性質和提供服務的形式。它們的館藏由書籍、期刊、電影片、錄像帶、圖片、模型、成套器材和實物教具所構成。與其它大學圖書館不同的是，兩年制學院圖書館服務往往比較著重非印刷資料。因爲這些學校常常是培養準備以後進入學士學位學習的學生，它們只能是起著各種學科的技術培訓中心的作用。所以它們常常被稱爲企業短期大學。」❷中專由於強調技術培訓，常常有忽視圖書館的傾向，這樣做不利於學生的全面發展。在我國，學者們乃至官方統計部門進行圖書館類型劃分和統計時，也時常忽略中專圖書館的存在，這一方面說明現有圖書館類

---

❷　同註❷。

型劃分不盡準確，另一方面也說明中專圖書館是一個薄弱環節，今後應加強發展。

　　中小學圖書館是最爲重要的圖書館類型之一，它常被譽爲中小學生的第二課堂。1980年聯合國教科文組織制訂的《中小學圖書館宣言》認爲，「中小學圖書館是保證學校對青少年和兒童進行卓有成效的教育的一項必不可少的事業，是保證學校取得教育成就的基本條件，也是整個圖書館事業的不可缺少的組成部分。」該宣言規定中小學圖書館工作的目標爲：(1)緊密配合學校的教學大綱，促進教育事業的發展與改革；(2)千方百計擴大圖書館資源與服務，爲學生提供獲取知識的途徑；(3)對學生進行基本技能的訓練，使他們掌握廣泛使用圖書館資源的能力；(4)引導學生養成終生利用圖書館的習慣，使圖書館成爲獲取知識和接受再教育的源泉。該宣言還強調中小學圖書館是圖書館網的一個組成部分，它們可以利用自身的資源爲整個學校的圖書館服務作出貢獻。㉓然而，中小學圖書館的主要服務對象依然是教師與學生，它們提供的服務既包括傳統的閱讀、參考諮詢、傳授圖書館知識等內容，也包括特有的和新增的教學輔助服務、新技術服務等內容。切尼克是這樣描述美國的中小學媒體中心的：「在今天的許多學校中，一個運行良好的圖書館媒體中心可能是整個學校最爲活躍的地方。孩子們可能是一個人到那裡去選擇書籍，利用計算機，看視盤，聽資料；也可能是整個班級去那裡學習如何利用媒體中心或爲他們的報告查找信息；還可能是若干小組的學生到那裡幫助製作幻燈片或爲班級活動錄製視盤。所有這些學生都會得到專業圖書館員、媒體專家、

㉓　同註⑪。

媒體技師或職員的幫助。這些活躍的媒體中心表明它們在現代教育體系中是多麼重要。」❻事實上，切尼克在此不僅說明了中小學圖書館的重要性，而且也描述了它是多麼美好：中小學圖書館同樣是人類理想的實踐。然而，我國中小學圖書館的發展卻不盡人意，展望未來，如何切實加強中小學圖書館的發展，爲廣大青少年的成長和成才提供豐富的信息資源和良好的信息環境，將是21世紀我國圖書館發展的又一戰略重點。

(三)專門圖書館

專門圖書館在各類圖書館之中是構成最爲複雜的一類，它實質上是多種行業圖書館的總稱。「專門圖書館有數千種，它們服務於歷史學會；報社；法律學校、法律事務所和州律師協會；聯邦、州、縣或自治市政府機構；航空公司；醫學院、醫院和醫學會；神學院、教堂和宗教組織；博物館；軍隊；監獄；各種學會（learned societies）；音樂組織；銀行、保險公司、廣告機構、出版社及其它商務機構；大大小小的工業等。」❻這些不同行業的圖書館之間很難說有什麼共同之處，它們之間的異質性非常大，它們只是在形式上有一個主要的共同點，即它們都是爲一個行業服務的專門化圖書館。

專門圖書館也稱「信息中心（information centers）」。在我國，科技情報（信息）機構也是一種專門圖書館，它們的名稱雖然不

---

❻　同註❷。

❻　同註❸。

同，但性質和內容都是一致的。專門圖書館主要具有三方面的特徵：「首先，它們的信息資源體系局限於一個『專門化的主題領域』；其次，它們收集信息資源和設計服務項目以支持和促進『母機構』的目標，而不像學校和大學圖書館那樣是爲了支持課程計畫；最後，它們關注的焦點是爲滿足母機構的用戶需求積極地尋找和提供信息，而不僅僅是獲取信息並將這些信息存儲起來。換言之，專門圖書館爲它們的用戶提供『專門的甚至是個別化的服務。』這三個特徵是任何專門圖書館或信息中心的關鍵要素，專門圖書館因此可定義爲『以專門的形式爲專門的用戶提供專門化主題領域的專門服務的圖書館』。」**❻❻** 然而，這些特徵依然是專門圖書館共同的外部特徵，就它們的服務內容而言，異質性還是主要的，服務內容的異質性決定了專門圖書館信息人員知識結構的異質性，「專門圖書館和信息中心人員的學科背景比之任何其它類型圖書館的信息人員都要變化多端。理想的情況是同時擁有圖書館和其它學科的專業知識。專業圖書館員或信息專家可能擁有圖書館學和其它專業兩個領域的學位，專門圖書館信息人員則可能包括學科專家和語言專家。」**❻❼** 專門圖書館對其信息人員的專門要求可視爲專門圖書館的第四個特徵。此外，與第三個特徵相關，專門圖書館更側重信息資源的開發與利用，它們所收藏的信息資源有限，它們不得不依靠館外資源來彌補收藏的不足，但正因爲這樣，專門圖書館的館際互借與合作才開展得最有成效，「據說，專業圖書館員最好的朋友就是當地的『專業圖書館指南』。專業圖書館之間的非

---

❻❻　同註**❷**。
❻❼　同註**❷**。

正式館際協作由來已久。通過更爲正式的館際互借，獲得會員資格、公司注冊、償付用戶費、加入各種圖書館協會和網絡等正式方式，利用公共圖書館、高校圖書館和研究圖書館的正式資料。它們還從研究機構、職業商會、專題研究專家和被稱爲『信息經紀人』的信息商業公司那裡獲取信息。」❻❽注重利用館外資源是專門圖書館的第五個特徵。總之，專門圖書館比其它類型圖書館更注重高層次的「情報服務」，它們一方面根據用戶請求提供參考服務和研究工作，另一方面還在預測用戶需求的基礎上提供「最新資料報導」和「情報定題服務（SDI）」，這些極富挑戰性的工作使專門圖書館本身成爲圖書館領域中最爲活躍的部分，成爲許多新觀念、新思想、新技術的發源地和首倡者，譬如情報、信息管理、「虛擬圖書館」等都是專門圖書館首先提出來或倡導實踐的。

「專業圖書館常常按學科分類，因爲它們規模不大，往往側重於某一學科或側重於構成某一領域的若干相關學科。」❻❾專門圖書館也常常依其母機構的性質來分類，因爲它們是母機構的一個單元，必然地具有母機構的性質。在此，結合我國專門圖書館的實際情況，以母機構的性質爲主要標準，專門圖書館可歸併爲科研機構圖書館、企業技術圖書館、政府部門圖書館、文化組織圖書館、社會團體圖書館、軍隊圖書館和宗教圖書館七大類。

科研機構圖書館是最爲重要的專門圖書館，國外的一些類型劃分常將它獨立列類，與專門圖書館、公共圖書館等相提並論。❼❶科研機

---

❻❽　同註❷❾。
❻❾　同註❷❾。
❼❶　同註❸❸。

構圖書館的服務對象主要是科研人員，他們外語水平一般較高，從事的多爲前沿和尖端課題，因而更多地需要外文資料和最新情報服務。與此相關，科研機構圖書館就需配備外語專家和學科情報專家，並需協助研究人員開展前期研究工作。在我國，科研機構圖書館又有一般科研系統和國防科研系統之分，前者主要包括中國科學院文獻情報中心、中國社會科學院文獻信息中心、中國農業科學院科技文獻信息中心、中國醫學科學院圖書館、全國地質圖書館等，後者主要包括國防科技信息中心資料館、軍事科學院軍事圖書館、軍事醫學科學院圖書館等。

　　企業技術圖書館是從屬於各類工商企業或公司的圖書館，它們不同於工會圖書館，後者更似社區圖書館。由於工業企業的主要目標是贏利，所以，企業技術圖書館必須從最大限度地提高企業效率的角度收集、組織和利用信息資源。「贏利的動機可能是工商企業圖書館構成中最具影響的因素」，❼它因而也是企業技術圖書館區別於其它類型圖書館的最主要特徵。在企業內部，技術圖書館往往歸R&D部門領導；80年代後，西方發達國家的企業在引進和應用現代信息技術的基礎上發展了信息資源管理思想，企業圖書館成爲整合的信息資源管理的一部分，它爲此面臨著重新定位的問題。

　　政府部門圖書館則是爲各級政府部門服務的圖書館，在我國又有黨政之分。黨務系統有中國共產黨的黨校系統圖書館和民主黨派的社會主義學院系統圖書館，政務系統有各部委和各級地方政府機構的圖書館。政府部門圖書館的主要服務對象是各類決策者及政府部門工作

---

❼　同註❷。

人員，它們除收集各類媒體資料外，還須著重收集相關的準確而翔實的事實材料和統計數據，並需做初步的分析和綜合。內參性和機密性是政府部門圖書館區別於其它類型圖書館的主要特徵之一。

文化組織圖書館主要包括各類大眾傳播機構、文化團體及博物館的圖書館。它們的主要服務對象是本組織的成員，收藏範圍除與母機構的目標相關的資料外，還著重收藏母機構生產、出版或傳播的各種媒體資料。我國著名的文化組織圖書館包括人民日報社圖書館、《求是》雜誌社圖書館、人民出版社圖書館、中華書局圖書館、商務印書館圖書館、中國歷史博物館圖書館、故宮博物院圖書館等。

社會團體圖書館主要包括各類學會和協會的圖書館，它們主要是爲學會或協會成員服務的，側重收集某一學科領域或與某一領域相關的幾個學科方面的信息資源。社會團體圖書館的規模一般都比較小。我國著名的社會團體圖書館有中國科學技術協會圖書館、中國國際貿易促進會圖書館、中國佛教學會圖書館等。

軍隊圖書館是爲中國人民解放軍幹部和戰士服務的文化設施，分別設在軍區、集團軍、師、團和連隊。在國外，公共圖書館有爲軍隊服務的義務，一些軍隊圖書館就是公共圖書館的分館。軍隊圖書館的任務是利用各種媒體資料來提高廣大指戰員和戰士的政治思想覺悟和文化水平，幫助他們掌握先進的軍事理論和現代化作戰技術，同時也豐富他們的文化生活。軍隊圖書館的服務方式強調群眾性，通過群眾性的媒體宣傳和利用活動，來爲幹部和戰士服務。軍隊圖書館在一些方面類似於社區圖書館，但因爲它不向當地居民開放，且主要用戶是幹部與戰士，故歸入專門圖書館。

宗教圖書館也是一種重要的圖書館類型。我國現有全國性愛國宗

教組織8個，其中的佛教、道教素有藏書的傳統，其它宗教組織爲了傳教或其它原因也都有大小不等的圖書館。宗教圖書館的服務對象主要是宗教徒和部分信徒，收藏對象仍以傳統的印刷媒體爲主，收藏範圍則嚴格地與宗教有關。宗教圖書館是宗教文化的重要組成部分。

第六章 人類需求的圖書館

第一節 人類信息需求的決定性

㈠人的需要與信息需求

　　需要是一切生命體的本能。生命體要生存下去，就會不斷地產生種種需要，如植物的生長就需要適當的熱量、水分、養分和良好的生態環境，如果這些需要得不到滿足，植物就會枯萎直至死亡。人也不例外，人的生存本身就意味著需要的存在，「我們還有一些生來就有的基本驅力──自衛的需要、對食物和飲料的需要、對性的需要，也許，還有對別人陪伴的需要。但是，我們滿足這些欲望的實際做法卻是從文化經驗中學來的。」❶這段話包含著三層意思：其一，人的某些需要（或欲望）是與生俱來的，所謂「食、色，性也」；其二，人的需要一般都可以還原為對物質、能量和社會的要求；其三，人的需要的實現是一個主動的複雜的過程，「不能靠本能行為來滿足人自己的需要，必須靠腦力勞動來創造性地滿足自己的需要。」❷也就是說，在需要產生和滿足的過程中，同時伴生著一個信息過程。

---

❶　伊恩·羅伯遜著，黃育馥譯，社會學（上冊），北京：商務印書館，1990.
　　73, 108～111。

❷　社會學概論編寫組，社會學概論，天津：天津人民出版社，1984. 56。

　　如前所述，人的需要一般都可以還原爲對物質、能量和社會的需要，但這些需要不是直接作用於物質、能量和社會的，由於存在信息與物質、能量的轉換關係，這些需要常常以信息需求的形式首先表現出來，於是，信息需求就逐漸成爲人們的本質需要與人們行動之間的中介物；當人的本質需要與人的信息需求的轉換及交互關係發展到一定階段時，信息需求也成爲人的一種基本需要，人們可以直接用信息來滿足自身的某些需要。以尋醫看病爲例，當人們的機體出現不協調時，他們就會產生治療的需要；但他們一般不會直接去尋找治病的藥草或到藥店買藥，他們的第一反應往往是找一位大夫，確診病情和病因，然後根據大夫的安排吃藥治病，在此，信息需求已成爲一種「中介物」；如果一個人就診的次數多了，就會明白一些病症是如何引起的、有什麼症狀、怎樣可以預防等道理，這時，他可能會買一些醫理、藥理及其它方面的醫學書籍，用以指導自己的日常行爲，以減少疾病發生的可能性，他甚至可能因此而成爲一名大夫，在此，信息已成爲滿足需要的「對象」。可見，人們的本質需要與人的信息需求是互相轉換的，在一定的條件下，它們還可以彼此替代。

　　人的需要不同於一般生命體（如動植物）的需要。人不僅有物質的需要，而且有高級的精神需要。「人與一般動物不同。動物爲了自己的生存，只有本能地獲取食物等的物質需要，而人是有意識有思想的高級動物，除了有衣、食、住等生存方面的物質需要之外，還要有文化生活、理想、榮譽等精神方面的需要。」❸人的需要是多方面

---

❸　蘇東水，管理心理學（修訂版），上海：復旦大學出版社，1992．122, 116, 119, 122～123。

的，是受一定的社會生活條件如社會制度、階級地位、職業、生活水平、工作與生活環境等的制約的。人的需要一般地也表現爲願望、意向、興趣、理想、信念等形式，這些需要形式都可以直接地轉化爲信息需求。據馬斯洛（A. H. Maslow）的研究，人的需要可以歸納爲五大類，它們互爲相關，若依其重要性和發生的先後次序，可以排成一個需要等級（見圖6-1）；❹人們一般是按照這個梯級從低級到高級地來追求各項需要的滿足，但在特定條件下，人們也可能越過較低級的需要而追求較高級的需要，如安於清貧、追求自我實現的知識分子就是特例。對照信息需求理論進行分析，前三級需求即生理需求、安全需求、感情和歸屬需求的滿足需要以「信息需求及其滿足」爲中介，後兩級需求即受人尊敬的需求和自我實現的需求的滿足則可直接通過「信息需求及其滿足」來實現。

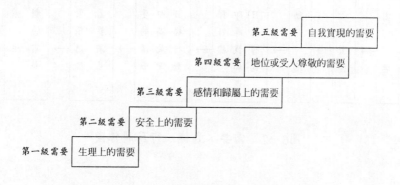

圖6-1　馬斯洛的需求等級模型❺

❹　孫耀君，西方管理思想史，太原：山西人民出版社，1987．306～308。
❺　同註❹。

　　人的需要是人的行爲的出發點。「當人們產生了某種欲望或需要時，心理就會產生不安和緊張的情緒，成爲一種內在的驅動力，心理學上稱之爲動機。有了動機就要尋找、選擇目標，即目標導向行動。當目標找到後，就進行滿足需要的活動，即目標行動。當行動告成，動機在需要不斷得到滿足的過程中而削弱。行爲結束了，需要滿足了，人的心理緊張消除了。然後又有新的需要發生，再引起第二個動機與行爲。這樣，周而復始，往復循環，直到人的生命終結爲止，這是人的動機與行爲的一個客觀規律。」（見圖6-2）❻聯繫這個規律來分析信息用戶，可以認爲，人皆有信息需求，但要把人的信息需求轉化爲實際的信息行爲，我們還須爲他們創造和提供條件，爭取使用戶的信息需求成爲其需要體系中的「優勢需要」。

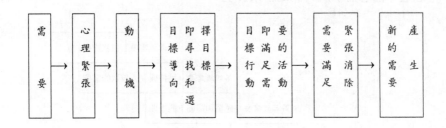

圖6-2　需要、動機、行爲關係圖

　　用戶的信息需求體現了人的需要，是由人的需要決定的，人的需要是一種客觀存在，「人們的一切活動都是爲了滿足自己的某種需

---

❻　同註❸。

要」，❼「人們通過每一個人追求他自己的、自覺期望的目的而創造自己的歷史。」❽可以說，人類的所有成就都是人類需要的產物，圖書館也不例外。「圖書館正是社會的這樣一種新生事物：當人類積累的知識大量增加以至於超過了人類大腦記憶的限度時，當口頭流傳無法將這些知識保留下來時，圖書館便應運而生了。」❾

(二)圖書館是人類信息需求的產物

人類的信息需求屬於一種次生的需要。馬克思（Karl Marx）和恩格斯（Friedrich Engels）在《德意志意識形態》一文中曾談到，「……我們應當確定一切人類生存的第一個前提，也就是一切歷史的第一個前提，這個前提就是：人們為了能夠創造歷史，必須能夠生活。但是為了生活首先就需要衣、食、住以及其它東西。因此第一個歷史活動就是生產滿足這些需要的資料，即生產物質生活本身。」❿換言之，人類對衣、食、住等物質資料的需要是最原始、最基本的需要，它們是與生俱來的，並貫穿人類生命的始終。但人與動物的區別就在於人往往不是直接地去滿足這些需要，人通過自己的勞動創造出滿足需要的對象，「世界不會滿足人，人決心以自己的行動來改變世界」（列寧語）。⓫而要改變世界，首先需要認識和了解世界，這就

---

❼　同註❸。
❽　馬克思，恩格斯，馬克思恩格斯選集，北京：人民出版社，1972．第4卷243～244頁，第1卷22頁，第4卷21頁，第1卷18頁，第3卷330頁。
❾　傑西・H・謝拉著，張沙麗譯，圖書館學引論，蘭州：蘭州大學出版社，1986．1～56。
❿　同註❸。
⓫　同註❸。

涉及信息的問題。

所謂信息，最一般地理解，就是事物運動的狀態與方式。對於原始人類來說，他們需要掌握的信息很多：為了吃飽肚子，他們需要了解各種植物的性狀，首先是有沒有毒，我國遠古時期「神農嘗百草」的故事就與此有關；為了在植物枯萎死亡的冬季有必要的食物來源，他們需要了解動物的馴化和飼養問題，需要聯合起來對付大型的猛獸，據推測，語言就是在合作勞動的過程中產生的；為了在部落內部合理地分配產品和在部落之間公平地交換產品，他們需要掌握事物的數量特徵和計算方法，「結繩記事」就是這樣出現的；……。但總的來說，原始人在勞動中創造的信息（實質上是信息資源）是有限的，靠他們的記憶基本上能夠滿足同樣有限的信息需求。

到原始社會後期，信息積累已達到一個小的極限，靠每個個人分別的記憶已不能夠滿足部落成員特別是部落首領和神職人員的信息需求，這時，一些部落的做法是在部落成員中尋找記憶力最強的人，由他們專司「記憶」，保存部落的起源、資源、疾病診治及其它方面的重要信息。美國現代小說《根》中就生動地描寫了一個非洲原始部落中的「先知」，他的任務是專門記誦部落的重要事件，並在合適的時候選擇合適的接班人以承繼這種記憶。事實上，古代的許多神話傳說都是通過「記憶」的方式世代相傳和保存下來的。

然而，人的記憶能力畢竟是有限的。據現代腦科學研究發現，人類在接受信息和貯存信息方面具有巨大的潛在潛力，但是人類對大腦的利用與開發卻是非常有限的。人的大腦有150億個神經元，可存貯信息10^{12}比特，相當於1,000萬億個信息單位。但人類能開發與利用的只是其中的一小部分，因為：(1)大腦感知信息和信息編碼的生理機

制仍是一個未解開的謎；(2)人類感知信息的通道狹窄，約80％以上的信息是通過眼睛感知的，但人的眼睛每分鐘只能讀幾百個詞，而且單位時間內輸入的信息太多，會造成「信息超載」，人的記憶能力也會下降；(3)人類感知和記憶信息受環境和情緒等因素的影響，效果不太穩定；(4)記憶具有不確定性，隨著時間的推移，記憶的信息就會模糊、消失和遺忘，記憶曲線表明，一定量的信息輸入大腦，1小時後將消失50％，1天以後僅能保存30％左右。⓬爲此，人類不得不到體外去尋找信息存貯的方式與裝置。

據現有資料，最早的文字出現於公元前三千年左右的兩河流域，恩格斯對文字的產生給予了高度的評價，「（人類社會）由於文字的發明及其應用於文獻記錄而過渡到文明時代。」⓭事實上，文字必然是與文獻聯繫在一起的，有了文字也一定會產生文獻，而文字和文獻正是人類體外信息存貯的最重要的第一媒介和第二媒介。回過頭來分析，當原始部落任用專人司職「部落記憶」時，他們所需要的已不是零散的信息，相反，他們需要有關部落及其環境的系統的信息，這些人類早期的「先知」因此也就是「活的圖書館」。此後，由於信息積累的激增，人類記憶不勝負荷，唯一的出路就是尋找體外存貯方式，文字因而產生了，以文字爲中介的文獻也順理成章地成爲人類記憶的物化形式。

文字和文獻的產生是圖書館出現的必要前提，但卻不是充分必要

⓬ 黃宗忠，圖書館學導論，武漢：武漢大學出版社，1988.180。

⓭ 同註❽。

前提。文獻產生後，還有一個量的積累過程，以及與之相伴的信息資源體系化需求的形成過程。我們知道，信息的主要作用是消除不確定性。當早期人類在生產實踐和社會生活中遇到疑難問題時，他們最直接的途徑是諮詢先知；先知們爲了滿足王宮貴族和其他社會成員的需求，僅靠記憶是不夠的，他們通常要將了解到的信息記錄在文獻上；文獻積累得多了，爲了迅速找到所需的信息，就要對這些文獻加以整理，這樣就形成了原始的文獻收藏體系或信息資源體系，而這個體系又是與當時的社會信息需求體系相對應的。據考古發現，古埃及有一座以「紙草房」而聞名的圖書館，「在這個建築的一面墻上刻著該館館藏目錄，共分爲兩部分：一邊是12箱圖書資料的內容，涉及各門學科，包括有關國家的行政管理和職能方面的著作；另一邊是22箱圖書資料的內容，都是關於魔術、神話方面的書籍以及當時被認爲是醫學和科學方面的著作，例如如何驅逐塞特這個黑暗與爭吵之神；占星術；怎樣驅走鱷魚；怎樣防爬蟲和蛇咬以及其它各種神秘莫測的書籍。」⑭可以看出，這樣一個藏書體系基本上覆蓋了當時社會上主要的信息用戶──王室統治者和神職人員──的信息需求，它也從一個側面證實了圖書館是信息需求的產物，證實了人類信息需求對圖書館的決定性。

準確地說，圖書館是體系化信息需求的產物。當人類所創造的信息資源積累到產生了先知這一角色時，人類的體系化信息需求已然形成。但人類記憶能力的局限性注定先知只是一種歷史現象，隨著文字和文獻的出現，以文獻體系（體外信息資源體系）爲內核的圖書館取代

⑭　同註⑨。

了先知的位置。圖書館的興起一方面順應了人類的體系化信息需求，另一方面又激發了這種需求：圖書館的命運將緊密地與這種需求聯繫在一起。

㈢人類信息需求決定著圖書館的生存與發展

簡略地回顧一下圖書館的歷史，可以發現，人類信息需求從多方面規定著圖書館的生存與發展：

首先，人類信息需求決定著圖書館的生存本身。如前所述，早期圖書館之所以產生是因爲出現了以精神生活爲主業的神職人員及與此關係密切的王室統治者，他們的信息需求規定著早期圖書館的存在；謝拉在其《圖書館學引論》中提到古埃及有一所圖書館，該館正門上方刻著「醫治靈魂的良藥」字樣，[15] 這鮮明地表達了早期圖書館存在的依據。亞歷山大圖書館的命運則從反面證實了人類信息需求與圖書館存在的關係，據傳說，公元7世紀回教徒侵入埃及時，針對亞歷山大圖書館的存廢問題，曾做了一個以「非周延中項」而聞名的三段論推理：[16]

亞歷山大圖書館如藏有與可蘭經相敵對的書籍，則該館應予焚毀；

亞歷山大圖書館如藏有與可蘭經教義相一致的書籍，則這些書籍毫無必要，應予焚毀；

---

[15]　同註❾。
[16]　同註❾。

亞歷山大圖書館的藏書或者與可蘭經相敵對，或者與可蘭經相一致；

故亞歷山大圖書館應予焚毀。

上述推理顯然忽略了「與可蘭經既非敵對也非一致」的那部分藏書，其實，這個推理根本就是沒必要的，最深層的原因乃是新崛起的回教徒還未形成較普遍的信息需求。在我國，20世紀80年代前期留給圖書館人的永遠是美好的回憶，當時，「爲中華崛起而讀書」的風潮喚醒了千千萬萬中華兒女的求知欲，圖書館一時之間門庭若市，圖書館員的地位急速上升，圖書館事業呈現出蓬勃發展的態勢；這是人類信息需求決定圖書館存在的又一事例。圖書館是與人類信息需求共存亡的，從某種意義上說，圖書館就是人類信息需求體系的物化形式，哪裡存在體系化的信息需求，哪裡就會出現圖書館。

其次，人類信息需求決定圖書館的內容。圖書館收藏和提供哪些信息資源，歸根到底是由人類信息需求決定的。前面提到的古埃及「紙草房」圖書館的藏書所反映的是神職人員和王室統治者的信息需求。中世紀的修道院圖書館藏書所反映的則是基督教教徒的信息需求，「藏書主要是基督教經文，個別兼收少量希臘、羅馬作品。」❼18世紀上半葉，美國大政治家、大科學家富蘭克林（Benjamin Franklin）創建的會員圖書館的藏書又有不同，據該館1741年編制的一份目錄，其自行購買的291種書按類別統計情況如下：歷史91種，文學55種，自然科學51種，哲學28種，神學25種，社會科學21種，其

---

❼ 圖書館學百科全書編委會，圖書館學百科全書，北京：中國大百科全書出版社，1993.586。

它20種；這份統計表反映了美國獨立戰爭（1775～1783）前殖民地資產
階級知識分子的信息需求。⓲而被譽爲「21世紀圖書館樣板」的美國
紐約「科學、工業和商業圖書館」（紐約公共圖書館的四大研究圖書館之
一）的藏書則反映了現代美國大都市用戶群體的信息需求，該館藏書
範圍涉及：(1)源於網絡化CD-ROMs、聯機服務和因特網的商業
和科學資源；(2)內容豐富的美國和他國政府文獻、專利、地方法律、
紐約市信息以及人口統計方面的信息資源；(3)廣泛的國際貿易和商業
資源；(4)支持商業發展的應用科學和技術資源；(5)美國和外國的工業
指南及購買者指南（buyers' guides）；(5)美國和外國的各種形式
（包括縮微型和電子版）的公司年報；(6)財務信息服務；(7)手冊和參考
書；等等。⓳圖書館是人類信息需求體系的物化形式，由於不同用戶
群體的信息需求體系各不相同，圖書館信息資源體系的內容也各具特
色。

　　第三，人類信息需求決定圖書館的類型。在比較世界圖書館發展
史的時候，我們發現，雖然早期圖書館是分別地在幾個文明古國發展
起來的，但它們卻具有驚人的一致性：它們都是爲神職人員和王室統
治者服務的，因而都是一種兼具圖書館和檔案館功能的寺院圖書館或
王室圖書館。到公元前5世紀左右，古希臘的雅典和我國戰國時期的
各諸侯國相繼出現了私人藏書，這與當時較爲寬鬆的政治環境所造就
的一批著名學者的信息需求有關，如古希臘亞里士多德的藏書和我國

⓲　楊威理·西方圖書館史，北京：商務印書館，1988．187，42～68，69～76，
　　145。

⓳　資源來源於http//www.hypl.org（科學、工業和商業圖書館的homep-
　　age）。

戰國時期墨子的藏書在當時都是顯赫一時的。⑳㉑公元4～5世紀，我國（南北朝）開始出現佛教寺院藏書和道觀藏書，歐洲則出現基督教寺院圖書館，這是與當時宗教的流行及宗教徒的信息需求相呼應的。㉒㉓10～13世紀，我國（宋代）和歐洲差不多同時出現了書院圖書館和早期的大學圖書館，這些圖書館是爲當時的科舉考試（書院）和學術研究（早期大學）服務的。㉔㉕若不考慮宗教圖書館，狹義的專門圖書館是從16世紀開始出現的，它體現了社會分工日益細密的專業團體的信息需求，如1497年成立的倫敦法律團體的林肯學院圖書館和1735年德國漢堡的商業圖書館等都是如此。㉖公共圖書館則是在社會各階層成員的信息需求普遍趨熱的情況下於19世紀中葉在英美等國家首先出現的。可見，一部圖書館發展史，也是一部人類信息需求演變史。

　　第四，人類信息需求決定著圖書館的分布。如前所述，圖書館的分布服從集聚效應和擴散效應，在圖書館史上，凡是圖書館集聚的區域必是知識分子集中的區域，是信息需求密集的區域；我們一般將特定時期圖書館最爲集中的區域稱爲圖書館的生長點。下面是歷史上圖

---

⑳　謝灼華，中國圖書和圖書館史，武漢：武漢大學出版社，1987．29～31, 75
　　～80, 163～165。
㉑　同註⑱。
㉒　同註⑳。
㉓　同註⑱。
㉔　同註⑳。
㉕　同註⑱。
㉖　同註⑱。

書館生長點的轉移情況：古巴比倫→古埃及→亞述帝國→古希臘→古羅馬→中世紀的中東（巴格達等地）→文藝復興時期的意大利→16～18世紀的法國和德國→19世紀的英國→20世紀的美國、俄羅斯（包括前蘇聯）、北歐諸國和日本。粗略地看，圖書館生長點的轉移路徑與科學中心的轉移路徑是極其相似的，這是偶合還是有某種內在關聯？無疑，答案是後一種，圖書館實質上最直接地與學術研究聯繫在一起的，學者和學術研究集中的區域必然會形成新的圖書館生長點。

　　人類信息需求還直接或間接地決定著圖書館的性質（為科學服務還是為大眾服務？）、功能（可參見表5-1）、館員的知識結構、藏書的排列和書庫的劃分、館址的選擇等多個方面。對於圖書館而言，只有順應人類的信息需求並隨之動態發展，才能夠生存下去並獲得發展。當然，圖書館也不是完全被動的，作為人類信息需求的物化形式，圖書館本身具有激發用戶信息需求的功能，圖書館工作開展得好或差也對用戶信息需求具有促進或制約的作用；有鑒於此，圖書館應積極地探索用戶信息需求及其規律性，以期全面調動用戶的信息需求，並因而帶動圖書館的發展。

第二節　用戶信息需求的規律性

(一)用戶信息需求綜論

　　用戶信息需求研究的重點是需求的決定因素及其發展變化的規律性。圖書館的信息用戶可以簡略地分為個體用戶和群體用戶兩大類，一般而言，圖書館是為群體用戶服務的；雖然從形式上看圖書館的服

務對象多爲個體用戶，但這些個體用戶彼此之間都有這樣那樣的聯繫或共同的「歸屬感」，這種歸屬感使群體內部成員彼此認同，並使成員與非成員有所區別。譬如，作爲「中國科學院文獻情報中心」的主要用戶，科學院的各類研究人員、研究生和行政管理人員彼此有著強烈的認同感（即「我們感」），他們會認爲「這是我們的文獻情報中心」，因而他們感到自己有權要求文獻情報中心考慮自己的信息需求並提供相應的服務；而外單位的用戶雖然也可以利用文獻情報中心的信息資源，但卻不會產生「歸屬感」，因而也就不會提出進一步的要求。這也就是說，在分析用戶的信息需求之前，圖書館首先應該確定自己所服務的用戶群體的範圍，從而區別「法定用戶」和「社會用戶」。

圖書館需要掌握的主要是「法定用戶」的信息需求，這是圖書館信息資源體系形成和發展的主要依據。所謂法定用戶，是指對圖書館的財政資源做出貢獻的個人或組織，或根據某項法律或規定屬於圖書館服務範圍的個人或組織。對於行業圖書館而言，法定用戶也就是特定行業組織的成員；對於社區圖書館而言，法定用戶則是特定社區的全體居民；對於公共圖書館而言，法定用戶的確定稍爲困難，從理論上來說，特定行政區劃內的所有居民均是法定用戶，但在實際操作過程中，應以前述重點用戶爲主要的服務對象，而將其他用戶類同於「社會用戶」進行處理。

圖書館是爲群體用戶服務的，但任何一個群體都是由分別的個體用戶所組成的，爲此，對個體用戶信息需求的分析就構成了圖書館用戶服務的基礎與核心。我們認爲，可以從兩種角度來剖析個體用戶的信息需求：從靜態的角色分析，特定時期個體用戶的信息需求是由他

（或她）所扮演的多種社會角色所決定的；從動態的角度分析，不同年齡階段個體用戶的信息需求的結構和重點是不同的；綜合靜態分析和動態分析，就可形成個體用戶信息需求的規律性認識。

然而，群體用戶的信息需求決不是個體用戶信息需求的加和，作爲一個群體尤其是一個正式的組織，群體用戶的信息需求是個體用戶信息需求「整合」的結果，整合意味著質變。這是因爲，當我們面對著作爲個體的社會成員時，我們是將他作爲一個有個性的人來看待，他的信息需求是全面的；當我們面對著作爲群體的社會成員時，我們是將個體成員作爲群體中的一個角色來看待的，他的信息需求取決於他所處的職位，而這只是他所承擔的社會角色之一，因而是片面的和不完整的。科學地分析群體用戶的信息需求，我們需要引入群體目標、群體界限、群體內部活動、群體職業結構和群體規模等參照系，需要區分重點用戶和一般用戶、重點需求和一般需求、戰略需求和時尚需求，而這也就是群體用戶信息需求的規律性。

㈡個體用戶的信息需求及其規律性

個體用戶信息需求的多樣性是由他所承擔的社會角色的多樣性所決定的。「社會角色是指與人們的某種社會地位、身份相一致的一整套權利、義務的規範與行動模式，它是人們對具有特定身份的人的行爲期望，它構成社會群體或組織的基礎。」[27]社會角色依其獲得的方式可分爲先賦角色和自致角色兩大類：先賦角色是指建立在血緣、遺傳等先天的或生理的因素基礎上的社會角色，如性別角色、種族角

<hr>

[27]　鄭杭生，社會學概論新編，北京：中國人民大學出版社，1987. 105～219。

色、民族角色、家庭出身角色等都屬於先賦角色;自致角色是指主要
通過個人的活動與努力而獲得的角色,如職務角色、職稱角色、學歷
角色、榮譽角色等就是自致角色。倡導社會成員追求自致角色有利於
促進社會的進步。

　　在社會生活中,任何人都不可能僅僅承擔某一種社會角色,而總
是承擔著多種社會角色,這些社會角色又總是與更多的社會角色相聯
繫,所有這些社會角色就構成了一個「角色叢」。譬如,一位女醫
生,在家庭裡,對丈夫而言她是妻子,對兒子她是母親,對母親她是
女兒;在醫院裡,她可能同時承擔著內科醫生、科主任、工會會員、
學術團體成員、先進工作者、黨員等多種角色;在日常生活中,在商
店裡她是顧客,在汽車上她是乘客,對老同學她是朋友,對同一樓居
住的人她是鄰居,對報社她是訂戶或投稿的作者;此外,在國家生活
中,她還是公民、市民、選民等等。集於這位女醫生身上的角色叢現象
在任何人身上都存在,所不同者僅在於角色的數量多少而已。對於角
色叢中的每一種角色,承擔者都需要相應的知識或信息才能勝任,這
正是信息需求產生的動因。換個角度來分析,社會個體所承擔的每一
種角色都是與他的某一特徵相對應的,一個人具有多少特徵也就擁有
多少種社會角色;我們大體可以把社會個體的特徵分為個人特徵、組
織特徵和社會特徵三部分,它們作為整體決定著一個人的信息需求。

　　個體用戶的個人特徵反映用戶生理的、社會的特殊性和多樣性,
又可分為個人自然特徵和個人社會特徵:自然特徵是指用戶與生俱來
的特徵,包括性別、年齡、血型、膚色、體質、種族等,它們決定著
用戶信息需求的類型和範圍,如女性對時裝的偏愛、兒童的好奇及黃
種人的「中國情結」都會直接影響他們各自的信息需求;社會特徵是

指用戶後天發展的特徵，包括興趣、愛好、家庭、宗教、學歷、職稱、榮譽稱號等，它們決定著用戶信息需求的性質與數量，如集郵愛好、佛教信徒、博士、教授等特徵對用戶的信息需求都起著制約或促進的作用。個體用戶的組織特徵反映用戶所從屬的社會組織的數量及其性質，這些組織大致可分為三類：個體用戶所從屬的的職業組織對其信息需求具有決定的意義，職業組織的目標及個體用戶在組織中所處的位置直接決定著個體用戶的主要信息需求；個人所參加的業餘組織主要從多個側面展現個體用戶的個性，從而刺激用戶多方面的信息需求；個體用戶所歸屬的社區組織則從環境資源、文化傳統、街坊鄰里等方面規定著用戶的信息需求，這亦是職業信息需求的補充。個體用戶的社會特徵從宏觀上反映用戶所處的時代背景和社會環境，包括社會制度、經濟結構、科技水平、教育普及程度、民族文化等，它們也是個體用戶信息需求的共同特徵。

　　個體用戶的信息需求結構包括個人信息需求、組織信息需求和社會信息需求三部分，其中，一般以組織信息需求中的職業信息需求為主體；這是個體用戶信息需求的一般模式，具體到個體用戶生命的不同時期，這個模式又有不同。社會學一般將人的一生劃分6個階段，每個階段各有其主要的發展任務（見表6-1）：❷⓼

　　對照表6-1來分析個體用戶信息需求的一般模式，可以發現，這個模式只適用於青春期、壯年初期和中年期，兒童期、少年期和老年期由於沒有「職業組織」這一主體因素，信息需求結構呈現出多中心的態勢；譬如，少年兒童既要學功課、又要上各種業餘班、還要顧及

---

❷⓼　同註❷⓻。

表6-1　人生的六個階段及其發展任務㉙

幼兒期	(1)學習走路， (2)學習吃固體食物， (3)學習說話， (4)學習大小便的方法， (5)懂得脾氣的好壞，學習控制自己的脾氣，	(6)獲得生理上的安定， (7)形成有關社會與事物的簡單概念， (8)與父母、兄弟姐妹及他人建立情感， (9)學習區分善惡，
兒童期	(1)學習一般性遊戲中必要的動作技能， (2)培養對於自身有機體的健康的態度， (3)和同伴建立良好的關系， (4)學習男孩或女孩角色、標准， (5)發展讀、寫、算的能力，	(6)發展日常生活必要的概念， (7)發展道德性價值判斷， (8)發展人格的獨立性， (9)發展對於社會各個單位及團體的態度，
青春期	(1)學習與同齡男女的新的交際， (2)學習男性與女性的社會角色， (3)認識自己的生理結構，有效保護自己的機體， (4)從父母和其他成人那裏獨立地體驗情緒， (5)有信心實現經濟獨立，，	(6)准備選擇職業， (7)做結婚與組織家庭的准備， (8)發展做爲一個市民的必要的知識和態度， (9)追求並實現具有社會性質的行爲， (10)學習做爲行爲指南的價值與倫理體系，
壯年初期	(1)選擇配偶， (2)學習與配偶一起生活， (3)家庭中添了第一個孩子， (4)教養孩子，	(5)管理家庭， (6)就職， (7)擔負起市民的責任， (8)尋找合適的社會團體，
中年期	(1)形成作爲市民的社會責任， (2)建立一定的經濟生活水平，並維護這種水平， (3)幫助十幾歲的孩子成爲一個能被人信賴的幸福的成人，	(4)充實成人的業餘生活， (5)接受並適應中年期生理方面的變化， (6)照顧年老的雙親，
老年期	(1)適應體力與健康的衰退， (2)適應退休和收入的減少， (3)適應配偶的死亡，	(4)與自己年齡相近的人建立快活而親密的關係， (5)承擔市民的社會義務， (6)對於物質生活方面的要求降低，

㉙　同注㉗。

自己的種種興趣；老年人除懷戀自己的職業生涯外，還能夠自如地做一些從前想做而未能做的事情，社區組織成爲主要的歸屬。總之，人生不同階段的發展任務有別，與此相關的信息需求也不相同。

　　個體用戶的信息需求是多種因素的綜合產物，當我們進行研究時，應將上述多種特徵所激發的信息需求圍繞特定人生階段的主要發展任務疊加起來，以形成有主有次、綜合全面的用戶信息需求體系。同時，還應將若干個體用戶的信息需求體系加以比較研究，這樣就可以尋找一些共同規律。一般而言，個體用戶信息需求及其變化的規律性包括五個方面：❸

　　一是用戶信息需求的全面性。如前所述，每個個體用戶都具有個人的、組織的、社會的多方面特徵，而每一個特徵都能夠激發相應的信息需求，若條件允可，人們會將每一特徵所激發的信息需求都轉化爲實際的信息行爲；俗話說，「人無完人，金無足赤」，但在人們的潛意識中，誰都希望自己成爲一個完人。譬如，愛因斯坦以相對論和自然哲學思想享譽全球，但他引以自豪的卻是自己的小提琴技能；當代中國的家長們則不僅希望自己的孩子學習成績優良，而且還不惜代價送自己的孩子上音樂舞蹈班、書法繪畫班、游泳田徑班、武術健美班、電腦網絡班等，其用意無非是希望自己的孩子能夠全面發展。可見，個體用戶信息需求的全面性是客觀存在的，但一個具體的圖書館不能也無能滿足全面性要求，這種要求應通過圖書館網來滿足。

　　二是用戶信息需求的集中性。用戶具有多方面的生理、心理和社會特徵，但並非這些特徵都是同等重要的，通常，只有當某一特徵或

---

❸　孟廣均等，信息資源管理導論，北京：科學出版社，1998，224～226。

某些特徵在經常性的人際互動和社會活動中形成相對穩定的社會關係時，它們才能在用戶信息需求方面起到經常性和決定性的作用。我們認爲，由血緣關係決定的家庭、性別、年齡等特徵，由地緣關係決定的地域環境、風俗習慣、價值取向、鄉親鄰里群體等特徵，由業緣關係所決定的職業、職位、職稱等特徵，以及由上述三種關係綜合決定的興趣、愛好、朋友群體等特徵，共同構成了用戶信息需求最主要的決定因素，它們充分體現了個體用戶信息需求的集中性。

三是用戶信息需求的疊加性。這是用戶信息需求在空間特性方面所展示的規律性。每個用戶都生活在特定的空間之中，其生長的空間稱爲「故鄉」，其求學、服役或工作的空間稱爲「第二故鄉」，其旅遊、探索、參加學術會議、公差所及的空間可稱爲「緣鄉」（有緣之鄉），而所有這些空間及與這些空間有關的人物疊加起來，我們稱之爲「生命空間」；一個用戶的生命空間對其信息需求有重要的影響。譬如，當人們遠離故鄉時，廣播、電視或報紙上任何有關故鄉的報導都會引起他們的極大關注，有時，這種信息需求強烈到足以在同鄉人聚居區辦一份報紙來傳遞有關信息，如美國一些華裔聚居區就有中文報紙。生命空間也可以理解爲人們的經驗、知識、觀念及思想等的疊加，這些經驗、知識等本身是信息需求的產物，但它們作爲一種存在同時又是新的信息需求產生的源泉。

四是用戶信息需求的節律性。這是用戶信息需求在時間維度上所呈現的規律性。人的生命是一個單向的不可逆過程，該過程呈現出強烈的階段性；從大的方面講，該過程可分爲表6－1中的6個階段；僅就青年期而言，又可分爲中學階段、大學階段和研究生階段；就大學階段而言，又可分爲一年級、二年級、三年級、四年級四個階段；就

每一年級而言,又可分爲兩個學期,而每個學期又有升學、上課、考試、放假等階段劃分,……人的生命過程還可做進一步細分,這種生命的節律性運動現象我們稱之爲「生命周期」,這是影響個體用戶信息需求的又一重要因素。在表6-1中,個體用戶在人生的每一階段都面臨著不同的發展任務,這些任務就是信息需求產生的強有力的刺激源。

五是用戶信息需求的馬太效應。這是指用戶信息需求及其累積信息量之間的相關性。由於經歷、學歷、職業活動等方面的關係,個體用戶所累積的信息量是不等的,有時差距甚至很大。一般而言,信息需求量大的用戶,隨著時間的推移,其累積的信息量越多,其信息需求也愈來愈高於平均水平;而信息需求量小的用戶,隨著時間的推移,其累積的信息總量出現停滯的態勢,其信息需求量也因而愈來愈低於平均水平,這就是用戶信息需求的馬太效應。譬如,科學家、教授、決策者等爲了生產信息資源需要不斷地搜集和累積信息,這樣就不斷地衍生出新的思想與成果,因而也不斷地激發出新的信息需求;而一些坐辦公室的大學生,滿足於一張報紙一杯茶的工作方式,久而久之,思想僵化,也就不會有新的信息需求再生了。

㈢群體用戶的信息需求及其規律性

群體用戶與個體用戶的區別在於:當我們考察個體用戶時,我們是將他看作一個全面發展的人,我們會盡量考慮他所處的多方面的社會關係以及由此決定的全方位的信息需求;而當我們考察群體用戶時,我們是將群體視作一組相互依存的角色體系,每個個體用戶在其中一般只承擔一種特定的角色,我們考慮的主要是與這一角色有關的

信息需求，譬如，醫院這一社會組織（或群體）是由醫生、護士、化驗員、衛生員、司藥員、病人等角色構成的，儘管前述那位女醫生在社會生活中承擔著多種角色，但醫院圖書館在建立信息資源體系時通常只會考慮她作爲醫生的信息需求。「所謂社會群體，指人們通過一定的社會互動或關係而結合起來進行共同活動的集體。」❸社會群體一般具有明確的成員關係，一致的群體意識、持續的互動關係和一致行動的能力等特徵，社會群體又有初級群體和次級群體之分。

　　初級群體又稱首屬群體，是建立在直接的、親密的、個人化的相互作用基礎上的社會群體，主要包括家庭、鄰里、村社、親戚、朋友和同齡群體（peer　groups），這些群體通常都是社區圖書館的服務對象。初級群體具有以下特徵：規模小；有直接的、經常的、長期的、面對面的互動關係；其成員之間具有多重角色，表現了全部人格，成員之間有感情的交流；成員的難以替代性（相對於次級群體職位結構中角色的可置換性而言）；靠非正式的控制（如風俗、習慣、倫理道德等）來維持。與這些特徵相關，初級群體在社會生活中發揮著以下重要功能：⑴承擔著社會化的任務，也就是說，承擔著使初級群體成員適應社會生活的任務；⑵滿足人們的感情需要；⑶實現社會控制，具體而言，初級群體通過幫助成員確立在一個社會中占主導地位的那些思想、價值觀和行爲規範，而間接地達到實現社會控制的目的。❸初級群體的特徵和功能決定了其成員的信息需求，從而也決定了社區圖書館的服務方向和內容。展開講，社區圖書館應做到：⑴爲社區居民

---

❸　同註❷。

❸　同註❷。

的生活服務，基本上不考慮他們的職業信息需求；(2)促進社區居民個性的形成與發展，引導他們追求自我的全面發展；(3)通過信息資源的選擇和傳播，幫助社區居民樹立正確的價值觀，學習和遵守各種社會規範，自覺地運用合法的手段來追求正當的目標；(4)協助社區居民掌握生活技能，勝任各種社會角色，承擔相應的權利和義務；(5)強化與社區居民的經常性、面對面的互動關係，營造一種親和溫馨的氣氛，使社區圖書館成為社區居民「感情的港灣」。

次級群體又稱次屬群體，也就是狹義的社會組織，「是人們為了有效地達到特定目標而建立的一種共同活動群體。它有著清楚的界線，內部實行明確的分工，並確立了旨在協調成員活動的正式關係結構。」㉝展開來講，社會組織具有以下特徵：(1)社會組織成員之間的互動具有片面性和間接性，他們彼此之間存在著依附於職位的、先於互動的角色關係，同時還具有個性差異大、異質性強的特點；(2)具有特定的、明確的目標和宗旨；(3)具有清楚的組織邊界，社會成員只有符合一定條件，履行一定手續，才能成為組織成員；(4)具有發達的內部分工體系，組織成員往往長期從事某項具體工作，由於任務的簡化、目標的狹窄以及活動的重複性而造成了專業化，這種專業化常常能夠獲得較高的工作效率；(5)存在著正式的、穩定的職位結構，它既可以保證組織整體功能的發揮，也可以保證組織活動不受人事變動、成員個性等不確定因素的影響；(6)規模一般比較大，如特大型企業可以擁有數十萬職工；等等。㉞狹義的社會組織實質上也就是職業化組

㉝　同註㉗。
㉞　同註❶。

織，這些組織是行業圖書館的服務對象。

在上述組織特徵中，決定組織成員信息需求的主要因素包括：(1)組織目標。組織目標是組織爭取達到的一種未來狀態，是開展各項組織活動的依據和動力，它直接規定著組織的整體需求並從而規定著每一個組織成員的信息需求，它是行業圖書館建立信息資源體系的最主要的依據之一；(2)組織活動。組織活動是組織在社會分工體系中所承擔的作爲職業的專門化活動，如教育、金融、交通運輸等，它是組織目標的展開和實現過程，它規定著組織的邊界，決定著組織及組織成員的信息需求，是影響行業圖書館運行的又一重要因素；(3)組織結構。也稱組織的正式結構，是組織內部各個職業、各個部門之間正式確定的、比較穩定的相互關係形式，包括職位結構和部門結構兩部分，它們限制了特定組織成員的信息要求，爲行業圖書館的區別服務提供了依據；(4)組織環境。組織環境是組織界線以外一切影響組織活動的因素，又有一般環境和具體環境之分，一般環境是指自然地理環境、社會生產力水平、所有制狀況、社會政治制度、社會意識形態和價值觀念、文化傳統、教育水平、社會分工狀況等因素，具體環境則指與組織輸入有關的資源狀況、接受組織輸出的環境需求和環境承受力、組織外部的競爭對手和協作夥伴、以及與社會組織活動有關的具體政策、法規等外部干涉力量，這些因素從宏觀方面規定著社會組織的信息需求，並從而對行業圖書館的情報功能提出了更高的要求。

從社會的角度分析，每個社會如要生存下去並向它的成員提供一種令人滿意的生活，就必須滿足某些基本的社會需要；譬如，必須撫養和照顧兒童；文化知識必須世世代代傳下去；必須共同遵守和支持重要的社會價值標準；必須維持社會秩序；必須生產商品和服務；等

等。而爲了解決這些反覆出現的問題，社會成員創造了種種思想和行爲模式，這就是制度。「制度是穩定地組合在一起的一套價值標準、規範、地位、角色和群體，它是圍繞著一種基本的社會需求而形成的。」❸社會制度有許多種，表6－2列舉的僅是其中的一部分。我們認爲，公共圖書館本身就是一種社會制度，一方面，它的存在是爲了滿足人類文化知識世世代代傳遞下去的社會需要，另一方面，它的存在又是所有其它社會需要實現和滿足的信息保證。從理論上來說，公共圖書館應爲所有社會群體和社會個體服務，但在實際操作中，它主要是爲政治制度、經濟制度、法律制度以及教科文制度服務的，表6－2中各類社會制度及相應社會群體的社會需求、基本價值觀、主導規範、有關的地位與角色等因素有利於公共圖書館及其它圖書館進行用戶信息需求分析並提供高質量的服務。

群體用戶的信息需求不同於個體用戶的信息需求，由於特定社會組織所從事的社會活動的內容及其所處的社會自然環境不同，由於特定社會組織的目標不同，由於特定成員在社會組織結構中的位置不同，這些組織及其成員的信息需求也不相同。概括地講，群體用戶信息需求分析應注意區分以下幾種規律性現象：

首先，某些行業比其它行業更需要信息的支持。一般而言，以知識、信息的生產、研究、加工、組織、傳播、再生和利用爲主幹活動的行業，更傾向於依賴圖書館的信息資源供應與服務。如爲教育部門服務的學校圖書館、爲科研部門服務的研究圖書館、爲決策部門服務的政府部門圖書館和部分公共圖書館等都發展得較爲完備，發展水平

---

❸　同註❶。

表6-2　主要社會制度㊱

制　　度	社會需要	某些價值標準	某些規範	某些地位角色	某些群體
家　　庭	對性行為加以控制照顧兒童	夫婦彼此忠貞	一夫一妻	丈夫、祖母	親屬群體
教　　育	向年經人傳授文化知識	鑽研知識	到校學習	教師、學生	班級組織
宗　　教	共同遵守和重申社會的價值標準和團結	信仰上帝	定期做禮拜	猶太教教士、紅衣主教	路德教派組織、公理會
科　　學	研究社會和自然界	無偏見地尋求眞理	進行研究	物理學家、人類學家	研究小組、科學學會
政治制度	分配權力；維持秩序	自由	無記名投票選舉	參議員、說客	立法機關、政黨
經濟制度	生產和分配商品和服務	自由經營	謀取最大利潤	會計、賣主	公司董事會、工會
醫療制度	照顧病人	身體健康	盡可能挽救生命	外科醫生、病人	醫院全體職工、病人
軍　　隊	進攻或抵抗國家的敵人	紀律	服從命令	將軍、士兵	排、師
法律制度	加強社會控制	公正審判	讓嫌疑犯知道他們的權利	法官、律師	陪審團、同牢囚犯
運　　動	娛樂、鍛煉	獲勝	按規則進行	裁判、教練	棒球隊

㊱　同註❶。

也較爲整齊。行業的信息依賴性程度可做爲公共圖書館制訂目標、規範和政策的依據之一。

其次，具體到某個社會組織中，某些組織成員比其他成員更需要信息服務。通常，一個組織的決策人員、研究與發展人員、工程技術人員、教育培訓人員、調查諮詢人員、市場公關人員、戰略管理人員等傾向於經常地、大量地利用圖書館的信息資源，他們是圖書館的重點用戶；而一般操作人員、行政人員、輔助人員等則是一般用戶，他們的工作多是經驗導向的熟練工作，較少有經常性的不斷更新的信息需求。

再次，就重點用戶的信息需求而言，又有重點需求和一般需求之分。重點需求是指與組織目標緊密相關、涉及組織前途與命運的信息需求，如大型國有企業的技改工程、中小型企業的市場競爭等方面的信息需求就屬於重點需求；一般需求則是與組織活動相關的信息需求，如貨源、產品包裝、銷路等方面的信息需求。應當指出，重點需求是時時變化著的，隨著時間的推移和環境的變化，重點需求和一般需求也可能互易其位。

最後，重點需求又有戰略需求和時尙需求之分。戰略需求是關係到組織長遠發展的信息需求，而時尙需求則是圍繞特定時期的主題和時尙而形成的信息需求。譬如，十五大之後，國內學術界和企業界興起了一種「股份制熱」，這種流行的政治風潮必將激發組織成員相應的信息需求，這種需求就屬於時尙需求；而如何應用日新月異的信息技術來改造或重塑企業的生產結構、組織結構和人員結構，有效地提高生產率和競爭力，逐步擴大市場份額和樹立品牌形象等，則屬於戰略信息需求。企業圖書館無疑要運用一定的藝術來處理好這兩種信息

需求，以確保企業的生存與發展。

群體用戶信息需求分析的關鍵是不能平均地對待每個組織成員的信息需求，由於存在整合作用，我們就可以忽略組織成員特殊的、個體化的信息需求，而將重點放在組織目標所決定的重要活動和重點用戶的信息需求方面，在突出重點的前提也適當兼顧一般，只有這樣，才能更好地滿足群體用戶的信息需求，才符合組織的整體利益。

第三節　圖書館與人的全面發展❸

㈠人的全面發展與其實現條件

所謂用戶，實質上也就是社會的人。人的多方面信息需求是與人所處的多種社會關係直接相關的，而人的多種社會關係又規定著人的本質。「人的本質並不是單個人所固有的抽象物。在其現實性上，它是一切社會關係的總和。」❸馬克思對人的本質的論述實現了人的研究和社會的研究的統一，同時也說明了追求全面發展是人的本質的要求。

馬克思認為，人的全面發展是指普遍的（每個）個人的全面發展，而個人的全面發展往往是相對於他們的片面發展而言。就個人而言，具有三種本質特性，即類特性(個人不同於動物，他屬於人這個「類」)、社會特性（個人不同於「一般人」，他是現實的個人，是社會的存在物）、個人特性（也叫個性，個人不同於單個他人，他具有與他人不同的個人獨特

---

❸　霍國慶，圖書館與人的全面發展（上）、（下），山西圖書館學報，1994
　　（2）、（4）。
❸　同註❸。

性）。因此，個人的全面發展就是指個人的類特性、社會特性和個人特性在個人那裡的充分發展。❸

首先，人的全面發展是指人的「類特性」在個人那裡的充分發展。馬克思指出，自由自覺的創造性生活是人之所以爲人的本質特徵，即是人的「類特性」。這表明，個人作爲人類的一分子，按其必然性來說，他必須追求和實現這種類特性，只有這樣，個人才能成其爲人，換言之，每個人必須充分發展和實現人的類特性。而人的自由自覺的創造性勞動在個人那裡的充分發揮又包括這方面的內容：一是活動的內容與性質，這是指活動的獨立自主性、自由自覺性和能動創造性等多種能力，這方面的發展實質上是個人主體性及其本質力量（能力）的充分發展；二是活動的形式，即從事的是何種活動，這方面的發展在馬克思看來，實質上是個人活動充分達到豐富性、完整性和可變動性。馬克思指出，全面發展的個人，是能從事多種活動的、在許多部門內發展的和可自由變換勞動活動的個人。

其次，人的全面發展是指人的「社會特性」在個人那裡的充分發展。馬克思認爲，個人的社會特性的發展有如下具體內容：⑴個人與他人不僅以社會群體中的某一成員的身份發生相互關係，而且還作爲個人發生相互關係；⑵在我和別人的交往中，我把別人當作發展自己力量所需要的對象，在這種關係中，個人彼此間交流經驗和知識；⑶個人的主要社會關係（個人和他人的關係、個人和集體的關係、個人和人類的關係）的和諧發展；⑷個人積極參加社會生活的多種領域和世界的

---

❸ 韓慶祥，關於馬克思「人的全面發展」涵義的商榷，新華文摘，1991（2）：21～25。

交往，並發生全面而豐富的聯繫，盡可能利用全社會和世界的全面生產和關係的成果，來爲自己的發展服務，以擺脫個人的個體局限、職業局限、地域局限和民族局限；(5)在豐富全面的社會關係中，個人之間的關係成爲他們自己的共同關係並服從他們的共同控制，從而使他們獲得現實關係和觀念關係的全面性。

最後，人的全面發展是指人的「個性」在個人那裡的充分發展。馬克思認爲，個人的個性的發展包括如下具體內容：(1)個人自身中的自然潛力的充分發揮；(2)在社會意義上，個人的肉體和心理的完善；(3)個人需要的相對全面和豐富；(4)相對豐富全面而又深刻的感覺；(5)精神道德觀念和自我意識的全面性；(6)個性的自由發揮。

人的全面發展是相對於人的片面發展而言的。人的片面發展，主要是由於社會生產力發展水平較低和社會分工不合理造成的。馬克思和恩格斯通過對人類社會發展的歷史考察，他們發現，是第一次大分工，即城市和鄉村的分離，給人帶來了片面發展，它表現在「使農村人口陷於數千年的愚昧狀況，使城市居民受到各自的專門手藝的奴役。它破壞了農村居民的精神發展的基礎和城市居民的體力發展的基礎。」❹而正是社會化大工業生產的發展，對生產者提出了「全面發展」的要求。所以，要實現人的全面發展，首先要大力發展生產力，消除社會不合理的分工。具體地說，實現人的全面發展需要以下決定性的條件：❹

第一，要大力發展生產力，消除不合理的社會分工。社會生產力

---

❹　同註❽。

❹　袁貴仁，人的哲學，北京：工人出版社，1988。

尤其是科學技術的飛速發展，是實現人的全面發展的最根本的前提。我們知道，社會分工從形式上是不會消除的，但隨著科學技術的進步，生產過程全部達到自動化之後，由於機器不僅會替代原來由人手完成的加工動作，而且也會執行原來由人腦擔負的指揮與調節生產的職能，這樣就把人力從直接的物質生產過程中完全解放出來，因而也就從根本上消滅了社會不合理的分工。到那時，勞動主體的全面發展就無可阻擋了。

第二，自由時間的充裕。只有人們除了生產物質產品所花費的社會必要勞動時間外，還有相當多的自由時間可以運用，人們才能來發展文化藝術、科學智力和精神生活的能力，從而才能得到全面的發展。「節約勞動時間等於增加自由時間，即增加個人得到充分發展的時間，而個人的充分發展又作爲最大生產力反作用於勞動生產力。」❷馬克思這段論述說明了生產力發展、自由時間的運用與人的全面發展的關係，即：一方面，生產力的發展決定著自由時間的存在與多寡，而自由時間的存在又是人的全面發展的重要前提；另一方面，自由時間的運用促進了人的全面發展，從而又直接地推動了生產力的進一步發展。

第三，勞動的自主性。隨著勞動者基本退出直接生產過程以及社會不合理分工的消除，必然促成勞動性質的深刻變革：由謀生手段轉變爲生活目的，轉變爲自由自覺的活動即創造性的勞動。在這種性質的勞動中，勞動者不再被限定在社會不合理分工的位置上，而是作爲

---

❷　馬克思，恩格斯，馬克思恩格斯全集，北京：人民出版社，1957.第46卷下冊225頁，第20卷518頁，第42卷96頁，第4卷174頁，第20卷40頁，第42卷123頁，第23卷530頁。

既通曉多種文化知識，又懂得按照各種尺度進行生產的積極主體，活躍在各個生產領域。爲此，人不再把勞動的需要僅僅當作外在生存和必需，而是作爲自身的內在驅動予以積極的實現，人在勞動中感到的不再是辛勞乏味，而是充滿創造的樂趣。自由自覺的創造性勞動既是實現的人的全面發展的前提，也是人的全面發展的體現。

人的全面發展是人類的奮鬥目標，它的實現無疑需要一個相當長的歷程。但令人鼓舞的是，人類一直在向著這個目標靠近，並不斷地在爲實現這個目標創造和提供各種前提條件。圖書館正是人類所創造的促進人的全面發展的社會系統。

(二)圖書館是人的本質的物化形式之一

根據馬克思的有關論述，人的全面發展是指人的類特性、社會特性和個人特性在個人那裡的充分發展，簡言之，是指人的本質在個人身上的充分體現。然而，什麼是人的本質呢？人的本質和圖書館有什麼聯繫？只有搞清這些問題我們才能更好地把握圖書館與人的全面發展的關係。

人的本質是人類產生以後就一直困擾著人類的問題。不同時代的不同人們都曾從各自的角度提出了自己對人的本質的認識，在此，我們選擇幾種有代表性的觀點進行分析，以求對人的本質有一個更爲接近的全面的認識。

「人是理性的動物」。早在公元前6世紀，古希臘哲學家畢達哥拉斯（Pythagras）就論及了人的本質，他把人的靈魂分爲三部分，即表象、心靈和生氣。動物有表象和生氣，只有人有心靈。心靈就是人的「靈魂的理性部分」。稍晚一些，古希臘大思想家亞里士多德

也認爲，人的靈魂中除了具有和動物一樣的能感覺的部分之外，還有能作理論思維的「理性靈魂」，具有「理性靈魂」是人區別於動物的特點，所以說，「人是理性的動物。」㊸

「勞動創造了人」。馬克思主義哲學認爲，生產勞動是決定人與動物的區別的本質特徵，因而也是人的本質之所在。「動物僅僅利用外部自然界，單純地以自己的生存來使自然界改變；而人則通過他所作出的改變來使自然界爲自己的目的服務，來支配自然界。這便是人同其它動物的最後的本質區別，而造就這一區別的還是勞動。」㊹勞動創造了人。人在生產勞動中變革自然，結成社會，發展思維，自然不再是和人無關的外部世界，而是人的作品，是人的現實世界；生產中結成的社會關係也是人們能夠現實地意識到的社會；而且，通過生產實踐，意識也不再僅僅在頭腦中，而是轉化到勞動的產品中。總之，通過生產實踐，人的本質不僅在自身中存在，並且在生產創造的世界中存在，也就是使人的本質二重化了，產生了對象化的人的本質，使人能在自身之外來認識自己的本質。㊺需要指出，馬克思主義哲學所界定的作爲人與動物本質區別的勞動，是指自由自覺的創造性勞動，而圖書館就是這種勞動的產物之一，是一種對象化的人的本質。

「人是符號的動物」。德國當代著名哲學家恩斯特·卡西爾（E. Cassirer）在其名著《人論》中指出，人與其說是「理性的動物」，

㊸　人民出版社編，關於人的學說的哲學探討，北京：人民出版社，1982。
㊹　同註㊷。
㊺　同註㊸。

不如說是「符號的動物」，亦即能利用符號去創造文化的動物。人與動物的根本區別在於：動物只能對信號作出條件反射，而只有人才能將這些信號改造爲有意義的符號。信號是物理的存在世界的一部分，符號則是人類的意義世界的一部分。人能發明運用各種符號，所以能夠創造他自己需要的「理想世界」。❹

「人的本質是自由」。我國著名美學家高爾泰認爲，自由是人類歷史的起點。人曾經是動物，與大自然結爲一體，是大自然的一個自在的部分。人之所以爲人，是從他不把自己當作自然的部分，而是把自然當作自己的對象進行加工改造時開始的。換言之，人之所以爲人，是從他超越了自然的束縛，超越了自然必然性的束縛，把自己當作自由的主體加以解放時開始的。當人不是盲目地受環境和自然必然性的支配，而是作爲能駕馭自然必然性以改造環境的主體而出現時，人才成其爲人。❹

總之，人們對「人的本質」的認識是不盡一致的，以上述幾種觀點爲例，它們之間就存在著歧異，這大約與認識角度不同有關。但細加分析，可以發現，它們之間還是有著共同的內容：創造和積累信息資源。勞動是創造和積累信息資源的過程，理性和符號是創造和積累信息資源的手段，自由則是創造和積累信息資源的結果。也就是說，從一個新的角度，我們可以把人的本質概括爲「創造和積累信息資源」。

人是能夠創造和積累信息資源的動物。之所以這麼表述，主要有

---

❹　恩斯特·卡西爾著，甘陽譯·人論·上海：上海譯文出版社，1985。

❹　高爾泰，美是自由的象徵，北京：人民文學出版社，1986。

以下幾方面的根據：(1)馬克思認爲，「一個種的全部特性、種的類特性就在於生命活動的性質，而人的類特性恰恰就是自由自覺的活動」。❹在這裡，自由自覺的活動也就是自由自覺的勞動，如果作進一步的分析，勞動是創造和積累信息資源的過程，「自由自覺」則是信息資源積累的結果，也就是說，自由自覺的活動本身可以表述爲「創造和積累信息資源的活動」；(2)「創造和積累信息資源」的邏輯起點是語言能力（包括文字能力）的發展，它的發展決定著人的思維能力的發展，而能思維正是人的本質特徵，思維的過程也是創造和積累信息資源的過程；(3)迄今爲止，在所有動物中，只有人能夠創造和積累信息資源，而其它動物只能感知和利用信號，所以，「創造和積累信息資源」可以看作是人與動物的本質區別；(4)因爲人能夠創造和積累信息資源，所以每一代人的勞動都是先前各代人勞動的繼續，社會總是在新的起點上向前發展；而其它動物由於不懂得創造和積累信息資源，所以只能簡單地受生理遺傳的支配，每一代都幾乎千篇一律地重複上一代的生活。由此可見，「創造和積累信息資源」規定著人與動物的根本區別，從而也表徵著人的本質。

　　人類是從開始懂得創造和積累信息資源時揖別動物的。創造和積累信息資源的結果，使人類擁有了自己的世界，並使人類能在自身之外來認識自己的本質，來逐步地全面地占有人的本質。如前所述，人在生產中創造的產品，本來是人的本質的對象化，反過來這些產品又滿足了人的物質和精神的需要，成爲保持和發展人的本質的基礎。同理，人類在創造和積累信息資源的過程中，實現了人的本質，這些信

---

❹　同註❷。

息資源可謂是人的本質的外化，而這些信息資源反過來又滿足了人們的需要，成爲保持和發展人的本質的基礎。從這個意義上講，作爲信息資源積累的結果，圖書館正是人的本質的物化形式之一，是對象化了的人的本質。

　　英國當代科學哲學家波普爾（K. Popper）曾做過兩個思想實驗：⑴如果我們人類所有的機器和工具都破壞了，而圖書館還存在，那麼人類仍然能夠重新發展起來；⑵如果圖書館連同所有的機器與工具一起都破壞了，那麼人類文明的重新出現，就是幾千年以後的事情了。❹波普爾的實驗並不難理解，因爲圖書館是人的本質的物化，一旦圖書館毀掉了，人類將不能從自身之外來認識和占有人的本質，而只能在實踐中從頭開始創造和積累信息資源──這將是一個漫長而艱難的過程。

　　人的本質不是靜止的和絕對不變的，人的本質隨著人類的發展進化而不斷地改變著，「整個歷史也無非是人類本性的不斷改變而已」。❺也就是說，人類社會的歷史不外是人們創造和積累信息資源的歷史，是人的本質不斷發展的歷史。而圖書館就是這種歷史的見證，是人的本質變遷史的縮影。

　　圖書館是人的本質的物化形式之一，這決定了它的崇高地位。就此而言，圖書館工作就是使人充分占有人的本質，使人成其爲人的工作，世上還有哪種工作比這樣的工作更高尚？恩格斯說過，「人來源於動物界這一事實已決定人永遠不能完全擺脫獸性，所以問題永遠只

---

❹　宓浩，圖書館學原理，上海：華東師範大學出版社，1988。

❺　同註❷。

能在於擺脫得多些或少些，在於獸性或人性的程度上的差異。」⑤恩
格斯的話給我們提供了極大的啓發，我們研究圖書館、發展圖書館，
其目的不就是使每個人更多地占有人的本質，使每個人充分地發展自
己各方面的潛能，從而促進人的發展和人類社會的發展嗎？

㈢促進人的全面發展是圖書館的最終與最高目標

圖書館作爲人的本質的物化形式，其最直接的功能就是促進人的
全面發展。這是因爲，人的全面發展意味著個人全面地占有人的本
質，「作爲一個完整的人，占有自己的全面的本質。」⑫在現實意義
上，則意味著個人全面地占有人類所創造和積累的各種信息資源。一
般而言，個人獲取和占有信息資源的途徑有兩種：一是通過個人的實
踐活動直接獲取各種信息資源，這些信息資源也稱直接信息資源；二
是通過人際交流和各種信息媒體間接地獲取他人的直接信息資源，這
些信息資源也稱間接信息資源。由於直接信息資源的獲取要受時間、
空間、條件及心理等因素的限制，在現代社會中，它在個人所占有的
信息資源集合中的比例已越來越小；而間接信息資源作爲整體反映了
人的本質的發展程度，是人的全面發展的基礎和條件，在現代社會，
個人獲取間接信息資源的途徑又越來越多，手段也越來越便利，所
以，間接信息資源的獲取在人的全面發展中占有著越來越重要的地

---

⑤　同註⑫。
⑫　同註⑫。

位。

　　圖書館是人類所創造的最重要的傳播間接信息資源和開發直接信息資源的社會系統之一，與教育系統、情報系統和大眾傳播系統等信息資源傳播系統相比較，圖書館在造就全面發展的人方面具有得天獨厚的優勢。主要表現在：⑴圖書館全面系統地收藏著人類所創造和積累的各種信息資源，其博大精深是教育系統等所不可比擬的，這些信息資源反映了人類進化與發展的歷史，充分體現了人的「類特性」；⑵圖書館正在進行的網絡化和現代化建設，將能夠通過資源共享的方式，讓全人類所創造和積累的信息資源爲每一個人的全面發展服務；⑶圖書館的信息資源傳播不受時空限制，一方面它能夠把先前各代人所創造和積累的信息資源保存下來並傳遞給每一個人，另一方面它又能把當代不同地區的人們所創造的信息資源儘快地傳遞給每一個人；⑷圖書館能夠在人生的每一個階段以及人們所需要的任何時間，滿足人們的不同層次的需要，人們在圖書館可以各取所需，充分發揮自己的主觀能動性，開展自由自覺的創造性活動，發展自己多方面的能力；⑸在現代社會，人們利用圖書館通常只需要具備閱讀能力即可，比之教育系統和大眾傳播系統，其所需投資少，所受限制亦少，同時還有利於學爲所用、學用結合；此外，圖書館還能爲人們提供社會交往的機會，有助於擺脫個人的個體局限、職業局限、地域局限和民族局限，有助於個性的自由發揮，等等。

　　一個全面發展的人就是一個各方面潛能得到充分發揮的人。就個人而言，一個片面發展的人在他所活動的狹窄領域內的發展往往是十分有限的，個人某一方面能力的發展程度既是其個性發展程度的體現，同時又受個性整體發展程度的制約。歷史證明，許多在某一領域

作出了獨特貢獻的人物，往往是在他們所處的歷史條件允許的範圍內盡可能全面發展的人。如古希臘的亞里士多德、春秋戰國時的孔子、中世紀的達·芬奇（Leonardo da Vinci）、近代的馬克思和恩格斯、現代的毛澤東等人，就是在他們所處歷史條件下全面發展的人，而他們的發展都在很大程度上得益於圖書館，有大英圖書館圓頂閱覽室馬克思的「腳印」為證。可見，圖書館在人的全面發展中具有多麼重要的作用，這是圖書館的光榮與驕傲，同時也是每一個圖書館員肩負的偉大使命。

圖書館直接地是為人服務的，其社會影響是通過它所直接服務的人的發展而體現出來的，所以，圖書館當首其衝地應該是研究人，研究如何為人的發展服務——以系統選擇的信息資源體系為立足點，通過提供信息資源和組織信息利用為人的全面發展服務。我們認為，為了更好促進人的全面發展，圖書館需要處理好以下幾方面的關係：

一是資源共享與機會均等的關係。圖書館資源共享的目的是通過圖書館之間的合作或一體化，在信息資源劇增與經費日益拮据的矛盾不斷激化的情況下，仍能維持和不斷提高各館的信息資源提供能力，最大限度地滿足人們的信息需求。資源共享有助於擴大圖書館的用戶面並為他們提供更優良的服務，但資源共享不等同於機會均等。作為人類進步的事業，圖書館有義務為所有的人提供均等的利用圖書館的機會，為此，圖書館在推行資源共享的同時，還須加強信息資源的合理布局，大力普及圖書館和圖書館服務，並要積極參與掃盲和普及教育活動，力爭把每一個有閱讀能力的人都吸引到圖書館中來，用全人類所創造的精神財富為每一個個人的全面發展服務。需要指出，為人的全面發展服務是所有圖書館的共同使命，並不是說每一個具體的圖

書館都應考慮用戶的所有信息需求及爲此收集所有的信息資源；對於行業圖書館而言，在主要考慮職業活動的信息需求的同時可適當兼顧本行業組織用戶的全面發展需求；對於社區圖書館而言，應根據社區居民的具體情況設計信息資源體系，最大限度地服務於他們的全面發展；至於公共圖書館，則應在爲特定區域重點用戶服務的前提下，無條件地向所有的人開放，從而爲人的全面發展提供最後一道屏障；統而言之，只有各類型和各層次的圖書館聯合起來，眞正地實現資源共享，才會滿足每一個個人的全面發展的需求。

　　二是信息服務與生產勞動的關係。馬克思認爲，教育同生產勞動相結合，「不僅是提高社會生產力的一種方法，而且是造就全面發展的人的唯一方法。」❸這種思想反映到圖書館工作中，則要求圖書館的信息服務要緊密圍繞生產勞動，積極爲生產勞動服務。我們知道，生產勞動是人們的主要活動，在現階段，還是人們謀生的主要手段，人們通過圖書館獲取有關生產勞動的信息資源則是人們利用圖書館的主要動機之一。爲了滿足人們在生產勞動方面的信息需求，圖書館需要做到：(1)通過調研了解本地區或本部門內部的各種生產勞動的性質、內容及其發展趨勢，從而有針對性地組織信息資源；(2)注重理論與實踐的結合、間接信息資源服務與直接信息資源服務的結合，在進行信息資源傳播的同時，請有關專家或實踐部門的人員傳授經驗，積極爲用戶提供各種實用信息和信息源；(3)主動搜集用戶的反饋信息，及時了解生產勞動的新進展、新發現和新技術，保持圖書館信息服務與生產勞動的密切聯繫；(4)引導用戶擴大知識面，發展多方面的能

---

❸　同註❷。

力，以擺脫他們個人的職業局限和地區局限，最大限度地實現全面發展。

三是美育和智力開發的關係。圖書館注重智力資源的開發，但在美育方面卻重視不夠。其實，美育在人的全面發展中有著重要的作用，它與人的智力發展是相輔相成的。美育用現實生活中的美好事物和反映在藝術作品中的先進人物的思想感情和活動來感染讀者，對人的情感、思想、意志和性格有著廣泛而深刻的影響，它豐富了人們的精神生活，有助於促進人的個性的和諧發展，因而也有利於人的智力發展。所以，圖書館應該把智力資源的開發同美育有機結合起來，在傳播信息資源的同時，積極地通過推薦優秀健康的文藝作品、組織書評和講座、舉辦藝術展覽等方式，通過圖書館員的美的行為，對廣大用戶進行美的教育。

四是全面發展和因材施教的關係。全面發展並不是要求每個人在德、智、體、美、勞諸方面平均發展，每個人都有體力、智力、興趣、愛好、能力等方面的差異，只有根據每個人的特點，因材施教，才能達到每一個個人的全面發展的目的。落實因材施教要求圖書館工作要細緻，要全方位地普遍開展用戶研究，建立用戶檔案，掌握每個用戶的個性特徵及其閱讀的規律性，從而為用戶提供「個別的服務」，使他們能夠取己所長，更好地實現自己的價值。

可以說，圖書館學是眾多的以人為研究對象的學科之一。一方面，圖書館是人類思維的產物，是人的本質的物化形式之一，要研究圖書館，首先要研究人類的精神生產活動及其歷史；另一方面，任何一個具體的圖書館的信息資源體系都是特定用戶群的信息需求的對象化，是為人的發展服務的，要提高圖書館的服務質量和社會效益，就

要研究人的需求和人的發展。所以，我們認為，圖書館學是一門研究人的學問，它的最終和最高目標是為人的全面發展的服務。

第七章　信息市場中的圖書館

第一節　市場經濟給圖書館帶來的新問題❶

㈠市場經濟與圖書館

　　從理論上講，人們一旦產生了信息需求，作爲需求方，他們就會進一步產生滿足需求的行爲，就會想方設法獲取信息（包括購買信息）來滿足自己的需求；與此相關，受利益的驅動，作爲供給方的人們就會根據這些需求生產並供給信息，這樣就形成了信息的供求活動，從而也必然會形成承載信息供求活動的信息市場。但事實上，由於信息是一種特殊的商品，在封建社會之前，信息長時間地壟斷在統治者及少數御用文人或知識分子之間，廣大勞動者無權和無條件獲取信息，因此也就談不上有眞正的信息市場。信息市場的出現除了信息需求和信息供給這兩個必要條件外，還需要兩方面的促進因素：一是生產勞動性質的變化，這種變化使勞動者潛在的信息需求現實化，從而迫使他們產生信息行爲，尋求和獲取信息以適應生產勞動的新要求；二是市場經濟體制，它爲信息市場的運行提供了一種適當的外部環境，從

---

❶　霍國慶，關於圖書館與市場經濟的思考，圖書館理論與實踐，1994（1）：37～39。

而有利於信息交易活動的展開。馬費成等在《信息經濟學》一書中認為:「信息商品在我國出現絕非偶然現象,它是當代新技術革命與我國經濟體制改革這兩股浪潮撞擊匯聚的必然結果」。❷馬費成等人的認識可謂是對信息市場產生原因的注解。

市場經濟促進了信息市場的形成,並從而影響了圖書館的發展,可以說,市場經濟既給圖書館提供了發展的機會,也給圖書館帶來了諸多新的問題,其如80年代末90年代初圖書館界流行的「低谷論」就與市場經濟的推行有關。當時,部分研究人員和管理人員過分誇大了市場經濟對圖書館的作用,不加分析地胡亂套用市場經濟的種種規律,從而擾亂了圖書館的正常發展秩序,給圖書館的發展蒙上了一層陰影。有鑒於此,我們需要對市場經濟進行客觀的分析,並在此基礎上理清圖書館與市場經濟的關係,為圖書館的良性運行和健康發展提供理論依據。

關於市場經濟的內涵,當前經濟學家多數認為,它是以市場作為資源配置的基礎性方式和主導手段的經濟,是一切商品生產發展到社會大生產階段客觀上所必需的資源配置方法,它基本上不依存於社會制度的性質。市場經濟的主要內容包括:(1)一切經濟活動都要以市場為中心,都要受市場機制的調節;(2)市場經濟內在的運動規律,主要是價值規律;(3)企業是市場的法人主體,企業能夠自主決策、自主經營和自負盈虧;(4)市場調節帶有自發性和後發性的特徵;(5)市場經濟不具有姓「社」姓「資」的區別。社會主義市場經濟是在以公有制為主體的條件下所實行的市場經濟,它要求各種經濟成分和經營方式的

---

❷ 馬費成等,信息經濟學,武漢:武漢大學出版社,1997. 181, 293~301。

企業都要進入市場，平等競爭，共同發展。❸

　　而圖書館就其本質而言，自它產生到現在，都是一種信息資源體系，是信息市場中的信息供給方。圖書館有其自身的運行和發展規律，這些規律多數不受社會制度性質的制約，也不因經濟體制的不同而不同，譬如，圖書館信息資源的選擇方法、組織規則、保存技術、傳遞方式、用戶的閱讀規律及其它方面就不會受計畫經濟或市場經濟的根本影響。當然，圖書館畢竟是社會結構的有機組成部分，它的產生、存在、發展與變化不可能脫離社會環境，作為一種精神活動，它必須受物質生產方式的制約，即受生產力發展水平、生產關係所構成的經濟制度的制約。物質生產的生產方式，決定著圖書館的發展水平（程度、規模、速度），決定著圖書館的整體結構（類型結構、層次結構、地區布局結構），決定著圖書館的社會性質（公益性、學術性、教育性、服務性）。概括地講，一定的社會生產方式，決定著圖書館整體的狀態，而經濟制度中經濟體制與圖書館的關係僅是其中的一種關係。所以，我們不能把市場經濟與圖書館的關係，看作是與經濟的全部關係，我們必須看到圖書館與整個社會的多種關係，切忌將其簡單化，否則就會出現歪曲的實踐。

　　市場經濟是目前我國社會經濟發展的主調，它不可避免地要給圖書館的發展帶來這樣或那樣的影響。客觀地分析，市場經濟給圖書館帶來的問題多於機遇，擇其要者而論，這些問題主要包括：圖書館能否進入市場？圖書館能否完全按照市場經濟規律運行？圖書館能否實

---

❸　魏杰，林亞琳，中國經濟體制的新選擇——中國市場經濟通倫，成都：四川人民出版社，1993。

行「一館兩制」？等等。對於這些問題，圖書館只有兼顧市場經濟的基本規定和圖書館自身的運行規律進行分析，才能得出切近事實的結論，才能最大限度地促進圖書館自身的發展。

㈡圖書館能否進入市場

圖書館進入市場的先決條件是圖書館的產品能夠成爲商品。一般而言，圖書館的產品主要包括經過組織加工的信息資源和圖書館服務兩大類，它們能否算作商品呢？根據馬克思的政治經濟學理論，商品是用於交換的勞動產品，要交換，不同商品必然要有某種同質的東西存在，這種同質的東西，就是商品的價值，即人類無差別勞動的凝結。商品只有在價值量相當的基礎上，才能進行相互交換，這叫做等價交換，也叫做價值規律。圖書館本身並不生產信息資源，即使勉強說「生產」，也只是組織加工而已，其本質是信息資源的貯存與傳播系統。同樣作爲中介機構，新華書店系統則不同於圖書館，新華書店是用自己的經費購進書刊，再轉賣給用戶，從中賺取批零差價，可謂十足的商業機構；而圖書館是用國家的財政撥款來支付購書費用和圖書館工作人員的薪水，是用社會的財富來維持生存與發展的，是代表社會來行使這部分社會職能的，換言之，社會成員已通過納稅等方式支付了圖書館的使用費，我們不能再要求他們有償地利用圖書館所收存的信息資源。從這個意義上講，圖書館的信息資源雖然具有商品的屬性，但卻不是商品。推而論之，一般的圖書館服務也不是商品。

圖書館的主導產品不是商品，但是否圖書館的所有產品都不是商品呢？這個問題需要聯繫圖書館的產業化來做具體分析。圖書館產業一般是相對圖書館事業而言的。目前的所謂圖書館產業，並不是要把

圖書館當作企業或商場來辦，它的實質在於重新確立圖書館與其它社會部門的關係，明確社會部門和社會成員要獲取圖書館信息及其服務是要支付報償的。所謂圖書館產業化，也不是要把整體圖書館作爲產業來經營，而只是把圖書館的信息開發等部分產業化。因爲，圖書館所收存的信息資源雖然不是商品，但以圖書館所收存的信息資源爲對象開發出來的信息卻可以是商品，這些再生的信息凝結著圖書館開發研究人員的勞動，可以在等價交換的原則下交換。總之，強調圖書館產業，並不是要否定圖書館作爲事業的屬性，圖書館既有產業的特徵，也有事業的特徵，但從根本上來說它還是一種國家事業。近年來圖書館界提倡的「一館兩制」、「一館兩業」，就是以圖書館的兩重屬性爲依據的。

圖書館有著自己的運行規律，它與市場經濟的運行規律不同，其區別表現在：(1)市場經濟由於供求關係的影響，在資源配置上變化較快，市場對信息的需求變化也快，而圖書館組織積累信息資源卻具有長期性，簡單地爲適應市場需要而大量收存熱門書刊和流行的信息資源，只是一種短期行爲，它必將導致圖書館的功能退化；(2)市場經濟對圖書館的影響，僅限於和經濟聯繫較直接的那部分信息資源，而不是作爲整體的信息資源體系，作爲整體的圖書館是社會整體進步的需要，這就形成了市場經濟的有限性與圖書館整體發展的差異，如果認爲市場經濟對圖書館的制約是全局的，將會使圖書館趨於狹隘的功利化；(3)市場經濟的基本原則是價值規律，一切商品通過市場進行等價交換，而「圖書館產品」在市場上交換是不等價的，因爲：一方面，用戶是無償或近乎無償地利用圖書館的，即使從納稅的意義上來講，由於人均圖書館經費少得可憐，其實是無等價交換可言的；另一

方面，即使圖書館實行收費服務，用戶租借圖書館所收存的信息媒介，其間也不存在等價交換——用戶所購買的僅僅是其中的部分信息資源，而不是信息媒介，但租金一般是以信息媒介爲單位計量的；(4)市場經濟的運行動力是利益原則，在市場上什麼賺錢最多，資源配置就將向那個生產領域流動；而圖書館卻不可能完全根據用戶的功利性需求來組織和積累信息資源，因爲用戶選擇信息是根據自身利益取向的，但圖書館則是根據社會需求或國家整體需求取向的；(5)市場經濟所需要的信息帶有明顯的實用性和功利性，而圖書館選擇信息則具有廣闊的適用性，其最終目的是促進人的全面發展。

市場經濟給圖書館帶來的問題很多，但最主要的問題是「圖書館能否進入市場」的問題。根據上述分析，圖書館所收存的信息資源不是商品，一般的圖書館服務亦不是商品，所以圖書館不存在市場化的前提。從社會發展的角度而言，圖書館主要是人類記憶功能的社會化，它的出現是社會進步的表徵，其目的是爲每一個人提供發展的機會，使每一個人成爲全面的人，因此，圖書館不能完全進入市場實行企業化經營，它必須保證每一個人利用人類精神財富來發展自己的權利。不過由於圖書館的延伸功能——信息開發及其產品具有商品生產的性質，所以，圖書館可以在一定程度上採用市場化的管理方法，同時也可以把圖書館的信息開發等活動市場化並實行產業化經營。

(三)圖書館能否完全按照市場經濟規律運行

如前所述，圖書館的價值取向不完全取決於經濟的需求，而是取決於滿足社會進步的全面發展需求；圖書館活動有其固有的規律，但經濟體制對圖書館的若干方面也有直接和間接的影響。也就是說，圖

書館不能完全按照市場經濟規律運行，但由於市場經濟的推行改變了圖書館的外部環境並進而改變了圖書館與其它社會部門的關係，所以，圖書館必須作出相應的變革，以適應動態平衡發展的需求。具體而言，圖書館應在管理體制、業務活動、經費來源及人事制度等幾個主要方面尋求與市場經濟的接軌或協調發展。

在管理體制方面，主要是圖書館與政府的關係上，長期以來，政府對圖書館採取了直接的行政管理，結果出現了包得過多，統得過死，圖書館居為政府的附庸地位。根據市場經濟體制的需要和政治民主化的進程，按照政事分開的原則，圖書館應當真正成為面向社會自主管理的法人實體。圖書館要在信息資源的補充、機構設置、人員任免、經費使用、職稱評定、工資分配、館際合作和資源共享等方面，逐步行使自主權。政府則可以運用立法、撥款、規劃、信息服務、政策指導和必要的行政手段，對圖書館進行宏觀管理。

在信息資源的補充方面，圖書館可以在完成國家規定的信息資源建設任務和保證滿足本館用戶基本信息需求的前提下，靈活地根據信息市場的變化，調節信息資源的品種與複本，並進而建立「調節性信息資源」，有條件地實行收費服務。同時，圖書館還可以在不影響本館用戶基本信息需求滿足的前提下，向周圍社會開放，並可以適當收取費用。需要指出，收費服務只是圖書館緩減社會信息需求壓力的一種手段，不宜普遍化。

在圖書館經費方面，圖書館要由國家「統包」轉向多渠道籌措經費的體制。當然，由於圖書館從根本上說是國家的事業，所以圖書館經費仍應以國家財政撥款為主。但為了保證每一個人都有利用圖書館的機會和權利，國家必須通過法律規定人們對圖書館應盡的義務，譬

如說可以徵收圖書館附加稅。在目前國家財政撥款不足、圖書館經費日見拮据的情況下，我們認爲，圖書館可以根據市場需要對某些需求量大且集中的信息資源（如娛樂性信息資源）實行收費服務，以便給更多的人提供利用的機會，並達到以書養書的目的。❹此外，圖書館還應大力開發信息資源，興辦圖書館產業，爲社會提供多層次、多品種的信息產品，以增加圖書館的收入。隨著市場經濟的進一步發展，圖書館通過公關和高質量的信息服務，爭取社會團體、企業以及個人的捐贈，也將是圖書館經費的重要來源之一。

在圖書館信息人員的任用方面，圖書館應實行眞正的聘任制。從理論上講，圖書館信息人員也是勞動力，市場經濟要求勞動力也要投入市場，也要按價值規律進行交換，受價值規律的調節，這就導致了圖書館信息人員流動的必然性。然而，圖書館職業又要求圖書館信息人員要相對穩定。爲此，國家只有保證圖書館信息人員待遇與同等勞動力相對，才能穩定圖書館隊伍。實行眞正的聘任制，主要有兩層含義：一是按勞動力價值規律，圖書館必須保證圖書館信息人員的工資與同等勞動力相等，否則可以不受聘，自由流動；二是按價值規律，圖書館可以不聘用那些不稱職的信息人員。目前，圖書館用人中的不合理現象相當嚴重，人浮於事也很普遍。眞正實行聘任制後，被聘者工作量要倍增，但工資也要倍增，多勞多得原則將進一步得到體現。未被聘用者，只能進入勞務市場，自由流動。

---

❹ 霍國慶，圖書館娛樂性書刊的收費服務問題，北京圖書館館刊，1993（1～2）：24～27。

㈣圖書館能否實行「一館兩制」

「一館兩制」是市場經濟的典型產物，是鄧小平「一國兩制」思想在圖書館領域的變化和應用。所謂「一館兩制」，也稱「一館兩業」，即在一個圖書館內同時存在著兩種不同性質的部門，一是提供無償信息資源服務的事業部門，二是生產和營銷信息產品的產業部門，這兩種部門的運行和管理分別採用不同的體制和方法。至於圖書館能否實行「一館兩制」，近年來，圖書館界的多數人持肯定態度，他們認爲，儘管「圖書館過去、現在、將來都是事業單位，」但圖書館也應增強自身的「造血」功能，逐步改變完全依靠外界「輸血」來維持生存的狀態，具體而言，「圖書館可以利用自己豐富的信息資源和信息技術，創辦文獻信息產業、信息諮詢業，開闢新的經濟來源。」❺「一館兩制」的廣泛採用改變了圖書館長期以來的單一的運行和管理模式，它既給圖書館帶來了生機和活力，同時也給圖書館造成了無序和混亂，向圖書館管理者和從業人員提出了更高的要求。

「一館兩制」源於這樣一個事實，即：由國家資助的圖書館主要負責滿足用戶最一般的閱讀需求及與此相關的信息需求，過於個人化、複雜化和高成本化的信息需求的滿足應由個人或有關組織負擔。也就是說，作爲國家舉辦的事業性信息組織，圖書館本沒有滿足後一類信息需求的義務，但由於社會的發展和信息化，用戶後一類信息需求日益呈現增長的態勢，圖書館又必須設法滿足這些需求，否則就可能在激烈的市場競爭中衰落、萎縮乃至消亡。於是，圖書館只有自籌

---

❺　黃宗忠，論圖書館改革中的幾個問題，晉圖學刊，1993（3）：1～6。

資金，組織信息開發和諮詢部門，對圖書館收存的信息資源進行個別化處理和深加工，並進而生產適銷對路的信息產品，部分地進入信息市場，實行企業化經營。

在當前情況下，圖書館實行「一館兩制」是一種有益的選擇：首先，這樣做有助於緩減或部分解決信息資源總量激增與圖書館經費日益拮据的矛盾，有益於增強圖書館自身的「造血」功能，並從而增強圖書館在信息市場的競爭能力；其次，這樣做有利於滿足用戶多層次的信息需求，有利於用戶的全面發展，同時還有利於直接促進經濟的發展；第三，這樣做有利於充分地開發和利用圖書館的信息資源，最大限度地發揮圖書館信息資源的作用，促進圖書館信息資源的增值；第四，這樣做有助於鍛煉和造就一支高素質、高水平和適應能力強的信息開發隊伍，有助於圖書館的可持續發展；最後，這樣做還有助於改善圖書館的環境、技術條件和福利待遇，有助於圖書館的良性運行；等等。總之，圖書館實行「一館兩制」是順應時代潮流的，是值得肯定的。

然而，圖書館實行「一館兩制」也有許多負效應，趙友、郭恩金在「市場經濟對圖書館的負面效應及對策」一文中對此曾做了探討，他們認爲，市場經濟對圖書館的負面效應主要包括三個方面：一是圖書館效益觀念的混亂和實踐行爲的扭曲，二是讀者服務功能的萎縮，三是經費嚴重短缺和隊伍波動。❻實際上，圖書館實行「一館兩制」所帶來的負效應還不止上述三個方面，詳細地講，這些負效應主要表

---

❻ 趙友，郭恩金，市場經濟對圖書館的負面效應及對策，中國圖書館學報，
　　1995（2）：51～54。

現在：(1)一個圖書館內存在兩種體制，勢必增加管理的難度，一旦處理不好，則會影響圖書館工作的全局；(2)圖書館的信息資源和信息設施是國家財產，開發部門利用這些資源和設施生產信息產品，需要處理好國家、集體和個人利益的關係，否則就會造成國家資源的流失；(3)由於開發部門能夠帶來直接的收益，圖書館可能會將優秀的信息人員調整到開發部門，部分圖書館甚至可能將工作重點轉向開發，這樣就可能造成基本服務功能的萎縮，並直接影響用戶基本信息需求的滿足；(4)開發部門實行企業化經營，必須採用收入與效益掛鈎的分配制度，這樣就會出現一些高收入的開發人員，就會在圖書館內部引發觀念碰撞和人員單向流動等問題，如果思想工作跟不上，就會導致思想混亂和服務滑坡；(5)從長遠來說，由於事業體制與企業體制有著根本的區別，它們的併存只能增加圖書館的無序度，而無法實現真正的融合；等等。

我們認為，正如「一國兩制」是特定歷史時期的一種特殊做法一樣，「一館兩制」也將是一種歷史現象。如前所述，圖書館是人類進步的產物，肩負著為人的全面發展服務的使命，任何一個民族和國家都有義務建立和維持這樣的組織，這是人類進化的必要前提。如果圖書館一味地以經濟效益來衡量其發展，那將是人類的悲哀；而「一館兩制」的衍變就可能扭曲圖書館的效益觀念。為此，我們應當保持圖書館作為無償服務組織的主體地位，適度提倡「一館兩制」，積極宣傳和推廣圖書館服務，爭取社會各界和廣大居民的大力支持，確保圖書館在市場經濟環境中的動態平衡發展。

第二節　信息諮詢：圖書館與信息市場的接口 ❼

(一)圖書館工作的兩個基本層次

任何事物或組織與其它事物或組織之間的關係，都是以其功能為媒介的，圖書館與信息市場也不例外，圖書館正是通過其信息諮詢功能與信息市場相鏈接的。圖書館的功能有多種劃分方法，從用戶服務的角度劃分，圖書館功能主要包括信息資源提供功能和信息諮詢功能兩大類，與此相關，圖書館工作也可劃分為信息資源提供服務工作和信息諮詢服務工作兩大部分。

信息資源提供服務工作是傳統圖書館工作的核心，它是以信息媒體為工作對象，以信息資源提供為手段，從採集信息資源、組織信息資源到提供信息資源的一系列工作的總稱。信息資源提供服務工作是隨著圖書館的產生而產生的，可謂最古老的圖書館工作，其主要特徵是它不生產新的信息產品，而只是對社會生產的信息產品進行集中貯存和管理，其輸出的主要是「服務」。形象地說，圖書館如同水庫，它將社會信息資源流匯聚起來，再有計畫地將它們導向既定的目的地，而信息資源提供服務在其中不過扮演了一個「管理者」的角色，其功能是篩選、組織、貯存和分流。

信息諮詢服務工作則是高層次的圖書館工作，它是以信息媒體中

---

❼　霍國慶，尚珊，信息諮詢：圖書館與市場經濟的接口，圖書情報工作，1996（6）：11～15。

的信息資源為工作對象，結合特定用戶的信息需求，以信息開發為手段，對信息進行分析、綜合、濃縮、轉換與創新等一系列工作的總稱。信息諮詢服務工作是圖書館發展到一定階段的產物，在我國圖書館史上，司馬遷的《史記》、宋代的「類書」、明代的《永樂大典》和清代的《四庫全書》等都是圖書館信息開發的結晶；在國外，美國國會圖書館在開發信息資源提供服務工作的同時，為國會的立法工作提供各種信息諮詢，則是當代圖書館信息諮詢服務工作的範例。勿庸諱言，第二次世界大戰之後，情報工作的獨立在一定程度上消減了圖書館開展信息諮詢工作的積極性和經費補充，但幾十年的實踐證明，情報工作只不過是重複了圖書館工作的過程，而以信息諮詢工作為主罷了，信息資源提供服務工作仍是情報工作的主要基礎。在市場經濟迅速發展以及信息產業內部相互滲透與競爭加劇的今天；圖書館工作如果僅僅停留在信息資源提供服務工作的層次上，則很難在競爭中贏得主動和優勢。

需要說明，信息諮詢服務工作有別於目前圖書館中所謂的「參考諮詢工作」或「文獻諮詢工作」，它們最根本的區別在於，信息諮詢工作是以信息媒體中的信息資源為工作對象的，它所提供的是信息產品；而參考諮詢工作是以信息媒體本身為工作對象的，對於用戶的信息需求，它一般是通過提供信息媒體（主要是工具書）的途徑予以滿足的，因而它只能是信息資源提供服務工作的組成部分。再以「圖書館和水庫」為例，信息資源提供服務工作只是聚集了社會所生產的信息資源，在時間上和流向上做了一些調整；而信息諮詢服務工作則類似於水庫的「發電工作」，它將蘊藏在信息資源體系中的「勢能」轉化為「電能」，從而引發了信息資源的質變。

　　信息資源提供服務工作和信息諮詢服務工作是圖書館工作的兩個基本層次，它們是相互聯繫、相互促進和互爲補充的。其中，信息資源提供服務工作是圖書館的基礎工作，是滿足人們一般的信息需求的主要途徑，它構成了圖書館中的事業部分；信息諮詢服務工作則是圖書館基礎工作的延伸和拓展，是滿足特殊用戶的信息需求和一般用戶的特殊信息需求的主要途徑，它是圖書館產業化經營的重點。在當前形勢下，圖書館應在加強信息資源提供服務工作的基礎上，有計畫地逐步地把工作重點轉到信息諮詢方面，這是時代的要求，也是圖書館內在發展規律的要求。

(二)信息諮詢是圖書館的發展方向

　　進入90年代以後，爲了適應市場經濟的發展，使圖書館走上良性運行的軌道，圖書館界的仁人志士做了大量的探索。在摸索的過程中，有一部分圖書館不惜擠讓出有限的空間和經費用於經營商店、飯店、時裝店，用於開辦歌廳、舞廳、美容廳，這種做法在短期內雖然能夠緩解圖書館經費短缺的燃眉之急，但從長遠發展而言殊不足取：一則它有損圖書館的形象，二則易於使主、副業倒置，三則可能降低圖書館隊伍的整體素質。當然，圖書館改革本身也是摸著石頭過河，什麼方法都不妨嘗試一下，但無論如何，對於圖書館發展這樣的重大問題，我們還是應該立足於對圖書館的科學分析，我們只有從圖書館內部尋找出路才是最根本的出路。在此，基於上述分析，我們認爲，只有變換圖書館的功能，積極發展信息諮詢，才能使圖書館更好地滿足用戶多方面、多層次的信息需求，才能使圖書館在信息市場的激烈競爭中處於有利的位置。

　　發展信息諮詢是圖書館內在規律發展的必然。與其它事物一樣，圖書館所遵循的也是從簡單到複雜、從低級到高級的發展規律。現在有這麼一種說法，即不同的時代需要不同的信息機構：農業社會的信息機構是檔案館，工業社會的信息機構是圖書館，信息社會的信息機構是一體化的信息中心。這種說法雖然簡單了些，但卻不無道理，細加分析，它其實是對不同時代圖書館的主要功能的簡明概括。如前所述，圖書館工作可以分爲信息資源提供服務工作和信息諮詢服務工作兩個基本層次，若再進行細分，則信息資源提供服務工作又可分爲收藏工作和提供工作兩部分。在農業社會，由於封建統治者實行愚民政策，加之信息資源生產和流通手段的落後，圖書館必然將戰略重點放在收藏工作方面，此時圖書館與檔案館之間的界線很模糊，檔案館是占主導地位的信息機構。在工業社會，大機器工業的發展要求勞動者必須掌握一定的科學文化知識，資產階級爲追逐高額利潤也鼓勵並資助發展科學文化事業，於是，以信息資源提供爲己任的公共圖書館迅速發展起來，它們與其它類型圖書館共同構成了工業社會人們獲得信息的主要信息源。到20世紀後期，一些西方發達國家率先進入了信息社會，與信息社會伴生的是經濟的高度發達、科學技術的飛速發展、文化教育的普及和人們整體素質的提高，這時人們對圖書館的要求已不僅僅是如何檢索和借閱信息媒體的問題，他們希望圖書館能夠滿足自己的各種信息需求，而這些需求的滿足通常又不能簡單地通過提供信息媒體的方式來實現，於是，圖書館面臨著這樣的選擇：要嘛適時地轉向信息諮詢，以保持在信息資源提供領域的主導地位；要嘛對新的信息需求置之不理而聽任社會的淘汰。圖書館無疑沒有別的選擇，信息社會中的圖書館只能是以信息開發和諮詢爲主導的圖書館，這是

邏輯與歷史發展的必然，也是圖書館進化的必然。

發展信息諮詢也是當代圖書館實踐的要求。當代圖書館實踐所遇到的最普遍的問題是經費短缺問題，至於如何解決這個問題，圖書館界的做法不盡相同，概括起來，主要有以下幾種途徑：一是實行有償服務。國際國聯（IFLA）曾對此進行過專門調查，並將圖書館的有償服務歸納爲5種類型、5種方式，❽但就這些類型與方式而言，看不出一個主導方向，其總體彷彿給人一種「百貨店」的印象，可見，有償服務只能是一種輔助手段，它不可能解決根本問題；二是經營「副業」，如經營商店、飯店、書店、歌廳、舞廳、錄像廳、酒吧等。這種做法不考慮圖書館自身的提高與發展，單純著眼於經費問題，頗有「病急亂投醫」的嫌疑，它雖能爲圖書館的發展籌措一部分資金，但不是長久之計，更不是發展方向；三是優先發展圖書館的現代化，以技術的優勢來彌補經費短缺的劣勢。這種做法初看似乎不失爲一個好辦法，但略加分析就會發現，圖書館現代化不僅需要經費而且需要大量的經費保證，在經費短缺的情況下若硬性地「沒有條件也要上」，則無異於殺雞取卵，故這種做法也不可取；四是以信息開發和諮詢爲主導，多種經營，既考慮自身的提高與發展，也注重解決經費不足的困擾，同時還能爲圖書館現代化積累資金，這種做法揚長避短、主次分明，應是圖書館的發展方向。當代圖書館實踐所面臨的第二個問題與經費短缺有關，由於圖書館信息媒體複本量的大幅度減少，圖書館滿足用戶一般信息需求特別是閱讀需求的能力受到很大的制約，這一

---

❽　周志華，毛洪智，信息產業和圖書館，中國圖書館學報，1994（3）：1～6。

矛盾的激化表明以借閱爲中心的信息資源提供服務已不能適應發展的需要，圖書館只能走開發信息資源、發展信息諮詢的道路，這是目前解決信息資源入藏量減少與需求激增之矛盾的主要途徑之一。當代圖書館實踐所面臨的第三個問題是人才問題，人才短缺和人才流失給圖書館帶來了災難性影響，這個問題的產生固然與經費拮据及工資待遇低等因素有關，但換個角度分析，它也與圖書館工作的現狀有關，以借閱服務爲中心的低水平的圖書館工作令許多高學歷的人才看不到自我價值實現的可能性；爲此，要吸引人才和留住人才，就必須提高圖書館工作的水平，積極發展信息諮詢，這在某種意義上說是比經費問題更重要的問題。

發展信息諮詢也是現代科學技術尤其是信息技術的高速度發展給圖書館提出的新課題。對於圖書館的發展而言，電子計算機技術和現代通信技術的發展及其應用實實在在是一場革命；前者使圖書館信息資源提供服務工作進入了自動化時期，由此而裁減的原來以機械作業爲主的信息人員，只有經過培訓和再提高，轉入信息開發和諮詢部門，否則是沒有出路的；後者則使異地圖書館之間的聯網和資源共享成爲現實，這在很大程度上能夠解決圖書館信息資源入藏量減少和用戶信息需求激增的矛盾，但卻無法滿足用戶日益增加的複雜的高層次信息需求，因此，在信息資源共享的前提下更需要發展信息諮詢。事實上，現代信息技術也爲信息開發和諮詢提供了強有力的便捷的手段，從而有助於提高信息開發的生產率。

綜上所述，發展信息諮詢是由理論的、實踐的和技術的多方面的因素所共同決定的。展開來講，發展信息諮詢對於圖書館具有多重的意義和價值，其中最爲重要的是，信息諮詢縮短了圖書館與經濟發展

的距離，爲圖書館進入信息市場提供了「接口」。

(三)信息諮詢是圖書館與信息市場的接口

市場經濟是以市場作爲資源配置的基礎性方式和主導手段的一種經濟體系，其最本質的特點是根據市場的供求關係決定商品的生產，並以對市場需求的調查作爲決策的主要依據。市場經濟的前提是商品生產，沒有商品就沒有市場，沒有商品的市場化，也就不叫市場經濟。推而論之，圖書館要進入市場，必須以信息產品的生產作爲前提條件——信息產品的生產就如同計算機系統中的「接口」，通過它，圖書館才能與信息市場發生直接的關係，才能眞正成爲信息市場的組成部分。如前所述，圖書館收存的信息資源不是商品，而且圖書館信息資源的選擇和提供也基本上不受市場供求關係的支配，所以，信息資源提供服務不能成爲連接圖書館與信息市場的紐帶。而信息諮詢則以信息市場的需求爲導向，以信息產品的開發與生產爲核心，以服務信息用戶爲目的，通過將信息資源轉化爲生產力，進而推動社會經濟的發展，因此，可以說是圖書館進入信息市場直接促進經濟發展的主要途徑。

信息諮詢邏輯地包含著信息開發。所謂諮詢，簡言之，就是根據用戶的要求提供信息產品的一種活動。通常，諮詢不是提供現成的信息，它需要根據用戶的需求進行調查研究、收集素材、分析整理，並最終形成和提供信息產品。諮詢最重要的特徵在於它能夠使信息再生，也就是說，它能夠通過信息的集中、濃縮、重組、綜合等方式而產生新的信息，其本質是一種信息開發活動。聯繫諮詢的產品與發展進一步分析，諮詢的信息再生功能是以大量的信息貯存爲起點，通過

信息從量變到質變的轉換過程而實現的，譬如中國古代的「士」，他們在「讀萬卷書，行萬里路」的實踐中積累了大量的知識與經驗，他們就是憑這些知識與經驗爲統治階級提供諮詢並賴以謀生的。而圖書館所蘊藏的豐富的信息資源無疑是士大夫們的大腦所無法比擬的，這是圖書館發展信息諮詢的優勢之所在。但是，潛在的優勢只是一種可能性，要把潛在的優勢轉化爲現實的優勢，圖書館還須藉助於信息開發：信息開發是圖書館信息諮詢的中心環節。

　　圖書館信息諮詢是以信息產品的開發爲核心的信息交流過程，這個過程主要包括以下三個有序的環節：其一是市場調研。圖書館信息諮詢始於對信息市場的調查研究，這是一項細緻的工作，它決定著圖書館能否開發出適銷對路的產品，與此相適應，圖書館諮詢人員需要運用市場細分等手段對用戶的信息需求進行詳細而準確的劃分，從而解析出一個個「專題」作爲信息開發的單位；其二是信息開發。在掌握用戶信息需求的基礎上，信息諮詢人員需要對有關專題的信息進行全面收集、消化吸收、提煉重組、評述預測，並最終生產出符合用戶需求的信息產品。信息開發的難點在於它對開發人員的要求很高，他們既要有廣闊的信息視野，又要有一定深度的專業知識，還要熟練地掌握現代信息技術尤其是計算機技術，而符合這些要求的諮詢人員只能是一個協調互補的集體；其三是產品推銷。信息產品能否最終進入信息市場，取得經濟效益，還有賴於推銷手段，而圖書館在這方面擁有自己的優勢——衆多的信息用戶本身可以成爲推銷者，以圖書館信息用戶作爲第一圈層向外輻射，形成多層的用戶圈和推銷網，再輔之以廣告推銷、市場經營、上門推銷等方式，圖書館在信息市場中是大有可爲的。

　　圖書館信息諮詢始於信息市場也終於信息市場，信息市場可謂其生命源泉和用武之地。在信息市場中，圖書館也是一支不容忽視的有生力量，其優勢在於擁有豐富的信息資源，爲此，圖書館信息諮詢必須充分利用這一優勢，形成自己的特色。但圖書館信息諮詢又不能局限於館藏信息資源的範圍，它應該以館藏信息資源的開發爲主導，逐步向外擴展，從而形成一個既有主導方向又有很強的兼容性的多層次的諮詢服務體系。具體地說，圖書館信息諮詢的內容和類型大致有以下幾個方面：

　　·口頭信息諮詢，即以諮詢者的知識積累爲基礎，針對用戶提出的各種問題，以口頭形式予以解答的一種諮詢類型。它又有兩種主要方式：一是個別解答，二是知識講座。圖書館口頭信息諮詢的範圍很廣，其內容大致包括文獻檢索知識、書目信息、館藏信息、推薦導讀信息、百科知識、生活常識、學術動態信息、科技進展信息、文化娛樂信息、市場價格信息、形勢政策信息、以及各種熱點問題信息等。圖書館口頭信息諮詢也包括電話諮詢，譬如，英國曼徹斯特公共商業圖書館平均每年要答覆35,000個電話信息諮詢。❾

　　·文獻信息諮詢，即以文獻信息資源的開發爲基礎，通過提供信息產品來滿足用戶需求的一種諮詢類型。它又可以分爲三個層次：一是書目信息的開發與諮詢，其最終產品是書目、索引、文摘等二次文獻；二是綜述信息的開發與諮詢，其最終產品是綜述、述評或研究報

---

❾　Alec Gellimore. Marketing A Public Sector Business Library. See: Bliaise Cronin. The Marketing of Library and Information Services 2. London: Aslib, 1992. 126~143.

告等三次文獻；三是著述信息的開發與諮詢，其最終產品是專著、匯編及各種工具書。文獻信息諮詢要求以專題形式進行，所謂「專題」，也就是經過細分的信息需求，如「股份制」、「兒童營養」、「時裝走向」、「香港回歸」等都可稱爲專題。在文獻信息諮詢活動中，有兩點是至關重要的：一是專題的選擇，好的選題常常可以給圖書館帶來經濟效益和社會效益兩方面的收益；二是信息產品的開發與生產必須符合用戶的要求，要具有最大限度的普遍性和針對性。

·數據庫信息諮詢，也稱計算機信息諮詢，即以數字化的信息資源爲基礎，以計算機檢索爲手段，根據用戶的要求快捷地提供所需信息資源的一種諮詢類型。它又有兩種主要方式：一是通過館藏印刷文本的數字化自建數據庫，或通過購買光盤數據庫，向用戶提供信息諮詢服務；二是通過聯網的形式，利用網絡信息資源開展信息諮詢服務。數據庫信息諮詢的優勢在於信源廣、信息新、速度快，同時，由於許多數據庫在開發時較爲注重商業價值，它也是與經濟發展聯繫最爲緊密的一種諮詢。

·擴展式信息諮詢，即以館藏信息諮詢的開發爲依托，充分利用信息用戶中各類專家的專業知識和技能，利用大衆傳播及各類信息網絡所傳播的信息資源，深入信息市場，主動爭取和承接課題，通過調查研究等途徑爲信息用戶提供高質量的信息產品的過程。擴展式信息諮詢的實施可分爲4個主要階段（即尋找用戶、接受委託、調查研究和總結報告），目前的難點在於爭取和發展用戶。從選題的角度而言，擴展式信息諮詢又可分爲兩種主要類型：一是接受上級部門或各類顧客的委託，開發和提供符合要求的信息產品，簡稱委託式諮詢；二是深入信息市場，捕捉用戶的信息需求熱點及其發展趨勢，並據此開發信息

產品，參與信息市場競爭，這種諮詢可稱為自選式諮詢。擴展式信息諮詢是一種更為複雜和高級的信息諮詢，其中如自選式諮詢還帶有相當程度的風險性，但唯其如此，若能夠開展起來，它將會給圖書館帶來可觀的經濟效益和巨大的社會效益。

·人才培訓，其實質是以館藏信息資源的開發為依托，以信息資源和技能的傳授為手段，面向社會的一種智力開發活動。圖書館人才培訓主要採用兩種形式：一是在職教育和成人教育，二是短期培訓。其中，前者注重系統的知識傳授，以學歷教育為主；後者側重實用知識與技能的傳授，以操作訓練為主。就當前及今後幾年而言，圖書館應配合社會與企業，將培訓重點放在下崗人員再就業方面，這既是圖書館的義務，也是一個機會：圖書館可以借此重塑自己的形象。

圖書館信息諮詢改變了傳統圖書館工作「簡單位移」和「坐、等、靠」的性質，增強了圖書館自我生存能力和市場競爭能力，提高了圖書館工作的層次和社會地位，代表著市場經濟環境中和網絡時代圖書館的發展方向。與其它類型的信息諮詢活動相比較，圖書館信息諮詢的優勢在於圖書館擁有豐富的信息資源，劣勢則在於缺乏高層次的開發和諮詢人才。有鑒於此，我們認為，在圖書館還沒有形成職業性的諮詢階段之前，可設法爭取、吸引高素質和高水平的信息用戶參加圖書館信息諮詢活動，以期儘快開創圖書館工作的新局面。

第三節　信息資源開發及信息產品❿

㈠信息資源開發論

信息資源開發和信息產品的生產是圖書館信息諮詢活動的核心環節，是圖書館信息諮詢工作有別於傳統圖書館工作的最爲本質的特徵。我們認爲，圖書館信息資源開發主要是一種創造和生產新的信息產品的活動，是圖書館信息資源服務的一種高級形式。

圖書館信息資源開發是以可獲取的信息資源爲開發對象，以生產新的信息產品爲目標，以圖書館諮詢開發人員的智力和電腦爲手段的一種創造性勞動。它本身可分爲館藏信息資源開發和網絡信息資源開發兩大部分。館藏信息資源開發以一館所藏的特色信息資源爲開發對象，以加工、研究、編纂等爲主要手段；網絡信息資源開發則以網絡中可獲取的「海量」信息資源爲開發對象，以先進的信息技術爲主導手段；它們的目標都是生產各種類型的信息產品，主要包括索引類、匯編類、綜述類、述評類、預測類5大類。

信息資源開發是一種市場導向性的研究活動，它需要深入信息市場了解用戶的熱點需求和重點用戶的迫切需求或接受用戶的委託，制定相應的研究課題，然後通過信息資源的搜集、提煉、歸納、整理、比較、分析、綜合、演繹、推理、調適，以形成能夠反映和滿足用戶信息需求的信息產品，並將這些信息產品推向市場以實現其社會價值和經濟價值。信息資源開發的實質是一種研究活動，但它又不同於一

---

❿　霍國慶，論信息資源開發，中國圖書館學報，1998（2）：9～14。

般的學術研究，其最終目的不是爲了形成一種理論、一種學說或一項
專利，相反，它是爲這些理論學種的形成、專利的研制、決策的形
成、信息消費等活動服務的，它是一種前導性的研究活動。此外，信
息資源開發是以市場機制驅動的，經濟效益是其運行的核心動力，它
可謂是一種實用性和經濟性的研究活動。

　　信息資源開發也是一種高層次的信息服務，它既不是純粹的學術
研究活動，也不是純粹的生產經營活動，它是兩者的綜合，是信息資
源貯藏量的積累發展到一定的程度由信息資源管理機構所設計或引進
的一種「發電機制」，其目的是將蘊藏在信息資源體系中的「勢能」
轉化爲「電能」，變輸「水」爲輸「電」；雖然提供的服務內容有所
區別，但服務性質是不變的。作爲圖書館信息諮詢服務的一部分，信
息資源開發決定著諮詢服務的深度、廣度和質量，信息諮詢服務也就
是以所開發的信息產品爲依據提供事實、數據、文本、線索等的過
程。

(二)信息產品結構論

　　信息產品或稱信息商品，是指以信息資源爲對象，經過開發、加
工、組織、轉換而形成的，能夠滿足用戶信息需求的，可在市場中自
由移動的信息媒體或信息內容本身。信息產品大約可分爲生產型信息
產品和再生型信息產品兩大類：生產型信息產品是指那些在信息資源
生產階段所形成的信息產品，如研究人員、作家、記者等撰寫的著
作、論文，以及各類社會組織在日常活動中形成的標準、法規和統計
報表等，均屬於生產型信息產品；再生型信息產品則是指在信息資源
管理過程中所形成的信息產品，它們是對生產型信息產品實施再開發

的結果，如圖書館、情報機構、各類信息公司等信息機構所開發的書目、索引、手冊、百科全書、研究報告等就大都屬於再生型生產產品。⓫再生型信息產品又可依據開發的深度大約劃分爲索引類、匯編類、綜述類、述評類、預測類5大類型，這可以稱之爲再生型信息產品的種類結構，它是與圖書館的信息資源開發活動相對應的。

索引類信息產品也稱爲線索型信息產品，其功能是爲人們利用信息資源提供線索和指導服務。圖書館可開發的索引類信息產品主要包括各種目錄、書目、題錄、索引、文摘、新書通報、網址目錄、數據庫目錄等。譬如，中國科學院文獻情報中心所開發的數學文摘、物理文摘、中國科學引文索引（CSCI）等就屬於索引類信息產品；而在美國，將文摘、索引、目錄等信息產品商品化並取得成功者所在多有，著名的《化學文摘（CA）》和《科學引文索引（SCI）》就是這方面的典範。目前，圖書館應加強推薦書目、館藏聯合目錄、網址目錄、數據庫索引等信息產品的開發和商品化，以期滿足人們在工作、生活和學習等方面獲取信息的需求。

匯編類信息產品是根據特定用戶群的信息需求，將相關的信息資源匯集起來，加以鑒別和篩選，並按一定順序編排而成的一種信息產品。它不僅提供線索，而且也提供具體的事實、數據、圖片、論文、人物信息等。圖書館可開發的匯編類信息產品主要包括文集、圖集、手冊、大事記、人物年譜、機構名錄、專家名錄等。匯編類信息產品

⓫　孟廣均，霍國慶，謝陽群，羅曼，論信息資源及其活動，見：張力治，情報學進展（1996～1997年度評論），北京：兵器工業出版社，1997．75～100。

的開發應注意兩點：一是要與當前的政治經濟形勢緊密結合，要掌握
大眾用戶的需求心理，有計畫地進行開發，如1998年是周恩來的百年
誕辰，圖書館可利用館藏的信息資源，提前組織和編排紀念文集和圖
集等，以滿足社會各界了解和學習周總理的願望；二是要與大眾傳播
機構如電視台、電台、報社、雜誌社、出版社等密切合作，力爭所開
發的信息產品能夠發表、出版或播放，以實現信息產品的商品化。

綜述類信息產品是針對某一時期內某一學科或專題的信息資源，
進行較全面的收集和較系統地分析，進而歸納條理、綜合敘述而形成
的一種信息產品。它也提供線索和具體的事實、數據和觀點等，但它
更主要的是提供人們對某一主題的理解、認識和研究成果，與前兩類
信息產品相比，它需要更多的智力投入。圖書館可開發的綜述類信息
產品主要包括各類綜述、學科總結、專題總結、階段性總結、階段性
進展等。如目前一些大中型圖書館開展的定題情報服務（SDI,
Selective Dissemination of Information）和進行中的科研項目服
務（ORI——On going Research Information）就是以開發綜述類信
息產品爲主導任務的。

述評類信息產品是圍繞某一學科或專題，在對大量的相關信息資
源進行總結和綜述的基礎上，進一步作出評價和提出建議而形成的
一種信息產品。與綜述類信息產品相比，綜述類產品可謂「述而不
評」，而述評類產品不僅要「述」，更重要的是要「評」，要引入開
發者的觀點，以形成「畫龍點睛」的效應。圖書館可開發的述評類信
息產品主要包括各類述評、評論、論析、點評、評校等。需要說明，
「書評」類產品雖有別於述評，但從「評」的角度出發，亦可歸入此
類；由於書評類產品有助於「爲書找人」和充分提高館藏信息資源的

利用效率，故應作爲今後圖書館信息資源開發的重點之一。

　　預測類信息產品是在大量綜述和分析某一學科或專題的相關信息資源的基礎上，探測和確定其發展規律，並進而預測未來一段時間內的發展動向和趨勢而形成的一種信息產品。從理論上講，圖書館可開發的預測類信息產品包括各類預測、展望、趨勢分析等；但由於種種條件限制，特別是受開發人員專業知識和理論深度的限制，在當前及今後一段時間，預測類信息產品將不能成爲圖書館信息資源開發的重點。

　　再生型信息產品是信息資源開發過程的產物，如果我們將一個完整的開發過程分解爲信息資源的採集、篩選、提煉、評論、預測、序化等6個主要環節，那麼上述5類信息產品所內含的環節數是不一樣的，我們將每類再生型信息產品所內含的環節數及其有機聯繫稱爲再生型信息產品的內在結構。若我們進而將各類再生型信息產品所內含的開發環節依次用加號「＋」連接起來，則上述5類信息產品的內在結構分別如下：

　　索引類：採集＋序化

　　匯編類：採集＋篩選＋序化

　　綜述類：採集＋篩選＋提煉＋序化

　　述評類：採集＋篩選＋提煉＋評論＋序化

　　預測類：採集＋篩選＋提煉＋評論＋預測＋序化

　　可以看出，信息產品所內含的環節數越多，其開發過程就越複雜、約束條件越多，但同時其價值也越大，這是符合馬克思的商品價值理論的。

㈢信息產品開發策略論

信息產品開發是一個研究過程，但它卻不同於單純的學術研究：學術研究的目標是探索未知、弄清規律，產品開發的目標則是面向信息市場生產能夠滿足人們不斷變化著的需求的新產品並獲取利潤。有鑒於此，信息產品開發必須選準目標市場、保證高智力投入、緊跟技術進步、確立競爭優勢、實現規模經營和爭創名牌產品，這些觀念和措施也就是信息產品開發的策略。

選準目標市場是信息產品開發的首要問題，也稱市場定位策略。再生型信息產品的市場定位有如下特點：其一，再生型信息產品的用戶主要是文化程度和素質較高的各類信息工作者和學生；其二，再生型信息產品的目標市場的容量一般不大，開發者多選擇差異性市場營銷策略，也就是說，需要根據不同細分市場的需求差異，有針對性地生產多品種、系列化的信息產品，並採取有區別的促銷手段；其三，在目標市場中，信息用戶最關心的產品屬性主要是信息量、內容深度、針對性、連續性、服務水平和價格等，這些因素構成了一個多維空間，某一具體產品在這一多維空間中一定有一點與之對應，這一點就是產品的市場定位點，如文摘的市場定位點主要是大信息量和連續性。市場定位策略要求信息資源開發者根據用戶對信息產品不同屬性的重視程度，運用有目的的措施，有力地塑造信息產品鮮明的、與眾不同的個性和形象，從而使信息產品在市場中確立自己的位置，這是信息產品開發的第一步，也是至關重要的一步。

保證高智力投入是確保信息產品質量和檔次的重要前提。再生型信息產品的生命周期比較短，需求批量比較小，用戶層次又比較高，

這就要求信息產品開發必須注意速度和時效，及時更新換代主要品種（如手冊、名錄）等，不斷改善產品結構，提高產品檔次，盡可能地預測用戶將要產生的新需求並爲之服務——而要實現這些目標，就必須聚集一流的開發人才和管理人才，組織力量聯合攻關。信息產品是一種智力產品，而開發人員的智力就是其形成的主要機制。對於述評類和預測類這樣的高檔信息產品，開發人員在堅持自主開發的前提下，還可通過「特爾斐法」等方式「借用」高層次用戶的智力以形成高質量的信息產品。

緊跟技術進步是提高產品開發效率的重要舉措。當今社會，圖書館已成爲現代信息技術高速滲透和全面應用的主要領域之一，先進的信息技術不僅可以提高信息產品開發的速度和效率，而且從根本上說還是信息產品更新換代的主要原因。譬如，因特網及各類信息網絡的迅速發展大大激發了人們對機讀目錄（MARC）的需求，而機讀目錄的出現又極大地提高了各類再生型信息產品的開發速度；從發展的角度來認識，各類機讀型信息產品有可能取代紙本型信息產品而成爲再生型信息產品的主要品種。

確立競爭優勢是信息產品開發的制勝法寶。在信息市場中，圖書館如何與其它信息機構和信息公司展開競爭呢？答案是確立自己的競爭優勢。圖書館信息資源開發部門可以從兩方面來確立這種優勢：一方面，圖書館擁有豐富的、累積的和動態發展的各類信息資源，這是信息產品開發取之不盡、用之不竭的源泉；另一方面，每個圖書館都擁有固定的或相對穩定的用戶群，他們是圖書館信息產品的最基本的消費者，圖書館可以他們爲核心向外拓展，爭取更多的市場份額。

實現規模經營是提高信息產品開發效益的核心問題。要實現規模

化經營，需要做到：(1)選準目標市場，即根據信息市場的主脈搏、根據潮流化的信息需求開發信息產品；(2)實現信息產品的標準化，可以斷言，誰的產品標準獲得市場的認可，誰的產品就將在市場競爭中獲勝，而標準化正是規模化的前提；(3)強化高技術手段的應用，以高技術的優勢換取規模效益，如利用計算機技術可在極短的時間內針對多樣化的信息需求開發出多種推薦書目，這也相當於一種規模效益。總之，只有規模化，圖書館信息開發才能降低成本、提高質量、獲得高效益。

創造名牌產品是信息開發部門鞏固和擴大市場的基本策略。名牌信息的創立絕非一朝一夕之功，它們往往是一代人甚至幾代人拼搏、兢業和努力的結晶。要創立名牌，開發者必須擁有「用戶意識」、「質量意識」、「第一意識」、「創新意識」和「形象意識」，必須一以貫之地愛惜和維護自己的產品和品牌形象。近年，國內湧現出了「布老虎叢書」和「火鳳凰叢書」等優秀的品牌形象，它們的成功值得圖書館信息開發部門學習和借鑒。

信息產品開發是一個複雜而充滿風險的領域。所謂複雜，是指開發過程涉及多個知識領域、多種技術與方法以及多個信息環節；所謂風險，則是指對信息產品的選擇、開發和營銷帶有一定的不確定性，如果選擇不當或策略制定及實施出現失誤，就會造成經濟上的損失。為此，信息產品開發一定要以市場調查為前導，認真制訂和落實開發策略，確保市場營銷的順暢和成功。

㈣信息產品開發的方法論

信息產品開發就其實質而言是一種研究過程，方法論在其中具有

極為重要的作用。我們認為，圖書館信息產品開發的方法論主要是由信息分析方法、信息綜合方法和信息預測方法所組成的，其中，索引類和匯編類信息產品的開發以信息分析為主，綜述類和述評類信息產品的開發兼顧信息分析和信息綜合，而預測類信息產品的開發則兼具信息分析、綜合和預測3種方法。

　　信息分析是將概念化的用戶信息需求分解為各種簡單要素，然後分別地進行研究，找出其中的主要要素及要素間的聯繫，並以此為據組織信息資源的方法。信息分析主要包括要素分析、矛盾分析、結構和功能分析、動態平衡分析等方法，其內容分別如下：(1)信息要素分析法。其實質是將作為整體的特定信息需求及其對應的信息資源分解為各個簡單的要素並分別地進行研究，譬如，我們可以把當代社會家長對獨生子女的期望分解為身體發育的需求、道德教育的需求、升學的需求、全面發展的需求等；(2)矛盾分析法。其實質是分析構成一事物的主要要素的矛盾關係以尋求解決問題的途徑，譬如，當前對於家長而言，獨生子女的升學問題和全面發展問題就是一對主要矛盾，它決定著家長的信息消費傾向；(3)結構與功能分析法。其實質是分析構成一事物的所有要素之間的各種聯繫以及由這些聯繫所決定的事物的功能，譬如，當我們準備編寫一套《少兒百科全書》時，固然要考慮它對少兒成長的作用，但同時更要考慮家長們對獨生子女的種種期望及其決定的信息需求，因為家長們才是真正的購買決策者；(4)動態平衡分析法。其實質是分析一事物的要素、矛盾關係、結構與功能等隨環境動態發展的規律，譬如，網絡時代的家長們普遍希望自己的孩子能夠掌握電腦技能，圖書館信息產品開發即可就此大作文章。

　　信息綜合是將與特定用戶群信息需求相關的零散信息資源通過歸

納整理，依據一定的邏輯關聯、效用關聯或形式關聯，組成能夠反映
事物的全貌或全過程並能滿足用戶信息需求的信息產品的方法。信息
綜合又可分爲主題綜合、歸納綜合、模型綜合、移植綜合等方法，其
內容大致如下：(1)主題綜合法。即圍繞某一主題集約信息資源並形成
信息產品的方法，譬如，編寫「少兒推薦書目」就需運用主題綜合
法；(2)歸納綜合法。即依據歸納邏輯從大量信息資源中推導、衍生新
知識和新結論並形成信息產品的方法，譬如，撰寫「西方圖書館學流
派論評」一文就需要運用歸納綜合方法；(3)模型綜合法。即依據模型
組織信息資源並形成信息產品的方法，譬如，「布拉德福定律的發展
及評價」一文的撰寫就需圍繞「文獻分散曲線模型」來組織信息資
源；(4)移植綜合法。即把相關學科的理論、方法或模型移入目標學
科，在交叉滲透的過程中實現綜合的方法，譬如，「市場經濟與教育
發展」一文的撰寫就需運用移植綜合法。

　　信息預測是在綜合大量信息資源的基礎上，歸納總結出信息資源
所表徵的事物的發展規律，並根據這些規律預測未來一段時間內事物
發展趨勢的一種方法。信息預測方法又包括時間預測法、空間預測法
和特爾斐法，其內容如下：(1)時間預測法。即根據事物在時間序列中
所呈現的節律性、周期性、連續性等特徵，由已知推測未知、由現在
推測將來的一種方法，趨勢外推法、指數平滑法等都可稱之爲時間預
測法，譬如，「21世紀的資源共享」論文的撰寫就多用時間預測法；
(2)空間預測法。即根據各種因素在空間中的集聚及其變化情況預測物
質、能量、信息、人口的空間分布與變化的一種方法，譬如，「21世
紀世界政治和經濟格局」一文的撰寫就需運用空間預測法；(3)特爾斐
法。它是充分開發和利用各類專家的潛在信息資源以預測未來的方

法，譬如「未來10年北京市城建發展規劃」的制訂就需運用特爾斐法。

　　信息分析、信息綜合、信息預測共同構成了一個方法論整體，它們是互爲聯繫和補充的，在實際的信息產品開發過程中，常以不同組合的形式出現，可以先分析、後綜合（如綜述類信息產品的開發），也可以先綜合、後分析（如述評類信息產品的開發），還可以分析、綜合、預測有序或交叉地靈活運用（如大型調查報告的撰寫）。總之，方法論是信息產品開發的靈魂，加強方法論研究將有助於提高圖書館信息產品開發的效率和效益。

第四節　圖書館服務及信息產品的市場營銷

㈠圖書館市場營銷論

　　圖書館信息資源開發主要是生產信息產品的過程，要實現信息產品的價值，還須將其推向市場，進行有效的市場營銷。事實上，由於圖書館信息資源提供服務也必須面向市場（用戶需求）且面臨著嚴酷的市場競爭，所以，傳統意義上的圖書館服務也存在市場營銷問題。「產品與用戶之間距離的存在以及同種產品多家經營現象的存在是推銷活動產生的土壤。換言之，一切的推銷活動都是爲了縮短產品生產者（提供者）與用戶之間的距離。因此，公共信息服務部門是否要進行推銷與公關工作，就要看其提供的服務和產品與用戶之間有無距離。事實上，公共信息服務部門不是人們獲取信息的唯一部門，而且

其所能提供的信息服務和產品，與用戶之間的確存在距離。**⓬**這就是圖書館開展市場營銷的根本原因。

圖書館的市場營銷不同於目前流行的圖書館有償服務。據國際圖聯（IFLA）對各國圖書館開展有償服務的調查，圖書館有償服務大約可歸納為5種類型、5種方式。5種類型為：(1)純贏利型服務，如照像複製等；(2)增值型服務，如出租唱片等；(3)象徵收費型服務，如進館收費等；(4)臨時服務，如租借圖書館建築等；(5)其它服務。5種方式為(1)文獻複製、代銷圖書、書刊評價、代銷藝術品、代售車船票、處理閒置圖書設備；(2)出租唱片、磁帶、玩具、場地、計算機軟件、計算機等；(3)圖書逾期罰款、丟失圖書賠償、圖書預約收費等；(4)處理舊書、報刊裝訂、傳呼電話、有線諮詢、代發信件、出售縮微品、飲食招待、租借用具、播放電影等；(5)其它方式。**⓭**國際圖聯對圖書館有償服務的調查總結基本上能夠反映目前圖書館有償服務的概貌，可以看出，這些服務活動與方式主要是傳統圖書館服務的外延擴展和經營，它既沒有將作為整體的圖書館服務作為市場營銷的對象，更沒有以信息產品的生產和商品化為前提，因此，圖書館有償服務只能是一種過渡性的做法。

圖書館市場營銷也不同於圖書館的商業化經營。據美國學者克羅寧（Blaise Cronin）主編的論文集《圖書情報服務的市場營銷(2)》

⓬ 杜元清，公共信息服務機構的推銷與公關工作，北京圖書館館刊，1993（1～2）：28～32。

⓭ 同註**❽**。

中的一篇論文，⓮英國的一個研究協會的圖書館曾進行了商業化經營的實踐。該圖書館是研究協會情報部門的一個組成部分，其主要任務是爲協會研究人員和會員公司提供圖書館服務以及爲情報學家瀏覽和編寫文摘採集源文獻。爲了實現商業化經營，該館開始著手編製收支平衡表，他們是這樣做的：首先，他們算出次年需要多少錢才能爲用戶提供可接受的服務，這筆錢包括資料成本的上漲、雇員薪水的增加、主要設備的成本以及附加的雇員開支；其次，他們對當前的圖書館利用情況進行了詳細的分析和統計，得出了不同用戶群體利用圖書館的結構比例，並進一步將上述成本分攤到這些用戶頭上，作爲各用戶群體應負擔的圖書館費用；再次，他們對未來的圖書館收入進行了計算，圖書館若想盈利，就不能僅僅讓用戶承擔圖書館服務的成本，爲此，經過認眞的市場分析和權衡，他們決定在每一圖書館服務項目的成本上加收18%的費用作爲圖書館的利潤；最後，他們設法說服研究協會各部門（包括情報部門）及會員公司接受了圖書館的經營方案，並進行了爲期不長的商業化運營。該館的商業化經營實踐最終未能進行下去，其中的原因很多，但最爲重要的一點是它必須與那些提供免費服務的圖書館及眾多的信息機構展開競爭，這對於它是不利的；無疑，我們不能將圖書館辦成盈利的信息企業，我們提倡圖書館的市場營銷，是希望藉此縮短圖書館服務與信息用戶的距離，最大限度地發揮圖書館信息資源的作用，讓更多的人認識和感受到圖書館對

⓮　Lawraine Wood. Running the Library as a Profit Making Business. See: Blaise Cronin. The Marketing of Library and Information Services 2. London: Aslib, 1992. 286~297.

他們的用處，從而贏得廣大用戶和社會的支持，使圖書館走向良性發展的軌道。同時，圖書館營銷本身也有區別，圖書館服務（主要指信息資源提供服務）的市場營銷就不同於圖書館信息產品的市場營銷。

(二)圖書館服務的市場營銷

圖書館服務的市場營銷是將整體的圖書館服務作爲營銷對象，其目的不是盈利，而是更好地完成圖書館的任務和服務於圖書館的法定用戶，在此前提下，適當擴大服務範圍，收取一定的費用，盡力拓寬圖書館的經費來源，確保圖書館的生存與發展。據我們了解，英國曼徹斯特商業公共圖書館的服務營銷工作開展得較爲出色，故此，我們將以曼徹斯特市（以下簡稱曼城）商業公共圖書館的實踐和探索爲內容，概略地談一談圖書館服務市場營銷的一般模式。❺

曼城公共商業圖書館是英國主要的公共圖書館之一。近年來，由於曼城居民的服務需求與外地用戶對圖書館的高頻利用之間的矛盾日益突出，該館決定開展市場營銷，具體而言，其原因主要有：(1)市場在持續地變化，商業場所、商業人員、學生數量及城市人口也在變化，許多用戶只是偶然光顧圖書館；(2)商業信息的潛在市場很大，公共商業圖書館只占有一部分市場份額；(3)有必要將所有可利用的信息提供給當前和潛在的用戶；(4)市場競爭激烈，潛在用戶可能會忽略公共部門的服務；等等。總之，曼城公共商業圖書館開展營銷的主要目的是爲曼城的組織和個人服務，是更多地吸引曼城居民中沒有利用圖書館的潛在用戶，是促進圖書館服務效益的最大化，而不是盈利。

---

❺　同註❾。

營銷是管理過程的一部分，它很容易以一種無計畫的方式發展，若想以最有效的方式去開發信息資源和滿足法定用戶的信息需求，就須制定合適的策略。爲此，曼城公共商業圖書館根據管理學家西蒙（H. A. Sirmon）的決策模型發展了圖書館服務的營銷模式，這一模式包括6個步驟：(1)任務分析；(2)市場分析；(3)資源分析；(4)促銷；(5)評估；(6)反饋。

任務分析也稱目標分析，這是圖書館服務營銷的重點內容之一。任務分析包括以下幾個方面：(1)我們所從事的是什麼活動？(2)誰是我們的顧客？(3)我們試圖滿足什麼樣的需求？(4)我們重點關注的是哪一個細分市場？(5)誰是我們的主要競爭對手？(6)我們在目標市場上具有什麼優勢？(7)我們的目標是什麼？對於曼城公共商業圖書館而言，其職業活動是通過免費提供和營銷商業信息來滿足曼城居民的需要並進而對當地經濟發展做出積極的貢獻，其主要顧客是曼城的居民和組織，其試圖滿足的是曼城居民和組織的商業信息需求，其主要競爭對手包括小公司服務社、政府部門的專家組織、商業俱樂部、專家公司以及擁有商業信息資源的商業院校，其主要優勢則包括服務是免費的、信息是公開存取的、信息資源極爲豐富、可提供學習或研究用的設施、交通位置優越（位於市中心）等。構成曼城公共商業圖書館營銷策略的主要目標都是長期性的，它們包括：(1)改進曼城居民和組織對曼城商業圖書館及其商業信息的價值的認識；(2)增加到館查尋信息的用戶數量（電話諮詢耗資人力較多）；(3)更有效地激活圖書館中那些具有重要的潛在價值的信息資源；(4)將目標集中在目前很少或沒有利用圖書館的潛在用戶群體方面。

市場分析的主要目的是界定市場以及評估用戶和潛在用戶的信息

需求。市場分析主要包括以下幾方面內容：(1)環境分析。曼城公共商業圖書館的主要市場是由地域因素決定的，其市場開發應限於曼城，應鼓勵本地區更多的人利用圖書館服務，其法定任務是滿足公眾而不是特定用戶群的信息需求，因此，它必須持續地跟踪工業、商業和經濟的發展，必須根據可預測的未來的用戶需求提供服務，必須宣傳這些服務以引起潛在用戶的注意；(2)市場細分。曼城公共商業圖書館服務的主要細分市場是各類公司及其從業人員，其他確定的用戶包括政府部門、新聞工作者、顧問、市場經理、學生、教師、研究人員及其它信息或諮詢機構，它還擁有許多個人用戶；在分析和確定這些用戶的信息需求時，可聘用職業的市場研究人員，可利用已發表的研究報告，可運用用戶調查和受控諮詢方式，可利用當地的人口統計資料和各類組織的相關數據，可利用工商企業名錄和數據庫資源，而在評價用戶需求時，則應密切關注用戶的建議和反饋；此外，市場分析還應涉及用戶的信息意識，市場營銷的部分任務就是培養人們對商業信息效用的意識；(3)形象。形象的問題是營銷領域最重要也最難處理的問題，作為公共圖書館的一部分，曼城公共商業圖書館會在用戶和非用戶的腦中形成「免費服務」的形象，其它諸如圖書館位置、建築式樣、內部裝潢、固定設施、藏書排列、諮詢人員、整體氛圍等因素也會影響用戶腦中的圖書館形象，有鑒於此，圖書館應針對不同的細分市場樹立不同的形象，如果同種信息對不同用戶群皆有價值，就應以不同的包裝來推銷它們，只有這樣，才能最大限度地促進圖書館信息資源的利用。

資源分析的重點是圖書館能夠為用戶提供哪些信息資源、服務項目和便利條件。資源分析主要包括3個方面：(1)服務內容。曼城公共

商業圖書館主要提供商業信息資源，其信息資源體系包括工商名錄、公司信息、市場研究報告、統計資料、經濟信息、期刊、報紙、地圖和旅行信息、經濟法案、進出口條例、貿易標識以及覆蓋當地公司的商業數據庫，這就是它所能提供的信息資源；(2)服務項目。除直接提供信息資源服務外，曼城公共商業圖書館還可提供學習或研究用的設施、影印和複印服務、電話諮詢、用戶教育等服務項目；(3)便利條件。曼城公共商業圖書館可提供的便利條件包括接近商業中心的圖書館址、合理的開放時間、方便的通信條件以及直觀的圖書館示意圖等。

促銷是圖書館服務市場營銷的又一重點，其目的是使當前及潛在用戶了解圖書館的資源與服務。根據前面的分析，曼城公共商業圖書館在開展促銷活動時應注意以下幾點：(1)應鼓勵用戶到圖書館查詢信息而不要過分依賴電話諮詢；(2)促銷活動應限於曼城；(3)要擠出促銷活動的時間，促銷人員則應能同時扮演商業信息專家和圖書館管理者兩種角色；(4)由於缺少促銷預算，必須尋找不同於一般宣傳促銷方法的更省錢的方式；(5)要根據不同類型的信息制訂有區別的促銷策略，譬如，對於公司信息之類有廣泛需求的信息應盡力向各類型用戶推銷，對於新近引入的服務或信息資源應努力使更多的人知道它們，等等；總之，促銷活動要確保各種活動能夠整合爲統一的營銷策略，要在服務的各個方面保持平衡，不應過分宣傳某些方面，以免由此產生的需求占用過多的人力與資源從而削弱其它活動。在實際的促銷過程中，曼城公共商業圖書館則採取了以下一系列措施：(1)增強公衆的圖書館意識。具體舉措包括主動與當地新聞機構接觸以增加宣傳和公關機會、在曼城各種組織中發展廣泛的關係網、與用戶直接交流並邀請

他們參觀圖書館等；(2)增加自主的圖書館利用。具體措施包括開展圖
書館諮詢指導活動、調整布局、公開各種信息資源、安裝圖書館自動
化系統、散發促銷傳單等；(3)突出特定類型信息的促銷。譬如，通過
傳單等方式更多地宣傳館藏中利用不充分、被忽略或具有更大利用潛
能的信息資源；(4)強化對重點用戶的促銷活動。譬如，通過用外來語
種寫傳單和接觸少數民族社區的輿論領袖向少數民族用戶進行促銷，
通過散發傳單、登廣告、上門服務等形式向工會會員促銷，通過專門
的小公司聯絡員遍訪曼城的小公司向小公司用戶宣傳促銷，等等。

　　評估和反饋是圖書館服務營銷必不可少的兩個步驟，評估的目的
是測度圖書館資源和服務的利用程度，反饋的實質則是在評估的基礎
上修改和逐步完善營銷策略。圖書館服務營銷不同於信息企業的市場
營銷，後者可以通過銷售額和利潤的增長來評價營銷策略是否成功，
而圖書館卻沒有簡單的方法對市場營銷活動作出評價。一般來說，一
項新的服務易於追蹤並了解其利用情況，譬如，曼城公共商業圖書館
曾推出市場研究報告專集服務，並用傳單和海報等方式進行了促銷，
跟蹤結果表明，該專集的推出確實吸引了對這類信息有特殊需求的新
用戶，促進了圖書館信息資源的利用。在曼城公共商業圖書館的促銷
活動中，唯一可以詳加評論的是小公司用戶，由於小公司聯絡員對曼
城所有小公司的訪問和促銷，小公司用戶的信息需求明顯增加了，但
遺憾的是，圖書館目前的資源和人力卻無法滿足這些需求。總之，促
銷活動的成效是值得肯定的，它不僅擴大了圖書館的影響、鞏固和擴
展了市場份額，而且也從用戶那裡獲得了許多反饋信息，這些信息將
有助於調整和完善營銷策略，有助於改進圖書館服務，更恰切地滿足
用戶的信息需求。

　　圖書館服務營銷是一種新的探索與實踐，面對日益加劇的信息市場競爭、積極開展促銷活動是圖書館的必然選擇。在這方面，英國曼徹斯特公共商業圖書館的做法值得我們借鑒和學習。需要說明，圖書館服務營銷不同於其它市場營銷活動，不同於圖書館的有償服務，其目的不是謀求圖書館利用的短期增長和單純的經濟效益，相反，它是通過評估用戶需求、爲這些需求提供服務、確保所有潛在用戶了解提供給他們的服務等方式，謀求進一步發展和鞏固圖書館的用戶基礎，謀求圖書館的長期發展。

㈢圖書館信息產品的市場營銷

　　圖書館服務營銷建立在圖書館所累積的信息資源體系的基礎上，其營銷的範圍主要限於圖書館的法定用戶，其重點在於促銷，其目的是謀求圖書館服務效益的最大化；而圖書館信息產品的市場營銷則完全建立在用戶信息需求的基礎上，用戶需要什麼信息產品，它就生產和推銷什麼信息產品，其營銷活動面向整個信息市場（不局限於圖書館的法定用戶），其重點在於拓展市場，其目的在於盈利。可見，圖書館信息產品的市場營銷是一類性質不同於圖書館服務營銷的市場營銷活動，它實質上是一種企業化行爲，是遵循市場經濟規律運行的。

　　圖書館信息產品的市場營銷始於信息產品的市場定位，這是一項複雜的工作，它關係到信息產品在用戶心目中的形象，也關係到產品能否最大限度地占領和開拓市場。信息產品的市場定位本身又包括市場細分、目標市場的確定和市場定位3個步驟，我們在「信息產品開發策略論」中已談及這些內容，此處從略。需要補充的是，圖書館應以現實的和潛在的信息用戶爲營銷的主體對象或者說目標市場，應圍

繞信息用戶的需求差異，針對大眾傳播機構、科研教學單位及形形色色的信息公司所提供的同類產品或服務，避實就虛或展開競爭，在競爭中實現定位、創造形象、圖謀長遠發展。譬如，目前一些圖書館所開展的剪報服務，就是一種「避實就虛」的市場定位，它利用圖書館報紙收藏量大的優勢，針對企業或決策部門的信息需求，提供有針對性的、連續的、快速的剪報信息，既拓展了新的市場，也爲圖書館增加了收入。

圖書館信息產品市場營銷的難點是信息產品的定價。關於信息產品的定價，又有定價策略和定價方法之分。馬費成等在其專著《信息經濟學》中論述了信息商品的7種定價策略和8種定價方法，❻這些策略與方法對於圖書館信息產品也同樣適用。7種定價策略爲：(1)撇脂定價策略。即在信息產品投入市場初期，將商品價格定得較高，以獲取盡可能多的利潤，圖書館信息產品的定價一般不採用這種策略；(2)滲透性定價策略。即把信息產品的價格定得較低，使信息產品迅速占領市場，擴大市場占有率，這是圖書館信息產品常用的定價策略，如推薦書目等宜採用這種策略；(3)壟斷價格策略。即在有限的價格範圍內可隨意定價，用戶別無選擇，如根據圖書館的獨家藏書開發出來的信息產品即可採用這種定價策略；(4)輸出效果定價策略。即根據信息服務的輸出效果（包括圖書館諮詢人員的服務時間、用戶占用機時、信息產品輸出的數量與質量等）制定價格，圖書館的電子信息產品多採用這種定價策略；(5)區別性價格策略。即結合信息系統的實際服務狀況和信息用戶的支付能力採用靈活的收費標準，這也是圖書館信息產品常用

---

❻　同註❷。

的定價策略之一,如為了拓展市場,「送信息下鄉」,圖書館就可以靈活地調整信息產品的價格;(6)平均價格策略。即根據信息產品及信息服務的平均成本及一定的系統收益率制定價格,這種價格不反映各個項目的真實成本,而是將各個項目的成本予以平均,再考慮系統的收益等因素確定的,圖書館的諮詢、代檢等活動多採用這種定價策略;(7)免費價格策略。即對一些本來可以收費的信息產品或服務項目實行策略性免費,借以達到特定的目的,如圖書館所開發的信息產品的目錄就可以免費贈送。

信息產品的定價策略主要是針對信息環境、目標市場及競爭對手的情況而形成的關於定價的指導思想,具體到如何定價、定在什麼價位以及用什麼算法等,則是由定價方法所規定的。常用的信息商品定價方法有8種:(1)成本定價法。這是一種按成本加適當利潤來確定價格的方法,其中,成本的計算又有兩種方式,一是既考慮信息產品的固定成本(包括固定資產的折舊費、日常維持費、管理費、定編人員的基本工資等)又考慮其可變成本(包括資料費、諮詢費、差旅費、能源消耗費及開發服務人員的工資和獎金等),二是僅考慮可變成本;我們認為,在目前圖書館尚處於轉軌的情況下,應採取扶助的做法,選擇後一種成本定價法;(2)效益分成定價法。即按用戶利用信息產品或服務後所獲得的經濟效益大小來分成的定價方法,這是專利及應用型科技成果常用的定價方法,圖書館信息產品很少採用;(3)產值分成定價法。即用戶採用信息商提供的某項信息產品後,按其所創的產值來分成定價,圖書館信息產品亦較少採用這種定價方法;(4)資金利用率分成定價法。即由雙方共同投資聯營並開發信息產品,收益分配主要取決於雙方的投資比例,這是圖書館信息產品開發的較好形式,是值得提倡的定價

方法之一，目前一些圖書館的剪報服務就是聯合開發和按比例分成的；(5)比較定價法。即通過與信息市場中相關或類似的信息產品的比較，運用加權平均法等確定信息產品的價格，如圖書館開發的文摘、文集、工具書等可與出版社、雜誌社或信息公司的同類產品相比較後再定價；(6)計時定價法。即根據提供服務的時間制定價格，如圖書館開發的數據庫的使用費即可依此方法確定；(7)等級定價法。即根據信息產品的質量和檔次、信息人員的技術水平和能力等劃分出不同等級，每種等級列出相應價格，如圖書館口頭信息諮詢就可採用這種定價方法；(8)協商定價法。即由信息產品生產者和用戶雙方進行協商，以能夠共同接受的價格作為信息產品的價格，如對於圖書館信息產品的大宗訂戶就可採用這種定價方法。

信息定價的8種方法基本上是套用物質產品或服務的定價方法而來，在圖書館信息產品的市場營銷中運用時，還宜稍做調整。近年來，由於圖書館現代化和網絡化的速度很快，電子信息產品或者說聯機信息產品的定價也成為人們關注的熱點。據美國電話電報公司（AT&T）霍金斯（Donald T. Hawkins）的研究，聯機信息服務的定價一般涉及3個方面，即支付檢索過程、支付檢索信息、支付遠程通信費用。❼支付檢索過程本身又有幾種方法：(1)連接時間定價法。即以用戶與數據庫系統連接時間的長短確定服務的價格；(2)資源單位定價法，即以檢索過程中所利用的計算機資源單位數量為基礎來給他們的

---

❼　Donald T. Hawkins. In Serarch of Ideal Information Pricing. See: Blaise Cronin. The Marketing of Library and Information Services 2. London: Aslib, 1992, 298～322.

產品定價，如美國化學文摘社（CAS）從1988年開始實行查尋項目收費，它規定，從作爲查尋項目所使用的文件中每提取一條CAS記錄收抽取費1美分，從瀏覽輸出中使用的每一條記錄收取使用費5美分；(3)統一收費率定價法。這種定價法類似於城市公交汽車的一票制（即無論乘多遠，只要上車就買一張統一價格的通票），如美國的遠程數據庫系統（Telebase Systems）在引入EasyNet服務時就採用了統一收費率定價法，它規定，用戶每次查尋只付單一費用10美元，而每一查尋被定義爲查尋1～10個查尋項目，若查尋無結果將不用付費，若超出10個將再次支付10美元的統一費用；(4)無限制訪問定價法。即一次性支付規定的費用，在規定期限內可無限制訪問規定的數據庫，如美國的書目檢索服務（BRS）公司啓動了一個系統，用戶只需支付13,500美元就可對該系統的7個數據庫進行6個月的無限制訪問；(5)分時付費定價法。即在利用的高峰時期實行正常收費而在負荷較低時實行低收費的定價法，目前有不少數據庫系統在晚上和周末收費都較低。支付檢索信息包括幾種方式：(1)命中收費。即對每一個聯機或脫機打印的項目收費，或者說根據用戶所查尋到的信息收費；(2)免費格式。即允許用戶免費瀏覽項目的題名和索引項，借以提高信息的檢准率和檢全率；(3)下載。即允許用戶下載信息但要收較高的費用，如歐洲航天局情報檢索系統（ESA-IRS）有一個特殊的下載格式，它可以定義字段等特徵，利用它可以對下載輸出內容實施收費。支付遠程通信費用也有幾種方式：(1)包交換網收費。即以連接時間或包交換的數量或兼顧兩者收取遠程通信費用，一般在計算時對通話的距離忽略不計；(2)直接撥號收費。即按正常的電話通信制度收費，費用一般比包交換網收費高；(3)區別性定價方法。一是給予利用量大的用戶或特殊用戶群體

（如學術界用戶）提供折扣，二是區分訂戶和非訂戶而對訂戶實施優惠；等等。總之，聯機信息定價與印刷型信息定價有著很大的不同：印刷型信息是在利用信息前支付費用，而聯機信息則通常是在檢索中或檢索後支付費用；一個人在閱讀前購買圖書，但只有在檢索完成並獲得信息後才支付聯機檢索的費用。

圖書館信息產品市場營銷的重要保證是建立順暢的分銷渠道網，這也稱之爲分銷策略。所謂分銷渠道，即信息產品從圖書館向信息用戶移動時所經過的流通環節，又有直接銷售渠道和間接銷售渠道之分。直接銷售渠道是指圖書館直接將信息產品銷售給用戶，不經過中間商；間接銷售渠道是指信息產品至少要經過一個中間商才能到達用戶手中。圖書館信息產品由於其自身的特點，不可能像一般商品那樣廣設銷售點，我們認爲，可以根據不同類型的用戶建立不同的分銷渠道：⑴對於圖書館的法定用戶，以在圖書館設點銷售信息產品的方式爲宜；⑵對於重點用戶如學術研究類用戶、企業用戶、決策部門用戶等，以任用專人定期上門推銷信息產品的方式爲宜；⑶對於大衆用戶，以選擇和利用信息經紀人、中間商或新華書店、大衆傳播系統等中介渠道，多層次地撒網式地銷售爲宜。需要指出，圖書館信息產品的銷售要善於利用圖書館網——圖書館網是每一個圖書館的信息產品的最好的分銷渠道之一。

圖書館信息產品市場營銷的重點依然在於促銷：「市場促銷是營銷學中最複雜、最富技巧也最有風險的一個環節，」⑱它直接決定著

---

⑱ 何國祥，開拓市場——高技術產品的市場營銷，濟南：山東教育出版社，1996．102。

圖書館信息產品的銷售數量和生命周期。目前，大多數圖書館仍沿用傳統的促銷手段，如散發傳單、廣告宣傳、公關推廣、直接交談等，這些手段雖然發揮了一定的作用，但還不夠理想。我們認為，圖書館信息產品的促銷還可採用以下策略：(1)培訓促銷策略。圖書館不能僅僅滿足於為用戶現有的信息需求服務，它還應該設法幫助用戶創造新的信息需求，而培訓就是創造新需求的最佳方式之一，如圖書館可以舉辦「獨生子女教育培訓班」，向那些年輕的父母灌輸兒童心理學、生理發育、智力開發及全面發展等方面的知識，從而使他們對圖書館的系列信息產品發生興趣，並成為這些產品的長期訂戶；(2)展覽促銷策略。舉辦信息產品展覽也是刺激新的信息需求的主要方法之一，這種展覽活動可以在圖書館內舉辦，可以在有關城市專門的展覽場所舉辦，也可以在用戶集中的地方如農村的集市舉辦；(3)公關促銷策略。與電視台、電台、報社合作，在廣播電視或報紙上開闢專欄，介紹科技熱點、社會新聞和生活常識等內容，以引起各類受衆對圖書館信息產品的注意；(4)網絡促銷策略。建立主頁（homepage），利用多媒體形象、直觀、生動的特點，向廣大網絡用戶宣傳和推廣圖書館的信息產品；等等。市場促銷是一個強調創造的領域，在此，促銷人員可以開動大腦，各顯神通，創造一個又一個的奇蹟。當然，奇蹟的創造亦不是輕而易舉的，圖書館信息產品市場營銷的成功還須培養一批高水平、高素質的優秀營銷隊伍。

　　實行「一館兩制」後，圖書館中走企業化經營之路的信息開發和諮詢部門將逐步過渡到完全依靠市場來生存，這不啻為一場革命性轉變。對此，他們只有深入市場，以市場為師，在市場中摸索和磨練，才能贏得生存、求得發展，才能為圖書館的運行另闢蹊徑，才能更直接地切入社會，為社會經濟的發展做出更大的貢獻。

第八章　網絡時代的圖書館

第一節　現代圖書館的網絡環境

(一)網絡環境槪述

　　網絡化是20世紀末葉影響人類歷史進程的最爲重要的事件之一，由於它對當代人類生活的影響是如此強大、深刻和全面，人們已將它視爲連接兩個世紀的主要紐帶以及預測新世紀人類生活的主要依據。美國強軟（Powersoft）公司總裁科茲曼（M. Cozemann）曾預言：「19世紀是鐵路的時代，20世紀是高速公路系統的時代，21世紀將是寬帶網絡的時代。」❶科茲曼在此談到的寬帶網絡也就是通常所謂的「信息高速公路」。

　　「信息高速公路」（Information Super-highway）最初見諸官方文字是在美國參議院1991年9月11日通過的一項法案中。當時代表田納西州的參議員戈爾（Albert Gore）是這項議案的發起人和起草者。這項法案要求在此後的5年中由聯邦政府出資10億美元鋪設光導纖維並加強巨型機及其程序軟件的研究。1992年，當克林頓（Bill Clinton）和戈爾搭檔競選美國總統時，建立全國性信息網絡是他們向選民做出的傑出的許諾之一。1993年伊始，新上任的克林頓隨即

---

❶　胡泳，范海燕，網絡爲王，海口：海南出版社，1997．365, 16。

指示白宮建立了「信息基礎設施特別小組」，專門討論有關計畫的制訂。1993年9月15日，戈爾在華盛頓正式宣布，美國將開始建設「國家信息基礎設施」（National Information Infrastructure），簡稱NII計畫。該計畫宣布後，引起了美國電信和傳播行業的極大興趣以及國際社會的廣泛關注，許多國家包括發達國家和發展中國家都相繼制訂和公布了自己的信息高速公路計畫，「信息高速公路」這個新名詞從此傳遍了全球。然而，在5年之後的今天看來，各國的信息高速公路計畫都不免過於理想化了；而且，就在人們大談特談信息高速公路之時，因特網這個「準信息高速公路」就在他們的眼前。

因特網（Internet）始建於1969年。當時，美國國防部高級研究計畫署（Advanced Research Projects Agency, ARPA）開發了名為ARPANET的計算機網絡，其設計構想是用這些機器來連接分散在廣大地區的異構型計算機，以確保網絡在受到外來襲擊時仍能正常工作，也就是說，網絡中的計算機必須能夠通過其中任一可用路線而不是只能通過某一固定路線來發送信息。大約70年代中期，ARPANET獲准被用於國防部與大學研究中心的連接。80年代後期，美國國家科學基金會（NST, National Science Foundation）建立了全美五大超級計算機中心，爲了使全國的科學家和工程師能夠共享以前僅供軍事機構和少數科學家使用的超級計算機設施，NSF決定建立自己的計算機網絡即NSFNET。NSFNET首先通過56kbps的線路將各大超級計算機中心連接起來，然後，在每一地區就近使大學及其它機構互連，構成一個通信鏈，把每個通信鏈連接到一個超級計算機中心，這樣，任何計算機最終都能通過地區網轉發會話而互相通信，而連接各地區網上主要通信節點計算機的高速數據專線就構成了NSFNET的主幹網，NSFNET本身由

於成功的設計則成爲日後眾所周知的因特網的主幹網。因特網本身是軍事實驗的產物，即使是它的始作俑者也沒有想到它會引發一場信息革命；今天，「無論是法律還是炸彈，都沒有辦法控制這個網絡，」❷無論如何，信息都能夠傳送出去，不是經由這條路，就是經由另一條路。因特網從90年代開始步入發展的快車道，中國正是在這個時候實現了與它的互聯。

　　早在80年代末，中國科學院高能物理研究所的一些研究人員已就因特網（也稱互聯網）的連接問題與美方進行過接觸。1991年10月，在中美高能物理年會上，美方發言人托基（Walter Toki）再次提出將中國納入因特網的合作計畫，經過他的努力，會後中美雙方達成一項協議，由美方資助聯網所需的一半費用，另一半由高能所自行解決；此後，經過了重重波折，高能所的內部網絡終於在1993年3月與因特網連通，但這還不是正式的連通，高能網的專線只能連入美方的能源科學網（ESNET）；1994年3月，在中國接受了美方的種種條件並由國務委員宋健簽字生效後，中國才獲准正式加入因特網，中國的網絡域名最終確定爲.cn。目前，中國共有7個因特網國際出口，它們分屬中國科學院（2個）、國家教委（2個）、郵電部（2個）和電子工業部（1個），這四大系統就形成了當今中國因特網市場的四大主流體系。

　　正在建設中的信息高速公路和現存的因特網共同構成了現代圖書館最主要的網絡環境。黃宗忠在「論21世紀的圖書館」一文中曾將信息高速公路、因特網和數字圖書館比作一個相互聯繫的有機整體，其

---

❷　同註❶。

中，「信息高速公路是系統的最高層，是一個大系統，包括互聯網絡（即因特網）、數字化圖書館，是國家或全國的信息基礎設施。互聯網絡是信息高速公路的雛形，是由諸多子網絡或聯機網絡組成。數字化圖書館是信息高速公路、互聯網絡的組成部分，是它們的子網絡或聯機網絡。信息高速公路、互聯網絡是傳遞信息的通道，數字化圖書館是信息源，為信息高速公路、互聯網絡提供信息。」❸也就是說，數字圖書館是與信息高速公路和因特網緊密地聯繫在一起的，孤立的數字圖書館將毫無意義。進一步分析，信息高速公路和因特網不僅直接決定著數字圖書館的生存，而且它對傳統的圖書館也具有強大的影響力：在日益一體化的信息資源網中，傳統的相對獨立存在的圖書館將承受著越來越大的壓力，它們最終將不得不在網絡環境中重新定位。

㈡信息高速公路的基本模型❹

信息高速公路的確切含義是什麼？對此，美國政府報告有明確的定義：「國家信息基礎設施是一個能給用戶提供大量信息，由通信網絡、計算機、數據庫以及日用電訊產品組成的完備的網絡系統。」「國家信息基礎設施能使所有美國人享用信息，並在任何地點和時間，通過聲音、數據、圖像和影像相互傳遞信息。」❺具體而言，信

---

❸ 黃宗忠，論21世紀的圖書館，圖書與情報，1996（2）：1～11。

❹ 鍾義信，高速信息網絡和CHINA計畫，情報理論與實踐，1994（4）：1～3。

❺ 呂本富，通向未來的信息高速公路，北京：北京大學出版社，1997．15～16, 24。

息高速公路是由信息線路設施、信息終端設備、信息傳輸規則、信息資源和用戶等要素所組成的規模龐大的系統工程，其中，這些要素又可綜合爲高速通信網平台和應用信息系統（見圖8-1）兩大部分，信息高速公路的基本模型就是由這兩大部分所構成的。

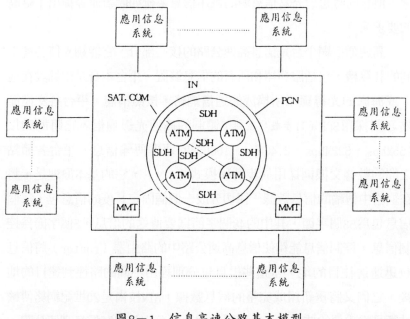

圖8-1　信息高速公路基本模型

　　在圖8-1中，圓圈部分就是高速通信網平台，它主要由信息線路設施、信息傳輸規則和平台管理程序等要素組成，也稱狹義的信息高速公路。應用信息系統則是由信息終端設備、信息資源、應用程序和軟件、用戶等要素組成的計算機系統，形象地說，它就是信息高速公路上的「車」；它可以經由多媒體終端（MMT）直接駛入信息高速公

路，也可以通過衛星通信（SAT.COM）或個人通信網（PCN）間接地進入信息高速公路網。從廣義上說，應用信息系統也包括僅用於接收信息的電視、電話等終端設備，如目前發達國家已研制出一種可以連入因特網的移動電話，這種電話的普及必將極大地提高因特網的利用率，但它同時也對充當信息源的應用信息系統如圖書館等提出了更高的要求。

高速通信網平台是信息高速公路的核心部分，它能夠支持各種不同的計算機，包括服務器和所有的信息裝置。平台本身是由鋪設在地下或海底的光導纖維所構成的通信網絡，按照構想，平台各交換節點之間採用SDH（同步數字系列）體制的高速光纖通信，它將能夠以155Mbps、622Mbps、2.4Gbps、10Gbps的速率傳輸信息。平台各節點之間的數據交換則採用異步轉移模式（ATM），它的基本原理是，將在網絡中傳輸的信息數據一律切分成一個個固定長度的信息包，每個信息包為53個字節，其中的48個字節為要傳送的信息，5個字節為控制信息，控制信息能夠使信息高速公路中的路由器（router）將信息包迅速送往目的地，當這些信息包分別經由不同的路徑到達目的地後，它們又將重新組成完整的信息數據；ATM技術是20世紀網絡傳輸技術最為重要的成果之一，誇張地說，沒有它就沒有信息高速公路。高速通信網平台也是一個高度複雜的系統，它自身的管理和提供業務需要高度的智能化，其結果就形成了平台的管理機制——智能網（IN）。

高速通信網平台本身又可分為主幹網和分支網兩大部分。主幹網是指連接各地區或大中城市之間的光纖幹道網；分支網則是指某一地區或某一城市的地方性高速公路，它通常包括各種廣域網（WAN）和

局域網（LAN）。以我國爲例，正在鋪設的所謂「八縱」、「八橫」的光纜工程就是我國信息高速公路的主幹網，它將以北京、上海、廣州爲中心，連接全國主要的大中城市，形成我國信息高速公路的「國道」（見圖8-2）。❻

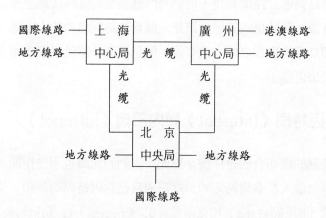

圖8-2　我國信息高速公路主幹網框圖❼

　　信息高速公路又稱高速信息網。美國微軟（Microsoft）公司總裁蓋茨（Bill Gates）認爲，高速公路的比喻並不十分正確，因爲「這一字眼令人想起風景和地理，想起兩點間的距離，暗示你不得不從一個地方旅行到另一個地方。可實際上，這種新的通信技術的一個最引人注目的特點就是它會消除距離，不管你所聯絡的人是在隔壁還

---

❻　同註❺。
❼　同註❺。

是在另一個大陸，距離本身並不重要，高速連接的網絡將不受英里或公里的限制。」蓋茨提醒人們，「當你聽到『信息高速公路』這個詞兒而不是看到一條公路時，你應該把它想像為一個市場或一個交易所。……各種類型的數字信息（不僅僅是作為貨幣），都將成為這個市場上的新型交易媒介。」❽蓋茨的提醒對於圖書館尤為適用，當圖書館連入信息高速公路網絡時，他們固然應該想到能夠從網上獲取更多的信息資源，同時更應該想到這是一個具有無窮潛力的大市場，是圖書館大顯身手的用武之地，或者說，信息高速公路就是圖書館走向輝煌的「未來之路」。

㈢因特網（Internet）與內部網（Intranet）

因特網的確切含義是什麼？對此，人們的認識也不盡相同，可以說，幾乎每個人都會從特定的角度形成自己對因特網的認知。美國學者羅蘭德（R. Rowland）和克南曼（D. Kinaman）在《Internet信息查詢技巧》一書中認為：「Internet是一個數據網，是一個由信息和思想組成的網絡，是人們在全球範圍內互相聯繫的渠道」；❾蓋茨則認為，「Internet指的是一個相互聯網的計算機群，它們使用標準的『協議』來交換信息。它遠遠不是信息高速公路，但這是我們今天所擁有的對未來信息高速公路的最佳模擬，並且它會發展成為信息高速

❽ 比爾·蓋蔣著，辜正坤譯，未來之路，北京：北京大學出版社， 1996．7～8。

❾ 羅蘭德、D.克南曼著，劉岩等譯，Internet信息查詢技巧，北京：機械工業出版社，1997．1。

公路。」⑩應該說，這兩種認識都是正確的，它們分別是從信息資源和信息設備的角度來認識因特網的結果。其中，蓋茨的認識還說明，雖然我們將因特網譽爲「現實中的信息高速公路」，但它實際上還不是信息高速公路，信息高速公路的容量將比因特網大得多。

　　因特網是根據標準的TCP／IP協議、通過大容量的光纜系統所連接的大量計算機網絡和路由器的集合，它爲此也稱爲網際網。光纜系統即因特網的信息線路設施，它是由縱橫交錯的光導纖維所組成的線路網，若以光纖的容量或傳輸速率爲依據，因特網可分爲3個層次：第一層次爲骨幹網，由NSFNET擔任，連接各種計算機網絡，目前線路傳輸速率爲45Mbps，即T_3速率；第二層次爲區域網或廣域網，覆蓋一定地區，目前線路傳輸速率爲1.544Mbps，即T_1速率；第三層次爲機構網或局域網，這是大學、企業、科研部門等大型機構所建立的內部網絡，其中企業的內部網專稱Intranet，目前，機構網的用戶多用傳輸速率爲14.4Kpbs或28.8Kbps的調制解調器與因特網鏈接。TCP／IP是因特網上各種計算機之間傳輸和交流數據的標準協議或規則，它也可以理解爲一種標準軟件，其中，IP（Internet Protocol，因特網協議）允許任何數量的計算機網絡連接起來、統一運行，TCP（Transmission Control Protocol，傳輸控制協議），則確保所有數據都能以正確的順序到達目的地；以發送電子郵件信息爲例，TCP將信息分成若干小的信息包，IP則將每一個信息包發出去並送到終點，然後再由TCP將所有信息包解包並按正常順序實施再組合，這實質上是一種異步傳輸模式（ATM）；TCP／IP是因特網中信息傳輸的基礎協議，在

---

⑩　同註❽。

TCP／IP的應用層面還有許多應用層協議用於支持各種因特網工具的運行，其中，HTTP（Hyper Text Transport Protocol，超文本傳輸協議）是最著名的協議之一，它用以支持對萬維網（WWW, World Wide Web）的訪問，是萬維網的基礎協議。各類型計算機和路由器則是因特網上最主要的硬件設備，其中，計算機包括各種PC兼容機、Macintosh計算機、Unix工作站、小型機、大型機乃至超級計算機，它們通常也包括各種內置的軟件和程序；路由器則是一種多端口網絡互連設備，其功能是接收信息包，讀出它的送達地址，再通過內裝的路由選擇表決定最佳路線，把它送往下一個路由器，並最終將信息包送達目的地。因特網是一個信息網，它之所以重要，不僅是因為它能夠傳輸信息，而且更重要的是因特網上擁有極為豐富的包羅萬象的信息資源，而豐富的信息資源與快速的信息傳輸相結合，就形成了因特網強大的資源共享功能。

因特網是信息資源的海洋，人們常常將在因特網上漫遊比喻為航海（navigating），而各種因特網工具（或軟件）就是信息航行必不可少的導航儀器。主要的因特網工具包括：(1)E-mail，即電子郵件軟件，用以與朋友通信、傳輸文件、獲得電子書籍、訂購電子報刊、獲取電腦軟件以及其它任何電腦裡儲存的東西；(2)Usenet Newsgroups，即用戶新聞組，Usenet是因特網上各種新聞組的總稱，每個新聞組擁有一個電子公告牌，公告牌允許每個人張貼自己的見解供他人閱讀，若與Usenet連通，則可閱讀各種公告牌上無所不包的討論內容；(3)IRC（Internet Relay Chat），即因特網現場對話系統，它支持世界各地的因特網用戶通過網絡就某一共同感興趣的話題進行討論；(4)FTP（File Transfer Protocol），即文件傳輸協議，用於

從遠程計算機系統向個人計算機下載文件或將本地文件加載到遠程計算機系統上；(5)Telnet，即遠程登錄系統，它允許本地用戶在遠程計算機上運行程序，將相應的屏幕顯示傳送到本地計算機，並將在本地計算機上進行的輸入傳送給遠程計算機，這個過程也稱爲遠程對話；(6)Gopher，是一種信息瀏覽軟件，它以茱單方式提供交互式信息服務，用戶一旦選擇某個茱單項，就可以檢索信息或進入另一個茱單，並從而可以找到自己所需的信息；(7)Veronica，是一種基於Gopher的信息搜索軟件，它可以對Gopher空間的多數服務器的多數茱單進行關鍵詞搜索，最終確定用戶所需信息所在的服務器；(8)Archie，是一種自動搜索軟件，它不僅可以自動地連接至因特網上的其它計算機，而且能夠自動搜索與給定文件名有關的所有文件；(9)WAIS（Wide Area Information Server），即廣域信息服務器，它用於查找與給定關鍵詞有關的所有文件；(10)WWW（World Wide Web），即萬維網，它是因特網上目前運用最廣的一種信息瀏覽和檢索軟件，具有創建、編輯和瀏覽超文本的功能，它不僅支持文本的運行，也支持圖形和聲音的運行；等等。形形色色的因特網工具承擔著爲用戶提供信息服務的功能，它們既是用戶營造網上電子會議室、電子咖啡屋、電子遊藝廳、電子商場、電子圖書館、電子書店、電子郵電局、電子報刊、電子論壇、電子醫院等的工具，同時也是用戶獲取這些服務的手段。

　　因特網允許任何數量的計算機網絡連入，其觸角已延伸到世界各地，其範圍甚至超出了地球本身；因特網不屬於任何個人或組織私有，也沒有一個高高在上的權威管理機構，它是開放的、民主的，堪稱一個「自由空間」。但是，因特網也不是在無序狀態下發展的，它的常規事務主要歸屬因特網協會（ISOC, Internet Society）管理，

該協會的目標是通過因特網技術促進世界範圍的信息交流。因特網協會下設因特網結構委員會（IAB, Internet Architecture Board），其主要職責是制訂因特網標準、制訂並通過網絡發布因特網的工作文件RFC（Request For Comments）、代表因特網就技術問題進行國際協調、制訂因特網發展戰略、監督IEEE（Internet Engineering Task Force，因特網工程部）和IRTF（Internet Research Task Force，因特網研究部）的運行。IEEE和IRTF是設在IAB下的兩個主要部門，前者主要負責爲因特網的運行提供技術支持，後者主要負責對因特網存在的技術問題和未來的發展進行研究。因特網還有一些不同類型、不同級別的管理組織（如因特網的地址就由網絡信息中心（NIC, Network Information Center）配發的），它們之間大多不存在隸屬關係，相反，它們之間有著良好的合作關係。

因特網從最初用於大學、政府和研究機構之間交流信息和共享資源發展到今天，已成爲一個遍及全球、擁有千百萬用戶的網絡，而且，它的用戶數量還在像滾雪球一樣迅速膨脹。因特網是大衆的網絡，它正在改變著人們的工作和生活方式。然而，對於一個特定的組織，因特網也有不夠安全、不易聚焦、無法控制等不足之處，爲此，一些大型組織主要是企業著手將因特網技術引入其內部的作業環境，從而建立了供企業內部使用的網絡——Intranet。

「Intranet（內部網）是指根植於因特網爲首的一系列技術之上的一種企業網絡結構，它將企業管理系統以網絡銜接的方式進行重新整合，從而達到企業內部信息的最佳配置。換言之，Intranet也就是將因特網技術應用於企業管理中的最新發展，這種新發展不僅使企業可以在因特網上任意遨遊，與各類客戶洽談，而且使企業內部各部門

借助這一嶄新的技術，達到相互之間最優的資源配置。」⓫從技術的角度分析，Intranet主要是由機構級的TCP／IP網絡和WWW服務器／瀏覽器系統構成的，其網絡應用結構包括三個基本環節：一是物理網絡平台，即由通信線路把所有的計算機互連起來，使相互間能傳輸、交換信息；二是支持各種計算機和服務器運行的一系列協議，包括網絡協議、傳輸協議和應用程序協議等；三是直接與企業用戶業務發生關係的、建立在客戶機／服務器模式上的網絡應用程序。需要說明，Intranet完全可以獨立於因特網，即使一個企業還沒有進入因特網，也可以用因特網技術組建自己的Intranet。

Intranet具有開放性、安全性、跨平台兼容性、可聯機共享多媒體信息、投資少、效益高等優點，它既可以不受限制地在因特網上運行，又可以維護自己的相對獨立，「如果說因特網是一張遍布全球、漫無邊際的大網，在這張大網上，所有的信息可以不受限制地自由流動，那麼Intranet則好比是從這漫無邊際的網絡天地中規劃出的一片屬於自己的天地，這片天地由一道防火牆（Firewall）與外界隔開，可以確保屬於自己的機密不被不速之客竊取，同時，它又能讓有關的單位（如供貨商、客戶等）及時地獲取必要的信息。通過Intranet，企業可以及時獲得與發出最新的信息，可以潛心構建屬於自己的信息戰略，從而最終在千變萬化的市場上站穩腳跟，贏得一席之地。」⓬而所有這一切，都是Intranet贏得企業青睞的主要原因。

⓫　約翰‧弗勞爾著，梁維娜譯，網絡經濟，呼和浩特：內蒙古人民出版社，1997．288～319。

⓬　同註⓫。

　　Intranet實質上是一種採用因特網技術的局域網，它也可以說是機構層次的因特網，是通常所謂的因特網的組成細胞。與因特網一樣，Intranet也可以從不同的角度歸結爲通信網、計算機網、信息資源網或三者的結合，但無論如何，提供信息資源和實現資源共享都是其最主要的功能，而圖書館就是因特網和Intranet上最主要的信息資源供應者，是因特網和Intranet必不可少的組成部分。

㈣中國的因特網

　　中國的因特網建設始於90年代初，但正式與因特網接通則是在1994年。據最新的統計數字，截止1997年10月底，我國直接上網計算機爲4.9萬台，撥號上網計算機達25萬台，接入網絡總數超過1,000個，上網用戶約62萬人，其中，中國教育與科研計算機網（CERNET）已連接了包括台灣和港澳地區在內的225個大學，中國科學技術網（CSTNET）實現了百所聯網，中國公用計算機互聯網（China Net）覆蓋了31個省市，中國金橋信息網（China　GBN）則在24個省市設立了站點。❸此外，爲了協調因特網的管理，我國還於1997年6月成立了「中國互聯網信息中心（CNNIC）。」並頒布了《中國互聯網絡域名注冊暫行管理辦法》和《中國互聯網絡域名注冊實施細則》等一系列規則條文。這表明，中國因特網市場正在向規範化的方向發展。

　　中國因特網市場可以說是「四分天下」，其中，中國科學技術網（CSTNET）是我國建設的第一個因特網，它源於1990年啓動的NCFC（National　Computing　&　Networking　Facility　of　China，原意爲

---

❸　1997年中國計算機業十大新聞，中國計算機用戶，1998年1月5日。

「中國國家計算與網絡設施工程」，通稱「中關村地區教育與科研示範網」），後由中國科學院主管，也稱中國科學院院網，主要用戶是教育科研機構和非營利的政府部門；中國教育和科研計算機網（CERNET）歸屬國家教委主管，網絡中心建在清華大學，地區網點分別設在北京、上海、南京、西安、廣州、武漢、成都、沈陽，主要目的是爲教學、科研和國際學術交流服務，目前網上已有225個站點；中國公用計算機網絡（China Net）歸屬郵電部管理，是全國唯一的面向公眾提供因特網服務的網絡，入網用戶多爲個人用戶；中國金橋信息網（China GBN）歸屬電子部主管，是面向經濟信息領域的商用網，用戶主要包括各類政府部門、事業單位和大中型企業。上述四大系統的具體情況見表8－1，它們與國際因特網的互聯情況則如圖8－3所示。⓮需要說明，圖中北京化工大學經日本連入國際因特網的出口歸屬CERNET管轄，中國科學院高能物理所的因特網國際出口則歸CSTNET管轄。

　　1997年是中國因特網市場極爲火爆的一年，個人用戶的大量湧入改變了此前機構用戶「一統天下」的格局，可謂「舊時王謝堂前燕，飛入尋常百姓家」。而根據市場預測，個人用戶迅猛增長的勢頭還將持續下去。就現有因特網用戶的分布進行分析，他們主要集中在教育和科研領域、中青年年齡段、東部沿海發達地區；以上網的225個大學站點爲例，它們的地理分布如表8－2所示，可以看出，網上大學站點的地理分布極不平衡，其中僅沿海的北京、天津、遼寧、山東、江蘇、上海、浙江、福建、廣東9個省市的大學站點（112個）就占了上

⓮　陳偉建，中國網絡應用的現狀及發展前景，CBNI, 1996（7）：34～43。

網大學站點總數的1／2。而在所有的225個大學站點中，能夠提供圖書館服務的又不足1／10，據因特網「國內WWW服務器」上的資料，國內主要的網上大學圖書館僅有20個，這些圖書館大多只能提供OPAC之類的服務。這說明，並非圖書館聯入因特網就萬事大吉，圖書館在因特網中的主要角色是資源供應者，如果忽略了這一點，圖書館在未來激烈的因特網市場競爭中就會處於不利位置，甚或失去生存空間。有鑒於此，圖書館必須加速館藏信息資源的數字化進程，加強彼此之間的合作，以資源供應集團的形式參與因特網市場的競爭。

表8-1　中國因特網四大系統基本情況一覧表

	CSTNET	CERNET	China Net	China GBN
主管部門	中國科學院	國家教委	郵　電　部	電　子　部
建設時間	1990年啓動，1992年完成，1995年與因特網連通	1994年啓動，1995年底完成主幹網建設	1995年11月開始骨幹網建設，1997年安裝完成	1993年開始規劃，1996年9月開始提供因特網服務
網絡結構	主幹網、城域網、局域網三級結構	國際網關、國家網絡中心；主幹網、地區網絡中心，地區網三級結構	國際出入口網、全國骨幹網、各省接入網三級結構	天地一體、互爲備份，中心結點在北京，在24個發達城市建有分中心
國際出口速率	64Kpbs	128Kbps	2Mbps	128Kbps
接入方式	專線、撥號	光纖、微波、以太網、數字數據網、撥號	專線，X.25，撥號，幀中繼、無線數據網，ATM試驗網	衛星小站、微波、專線、撥號
入網管理	中國科學院計算機網絡信息中心	國家教委、國家網絡中心、地區網絡中心和各校園網管理機構	各地郵電管理部門	吉通通信有限公司審核，電子部審批
覆蓋範圍	24個城市	全　國	全　國	全　國

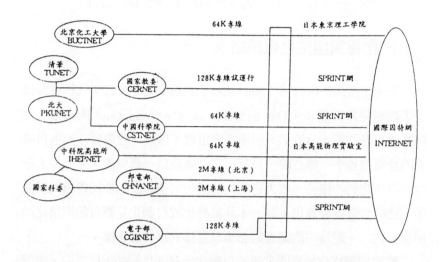

圖8－3 中國因特網與國際因特網互聯線路⑮

表8－2 中國因特網上大學站點的地理分布⑯

地 區	站點	地 區	站點	地 區	站點	地 區	站點	地 區	站點
北　京	21	黑龍江	9	山　東	9	四　川	7	青　海	2
天　津	4	上　海	11	河　南	4	貴　州	2	寧　夏	1
河　北	3	江　蘇	24	湖　南	6	雲　南	7	新　疆	1
山　西	2	浙　江	6	湖　北	12	西　藏	1	香　港	6
內蒙古	2	安　徽	4	廣　東	18	重　慶	10	澳　門	1
遼　寧	12	福　建	7	廣　西	7	陝　西	11	台　灣	3
吉　林	5	江　西	2	海　南	1	甘　肅	4		

⑮　同註⑭。

⑯　資料來源於1998年3月6日因特網中國科學院文獻情報中心主頁的「國內
　　WWW服務器」。

第二節　信息網絡中的圖書館

㈠圖書館自動化與網絡

美國太陽微系統公司（Sun Microsystems）早在80年代初就提出了「網絡是計算機」（The network is the computer）的命題，這個命題也許並不十分恰切，但卻不無道理，因爲，分散存在的各自獨立的計算機幾乎毫無意義，只有將它們聯結爲一個整體，才能最大限度地發揮它們的優勢、放大它們的功能。這個命題對於圖書館同樣適用，它暗含著兩層意思：其一，計算機化或自動化是圖書館網絡化的前提；其二，網絡中的圖書館必須是互聯共享的圖書館。

圖書館網絡化始於圖書館的自動化。在20世紀60年代之前，儘管一些發達國家的圖書館之間也存在著這樣或那樣的合作關係，但這種低水平的以物理媒介（即印本書刊）的位移爲基礎的合作關係只能有限地實現資源共享，而以這種合作關係聯結起來的鬆散的圖書館聯盟也遠遠稱不上是圖書館網絡，眞正的圖書館網絡只能是以計算機爲基礎、通過現代通信網絡聯絡起來的圖書館系統，其本質是計算機驅動的放大的一體化的信息資源體系。20世紀60年代，經過10餘年發展的計算機已具備了在圖書館全面應用的條件，一些財力雄厚的大型圖書館開始考慮發展自己的圖書館自動化系統。但總的來說，早期圖書館的自動化進程並不順利，制約其發展的主要因素有兩點：一是以計算機爲基礎的自動化系統成本太高，只有少數大型圖書館能夠開發全部用於圖書館操作的計算機系統，而更多圖書館只能與母機構的其它部門共同開發計算機系統，結果，當母機構的計算機需求迅速增加時，

這些圖書館就很難利用共同開發出來的計算機系統了；二是缺乏軟件開發及圖書館自動化系統方面的標準，那些獨立地發展起來的圖書館系統可能對於各自的圖書館較爲適用，但它們大多不能互相轉換和兼容，這種局面直到1966年美國國會圖書館（LC）的MARC計畫宣告成功後才得以改觀，可以說，MARC計畫是圖書館自動化進程的一個里程碑。❼

　　MARC計畫是影響70年代之後圖書館自動化發展的最爲重要的因素之一。MARC計畫的最初目的是爲國會圖書館提供最新英語出版物的編目數據計算機磁帶，但到80年代，它事實上已包容了以多種媒體形式發行的所有羅馬字母語言的資料。與此同時，許多圖書館放棄了它們自己的格式，轉而購買MARC磁帶，將這些磁帶裝在自己的計算機上並利用它們爲新購進的資料提供編目信息。於是MARC變成了世界範圍內的計算機化書目格式的標準，圖書館開始聯合起來利用MARC格式建立數據庫，與其它圖書館共享彼此的數據庫，並從而發展了可兼容的圖書館自動化系統。這樣一來，實踐中的每個圖書館自動化系統要嘛建立在MARC格式的基礎上，要嘛就要與它兼容，否則是沒有出路的。70年代影響圖書館自動化發展的另一重要因素是圖書館自動化系統開發的商業化潮流，由於MARC格式的流行，一些圖書館開始與私營公司合作發展和推銷他們自己的圖書館自動化系統，其中，私營公司負責提供硬件和軟件，圖書館則負責提供書目數據；結果，各種各樣的圖書館自動化系統包括自動化採購系統、自動化編目系統、自動化流通系

---

❼　　B. E. Chernik. Introduction to library Services. Englewood: Libraries Unlimited, Inc., 1992. 131～140.

統、自動化參考服務系統等都被開發出來,而OCLC最初就是以提供自動化編目系統爲主要業務的圖書館公司。

OCLC(Online Computer Library Center,聯機圖書館中心)成立於1967年,原名俄亥俄州學院圖書館中心(Ohio College Library Center, OCLC),是由美國俄亥俄州的54所大專院校圖書館所組成的,1981年改爲現名。OCLC最初的主要功能主要是提供共享編目服務(a shared cataloging service),也就是說,成員館通常是在他們自己的圖書館利用計算機檢索位於州府哥倫布市的主機中的編目記錄;如果檢索到與特定款目相符的編目記錄,該成員館就在該記錄上加注本館的排架號並指示主機將該款目的目錄卡片打印出來,該卡片將在隨後一周內送達該成員館;如果沒有檢索到特定款目的編目記錄,該成員館就必須爲之編目並將編目記錄送入OCLC的數據庫,而隨著越來越多的圖書館加入OCLC,其數據庫每年都要增加數百萬條編目記錄。到80年代和90年代,美國乃至世界各地的許多圖書館都已採用OCLC的以MARC格式爲標準的計算機磁帶來建立自己的聯機目錄或CD-ROM目錄,OCLC變成了世界上最大的圖書館網絡,它還聯入了因特網並是因特網中最主要的資源供應者之一。

我國圖書館自動化的研究始於70年代末,當時要解決的核心問題是如何將書目轉換爲機器可讀目錄。1980年,北京圖書館等單位聯合成立了「北京地區研究試驗西文圖書機讀目錄協作組」,並於1981年研制成功利用LC/MARC磁帶編制西文圖書目錄的模擬系統。80年代後期,我國圖書館自動化建設進入集成系統開發階段,並逐漸形成了3種模式,即大型機系統模式、中小型機系統模式和微機系統模式。❽進入90年代,在經濟技術條件較好、網絡通訊設施較爲完備的北

京、上海和廣東珠江三角洲等地區，部分實現了自動化的圖書館開始探索自動化集成系統的互聯，並初步建立了地區性圖書館網絡，其中，以北京中關村地區中國科學院、北京大學、清華大學共建的APTLIN（Library and Information Notwork of Chinese Academy of Sciences, Peking University and Tsinghua University）最具代表性。

　　APTLIN即中國科學院、北京大學、清華大學圖書情報網絡，它最早源於70年代末這3個單位的圖書館各自開展的圖書館自動化工作。80年代初，這3個圖書館都參加了北京圖書館牽頭的MARC協作組。1985年，這3個圖書館就在中關村地區建立一個地區性的圖書館信息網絡的可行性進行了討論，並正式提出了APT計畫。但由於缺乏資金支持，APT項目的網絡工程遲遲處於擱置狀態。1990年，由世界銀行和國家計委支持立項的NCFC工程啓動，APT計畫受到廣泛關注，它最終被列爲NCFC上的一個重要應用系統，並定名爲APTLIN。❶1996年12月，APTLIN項目通過國家驗收，從而成爲我國第一個運行在高速計算機網上的地區性圖書館網絡。

　　圖書館自動化是圖書館網絡化的前提，沒有圖書館的自動化，就談不上圖書館網絡。但僅有圖書館的自動化是不夠的，因爲，圖書館自動化的目標往往具有個性化的特徵，是爲特定的圖書館服務的；而圖書館網絡化的目標是資源共享，它要求每個個別的圖書館的自動化

❶　汪冰，電子圖書館理論與實踐研究，北京：北京圖書館出版社，1997．243～244, 142～152, 111～112, 276。

❶　晏章軍，APTLIN系統的歷史與發展，現代圖書情報技術，1997（增刊）：5～7。

納入統一的網絡化的軌道，其中涉及到合作精神、義務、權利、標準化等多種因素。結合圖書館自動化和網絡化來認識網絡中的圖書館，我們認爲，這是一種全部或部分實現了自動化、能夠與其它圖書館共建信息資源體系和共享信息服務的圖書館，這種圖書館今天也稱之爲電子圖書館或數字化圖書館。

㈡OCLC的擴展及其網絡服務

要了解信息網絡中的圖書館，首先需要了解信息網絡中的圖書館網絡，而OCLC就是世界上發展最早、規模最大、信息資源最爲豐富的圖書館網絡。據OCLC1996年印發的系列宣傳材料介紹，截止1996年7月，OCLC的計算機網絡與服務已擴展到64個國家或地區的22,000多個圖書館，這是一個非常龐大的信息資源網。然而，OCLC是怎樣發展到今天這樣的規模呢？了解這一點對於我國圖書館網絡的發展而言是非常必要的。

OCLC是一個非贏利的圖書館計算機服務與研究組織，總部設在美國的俄亥俄州，目前主要通過因特網向成員館及其它組織提供各種處理過程、產品和參考服務。如前所述，OCLC一開始就採用了國會圖書館研制的MARC格式，它可以說是標準化的MARC格式的最大得益者，而標準化正是規模發展的必要前提；同時，OCLC還確立了聯機合作編目的制度，從而使其編目數據庫能夠源源不斷地自動地增加新的編目記錄，據統計，OCLC每年新增的編目記錄多達200多萬條；❷其後，

---

❷　圖書館學百科全書編委會，圖書館學百科全書，北京：中國大百科全書出版社，1993．300。

OCLC又確立了「回溯轉換」的制度，即允許成員館將原先的手工編目記錄轉換爲機讀目錄並輸入OCLC的編目數據庫，此舉又極大地增加了該數據庫的容量，從而使成員館的編目需求可以滿足85～95%，❹這樣，許多成員館發現他們不再需要更多的職業編目人員，他們與OCLC的依存關係因此得以強化。

當OCLC發展成爲一個具有全國意義的資源共享數據庫後，它又開始以其它方式進行擴張。首先，OCLC擴充了董事會以便俄亥俄州外的圖書館加入OCLC，它還鼓勵各地的圖書館加入地區圖書館網絡，然後以網絡的形式而不是個體圖書館的身份加入OCLC，這樣，諸如賓夕法尼亞地區圖書館網絡（PALINET）和東南部圖書館網絡（SOLINET）等都成了OCLC的成員。其次，OCLC開始進入編目之外的其它資源共享領域，譬如，OCLC以編目數據庫爲基礎（編目數據庫本身就是一種聯合目錄）發展了館際互借計畫，該計畫使各地的OCLC成員館能夠通過計算機向其它圖書館借閱資料，該計畫又吸引了大批圖書館，諸如伊利諾斯州圖書館網絡（ILLINET）甚至要求它的成員加入該計畫；OCLC還發展了連續出版物數據庫以及其它交流系統。到1978年，OCLC已成爲美國圖書館自動化的領導者，而在此之前許多圖書館都希望國會圖書館扮演這一角色。70年代，美國國內還出現了研究圖書館信息網絡（RLIN）、華盛頓的圖書館網絡（WLN，後改稱西部圖書館網絡）等較爲成功的網絡，但它們都未能動搖OCLC的領導地位。

80年代和90年代，OCLC愈加成熟，它又在幾個方面實施了擴張：(1)它增加了服務內容，能夠爲成員館提供全過程的服務，換言之，成

---

❹　同註❶。

員館能夠通過OCLC查索、獲取、分編、外借和貯存各種書刊資料並能夠實現參考服務功能；(2)它超越國界吸收各國的圖書館入網，逐漸變成一個世界性的圖書館網絡，1996年2月，OCLC進入中國，與清華大學合作成立了「清華大學OCLC服務中心」，開始了它在中國的擴張之旅；(3)它適時地聯入因特網並借助因特網開始更大規模和更快速度的擴張，如今，它所開發的第一檢索（Firstsearch）聯機信息檢索系統已成爲因特網上「最亮麗的一道風景」。OCLC成功地實現了稱雄世界圖書館領域的夢想，這是一個不平凡的團體和一段不平凡的歷程，其間種種經驗教訓，都應是我國圖書館網絡建設的「他山之石」。

如果說因特網是未來信息高速公路的雛形，那麼，OCLC就是未來世界圖書館網絡的雛形。OCLC是從信息資源的角度定位的，目前它能夠提供的產品與服務可謂琳琅滿目、應有盡有，其中，主要的產品與服務包括：(1)OCLC聯機聯合目錄（OLUG），它包括370種語言的3,400萬條書目記錄和館藏地址信息，可用於成員館的採訪、編目、館際互借、參考服務和藏書發展等方面的活動；(2)firstsearch聯機信息檢索系統，它包括60個數據庫，能夠提供書目、索引、文獻和全文等方面的參考服務，其中包括圖書和期刊論文、會議錄、工業通告、財政報告、研究發明、圖書評論、組織概貌等類型的記錄；(3)電子出版物服務，OCLC的聯機電子期刊能夠爲圖書館和終端用戶提供可檢索的全文文本，它所提供的電子期刊包括《Applied Physics Letters Onilne》、《Physical Review Letters Online》、《Journal of Applied Physiology》、《Immunology Today Online》等；(4)藏書和技術服務，這些服務將各種資料從出版者到圖書館書架再到用戶的流程實現自動化集成，借以提高圖書館信息人員的工作效率，其中，

PRISM應用子系統用於檢索和利用其它圖書館的編目記錄以及輸入未編目的款目的編目信息，PromptCat子系統用於自動提供OCLC／MARC記錄和添加館藏號，PromptSelect子系統用於藏書選擇定購和獲取的自動化作業，TECHPRO子系統用於特定格式的合同編目和手工處理（處理對象主要是特藏、外文文獻等），RETROCON子系統則主要用於成員館實現書目記錄的機讀轉換，等等；(5)資源共享服務，它將檢索、館際互借和文件傳遞等功能整合爲單一的、快速的和低成本的服務，能夠使成員館通過OCLC 5,500個圖書館的電子網絡互借資料而擴展自身的服務能力；(6)通訊和連接服務，OCLC通過提供硬件（如OCLC Workstation）和軟件（如Passport for Windows）的方式，爲成員館提供連接OCLC網絡和因特網的服務；(7)資源貯存服務，內容包括諮詢、製作和培訓服務，預拍攝（pre-filming）準備服務，高質量的縮微製作，膠卷複制，多硫化合物處理，書目控制，存貯和分布服務，縮微膠卷的數字化掃描和標引等等；(8)Information Dimensions系列軟件，它們能夠幫助成員館將成堆的紙本文件轉換爲可利用的電子數據庫，這些軟件包括BASIS Document Manager Service、BASIS WEBserver Service、BASIS Client Suite Service、TECHLIBplus Service等；(9)OCLC還提供聯機連續出版物合作計畫（CONSER）、OCLC圖書館學校計畫、《杜威分類法（DDC）》系列產品、各種OCLC出版物等。

在所有的OCLC產品與服務中，最爲重要、應用最廣泛的當數OCLC聯機聯合目錄和Firtsearch聯機信息檢索系統，前者爲全球資源共享提供基礎，後者則直接滿足各類圖書館和終端用戶的信息需求。Firstsearch是一個面向最終用戶的聯機檢索系統，用戶需要一定的

硬件配置和軟件條件方可利用它：在硬件配置方面，只需要有一台聯入因特網遠程通信網的工作站或PC機即可；在軟件條件方面，它有兩種服務方式，一種是Client／server（WWW）方式，另一種是Telnet（TTY）方式；而只要具備上述條件和設備，無論在辦公室、圖書館、家中還是其它地方，用戶都可利用Firstsearch檢索OCLC的有關圖書、期刊文獻、影片、計算機軟件和其它信息。目前，利用Firstsearch可以檢索到近60個數據庫，這些數據庫可分爲13個主題範疇，即藝術和人文科學、商業管理和經濟學、會議錄、消費者事務、教育、工程技術、科學概論、通用參考、生命科學、醫學和保健、新聞和時事、公共事務和法律、社會科學。這些數據庫大多數是一些美國的國家機構、聯合會、研究院、圖書館和大公司提供的，屬於OCLC自己的數據庫只有7個，它們是Articlelst、Contentlst、FastDoc、NetFirst、PaperFirst、ProceedingFirst、WorldCat，其中WorldCat即OCLC的聯機聯合目錄庫，它包含370多種語言的3,400萬條書目記錄，覆蓋所有的主題範疇；Articlelst則包括13,000種期刊中的文章，它不僅有書目信息，而且絕大多數還可以屏幕上調閱或聯機定購全文。需要說明，利用OCLC是要付費的，通常用戶是按檢索的次數付費，用戶需事先購買檢索卡，獲得授權號和口令，然後才能進行檢索，在我國，清華大學OCLC服務中心可爲用戶代購檢索卡，以每次0.78美元計價，可用人民幣購買，最低以10次起算。

　　OCLC爲世界各國圖書館網絡的建設與發展提供了一個成功的範例，概括起來，它的主要特點包括：(1)提供一體化服務。OCLC的一體化服務分爲三個層次：第一層就用戶提出的問題進行相關文獻檢索，可檢索的數據庫大多爲二次文獻數據庫；第二層是查找文獻所在地，

其所在地包括世界範圍的圖書館、世界上可提供全文服務的文獻服務社（如大英圖書館文獻供應中心）或OCLC自身；第三層是提供一次文獻，提供方式可能是館際互借，由OCLC的電子全文庫提供，也可能是由第三方的文獻服務社提供；(2)收費低。OCLC按檢索次數而不是所用機時收費，用戶每遞交一次檢索式並得到命中記錄的一覽表後計為一次檢索，此後你可以對表中的任一條記錄進行聯機顯示、打印或用E-mail方式傳回本地信箱，其間無論瀏覽多少條記錄和占用多少機時均不收費；(3)面向最終用戶。任何用戶只須稍加培訓就可熟練地應用OCLC聯機檢索系統，而且還不受地點的限制；(4)信息更新快。OCLC的數據庫每天都在增加新的信息，用戶可以從中檢索世界上最新的資料和信息。OCLC還具有全球性、規模性、文種全、信息量大、產品和服務系列化、網絡支持服務環境好等特點，而所有這些特點都強化了它在全球信息市場的競爭優勢，對此，我國圖書館一方面要利用OCLC的世界信息資源來滿足用戶的信息需求，另一方面則須有針對性地加速國內圖書館網絡建設，以期保護我國廣大圖書館和用戶的利益。

㈢APTLIN及其未來發展㉒

APTLIN也稱「中關村地區書目文獻信息共享系統」，它是以NCFC高速計算機網絡為支撐環境，統籌利用中國科學院、北京大學和清華大學所屬圖書情報部門的計算機設備的處理能力，實現對這一地區文獻信息的科學管理、規範化處理和網絡化服務，覆蓋中關村地區並逐

㉒　現代圖書情報技術編輯部，中關村文獻信息網絡建設專集，現代圖書情報技術，1997（增刊）。

步向北京市內外擴展的一個地區性圖書情報網絡。與NCFC一樣，它的總體目標也是地區實用、國內示範、國內與國際聯網。

APTLIN項目是1993年4月由國家自然科學基金委正式批准立項的。項目啓動時3個成員館的硬件設備條件如下：中國科學院文獻情報中心正在引進MOTOROLA超級小型機（UNIX操作系統）及其TOTALS圖書館自動化系統；北京大學圖書館在VAX-750（VMS操作系統）平台上研制的圖書館自動化系統面臨升級、更新和完善問題；清華大學圖書館引進的富士通FJ-K670／40計算機及其圖書館自動化系統還有待進一步完善。而APTLIN就是要在這樣一個機型、操作系統、數據庫結構、應用軟件均完全不同的異構系統的基礎上實現彼此之間的公共查詢、聯機編目和館際互借三大網絡功能。

鑒於成員館的硬件設備和技術水平，APTLIN項目立項時選擇了當時國際上技術水平較爲成熟卻非發展方向的集中式體系結構。項目立項後，考慮到其示範作用及追踪國際水平的初衷，項目組決定在中國科學院文獻情報中心的MOTOROLA系統上開發試驗分布式體系結構的公共查詢系統，並於1994年4月研製成功PC微機對MOTOROLA主機的採用Client／server技術的公共查詢智能工作站，實現了在中國科學院院網上的分布式的公共查詢服務，攻克了分布式體系結構的關鍵技術。爲此，1994年10月項目組修改了APTLIN原總體設計方案，將目標確定爲研製設計NCFC網上的分布式體系結構的APTLIN系統，包括分布式的統一界面的公共查詢系統、網上聯機合作編目系統、館際互借系統。

APTLIN公共查詢系統是整個APTLIN項目的基礎和重點。它既要面向網絡用戶，提供公共書目查詢服務及讀者個人狀況查詢服務，又要面向圖書館自動化業務，爲聯機合作編目提供網絡書目查詢及機讀格

式記錄的下載功能，同時還要為開展館際互借提供聯機圖書預約功能，如圖8-4所示，㉓位於中國科學院文獻情報中心的M922計算機系統中，安裝有APT總索引數據庫及其維護系統和總索引服務器軟件，它們構成了APTLIN的核心。APTLIN公共查詢系統具有以下功能特點：(1)採用了Client／server；(2)發展了面向信息檢索異構系統互聯的網絡協議；(3)擁有統一友好的用戶界面；(4)開發了有自主軟件版權的易於推廣的Client端智能工作站；(5)可提供多種查詢服務方式，包

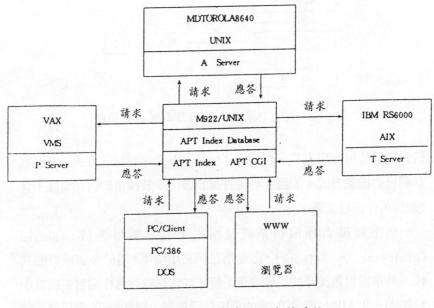

圖8-4　APTLIN分布式公共查詢系統㉔

㉓　同註㉒。
㉔　同註㉒。

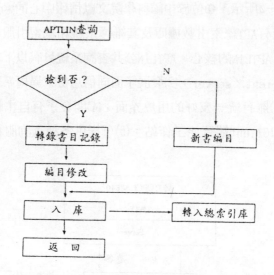

圖8-5　APTLIN聯機合作編目系統流程圖㉕

括WWWCGI公用接口方式、Client／Server方式、Telent方式、遠程電話網自動撥號方式；(6)目前可供查詢的書目庫數據量約爲70萬條，管理350萬件書目文獻。

　　網上聯機合作編目系統又稱網上共享編目系統 （Shared Cataloging On Network），它是指在網絡環境下，用於多個成員館共建、共享書目數據庫的一個應用系統。APTLIN聯機合作編目系統以中科院(A)、北大(P)、清華(T)3家的系統爲服務器，總括3家的書目建立總索引庫，內置一個檢索程序和一個公用的客戶機程序，又有A版和P版

㉕　同註㉒。

之分，它們具有以下功能：(1)查詢功能。有題名、著者、主題、關鍵詞、分類、ISBN等多個檢索點，可以加限定和條件查詢；(2)套錄功能。可以從查得的數據中選擇下載；(3)編目功能。可以在套錄的數據庫中加入館藏修改；(4)原始編目。可以使用各種不同缺省工作單格式原始編目；(5)產品輸出。可以打卡及新書報導等；(6)參數設定。可以根據不同文獻類型決定缺省值；(7)P版還有安全控制、聯機與介質下載、統計、書目庫的維護等功能。APTLIN聯機合作編目系統的功能特點則包括：功能多樣化；技術上採用Client／Server模式和Web技術，A、P版均有自主版權；數據標準、規範，有利於國內外交流與合作；界面友好、操作簡單方便等。

APTLIN館際互借系統是以中科院、北大和清華3家圖書館原有的手工操作式館際互借爲基礎，運用網絡通訊技術，實現網上的館際互借。網絡互借仍分個人和團體兩種形式，個人用戶必須具備下述條件才能獲得互借服務：(1)具有網絡查詢條件；(2)具有個人電子信箱；(3)所在館願爲其作經濟擔保；(4)用戶須遵守提供館的出借規則；團體用戶的條件另有規定。APTLIN館際互借系統的操作步驟大致如下：首先，各館分別設立館際用戶檔案、聯機預約功能以及聯機催還公告；其次，建立館際互借專用信箱，信箱暫時設在清華大學信息研究所；第三，各館館際互借員按專用主題（如請求借書、提供應答、催還通知、用戶控制、請求代查等）信件的主題標識向有關方發送信件；第四，各館開放用戶請求信息信箱，接受用戶的互借和代檢請求；最後，各館館際互借員在收到他館發送的「借書請求信件」後，及時準備求借圖書，並以「提供清單信件」形式，通知對方來館辦理借閱手續。APTLIN館際互借系統具有以下功能特點：(1)三館以統一的www畫

面，實現用戶的網上預約和互借文獻過程；(2)以中文E-mail、FTP、電子公告板等方式爲預約和互借工具，方便實用；(3)有利於三館服務手段的現代化。

APTLIN項目已於1996年年底結束，以中國工程院副院長師昌緒爲主任的鑒定專家委員會在鑒定報告中這樣寫道：「該項目技術文檔完備，完成並部分超額完成了立項的研製任務。系統研製過程中，及時調整總體設計方案，採用了Clinet/server、WWW等國際先進的信息處理技術，實現了異構系統互聯、互操作。APTLIN是我國第一個在高速網上投入運行服務的書目文獻共享系統，研究開發成果達到了國際先進水平，豐富了我國具有自主知識產權的圖書館網絡信息資源和網絡應用軟件，具有實用和推廣價值」。然而，作爲一個科研項目，APTLIN結束了並達到了預期目的；作爲一個投入運行服務的地區性圖書館網絡，APTLIN還剛剛起步，它的運行現狀及未來發展前景又如何呢？

爲了更詳盡更準確地了解APTLIN的現狀及未來，我們走訪了ATP項目組的總負責人、中國科學院文獻情報中心博士生導師沈英研究館員，他談到，APTLIN目前運行良好，中國人民大學、北京航空航天大學、北京郵電大學3家圖書館正在聯繫與APTLIN的鏈節問題，而且，APTLIN的研究任務也並沒有結束，如中國科學院文獻情報中心APTLIN項目組正在研製一種軟件，該軟件能夠使處於完全分布狀態的圖書館計算機系統爲用戶提供集中式的服務，也就是說，裝有該軟件的計算機在接到用戶的請求後，會同時向各成員館發出檢索請求並匯總顯示檢索結果，由於如此複雜的過程是在高速網上運行，它給人的感覺彷彿是在利用「一個近在眼前」的巨型圖書館。從技術上來講，APTLIN

是成熟的，它開發了具有自主版權的使用簡便的網絡協議，任何一個圖書館只要置入服務器，就可以掛入APTLIN。但從運行管理和網絡體制的角度來講，APTLIN的前途堪憂：作爲APTLIN的三個成員館，清華大學圖書館目前熱衷於OCLC的接入服務和工科院校的圖書館聯網等事項，中國科學院文獻情報中心正在做CSTnet上的文獻信息共享系統，北京大學圖書館則忙於自身的自動化系統的研究；此外，北京圖書館雖然近在咫尺，但與APTLIN只有簡單的形式聯繫，達成實質性合作舉步維艱。總之，由於體制及諸多方面的因素，目前圖書情報網絡的重複建設愈演愈烈，這嚴重背離了網絡建設合作爲本、節省投資、資源共享的精神實質，消耗了原本拮据的人力、物力和財力資源。

鑒於APTLIN已達到的技術水平及其運行現狀，我們認爲，既然它是國家資助的具有示範作用的網絡工程，就應讓它發揮最大的效益，在我國圖書情報網絡化進程中起核心作用。具體地講，APTLIN的運行、維護和管理可以借鑒OCLC或RLIN的模式，首先由中國科學院文獻情報中心、北京大學圖書館、清華大學圖書館外加北京圖書館選派專人組成「網絡管理委員會」或「中國圖書館聯機計算機中心」，制訂切實可行、公平合理、操作性強的網絡制度，然後逐步吸引北京地區和全國其它地區的圖書館入網，同時鼓勵各地和各系統的圖書館加入地區或系統的網絡，再以網絡的形式加入APTLIN（也可以變換一個網名以吸納成員），這樣，經過若干年的滾動式發展，以利益機制爲驅動形成我國自己的圖書館網絡。我們認爲，這是我國圖書館網絡發展的最佳途徑之一。

㈣網絡圖書館

借助對OCLC和APTLIN的分析，我們可以歸納出網絡中的圖書館所應具備的一些特徵：(1)網絡中的圖書館應是計算機化或自動化的圖書館；(2)網絡中的圖書館應是經由通信線路連接在一起的圖書館；(3)網絡中的圖書館應是能夠共建信息資源體系和共享信息服務的圖書館，等等。而具備上述特徵的圖書館我們稱之爲網絡圖書館，可以認爲，網絡圖書館與電子圖書館、數字圖書館和虛擬圖書館基本上是同一概念。

就實質內容而言，網絡圖書館、電子圖書館、數字圖書館和虛擬圖書館沒有什麼區別，它們之間的區別僅在於觀察和認識的角度不同而已。網絡圖書館側重於圖書館之間的連接和整合，是從集成的角度來認識圖書館的；電子圖書館側重於電子技術的應用，是從圖書館硬件設施及其控制的角度來認識圖書館的；數字圖書館側重於信息資源的數字化，是從信息資源處理、傳輸和存貯的角度來認識圖書館的；虛擬圖書館則側重於信息的跨時空存取，是從用戶的角度認識網絡圖書館的結果。需要說明，虛擬圖書館是以現實中存在的圖書館爲依據的，沒有各級各類網絡圖書館的存在，就不會產生用戶電腦中的「虛擬圖書館」。

網絡圖書館的構成與傳統圖書館相比有較大變化，主要表現在：(1)信息資源。網絡圖書館所存信息資源約略包括兩部分，一部分是尙未數字化的印本書刊、地圖藏畫、電影膠卷、錄音錄像帶等，另一部分是數字化的信息資源即可以聯網供遠程存取的信息資源，其中，數字信息資源要占相當的比例；(2)信息用戶。這是變化較大的一個要

素，傳統圖書館的用戶相對而言是一個外在的要素，網絡圖書館的用戶則是圖書館的有機組成部分，是圖書館伸出的觸角或神經末稍；⑶信息人員。信息人員的變化主要表現在人員結構方面，傳統的業務操作人員將會持續地減少，而熟習信息技術的諮詢人員和系統維護人員將在圖書館人員構成中占據更大的份額；⑷信息設施。這是變化最大、最快的要素之一，又有圖書館硬件設施、軟件程序和網絡環境之分，可以說信息設施及其內含的信息技術正是影響網絡圖書館的決定因素。

　　網絡圖書館的本質依然是一種信息資源體系。美國學者霍金斯（B. L. Hawkins）在談及國家電子圖書館（the National Electronic Library）時認為，它「既是解決圖書館所面臨的經濟問題的一種手段，也是轉換學術並將信息的文化、社會和經濟利益帶給衆人的一種工具，……尤其，我們正在設想的是一個信息資源體系（What is being proposed is a collection of information），該體系包括許多格式（formats），以電子形式儲存在世界各地，但卻可以通過一個網絡中樞加以組織、採集和共享。」㉖也就是說，圖書館的形式和技術無論如何變化，其本質是相對穩定的。誠然，網絡圖書館不同於傳統圖書館，其主要區別在於：每一個傳統圖書館都是獨立的存在，它們的信息資源體系之間允許相互覆蓋（至少在相當大的比例上相互覆蓋）；但每一個網絡圖書館都只是網絡整體的一個有機組

㉖　　B. L. Hawkins. Creating the Library of the Future: Incrementalism Won't Get Us There. Serials Librarian, 1994, 24（3～4）：17～47。

成部分，如果它的信息資源體系被特定網絡中其它成員館的信息資源體系全部覆蓋或最大限度地覆蓋，則它的生存價值就會大打折扣乃至失去生存價值。爲此，網絡圖書館必須加強特色信息資源的建設，特色化將是網絡圖書館的生存之本。

網絡圖書館的信息資源體系是由技術支撐的，構成其技術基礎的主要包括以下幾類信息技術：(1)數字化技術，即利用計算機將文字、數值、單色和彩色圖形、靜止和活圖像、聲音等多種形式的信息轉換爲二進制數字編碼的技術；(2)信息存貯技術，主要是解決海量信息存貯的技術，包括磁盤存貯技術和光盤存貯技術兩大系列；(3)數據庫技術，主要是解決龐大的數字化信息的存儲、運行和管理的技術，目前流行面向對象的分布式數據庫系統；(4)網絡通信技術，主要是解決高速、可靠、安全地傳輸信息的技術；(5)多媒體、超文本、超媒體技術，其中，多媒體技術是能夠綜合處理多種媒體信息（數字化的文本、圖形、圖像、聲音、視頻等）並使多種信息相互聯繫，具有交互功能的信息處理技術，超文本技術可將相關概念經由路徑或鏈結（links）連貫起來從而使用戶以非線性的聯想方式查檢所需的相關信息，超媒體技術是在超文本技術的基礎上發展起來的能處理多種信息媒體的信息技術。㉗

網絡圖書館是一種具有世界範圍的虛擬操作，能夠對環境變化、競爭和用戶信息需求作出不斷地快速地反應，並能夠在各種水平上不斷學習、自我進化和快速調整的「智能型圖書館。」美國計算機專家邁天（James Martin）在其專著《生存之路——計算機技術引發的全

㉗　同註⑱。

新經營革命》一書中曾把計算機化企業形象地比喻爲「叢林生物」，「它隨時監視著它的環境，時刻準備做出反應。它有一個清楚而明確的目標，但達到目標的策略卻是隨時變化的。它所有的行爲都緊緊盯在目標上。在需要的時候，它會突然以極快的速度移動。」❷❸借用這個比喻，我們也可以把網絡圖書館比作「叢林生物」，這是因爲，在高速信息網絡全球化和普及化的時代，許多行業（如計算機化企業）的競爭在很大程度上集中在信息的競爭方面，與此同時，許多相關的服務或產業開始闖入原本是圖書館占主導地位的信息資源提供和諮詢領域，這樣，網絡圖書館若不能積極地實現彼此之間的整合並形成行業優勢，隨時對競爭環境和用戶信息需求的變化保持高度警覺，不斷對自我的信息資源體系及其服務做出調整，那麼它就可能成爲信息時代的第一個犧牲品。進一步講，圖書館並非聯入網絡就是網絡圖書館，聯入網絡後，圖書館還需要有一個磨合的過程，當它最終形成網絡思維、實現網絡定位並能夠與網絡中的其它圖書館協同行動時，它才能稱之爲網絡圖書館。

網絡圖書館在現實中不乏原型。美國學者休斯（J. R. Hughes）和布奇（K. S. Butcher）在「國家電子圖書館：虛擬化環境」一文中描述了他們所理解的國家電子圖書館：「它能夠發展出一些應用系統，用於對因特網上出版的資料的搜尋、評價和編目；它能夠指導圖書館信息人員對當地所生產的電子資料（包括研究數據庫和多媒體產品等）進行編目，以便它們能夠在其它情境中被容易地檢索和利用；它

---

❷❸ 詹姆斯·邁天著，李東賢等譯，生存之路——計算機技術開發的全新經營革命，北京：清華大學出版社，1997.6。

能夠指導大學師生去尋找以電子形式出版的學術資料，包括協調他人的評論和檔案過程（coordinating peer review and archival processes）」。㉙國家電子圖書館是美國圖書館界爲配合美國信息高速公路的建設而提出的圖書館發展計畫，是高速信息網絡中的圖書館模型，雖然有關研究人員在細節之處的認識頗多爭議，但就其最主要的結構功能而言，有關各方的認識卻驚人地一致，其中，休斯和布奇的觀點就具有代表性，而這種觀點的實質與我們所歸納的網絡圖書館的特徵是相吻合的。

現實中運行的網絡圖書館的代表當數被譽爲「21世紀電子圖書館樣板」的美國紐約科學、工業和商業圖書館（SIBL, Science, Industry and Business Library）。該館是紐約公共圖書館的四大研究圖書館之一，座落在紐約市曼哈頓區麥迪遜大街188號，係由一座超級商廈的底層和地下層改造而成，耗資約1億美元，全部裝備有高技術設備。其中，與街面平行的底層主要提供傳統形式的服務，包括40,000冊可供外借的藏書和視盤以及150種供閱覽的報刊的借閱服務、複制服務（由用戶自己操作的投幣式複印機）、參考服務（包括口頭諮詢、電話諮詢、因特網查詢和快報服務等）及其它外圍服務，需要說明，這些服務都是在高技術設備的支持下完成的；地下層則主要提供電子形式的服務，包括電子信息中心、電子培訓中心以及縮微品和專利閱覽室、綜合信息服務中心等部門。電子信息中心和電子培訓中心最能代表SIBL的現代色彩，電子信息中心的73個計算工作站連接

㉙　S. K. Baker, M. E. Jackson. The Future of Resource Sharing. New York: The Howarth Press, Inc., 1995. 1, 5～26.

著SIBL的100個CD-ROM數據庫、電子期刊、聯機服務和因特網，電子培訓中心則裝備著先進的聲像設備和30台IBM計算機，據97年底赴美參觀該館的中國科學院文獻情報中心考察組的介紹，當一個人走入SIBL的電子信息中心和培訓中心時，他可能完全意識不到這裡是一個圖書館：他眼前的大廳裡是擺列有致的計算機，兩旁的牆壁上是巨大的顯示屏，不斷地顯示著SIBL當天的培訓計畫及課程安排，這樣的設施及布局令人想到現代化的股票交易所，不同之處僅在於這裡較為清靜而已。綜合信息服務中心則體現了傳統圖書館與電子圖書館的融合：這裡所藏的120萬冊研究級藏書不允許外借而只能在館內閱覽，這裡的60,000冊參考書可供開架閱覽，這裡的42個計算機工作站連接著紐約公共圖書館的聯機目錄庫CATNYP，這裡的500個用戶座位均有接口可供用戶的膝上型計算機鏈接，這裡也有隨時恭候用戶的參考館員和情報專家。此外，用戶也可以通過網絡鏈接（Web access）在辦公室、學校或家中全天候地利用SIBL的數字化信息資源並可享受其文獻傳遞服務，SIBL的網絡地址為：http://www.nypl.org。

　　正如SIBL實際所做的那樣，網絡圖書館並不排斥傳統的印本型、視聽型和縮微型信息資源，這些資源現在乃至將來都是圖書館所擁有的最為寶貴的財富，是圖書館與那些完全數字化的新型信息公司競爭的致勝法寶之一。但是，網絡圖書館的重心將逐漸傾向數字化信息資源，只有這類資源才能連接在網上供用戶實時存取並實現最大範圍的資源共享。網絡圖書館是高速信息網絡時代圖書館的生存形式，同時也是傳統圖書館的進化形式，如何解決生存與進化的問題，將決定著21世紀圖書館的發展格局與態勢。

第三節　信息資源的共建與共享

(一)圖書館網絡的內核

　　美國學者貝克（S. K. Baker）在她編輯的《資源共享的未來》一書的「前言」中寫道：「今天的圖書館正生存在一個相互依賴的時代。進一步講，每一個圖書館都必須將自己視爲世界圖書館體系的一部分，必須擺脫自給自足的狀態，必須發現迅捷而合算地從世界圖書館體系中獲取資料並送到自己用戶手中的方式，必須隨時準備將自己所收藏的資料提供給世界各地的其它圖書館。」❸❹貝克的話雖然簡短，但卻說明一個事實，即網絡圖書館最深層的本質是信息資源的共建與共享，我們可以通過對成功的圖書館網絡的分析進一步證實這個事實。

　　切尼克認爲，成功的圖書館網絡通常具備以下幾方面因素：(1)成功的圖書館網絡建立在合作精神的基礎上。在圖書館領域，圖書館及其信息人員已習慣於通過館際互借和其它方式共享他們的資源和技能。一些信息人員在合作採購、藏書發展和資源共享方面更有多年的經驗，他們期盼著網絡能給自己帶來更多的利益（如更合算地獲取聯機編目信息、更大範圍地存取信息資源等），而由於網絡成員的關係是自願性的，要最大限度地挖掘網絡的潛力並從而給網絡成員帶來最大的利益，就只能依賴網絡成員之間的合作精神；(2)成功的圖書館網絡建立在自主與平等的基礎上。圖書館網絡內部各成員館的自主與平

---

❸❹　同註❷❾。

等主要取決於網絡管理結構，成功的網絡要確保其結構有利於發揮每個成員館的長處，有利於維護每個成員館的自主權，要確保大型圖書館既不能主宰網絡又不受其它圖書館的「剝削」，要確保網絡管理組織由所有成員館的代表組成或由成員館選舉產生，要確保「一館一票」和「服從多數」的表決制度；(3)成功的圖書館網絡建立在成員館發展和參與網絡活動的承諾的基礎上。為了降低組建網絡的成本，成員館需要捐助設施、資料和服務，它們還須選派義務信息人員來組織和指導網絡活動，而只有當網絡活動和服務完全展開之後，才有可能聘用專職人員在網絡管理組織的監督下完成日常的網絡操作，因此，各成員館對網絡的承諾及履行承諾的情況直接決定著網絡的成功與否；(4)成功的圖書館網絡還具有其它一些共同特徵，如可靠的財政基礎、網絡領導者有遠見且勇於探索、較少受政治和心理障礙的影響等。❸總之，成功的網絡具有更多的共同之處，簡潔地概括，成功的秘訣不外6個字：權利、義務、合作，其中，權利主要與資源共享有關，義務主要與資源共建有關，而合作則是維繫資源共建與共享並確保網絡成功的靈魂。

資源共建意味著每一個網絡圖書館都必須從網絡的高度重新認識本館信息資源體系的建設與發展問題，意味著每一個網絡圖書館都必須承擔向其它成員館提供信息資源的義務，意味著每一個網絡圖書館都必須分擔網絡運行和管理的費用，意味著每個網絡圖書館都必須恪守承諾、開放資源、融入一體化的信息資源體系之中，就當前而言，資源共建所面臨的最主要的問題是信息資源的數字化及其合作問題。

---

❸ 同註❶。

資源共享則意味著每一個網絡圖書館都有權利向其它成員館索取本館用戶所需的任何形式的信息資源，意味著每一個網絡圖書館都能夠平等地參與網絡的管理與決策，意味著每一個網絡圖書館都可以從網絡收益中獲得自己應有的一份，就當前而言，存取與擁有、文獻傳遞及其障礙乃是資源共享所面臨的主要問題。

㈡信息資源的數字化

數字化原本是信息資源接受計算機處理的過程，是信息資源進入高速信息網絡並實現全球資源共享的前提；但數字化又不止這些，在《數字化生存》一書中，美國未來學家尼葛洛龐帝（N. Negroponte）用他的生花妙筆，通俗而全面地描述了數字化對人類生活的影響，他斷言，數字化進程正在引發一場「數字革命」，「計算不再只和計算機有關，它決定我們的生存」，與此相關，每個人都必須學習和適應數字化的生存方式，「因為人類的每一代都會比上一代更加數字化。」❸❷尼葛洛龐帝所言非虛，隨著計算機的普及和因特網在世界各地的蔓延，數字化的浪潮正在淹沒整個人類。然而，數字化並非目的，數字化的最直接的目標就是促進全人類的信息資源共享。

對於網絡圖書館而言，信息資源的數字化可謂目前制約資源共享的瓶頸問題。首先，信息資源數字化的技術還不成熟且不經濟。現階段信息資源數字化的主導方式包括鍵盤錄入和光學字符識別（OCR）掃描輸入兩種。鍵盤錄入是一種手工轉換，以漢字鍵盤錄入而言，常

---

❸❷ 尼葛洛龐帝著，胡泳、范海燕譯，數學化生存，海口：海南出版社，1997。

用的錄入方法主要有五筆字形、自然碼、拼音碼、音韻碼、智能碼
等，其主要缺陷是速度慢、效率低、成本高。光學字符識別掃描輸入
技術是一種較爲先進的自動化信息資源輸入技術，是圖書館印本型、
縮微型和圖像類信息資源數字化的主要手段，與其相關的設施稱爲掃
描儀。掃描儀是一種計算機外圍設備，它能將源文獻轉換爲適於計算
機處理、存儲和高速傳輸的數字化圖像；但這些圖像不能被檢索或
「閱讀」，只有通過光學字符識別技術將掃描與圖像分析結合起來，
才能識別或「閱讀」源文獻中的字符，並將被識別的字符轉換爲機器
可讀的字符編碼形式（通常是ASCII碼）。利用光學字符識別技術還
可以對部分或全部文獻進行全文標引，而照片、圖表、圖形等不能轉
換爲ASCII碼的信息則以頁面形式存在，供用戶瀏覽和觀看。光學字
符識別技術的效能取決於它對源文獻中字符進行準確識別的能力，但
目前這方面的技術應用中還存在--些問題，如圖像質量不高、字符分
類、源文獻的「背景干擾」、掃描速度、單位成本較高等，這些問題
嚴重影響了圖書館信息資源的數字化進程。❸據悉，美國國會圖書館
原計畫在2000年200周年館慶時完成500萬幅歷史館藏的數字化轉換，
但迄今爲止，已經數字化的圖像僅有14,000幅，而「速度較慢的原因
是現有的工具還不適用於處理各種媒體，且缺乏對大批文檔的有效管
理。」❸可見，信息資源數字化技術的不成熟及其相關的高成本仍然
是圖書館信息資源共享的一大障礙。

---

❸　同註⓲。
❸　韓莉，美國國會圖書館的圖像數字化系統，信息科技動態（內部），1998
　　（2）：8。

　　圖書館信息資源數字化所面臨的第二個問題是數字化的對象問題。圖書館是當今世界擁有信息資源最多的組織，但這些資源絕大多數是以印本、音像、縮微等形式存在的，當網絡化的浪潮洶湧而至時，他們必須決定哪些信息資源應該數字化、哪些信息資源不需要數字化以及哪些信息資源應優先數字化的問題。一般而言，大多數圖書館都會選擇本館最有特色的信息資源實施優先數字化，譬如，美國國會圖書館所啓動的「美利堅記憶計畫」（American Memory Project, 1989〜1995）就是以其館藏特色爲據的，該計畫首先選擇反映美國歷史、文化和立法方面的照片、文字手稿、音樂、電影、圖書、圖片、樂譜等作爲數字化對象，在稍經編輯或幾乎不經編輯後轉換爲電子格式，以便人們能夠共享國會圖書館的珍貴資料。❸圖書館確定數字化對象的另一種做法是根據館藏資源的珍貴程度區分優先緩急，譬如，日本國立國會圖書館在經費充足的情況下選擇數字化轉換的對象和方法爲：⑴珍善本書（將攝影膠片掃描或5000×4000點的高清晰度彩色圖像）；⑵明治時代圖書（從縮微膠片掃描成黑白圖像）；⑶二戰時期出版的圖書（先將圖書縮微化，再掃描成黑白圖像）；⑷有代表性的日文政治經濟雜誌（直接從期刊掃描成黑白圖像）；⑸向國會提交的研究報告（直接掃描成黑白圖像，再用光學字符識別技術轉換爲文本）；⑹近代日本政治史文獻（掃描縮微膠片生成黑白圖像）；等等。❸圖書館確定數字化對象的第三種常用方法是選擇利用頻率最高的信息資源，這種方法對於一般的大中型圖書館尤爲適用，但需要指出，這種方法必須建立在網絡成

---

❸　楊宗英，電子圖書館的現實模型，中國圖書館學報，1996(2)：24〜29。

❸　同註❶。

員高度合作的基礎上，否則就會墜入重複建設和盲目競爭的怪圈。

　　圖書館信息資源數字化所面臨的第三個問題也是最為重要的問題是合作問題。由於圖書館網絡是各成員館在自願自主的基礎上組成的，即使是美國這樣法制完善的國家也沒有涉及圖書館網絡的法律，❸所以，合作就成為決定網絡成功與否的最為重要的因素。在目前我國圖書館自動化和網絡化的進程中，許多圖書館往往將自動化或信息資源的數字化視為「一館之事」而較少從網絡的角度考慮，結果是空耗了原本拮据的用於圖書館網絡建設的經費，而彼此之間的設備和軟件又難於兼容。以珠江三角洲地區的圖書館自動化建設為例，中山圖書館、深圳圖書館和深圳大學圖書館都曾分別開發了各自的圖書館自動化系統現在又都在不同的「地盤」裡組建或籌組圖書館網絡，事實上，它們本可以聯合起來開發圖書館自動化系統並在珠江三角洲地區建立統一的圖書館網絡，它們之所以沒有這麼做，除了管理體制、部門利益及經費來源等因素外，缺乏合作精神恐怕也是一個主要因素。因此，對於已經聯網或尚未聯網的圖書館自動化建設而言，信息資源數字化的合作問題必須提到意識日程上來，具體地講，圖書館之間必須加強溝通，就數字化對象的選擇達成共識，在分工與合作的前提下共圖資源共享大業。

　　信息資源數字化雖然涉及技術問題，但核心還是信息資源的共建，這是每一個網絡圖書館所應盡的義務。從資源建設的角度來認識，信息資源數字化就是重建信息資源體系的過程，當然，這裡所說的信息資源體系不同於每一個個別圖書館的信息資源體系，它有兩個

---

❸　同註❶。

最突出的特徵：其一，它是數字化信息資源體系；其二，它是所有成員館的數字化信息資源共同構建的體系，是一體化的信息資源體系。從這個意義上講，成員館無論大小都應參與一體化信息資源體系的建設，同時，它們又必須在嚴密分工的基礎上來參與，否則就無法實現一體化信息資源體系的放大效應。

(三)存取和擁有

存取和擁有是與資源共享最爲相關的兩個範疇。在網絡環境中，存取（access）一般是指利用其它成員館或信息提供者的信息資源來滿足本館用戶信息需求的行動，擁有（ownership）則是指通過收藏信息資源滿足本館用戶乃至網絡用戶的信息需求的行爲。存取與擁有本是唇齒相依、相輔相成的關係，但由於電子通信技術特別是因特網的迅速發展，在一些圖書館和圖書館員中逐漸滋生出這樣一種認識：既然用戶的信息需求可以全部或大部分通過因特網的存取來滿足，圖書館又何必再擁有信息資源呢？這個問題貌似簡單和易於反駁，但實際並非如此，美國圖書館領域曾針對這個問題展開了一場爭論，在此，我們首先將爭論雙方的主要觀點陳列出來，最後再來討論存取、擁有和資源共享的關係。

美國哈佛大學圖書館公共服務部副主任道勒（L. Dowler）是「存取論」的主要代表人物之一，他在「研究大學的困境：文化變遷環境（a transinstitutional environment）中的資源共享與研究」❸一文中談到：「技術特別是數字影像技術的出現使圖書館員對迅速

---

❸ L. Dowler. The Research University's Dilemma: Resource Sharing

改進的存取和信息檢索產生了濃厚的興趣，簡言之，這是經典的推拉模型（a classic push-pull model）在起作用。不斷上漲的成本和不斷縮減的資源迫使圖書館重新設計戰略和系統來提供它們已無力支付的信息源，而新技術則以其強大的拉力使圖書館趨向存取和檢索，這是解決圖書館所面臨的共同的困境的主要方法。存取已經取代擁有成為我們的指南，至少表面上如此；與此相關，共享也似乎已取代競爭成為圖書館學領域的主導原則。」基於上述認識，道勒主張各圖書館協調起來共同建設合作性的信息資源體系（coperative collection），他認為，「自給自足的觀念和建立百科全書式的信息資源體系的做法已離我們太遠，那是一個完全不同的時代，簡直令人難以置信」，而只有「合作才能提供單個的大學及其圖書館無力支付的資源，才是研究的救星。」道勒最後指出，應該建立一個或幾個國家級的組織來支持圖書館之間的資源共享，「我們需要一個或許幾個組織來將學者（研究信息消費者）和各種義務保存信息的群體（研究信息的提供者）整合起來，並使之影響國家研究體系及其信息源。」道勒是從研究圖書館出發來討論資源共享的，實質上，他並不反對擁有，他只是更加強調存取和資源共享罷了。

美國學者威格納（L. S. Wegner）和安德斯（V. Anders）等也是「存取論」的擁護者。威格納認為，「一個圖書館的館藏（holdings）將由存取而不是擁有（possession）來界定，大多數圖

---

and Research in a Transinstitutional Environment. Journal of Library Administration, 1995, 21（1～2）：5～26.

書館資料將根據需要以電子形式或印刷形式來傳輸。」**❸⁹**也就是說，圖書館將不再期望以自己的館藏來滿足用戶的信息需求，擁有信息資源和自給自足的概念將讓位於合作和資源共享。安德斯等則從經濟的角度肯定了存取的價值，他們認為，存取所節省的不僅僅是獲取資料的費用，存取還省去了這些資料的處理費用、排架費用、保存費用及有關的房租，所以，存取是擁有的強有力的替代品。**❹⁰**

「存取論」的另一位代表人物是美國布朗大學圖書館技術服務部副主任林登（F. C. Lynden），他在「遠程存取議題：優勢與劣勢」**❹¹**一文中對存取做了詳盡的剖析，他認為，「圖書館事業的本質即存取，也就是說，是使信息和知識為用戶所利用。很明顯，存取對於圖書館員和用戶而言是有區別的。對於圖書館員，存取的關鍵在於信息是本地存取還是遠程存取；對於用戶，他不在乎信息是怎樣或在哪裡獲得的。」而由於計算機技術和電子通信技術的迅速發展，遠程存取將成為圖書館存取的主要形式。遠程存取的優勢主要表現在：⑴不需要擁有資料；⑵可以從任何地方（網絡延伸到的地方）獲取信息；⑶可以足不出戶而獲得所需的各種各樣的資料(one-stop shopping)；⑷可以及時地獲取最新的信息；⑸可以對獲取的信息進行編輯；⑹存

---

❸⁹ 同註**❸⁸**。

❹⁰ V. Anders, C. Cook, and R. Pitts. A Glimpse into a Crystal Ball: Academic Libraries in the Year 2000. Wilson Librry Bulletin, 1992, 67（10）：37.

❹¹ F. C. Lynden. Remote Access Issues: Pros and Cons. See: Sul H. Lee. Access, Ownership and Resource Sharing. New York: The Haworth Press, Inc., 1994. 19～34.

取是用戶驅動的；(7)可以獲得多媒體版本；(8)有助於確定資料採購的
範圍；(9)有助於促進合作；(10)有助於加強用戶和信息提供者的溝通。
遠程存取的不足則表現在：(1)加劇了因特網上的擁擠程度；(2)成本具
有不確定性；(3)不易找到所需信息；(4)計算機文檔的保護易出紕漏；
(5)摒棄收藏；(6)同質性（放棄了自己的特色）；(7)兼容設備昂貴且易於
過時；(8)文獻傳遞要收費；(9)商業化的信息提供者將直接面向用戶；
(10)版權問題尚未解決；(11)網絡信息供應者終究會考慮文獻傳遞的收支
平衡問題；等等。林登最後歸結道，「圖書館員必須密切注意與遠程
存取有關的議題，但同時他們也必須意識到這兩個體系——圖書館所
擁有的信息資源體系和遠程電子存取體系——在不久的將來必然會並
存」。也就是說，林登實際上也是贊成存取和擁有並舉共存
的。

　　「擁有論」是相對於「存取論」而言的，其核心也不是反對存
取，而是強調圖書館不能完全或過份依賴存取。「擁有論」的代表人
物之一韋思琳（Julie Wessling）認為，雖然圖書館、信息高速公
路、電子出版商、信息經紀人和商業文獻提供者等均可提供信息存
取，但它們之間有著本質的不同——不同之處就在於圖書館擁有信息
資源體系。她同時認為，圖書館之間應該建立合作性的信息資源體
系，「圖書館員應改變過去那種從『我的用戶』出發的思維方式，而
開始圍繞『我們的用戶』發展共享的觀念。」❷韋思琳的認識其實也涉

---

❷　Julie Wessling. Impact of Holdings on Resource Sharing. See: S. K.
　　Baker, M. E. Jackson. The Future of Resource Sharing. New
　　York: The Haworth Press, Inc., 1995. 121~131.

及存取和擁有兩個方面，因爲多個圖書館合作建立信息資源體系，必然會導致相互間的存取行爲。

　　朱爾詹斯（B. Juergens）和普拉瑟（T. Prather）也主張「擁有論」。他們認爲，那種僅僅提供存取而不是永久的存貯信息資源的「存取範式」不適合目前圖書館的實際情況，「如果每一個用戶都能夠直接從信息提供者那裡得到資料，爲什麼還要到圖書館呢？」作爲比較，他們又提出了一種「信息交換所（clearinghouse）模型」，「如果圖書館選擇信息交換所的角色，圖書館信息人員必須變成『資源共享掮客』，扮演用戶的代理人，研究商業化和非商業化提供者並將存取戰略建立在這些提供者的優勢和劣勢的基礎上。在信息交換所模型中，服務是集中化的，『參考服務』和『館際互借』以及『館際互借』和『獲取』之間的區別將消失」。這種模型保留了圖書館信息人員在文獻傳遞過程中的「中介人」角色，增加了開帳單和結帳的功能，有助於提高圖書館及其信息人員的地位，但易於導致僵化的官僚主義，❸故亦不足取。「信息交換所模型」實質上也是以存取爲核心的，這是一些圖書館試圖追求的目標，然而，捨棄了圖書館的保存功能，僅僅充當用戶與信息提供者之間的「經紀人」，圖書館與其它信息公司還有何區別？圖書館一詞還名符其實嗎？

　　美國費城賓夕法尼亞大學圖書館的莫希爾（P. H. Mosher）也是「擁有論」的代表人物。他在「90年代的實存取範式」一文❹中談

---

❸　Juergens, T. Prather. The Resource Sharing Component of Access. See: Sul H. Lee. Access. Ownership and Resource. New York: The Press. Inc., 1994. 77～93.

❹　P. H. Mosher. Real Access as the Paradigm of the Nineties. See:

到，「在一個用戶能夠『存取』信息之前有人必須擁有它。……但如果我們停止收集而將用於藏書的錢消費在存取技術方面，我們是否在扔掉電子三明治中的肉餡？所以，在有效的資源共享實現之前，藏書發展和管理領域的規劃、協調和交流仍是圖書館的重要基礎。」不過，莫希爾也認爲，當電子圖書館或虛擬圖書館時代到來時，存取範式將取代常規的擁有範式。

綜上所述，「存取論」也好，「擁有論」也好，實質上都涉及存取和擁有兩個方面，美國研究圖書館中心主任辛普森（D. B. Simpson）爲此寫了一個等式，即：資源共享＝存取＋擁有（Resource Sharing＝Access＋Ownership）。該等式可謂對存取和擁有之爭的簡潔定論。❹辛普森認爲，「有效的資源共享計畫是存取和擁有的總和。存取必須通過利用通信、存貯和傳遞技術來加強，擁有則必須擴展爲共享或共同擁有地方館藏。該計畫應該包括由共享藏書維繫在一起的四類功能活動（見圖8-6）。」其中，藏書發展又包括投資、評價、選擇、剔除和維護等一系列功能，作爲其結果的合理的藏書體系既能滿足本地的用戶信息需求也能滿足一部分共享信息需求；書目存取以標準格式提供某一館藏的描述性信息、主題信息和藏址信息，是最爲重要的資源共享活動之一；貯存和保護是確保任一館

S. K. Baker, M. E. Jackson. The Future of Resource Sharing. New York: The Haworth Press, Inc., 1995. 39~47.

❹ D. B. Simpson. Resource Sharing＝Access＋Ownership: Balancing the Equation in an Unbalanced World. See: Sul H. Lee. Access, Ownership and Resource Sharing. New York: The Haworth Press, Inc., 1994. 95~107.

圖8-6　資源共享計畫的要素❼

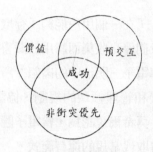

圖8-7　成功的資源共享計畫
的特徵❽

藏在任何時候爲用戶所需時可以利用的過程，它通常需要將縮微和數字化兩種再格式過程統一起來；傳遞則是使本地或共享藏書爲用戶所利用的方法或過程。辛普森還認爲，上述資源共享計畫要獲得成功必須具備3個特徵（見圖8-7），即避免地方優先和共享優先的衝突、提供價值或增值、促成參與者彼此之間事先的相互協調，換言之，成功的資源共享計畫將能夠實現合作採購、責任分擔和館際資源再調配。❻辛普森的資源共享模型較好地實現了存取與擁有的統一，闡明了存取和擁有的邊界及相互依存關係，有助於圖書館界深化對資源共享的理解和規劃各種資源共享活動。

　　資源共享在圖書館領域有著悠久的歷史，幾個世紀以來，圖書館界一直在試圖尋求合作和資源共享，以更好地完成自己的任務。最初，它們是在書目領域達成了資源共享的共識，漸後又延伸到流通領域並從而產生了「館際互借」服務，如今，資源共享的範圍已擴展到

❻　同註❺。
❼　同註❺。
❽　同註❺。

包括信息資源、信息人員、設備、設施和專業技能等在內的廣闊領域
——借助這些資源共享活動，圖書館正在朝著一體化的方向迅速發
展，這無疑會最大限度地提升用戶的利益和促進人類的進化。誠然，
圖書館資源共享領域目前還存在許多障礙，如何克服這些障礙將是當
前及今後一段時期圖書館界的主要任務。

㈣文獻傳遞及其障礙

　　雖然圖書館資源共享的範圍廣及信息資源、信息人員、設備、設
施、專業技能等諸多方面，但最為核心的內容還是信息資源共享，更
具體一些，只有通過文獻傳遞才能最終滿足用戶的各種共享需求，因
此，文獻傳遞又是信息資源共享的關鍵。需要說明，此處的「文獻」
是指以各種媒體和各種形式出現的信息資源，既包括傳統的印本書
刊、音像資料、縮微製品，也包括網上的電子文本。

　　廣義的文獻傳遞是指以任何形式、從任何信息資源中為用戶提供
信息副本（copies of information）的活動。「任何形式」包括文
本、圖形、聲音、印本或這些形式的組合；「任何信息源」則包括圖
書館的免費信息資源、商業出版者、貿易或專業協會、政府機構、全
文數據庫、大學、圖書館的收費信息服務、商業文獻傳遞公司、信息
經紀人、公司和個體研究者等。❹但在此處，文獻傳遞特指圖書館資
源共享範圍內館際之間、圖書館與其它信息提供者之間、以及圖書

---

❹　N. S. Hewison, V. J. Killion, and S. M. Ward. Commercial
　　Document Delivery: the Academic Library's Perspective. See: S. K.
　　Baker, M. E. Jackson. The Future of Resource Sharing. New
　　York: The Haworth Press, Inc., 1995. 133～143.

館與用戶之間的信息資源提供服務。

文獻傳遞可以根據傳輸介質和方法分為3大類，即流通型文獻傳遞、館際互借型文獻傳遞和網絡型文獻傳遞。流通型文獻傳遞實際上是傳統的圖書館流通工作的延伸或擴展，它根據館際協議，面向合作館的用戶開放，以「通用借書證」等作為文獻傳遞的憑據；館際互借型文獻傳遞是傳統圖書館合作的主要形式，它以館際協議為根據，互相利用對方的信息資源來滿足本館用戶的信息需求，從某種意義上說，流通型文獻傳遞只是它的一種特殊形式；網絡型文獻傳遞則是利用特定的設備和軟件，通過電子通信網絡來傳遞數字化信息資源的活動。上述3種文獻傳遞類型還可以進一步歸納為傳統型文獻傳遞（流通型和館際互借型）和電子型文獻傳遞（網絡型）兩大類。傳統型文獻傳遞具有這樣一些特徵：(1)它是勞動密集型活動，成本很高；(2)當資源被特定的用戶借出後，其他人就無法再利用這些資源；(3)它包括分發成本（如包裝、運輸、接收、記錄保持等方面的費用），這些成本不菲且正在上揚；(4)它通常不夠及時，互借的資料多要1～2周時間才能到達用戶手中；等等。鑒於這些原因，傳統型文獻傳遞目前主要用於硬拷貝資料的傳遞，是作為電子型文獻傳遞的補充形式而存在的，「由於它的成本及其在資料存取方面的種種固有的限制，它在未來將不能夠得到支持。」⑩電子型文獻傳遞則具有下述特徵：(1)它是技術密集型活動，成本具有不確定性；(2)同一資源可以同時傳遞給多個用戶而不

---

⑩　J. E. Rush. Technology-Driven Resource Sharing: A View of the Future. See. T. C. Wilson. Impact of Technology on Resource Sharing: Experiment and Maturity, New York: The Haworth Press, Inc., 1992. 141～157.

影響其它用戶的利用；(3)任何數字化信息資源都可以不受地點限制、在任何時間傳遞給任何人；(4)任何一種信息資源或其中的部分都能夠以多種形式傳遞給用戶，包括文本、圖形、聲音或超文本等；(5)傳遞速度極快，瞬間可達；(6)存在知識產權等問題。電子型文獻傳遞無疑已成爲目前文獻傳遞的主流，它也必然是未來的發展方向，「信息資源必須轉換爲機器可讀形式並通過數據通信網絡實現存取。」㊶

　　文獻傳遞還可以根據收費情況分爲贏利型和非贏利型兩種類型，結合圖書館選擇合作者（即信息提供者）的情況做進一步細分，則有3種類型，即基本服務、收費服務和增值服務。基本服務類同於館際互借但又有小的調整，圖書館的合作者通常免費爲用戶提供文獻，授權用戶主要是母機構的成員；收費服務可以提供各種類型的文獻，它與基本服務的區別在於，圖書館可能選擇一些後備性提供者或付費獲取資料以滿足特定用戶的急切需求，同時，圖書館還會對這些服務項目收費；增值服務完全建立在收費的基礎上，它需要核算成本並贏利，它通常根據用戶的嗜好來考察、複製（或購買）和傳遞文獻，用戶多來自商業領域，但學術群體也是潛在的主要用戶。㊷在網絡環境中，圖書館資源共享的範圍已不局限於圖書館之間，圖書館也常常選擇商業文獻提供者作爲合作對象。一個圖書館可能選擇另一個圖書館作爲合作者以滿足其基本服務需求，而選擇一個非圖書館組織以滿足其收費服務或增值服務需求；但除了少數大型圖書館外，其它圖書館

㊶　同註㊿。

㊷　同註㊾。

將通過1～2個主要的商業文獻提供者和數十個組織來提供專門化的信息資源如專利、技術報告、政府出版物和工業標準等；剩餘的少部分共享信息需求將由合同出版商、作者、貿易協會、大學系（所）、或政府機構等來滿足，但這些增值服務是否提供，完全取決於用戶對資料的需求程度及付費的意願。一般來說，圖書館選擇商業文獻提供者有兩個標準：一是「指令處理」，內容包括周轉時間、需求滿足的比例、準確指令的完成、影印質量、刪除指令的迅速通知、以各種方式（如電話、傳真、E-mail等）接受指令的能力、以各種方式傳送指令的能力、及時而準確地處理緊急需求的能力、極低的出錯率以及迅速而準確地改正錯誤的意願和能力等；二是「帳目」，內容包括援引發票上參考號碼的能力、在需要時生產一定規格的可用報告的能力、根據出版的收費表保持定價的一貫性、樂於助人的職員、回溯指令和提供現狀報告的能力，以及準確、整潔、及時的發票等。❸商業化的電子文獻提供將是一種發展趨勢，圖書館在這個領域也不能維持免費服務的形象，它需要的將是競爭與合作——對手就是各種商業文獻提供者。

　　從商業文獻提供者的角度來認識，文獻提供的目標就是「更好、更快、更便宜」。❹斯托克頓（M. Stockton）和懷塔克（M. Whittaker）是美國丹佛一家商業文獻提供公司——Un-Cover

---

❸　同註❹。

❹　M. Stockton, M. Whitteker. The Future of Document Delivery: A Vendor's Perspective. See: S. K. Baker, M. E. Jackson. The Future of Resource Sharing. New York: The Haworth Press, Inc., 1995. 169～181.

Company——的專家，他們在「文獻傳遞的未來：一個提供者的觀點」❺❺一文中暢談了自己的認識。他們指出，「有一種趨勢將所有的館際互借都歸結爲文獻傳遞，這等於間接地表明，圖書館是更廣義的信息傳遞的一個子集。」但圖書館與文獻傳遞其實有所區別：圖書館借出的書還會被歸還，文獻傳遞所提供的期刊論文、年度報告和灰色文獻等將永遠留在用戶手中。對於文獻提供者而言，他們所傳遞的是產品，或者說，他們是在以更爲有利可圖的方式賣產品，只要哪裡有市場存在，他們的服務就會延伸到哪裡，而圖書館一般有相對固定的服務範圍。市場是無情的，如果用戶急需某種信息資源，他們將會爲快速的文獻傳遞付費，反之則會拒付；如果一個數據庫在大多數時候滿足了用戶的信息需求，他們將會爲之付費；同時，如果一個數據庫高度專業化，它也會吸引付費用戶；總之，商業文獻傳遞必須緊盯用戶需求，千方百計滿足他們的需求，力爭做到「更好、更快、更便宜」。至於圖書館，由於入藏的信息資源不斷縮減，它們將被迫明智地利用保留下來的財產；同時，出於必需，圖書館將更多地像商業一樣運行，它的每一個計畫和每一次採購都將做成本／效益分析，資料存取將成爲獲取信息資源的主要手段，昂貴而利用率低的資料將不再列入採購範圍，「圖書館將爲它們的用戶保存最重要的信息資源，而利用範圍小的信息資源將依賴它們的資源共享伙伴和商業文獻提供者來供應。」斯托克頓和懷塔克進一步認爲，「未來的圖書館將成爲人們進入世界信息網絡實現存取的一種工具，圖書館信息人員和商業文

---

❺❺　詹姆斯・湯普森著，喬歡、喬人立譯，圖書館的未來，北京：書目文獻出版社，1988．214～85, 101～101, 101～102, 112～134。

獻提供者將共同承擔海量信息和擁有特殊信息需求的用戶之間的中介
人角色。」應該說，斯托克頓和懷塔克的見解是腳踏實地的和中肯
的，圖書館雖不會變爲純粹的商業文獻提供者，但介入商業文獻提供
領域將是不可逆轉的趨勢，爲此，圖書館應認眞而謙虛地學習商業文
獻提供者的經驗與做法，在合作的基礎上同他們展開競爭。

　　商業性電子文獻傳遞正在成爲網絡環境中圖書館資源共享的主導
方式，對於已上網或有過上網經歷的用戶而言，它的巨大優越性是不
言而喻的。但在耀眼的光環背後，商業性電子文獻傳遞也存在或隱藏
著諸多障礙，主要包括：(1)心理障礙。許多圖書館的「地盤保護」觀
念仍然強於「資源共享」觀念，大型圖書館擔心自己的資源被過度利
用，小規模圖書館則擔心自己「人微言輕」、不受關注，地方當局則
擔心失卻對圖書館及其資源的控制，圖書館信息人員則擔心網絡化會
使自己失去工作崗位，……種種心態，不一而足；(2)資源障礙。由於
目前因特網的價格機制尚待明細，一些圖書館心存僥倖，僅設一個
「空心主頁」，其目的主要在於利用地方的信息資源，而不願盡義務
爲他人提供自己的資源，這種「空巢現象」不能不說是一種短視行
爲，如我國許多上網的圖書館就很少能夠提供令人滿意的服務；(3)技
術障礙。目前計算機及其配件市場魚龍混珠，設備之間兼容性差異較
大，且升級換代頻繁，這不能不影響到電子文獻的傳遞和接收；(4)版
權障礙。電子環境中與存取有關的版權議題是非常複雜的，其實質在
於，「許多爭端都是由電子媒介的基本性質引起的。由於信息是如此
容易下載和處理，以致其原始所有者往往很難尋踪。所以，問題的關
鍵是信息創造者和用戶的權利。」對此，美國有關各方認爲許可證制
度可能是發展方向，❻但在該問題解決之前，版權仍將是懸在網絡信

息提供者和網絡用戶頭上的一把利劍；(5)價格障礙。網上電子文獻傳遞的價格如何確定？圖書館是繼續維持免費服務或非贏利服務的形象，還是加入商業文獻提供者的行列？尚待解決的版權制度將如何影響圖書館的文獻傳遞？這些問題目前都未妥善地解決，因而勢必會影響圖書館文獻傳遞的進一步發展；(6)用戶障礙。主要表現在用戶的經濟承受能力、用戶面、未上網用戶的傳遞服務等方面。上述障礙其實也就是網絡環境中圖書館資源共享所面臨的障礙，它們涉及到資源共享的社會、經濟、政治和心理等多方面因素，需要社會各方協調合作才能解決，圖書館所能做到的就是聯合起來，爭取最好的前景。

　　「從圖書館信息人員和用戶的角度認識，理想的文獻傳遞系統是一種透明、無縫的電子信息服務，它融檢索和瀏覽為一體，能夠識別和標注所需的信息資源，並能夠傳送和滿足用戶的需求。信息資源將從圖書館信息資源體系、商業提供者或其它信息資源中提供，而無需用戶探知信息資源藏於何方。隨後，用戶將以全文電子文檔、傳眞拷貝或郵遞印刷拷貝等方式接收信息資源。不言而喻，這樣一個系統將具有一系列自動化特徵：核實用戶的資格；根據用戶要求自動檢查本地和合作館的館藏以及商業提供者的供給清單；按規定路線將需求送給合適的提供者（也可能是母機構的存取服務辦公室）；等等。理想的系統還將統一記錄保存和帳目功能，包括核實用戶是否收到了某一信息資源。還有，瀏覽功能允許用戶預覽論文中的選擇部分。」❺❼理想的東西現實中是不存在的，它是我們的努力目標，在此，美國學者所

---

❺❻　同註❹❶。

❺❼　同註❹❾。

描述的理想文獻傳遞系統已部分地變爲現實，但這遠遠不是圖書館人理想中的系統，圖書館人的理想是「借助跨時代的高新技術，構築聯通世界上每一個人的信息網絡，用全人類所創造和積累的信息資源服務於每一個人的全面發展」，相信他們終有一日會實現自己的理想。

第四節　未來的圖書館

(一)圖書的未來

　　圖書館的未來首先取決於圖書的未來。從語法邏輯的意義上講，圖書是圖書館的邏輯起點，圖書的變化勢必引發圖書館的相應變化，而圖書的未來恰是目前爭論最多的內容：圖書，準確地說是印本圖書，會在可預見的未來退出歷史舞台嗎？電子出版物會全面主宰人類的閱讀方式嗎？印本圖書能夠與電子出版物共存共榮嗎？……這些問題的解答直接決定著不同研究者的「未來圖書館視像」，從而也直接決定著人們爲未來所做的一切準備。

　　事實上，關於「未來的圖書」的爭論早在20世紀60年代已是熱門話題。蘭開斯特曾試圖讓人相信未來的社會是「無紙社會」，他預言，「到2000年，科學技術的正式交流幾乎無一例外地將以電子方式進行；」❸然而，回頭來看，蘭開斯特的預言顯然過於樂觀了。70年代後期，圖書館界仍然沉浸在新技術所帶來的樂觀主義氛圍中，英國

---

❸　同註❺。

學者羅賓（Joseph Raben）曾以一連串反問來捍衛「電子論」的立場：「如果沒有紙也可以完成這麼多事情，為什麼最後一步必須採用紙的形式？如果著者在終端上構思、在終端上編輯，在終端上審稿，最終使用者為什麼必須舉一本裝訂成冊的圖書或期刊？為什麼讀者不能打開終端，接收所需要的東西？讀者為一篇文章為什麼必須得到整本的雜誌？為什麼讀一篇散文或一個章節就要買一本書？難道讀者不能在終端上瀏覽文摘目錄，然後直接用電話索取那些感興趣的東西？」❺❾應該承認，羅賓確實具有高超的辨駁能力和表達能力，他的一連串提問在今天聽來依然震聾發聵，但羅賓在此卻忽略了一個極為重要的因素，即人們的閱讀習慣——它在現在乃至可預見的未來都會為印本圖書保留一塊屬於自己的領地。

　　從80年代開始，圖書館界對「圖書的未來」的認識少了一些「技術決定論」色彩，而多了一些文化反思。《圖書館的未來》一書的作者湯普森曾轉引了一段社論，該社論以輕鬆的筆調對「技術迷狂」進行了回擊，內容梗概如下：「一種理想的信息存貯和檢索設備應該具有以下特徵：可以移動並且能在任何環境下運行；不需要能源供應，不需預熱便能夠立即使用；它應該具有高度的信息存貯能力；無限制地保留信息而不會損傷、退化，也不會意外消除；可以立即隨時檢索；它應該能夠標引、注釋或人工更正內容。……沒有任何電子設備適合上述說明，即使可預見的將來也不會出現。但是有一種非電子設備完全符合以上特徵，甚至具備更多優點，它已經存在了500多年，

---

❺❾　同註❺❺。

這就是圖書。」⑩可以看出，這段社論隱含著一種強烈的感情色彩，這是「印本論」者的共同特徵，它意味著印本圖書依然具有強勁的生命力。而另一位英國學者羅莉（Jenny Rewley）更用圖表詳細比較了圖書與計算機數據庫的優缺點（見表8-3）。⑪羅莉的論文名爲「保護圖書（In defence of the book）」，其目的是爲印本圖書辯護，故表8-3中頗有以圖書的優點與數據庫的缺點相比較之嫌，但這些事實也確實印證了圖書存在的必然性。

　　進入90年代，雖然信息技術前進的步伐更快，但圖書館人對「圖書的未來」的預測卻更理性化，「印本圖書與電子出版物共存」的觀點占了上風。1991年，美國學者波爾特（J. D. Bolter）在《寫作空間：計算機、超媒體及寫作的歷史》一書中曾寫道：「印本圖書……似乎注定要淡出我們的書面文化（literate culture）。問題並不在於印刷技術是否會完全消失；圖書可能長時期地以印本形式存在，爲奢侈消費服務。但圖書的概念和形式將會變化：印刷術將不再像過去的500年那樣決定知識的組織和表達，從印刷術到計算機的變遷也不意味著讀寫能力（literacy）的終結，將消失的不是讀寫能力本身而是『書面表達能力（literacy of print）』，因爲電子技術爲我們提供了一種新的圖書和新的讀寫方式。」⑬1992年，另一位美國學者克什威爾（R. Kurzweil）在一篇名爲「圖書的終結」的論文中預言，

---

⑩　同註⑮。
⑪　同註⑮。
⑫　同註⑮。
⑬　　G. Nunberg. The Places of Books in the Age of Electronic Reproduction. See: R. H. Bloch, C. Hesse. Future Libraries. Berkeley: University of Californila Press, 1993. 13~37.

表8-3　圖書與計算機數據庫的比較㉒

圖　　　　　　　書	計　算　機　數　據　庫
1.數據存貯密度較低	高密度數據存貯
2.非常輕便，易攜帶	可搬運，但須仔細裝卸
3.能在大多數情況下生存，壽命長短取決於紙的質量、裝訂質量等	在某些情況下容易變質甚至會消除數據，易受計算機病毒的感染
4.不需要中間設備便可以閱讀（眼鏡除外）	需要附加設備轉換爲適應閱讀的版面，閱讀方便程度依賴於設備結構及其檢索能力
5.能坐在椅子上閱讀，也能在桌邊或洗澡時閱讀，或在任何方便的地方閱讀	必須在計算機終端筆直地坐著閱讀，除非產出印制材料；計算機終端必須連接其它設備，一般認爲無法移動
6.能同時使用幾本書並加以比較	比較兩個或更多的數據庫，或比較其中的某些部分，意味著兩套內容在屏幕上晃動
7.能隨意瀏覽以判斷後面幾項包括哪些內容並重圖本書計劃	能否隨意瀏覽取決於該系統的便利條件。可以瀏覽但通常必須連續瀏覽，且速度較慢
8.圖解和插圖可以用來引伸和說明觀點	圖形有時可以在帶有圖解設備的終端得到，但是不能夠準確地復制圖面
9.可以成爲藝術品，具有觸覺和視覺魅力	計算機終端在這點上明顯地受到限制。所有改進信息顯示的努力都植根於功能方面

紙本圖書（the paper book）在21世紀初期將會被廢棄不用，當然，
「由於其久遠的歷史和龐大的基礎設施，它在成為古董之前還將徘徊
數十年時間。」⑥1993年，在「電子複製（reproduction）時代圖書
的位置」一文中，美國學者農伯格（G. Nunberg）系統地綜述了不同
研究者對「圖書的未來」的認識，深入地分析了與「圖書的未來」相
關的閱讀的未來、出版的未來、電子複製、圖書的位置等問題，最後
得出了「圖書將會終結」的結論，他談到，「因特網上的專業目錄中
已經運載著各種新書通知和書評，而有些印本出版物則用於幫助人們
在網上漫遊。從某種意義上講，我們談論圖書的終結可能是正確的——
——這並非啟示，而只是因為文化形態（cultural forms）與技術的聯
繫將會變得如此相伴相隨（contingent）和錯綜複雜，以致於圖書不
再是一種令人特別感興趣的信息媒體。」⑥可以看出，即使在談論圖
書的終結時，農伯格等人的態度也不再激進，人們的真實觀點是：電
子出版物將成為信息時代的主調，而印本圖書不過是「退居二線」罷
了。

　　1995年，克勞福特和戈曼聯手推出了《未來圖書館：夢想、瘋狂
與現實》一書，⑥在書中，他們詳述了自己對印刷物及其未來的認
識。他們首先指出，「閱讀對於個人和社會而言都至為重要，而紙本
印刷物是閱讀和獲取知識的最佳形式；」接著，他們又從光線效果、

---

⑥　同註⑥。

⑥　同註⑥。

⑥　　Walt Crawford, Michael Gorman. Future Libraries: dreams,
madness, and reality. American Library Association, 1995.

分辨能力、速度和理解、可利用性、超文本和線性文本等多個角度比較了圖書與顯示屏（display），從而證實「印本圖書是最好的閱讀工具」，而計算機設備只不過更適於傳輸數據和小的信息包；他們還為印刷物算了一筆經濟帳：「印刷出版包括幾方面的成本，這些成本隨出版資料類型的不同而有所變化。圖書的定價中通常包括採訪編輯、謄寫編輯、生產編輯、排版人員、美術設計人員、索引人員和校對人員等的工資成本，包括排字或視象剪輯（imagesetting）、鉛版製作、印刷、裝訂、傳播和宣傳等方面的費用支出，還包括利潤、一般管理費用、編輯辦公費用、設備費用以及年度圖書編輯發展費用等」，換言之，印本圖書的存在創造了大量的就業機會，為社會做出了巨大的貢獻，不能簡單地拿它與電子出版物做成本或價格比較；最後，他們分門別類地探討了印刷物和電子出版物的發展前景，他們認為，有些印刷物諸如字典、索引、地名辭典、年鑒、統計匯編、政府文獻、會議錄、消費者和價格指南等將會被電子出版物所取代，有些電子出版計畫諸如面向大眾市場的CD-ROM出版物、龐大的聯機文本數據庫等則運轉不靈，因特網不過是新瓶裝老酒的「無形學院」，而電子出版物也有其明顯的局限性——它只是混合媒體時代的一種有價值的補充物。總之，印刷物沒有消亡，也不會消亡，「當有人談到印刷物在消亡時，他們要嘛忽略了事實或利用了錯誤的統計比較數據，要嘛是在精心地誤解有關情形。印刷物並非在消亡，只要存在開放的市場，印刷物就不會消亡。」作為圖書情報戰線的兩名老兵，克勞福特和戈曼在充滿理性的論爭中又摻雜著強烈的感情色彩，他們認為印刷物不僅不會消亡，而且會與電子出版物一爭短長；在可預見的未來，將會形成混合媒體的時代，而印刷物無疑是其中的一支主力軍。

　　1997年，美國匹茲堡大學圖書情報學院副教授科克斯（R. R. Cox）發表了「肯定圖書的未來」一文，❻鮮明地表達了自己看好圖書的未來的觀點。他寫道，「對於我們大多數人而言，書籍、雜誌和報紙是我們生命中無法回避的寶貴的組成部分」，「按我的理解，印本圖書，4個世紀以來最有效地傳播信息和知識的方法或人工製品，將在21世紀不斷進化的信息時代繼續扮演同樣的角色。當我在因特網上漫遊時，我依然會讀書；當我從萬維網（WWW）上加載電子文本時，我依然會寫書；當我瀏覽電子圖書館目錄時，我依然會逛書店。」科克斯不完全同意尼葛洛龐帝等人的「數字化未來」的觀點，他繼續寫道：「圖書是物理實體還是電子盲區（shadow）都無關緊要，眞正要緊的是我們要理解——無論什麼將取代圖書——我們這個社會中信息和知識的性質，這是任何社會或文化的粘合劑，而圖書只是一個社會的符號和記憶的一部分；信息和知識也是人類區別於動物的標誌。我們認爲，圖書館——人工印刷物或電子和虛擬文獻——是智力產品的反映，它對智力產品的形成具有決定意義。」科克斯也承認，未來可能會出現圖書的「電子替代物」，但他的主要觀點是贊同印本圖書和電子出版物共存。其實，科克斯的探討已不完全局限於圖書的未來，圖書也好，電子文獻也罷，它們都不過是一種媒體，重要的是，信息和知識的性質是不變的，這是探討未來圖書館的一個重要基點。

　　關於圖書的未來，我們沒有更多的新見解，我們更傾向於贊同克勞福特、戈曼和科克斯等人的認識。但有一點需加以說明，當我們探

---

❻　R. J. Cox. Taking Sides on the Future of the Book. American Libraries, 1997, 28（2）：52～55.

討未來的圖書時，我們不能以我們在印刷文化中所形成的閱讀習慣和認知作爲探討的出發點——這是不少圖書館領域的資深人士易踏入的誤區，我們應當考察那些伴隨電視、電話和電腦成長起來的一代人對電子媒介的接受與認同，只有他們才能決定未來圖書的興衰及其與電子出版物的消長關係。就此而言，電子出版物將成爲未來信息時代的主流，而印本圖書在可預見的未來也不會退出歷史舞台。

㈡圖書館的未來

迄今爲止，「圖書館的未來」仍是一個眾說紛紜、撲朔迷離、充滿誘惑、令人激動和不安的議題。「未來學派（即新技術學派）」早期最主要的代表人物蘭開斯特曾就圖書館的未來做了一系列大膽的預測，在1982年出版的《電子時代的圖書館和圖書館員》一書❸中，他首先歸納了早期預測研究的幾種主要觀點並做了剖析，這幾種觀點爲：(1)技術處理自動化；(2)向電子存取轉換；(3)圖書館服務的家庭傳送；(4)受忽視的圖書館（由於用戶可以從個人計算機終端獲得信息資源，所以地方圖書館的重要性降低甚至可能消失）；(5)圖書館將成爲聯機智能社區（intellectual communities）的一部分，將成爲用戶與聯機智能社區（集成電子通信網絡）的接口；(6)未來圖書館將出現新的功能，如直接回答問題甚至推導出問題的答案等。在歸納和剖析的基礎上，蘭開斯特又考察了計算機技術已經和將要對圖書館及其功能的影響。他發現，自從聯機檢索和存取技術進入圖書館領域後，圖書館一直處於

---

❸　F．W.蘭開斯特著，鄭登理、陳珍成譯，電子時代的圖書館和圖書館員，北京：科學技術文獻出版社，1985。

「解散過程」中，「從邏輯上推理，其發展的結果必然要導致圖書館的消失」，「在下一個二十年（1980～2000），現在的圖書館可能完全消失，只留下幾個保存過去的印刷資料的機構。這些機構答覆讀者的方法和現在的郵購公司答覆它的顧客的方法很相似；換言之，這些機構將是消極被動的檔案室而不是積極主動的情報服務單位。然而，應該注意，圖書館取消以後，圖書館員並不會取消。這意味著，在電子時代相當於現在圖書館員的某些類型的情報專業人員仍將是非常活躍的。」蘭開斯特繼續談到，「在紙介質信息社會向電子介質信息社會過渡的初期階段，圖書館仍然是人們為獲取信息資源而常去的地方。圖書館除了提供紙印刷資料外，也提供存取電子資源所必需的終端，而且更重要的是它們提供利用這些資源所需的專門知識。」「在這個過渡時期的後期，隨著電子信息源的重要性不斷增加，紙質信息源的重要性繼續下降，隨著計算機終端在辦公室和家庭裡更加普遍地使用，去圖書館的需要減少。這時，作為一個公共機構的圖書館開始走向必然沒落的道路。」蘭開斯特不愧是一個偉大的圖書館預言家，他在80年代伊始所做的預測今天大多已成現實，但正如實踐已證明的那樣，蘭開斯特主要成功在技術預測方面，他對作為機構的圖書館的預言到目前為止尚未得到證實，事實上，即使是被譽為「21世紀電子圖書館樣本」的美國紐約科學、工業和商業圖書館，也仍保留著圖書館機構的必要形式。

　　1982年，英國的圖書館預言家湯普森也出版了一本稱作《圖書館的未來》的小冊子。⑥在這本不足10萬字的著作中，湯普森綜述了包

---

⑥　同註㊻。

括蘭開斯特在內的眾多研究人員的預言，爲人們了解早期圖書館預測研究的內容提供一份備忘錄。他認爲，「圖書館的結果可能是採取博物館形式並告別印刷時代」，而關於圖書館未來的全部論爭不得不歸結爲，「圖書館員和圖書館的眞正任務——信息的選擇，存貯，組織和傳播——仍然和歷來的任務一樣。技術進步產生了優越無比的技術，到時候它將取代人類目前以圖書爲中心的公共記憶的較大部分。爲繼續完成眞正的任務，圖書館員和圖書館都需要進化。還必須牢記，改革的壓力正在迫近，並非僅僅來自新技術的潛力，而且來自專業本身的無能爲力。現在，這種無能爲力已經使我們大多數的主要圖書館變得無法使用。在這種情況下，新技術只能被看成是恰逢其時，必須緊緊抓住不放。圖書館員和圖書館如果不接受這種變化，將不可避免地成爲進化的犧牲品。對於恐龍，這確實將成爲末日。」湯普森的著作以條陳和比較他人的觀點爲主，較少自己的預測，但就上述歸納而言，其分析之精闢可作爲蘭開斯特預言的補充。

10年之後（1993年），蘭開斯特又組織有關學者推出了論文集《圖書館和未來：關於21世紀圖書館的論文》，❼但不同以往的是，蘭開斯特一改大膽放言的作風而變得謹愼起來。在他撰寫的「人工智能和專家系統：它們將如何作用」一文中，蘭開斯特更多地是引用他人的實踐結果和觀點來考察人工智能和專家系統在編目應用、主題標引和編目、數據庫檢索、問題解答等領域的應用情況，他很少發表自己的看法，即使結論部分也大多是引用他人的觀點；就他的爲數不多

---

❼　F. W. Lancaster. Libraries and the Future: essays on the library in the 21st century. New York: The Haworth Press, Inc., 1993.

的「夾議」而言，語氣亦頗謹愼，譬如，他認爲，「很少有證據支持這種信念，即具有『智能』的設備不久將能夠勝任許多現在由受過良好訓練和經驗豐富的圖書館信息人員執行的智力任務，就這個主題而言，許多作者看上去似乎過於樂觀了」；「事實是與圖書館職業相關的眞正的智力任務——主題分析，信息需求譯解，檢索策略，以及諸如此類的工作——是難於授權給機器去做的。……在可預見的未來，圖書館信息人員的專業技能也不可能被人工智能所取代。」蘭開斯特對同一論文集中其它學者的見解也表示了審愼的態度，「當然，我們不知道這些不同的見解中哪些將被證明是最『正確的』」。比較蘭開斯特80年代和90年代圖書館預測的不同態度，我們可以得出兩點結論，其一，僅僅從技術的角度推論和預測是不夠的，必須做綜合的考察；其二，預測本身是一項難度極大的工作，必須愼之又愼。

　　蘭開斯特主編的論文集中匯聚了多名美國圖書情報領域的「高手」，他們的觀點值得我們的借鑒。彭尼曼（W. D. Penniman）認爲，未來的圖書館必須是積極的而非消極的，必須強調文獻傳送而不是貯存，人們將根據它們提供的服務而不是它們控制的財產來評價它們。莫霍爾特（Pat Molholt）的論文強調技術發展，她認爲，那些威脅傳統圖書館生存的信息技術的權力和複雜性正在增強，這在未來可能會使圖書館這一機構和職業比以往更有價值，當然，圖書館必須隨機應變。道林則將他對未來圖書館的見解構築在他就職的舊金山公共圖書館發展規劃的基礎上，他認爲，未來的圖書館絕不是「無墙圖書館」，事實上，圖書館的建築將「智能化」，它內含的視聽工作室將能夠向家庭輸出圖書館服務；他預言，到2000年，舊金山的每個家庭都將通過有線電視或電話線與圖書館連接起來，圖書館建築因此也

將成爲「社區網絡中心」；他還認爲，電子技術能夠使圖書館爲用戶提供「小城鎮社區的氣氛和感覺」，同時，還允許用戶實現即時的全球連通。楊（P. H. Young）相信我們職業的最終目標是創建一種包容「任何地方的所有可利用的信息資源」的「虛擬圖書館」，根據他的方案，物理的圖書館建築將變爲一個「檢索節點」。拉伊特（D. Raitt）的論文考察了今天可利用的和不久的將來可能利用的信息技術，他宣稱，圖書館信息人員的重要角色之一將是評價適用的信息技術並向他人講授這些信息技術，換言之，圖書館信息人員在決定這些信息技術將如何利用的過程中必須發揮更爲積極的作用。塞勒（L. H. Seiler）和夏普雷南特（T. T. Surprenant）則堅信印本圖書館（print library）的終結已經在望，紙本印刷物正在消亡，我們職業的終極目標將是一個虛擬信息中心（Virtual information center），在這個虛擬中心，成排的書架已置換爲各種視象（images），每一個用戶都可以在家中通過電子方式瀏覽世界各地所貯存的信息資源。❼應該說，上述各種認識都有不同的視角，用蘭開斯特的話來表述，「我們還不知道哪些見解將被證明是最『正確的』」，而可以肯定的只有一點，即他們都是出於對我們職業的摯愛而認眞地從事預測研究。

　　克勞福特和戈曼也是對圖書館職業無比摯愛的「圖書館人」。他們在《未來圖書館：夢想、瘋狂與現實》一書中無情抨擊了那些「一旦生計有著落就貶低圖書館職業和試圖從圖書館名稱和實踐中逃走的圖書館信息人員和圖書館學教育者」，他們還視這些人爲圖書館的

---

❼　同註❼。

「敵人」。他們認爲，圖書館將繼續發揮重要的作用，未來圖書館將是一種「無墻圖書館」（library without walls），但這種無墻圖書館不會取代眞實的圖書館，換言之，他們所設想的未來圖書館實質上是兩者的混合形式，其特徵包括：(1)在不斷增加對遠程用戶的服務的同時，也爲館內用戶提供服務；(2)在繼續尋求以革新的方式提供遠程信息和資料的存取的同時，也要持續地把物理形式的信息資源體系（即藏書）作爲滿足用戶信息需求的主要工具；(3)必須採用各種工具和技術來擴展圖書館的工作。「未來將只有成功的圖書館，因爲，如果圖書館不能獲得成功，它們將停止生存。而成功的圖書館將是一個熱情的、信息資源豐富和不斷豐富的地方，是各種文化價值觀的匯萃之地，是運用所有方法爲人類服務的聖殿。圖書館將繼續敞開胸懷接納各種各樣的人們、資料和服務形式」，克勞福特和戈曼繼續寫道，未來意味著印刷物和電子通信的統一，意味著線性文本和超文本的統一，意味著以圖書館信息人員爲中介的存取和直接存取的統一，意味著擁有和存取的統一，意味著建築與界面的統一。簡言之，克勞福特和戈曼理想中的未來圖書館就是保持圖書館發展的連續性，融印本圖書館（或傳統圖書館）和電子圖書館爲一體的「兼容性圖書館」。

　　未來圖書館研究興起於西方尤其是美國，廣大發展中國家鑒於各自的國情更提倡現狀與對策研究，間或涉及未來探討，也是近年的事情，我國亦如此，在我國，圖書館的未來研究尚未形成潮流，眞正的未來研究者寥寥無幾，而已退休在家、潛心學問的武漢大學教授黃宗忠就是其中的一位。黃宗忠近年來相繼發表了「論21世紀的圖書館」❷和「論21世紀的虛擬圖書館和傳統圖書館」❸等長文，在這些論文中，他以20世紀圖書館的研究爲出發點，以現代信息技術的發展爲依

據，對21世紀的圖書館進行了展望。他認為，虛擬圖書館將是21世紀圖書館的發展方向，「虛擬圖書館不是一個物理概念，也不是一個獨立存在的實體，是一個信息空間」，它具有以下特徵：⑴收藏數字化；⑵操作計算機化；⑶傳遞網絡化；⑷信息資源存取自由化；⑸信息資源共享化；⑹結構連接化。虛擬圖書館既具有獨特的優勢也具有相應的局限性，它是21世紀的發展方向但不是21世紀的唯一，「21世紀的圖書館是虛擬圖書館和傳統圖書館相互結合的混合體」。可以發現，黃宗忠的觀點與克勞福特、戈曼等人的觀點有驚人的相似之處，這其實也是他們這一代人的共同心願——誓將圖書館事業代代流傳下去。

圖書館未來的誘人之處就在於它具有不確定性，任何偉大的圖書館預言家都不可能完全消除這些不確定性，因此，他們的預言總會存在這樣或那樣的美中不足。然而，我們不能因為可能出錯而放棄預測，歷史的發展已進入信息時代，這是一個瞬息萬變的時代，是一個未來主導的時代；如果我們僅僅滿足於現狀的研究，我們將永遠只能跟在歷史的車輪之後隨跑，終有一日我們會被甩在歷史的沉積物——古董堆——中；我們別無選擇，我們只能根據可預測的未來確定我們的行動方向和戰略；我們將不斷地把未來現實化、把現實未來化（虛擬現實），我們將在未來與現實的交互中將圖書館推向理想的境界。

---

(72)　同註❸。

(73)　黃宗忠，論21世紀的虛擬圖書館與傳統圖書館。圖書館理論與實踐，1998（1～2）。

(三)永恒的使命

　　未來圖書館是一首朦朧詩，雖然存在卻看不眞切；未來圖書館是一盞航標燈，雖然看不見卻時時閃爍著光芒；未來圖書館是漫漫旅途中不絕的驛站，當我們拼命趕到時，它又在前面向我們招手；未來圖書館是茫茫大海上時隱時現的海市蜃樓，當我們試圖看清它的眞面目時，它又消失在浩瀚的時空中；未來圖書館也可能什麼都不是，它只是隱藏在圖書館人心目中的理想，每個人都可以根據自己掌握的知識來描繪心目中的理想；然則，我們的「理想」是什麼呢？以我們有限的知識爲依據，歸攏諸位圖書館預言家的觀點，我們認爲在可預見的未來，圖書館將會發生下述變化：

　　·世界信息資源體系的形成。隨著越來越多的圖書館進入因特網，它們必須以互惠互利爲原則，求同存異，共建一體化信息資源體系，最大限度地發揮合作的優勢。一般而言，世界信息資源體系是由入網圖書館的數字化信息資源（包括印本型信息資源的數字化書目信息）所構成的，可任由世界各地的用戶自由存取。深入地分析，世界信息資源體系的形成意味著圖書館的質變，每一個圖書館都同時既是我又非我：當其是我時，它必須且僅須突出自己的特色；當其非我時，它只是世界信息資源體系的組成要素，它隨時可以通過共享來爆發式增強自己的服務能力。世界信息資源體系並不排斥印本型信息資源，但這類資源只能是世界信息資源體系的補充與後盾。

　　·網絡用戶的跳躍式增長。隨著光纜或電纜鋪入更多的家庭，隨著個人計算機價格性能比的進一步降低，網絡用戶必將成倍地增加。對於網絡圖書館而言，「用戶」的概念已發生了根本性的變化，每一個有機會上網的世界公民都可能成爲網絡圖書館的用戶。當然，每一

個網絡圖書館的主要任務依然是爲其法定用戶服務，面向網絡的服務將主要由圖書館自動化集成系統或網絡服務器來承擔。

　・存取功能的增強和擁有功能的集中。數字化信息資源體系的建設和網絡用戶的增多必然要求圖書館增強存取功能，具體地講，一是要增強圖書館提供存取服務的功能，二是要增強圖書館信息人員在網上獲得存取服務的能力，三是要強化用戶存取能力的訓練。網絡圖書館將更多地依賴網絡信息資源而不是自身擁有的信息資源來滿足用戶的信息需求，對於一些地方性、局部性的小型圖書館（如社區圖書館、高校圖書館的資料室、中國科學院各研究所的圖書館等）而言，由於網絡可以完全覆蓋其信息資源體系，所以，它們的擁有功能將萎縮直至消亡，它們因此將完全蛻化爲網絡節點；與此同時，擁有功能將向大型圖書館集中，它們將承擔保存人類信息資源的神聖使命。

　・建築設施的智能化。在可預見的未來，圖書館將是融印本信息資源和數字化信息資源爲一體的「兼容性圖書館」，爲此，建築設施不會消亡，但必須變化。援引道林的觀點，未來圖書館建築主要具有3方面的特徵：(1)靈敏性，即通過安裝在計算機上的管理系統能夠自動調節光線、熱量、通風、電力及其它變量；(2)智能性，即通過遍布建築物的傳感器能夠持續地報告到館的用戶數量、特定區域的用戶數量、安全警報、安全區的入口情況、保護區的入口情況等；(3)靈活性，即建築物內部的設計允許根據需求隨時擴展或收縮空間，而遍布建築物的電力和電子通信網網格則便於電能、電話、數據傳輸、電視、安全管理及數據採集等功能的內部互聯。❼❹至於圖書館內部空間

---

❼❹　同註❼❶。

的劃分，主要有4個區域：一是日常管理和活動區域，二是收藏印本信息資源並提供相關服務的區域，三是貯存數字化信息資源並面向網絡提供服務的區域；四是爲人們利用網絡信息資源（包括館藏數字化信息資源）提供終端設施的區域。

·從圖書館信息人員到網絡信息人員的轉變。未來圖書館信息人員所從事的工作將更多地與網絡有關，他們與其說是圖書館信息人員，不如說是網絡信息人員，他們主要包括網絡管理人員、網絡導航員、網絡諮詢人員、網絡信息資源提供人員、網絡信息資源採集人員、網絡研究人員以及網絡代理人（用户委託代理人）等。需要說明，從事印本信息資源管理工作的圖書館信息人員不會完全消失，但他們所占的比例將大爲減少。

未來圖書館可能仍然稱之爲「圖書館」，但也可能易名爲「信息中心」、「信息資源中心」或「網絡中心」。對於仍行使採集、保存和擁有職能的圖書館，其名稱變換的可能性比較小；對於放棄擁有、專事存取的圖書館，其名稱變換的可能性大，事實上，無論其是否變換名稱，它都已不能稱之爲圖書館。

綜觀圖書館的發展歷程，無非「變」與「不變」的歷史，其中，變是絕對的，不變是相對的。所謂變，是指圖書館信息資源的範圍、信息載體的類型、信息用戶的多寡、信息技術的先進程度、圖書館建築的結構與功能、圖書館信息人員的觀念與專業技能、圖書館的管理水平、圖書館之間合作關係乃至圖書館的名稱等總是處於不斷的變化之中；所謂不變，是指作爲圖書館內核的信息資源體系是不變的，以有限的信息資源滿足無限的用戶信息需求的主要矛盾是不變的，通過信息資源體系的形成、維護、發展和開發來促進人類社會發展的使命

是不變的。身處多變的環境中，當著敲開21世紀的大門之際，圖書館只有愼待變與不變，才能保持圖書館發展的連續性，才能踏出一條屬於自己的未來之路。我們堅信，無論未來如何變化，只要人類還需要思維，社會就需要信息資源體系：圖書館人的使命將是永恒的。

附錄一　世界各國圖書館的分布狀況

國　　別	國家圖書館	高校圖書館	公共圖書館	學校圖書館	專業圖書館	備注
亞洲						
中國❶	1	1,080	2,625	16,246	9,000	
朝鮮	1	2	9	—	4	
韓國	2	305	231	6,468	358	
日本	1	926	1,928	41,591	2,116	
越南	1	(230)	(20,044)	6,637	276	
老撾	—	5	—	22	—	
束埔寨	1	4	—	—	—	
緬甸·	2	3	4	—	—	
泰國	1	40	4	9	277	
馬來西亞	1	111	70	—	265	
新加坡	1	6	—	373	84	
菲律賓 *	1	942	(493)	—	500	
印度巴西亞	1		302	—	295	
尼泊爾	1	142	465	—	71	
不丹	1	1	—	—	1	
孟加拉 *	1	6	66	—	7	
印度	4	7.112	7,180	62,240	2,00	
斯里蘭卡	1	52	580	3700	728	
馬爾代夫	1	—	12	17	—	
巴基斯坦	1	452	280	481	—	
阿富汗		18	55	—	—	
伊朗	1	270	501	2,983	254	
伊拉克	1	117	70	—	—	
科威特	1	1	1	570	13	
沙特	1	7	60	—	100	
巴林	—	3	1	170	65	
卡塔爾	1	2	6	173	6	
阿聯酋 *		3	7	—	4	
也門（薩那）*	1	1	1	—	3	
叙利亞	1	5	92	903	—	
也門（業丁）*	1	1(5)	2	—	2	
黎巴嫩	—	10	16	10	15	
約旦	1	4(57)	39	429	104	
土耳其	1	29	938	4,915	375	
以色列	1	7	(760)	1,735	400	

❶　中國圖書館年鑒編委會，中國圖書館年鑒（1996），北京：北京圖書館出版社，1997。

國　　　別	國家圖書館	高校圖書館	公共圖書館	學校圖書館	專業圖書館	備注
塞浦	1	16	160	149	15	
歐洲						
冰島	1	3	233	50	40	
丹麥	1	17	250	275	120	
挪威	1	113	465	3,383	159	
瑞典	1	10	284	—	43	
芬蘭	1	20	1,265		26	
蘇聯	1	—	133,200	144,000	53,000	
烏克蘭❷	1	153	22,300	19,500	4,378	
波蘭	1	91	10,300	—	4,135	
捷克❸	1	11	2,677	5,503	687	
匈牙利	1	29	2,390	3,897	91	
東德*	3	29	9,002	—	—	
西德*	7	166	11,147	—	603	
奧地利	1	21	1,216	9	32	
瑞士	1	17	1,948	2,764	1,276	
荷蘭	1	22	484	8,100	691	
比利時*	1	6	—	—	—	
盧森堡	1	2	4	50	10	
英國	7	88	167(6,057)	—	—	
愛爾蘭	1	7	31	—	62	
法國	1	67	1,697	7,828	10,000	
西班牙	1	567	3,285	—	1,196	
葡萄牙	1	229	173	268	275	
意大利	9	3,060	8,686	12,042	3,876	
馬耳他	1	2	2	1	4	
南斯拉夫	6	—	2,000		1,000	
羅馬尼亞	2	44	6,900	10,987	2,908	
阿爾巴尼亞	1	2	45	1,847	—	
希腊	1	3	1	—	1	
非洲						
埃及	1	214	836	4,565	380	
利比亞	1	4	160	—	29	
阿爾及利亞	1	127	47	100	159	
摩洛哥	2	107	68	474	190	
毛里塔尼亞	1	4	16	26	13	

❷　　Robert Wedegworth. World Encyclopedia of Library and Information Services（3rd editien）. Chicago: Americarn Library Association, 1994.

❸　孫光成，世界圖書館與情報服務百科全書（2nd edition），成都：四川民族出版社，1991。

國　　別	國家圖書館	高校圖書館	公共圖書館	學校圖書館	專業圖書館	備注
塞內加爾	1	2	8	6	58	
岡比亞	1	—	—	—	—	
馬里	1	8	55	36	64	
布基納法索	—	1	—	—	4	
幾內亞比紹	—	—	—	—	1	
幾內亞	—	6	—	6	—	
塞拉利昂 *	—	1	1	—	20	
利比里亞	—	2	3	103	1	
加納	1	9	12	—	—	
多哥 *	1	1	—	—	6	
貝寧	1	1	16	—	10	
尼日爾	—	1	—	—	2	
尼日利亞	1	110	12	—	71	
喀麥隆	1	9	6	43	5	
赤道幾內亞	1	7	10	—	5	
乍得	—	2	1	—	1	
中非 *	1	3	—	—	—	
蘇丹		3	4	—	—	
埃塞俄比亞 *	1	2	—	—	—	
索馬里	—	1（3）	—	—	—	
肯尼亞	1	5	12	26	63	
烏干達	—	3	1	359	30	
坦桑尼亞	—	2	—	—	—	
盧旺達	—	9	—	—	5	
布隆迪	5	81	12	—	—	
扎伊爾	1	3	—	—	—	
剛果	1	1	1	—	—	
加蓬	1	1	—	4	26	
安哥拉 *	1	1	50	—	—	
贊比亞	1	—	1（7）	81	65	
馬拉維	1	6	7	72	76	
莫桑比克 *	1	1	1	—	3	
馬達加斯加	1	1	（300）	—	10	
毛里求斯	1	4	16	26	13	
津巴布韋	1	1	1	—	1	
博茨瓦納	1	11	1（54）	1（47）	1（35）	
納米比亞	1	2	1	1	12	
南非	2	84	675	—	472	
萊索托	1	—	1	—	—	
大洋洲						
澳大利亞	1	67	（1400）	10,000	1,100	
新西蘭 *	1	39	276	1,487	241	
所羅門群島	1	3	8	22	2	
斐濟	—	8	13	500	120	
北美洲						
加拿大	2	261	847		2,600	

國　　　別	國家圖書館	高校圖書館	公共圖書館	學校圖書館	專業圖書館	備注
美國	3	4,607	9,068	102,538	11,146	
百慕大群島	1	—	1	—	23	
墨西哥	1	853	3,594	3,261	130	
危地馬拉	—	1	—	—	16	
薩爾瓦多	1	2	—	—	—	
洪都拉斯	1	12	10	382	2	
尼加拉瓜	—	13	—	412		
哥斯達黎加	1	1	81	—	—	
巴拿馬	1	2	18	—	—	
伯利茲	1	2	1	200	17	
牙賣加	1	5	13（160）	—	—	
古巴	1	82	368	3,636		
海地	1	11	3	9	14	
多米尼加	1	8	15	115	—	
波多黎各		35	132	825	—	
巴巴多斯	1	7	2	23	13	
特立尼達和多巴哥	—	6	5	147	107	
南美洲						
哥倫比亞	—	225	974	—	—	
委內瑞拉	1	70	465	—	83	
圭亞那	2	3	1	18	28	
蘇里南	1	1	1（6）	60	—	
厄瓜多爾	—	128	210	—	—	
秘魯	1	6	1,314	1,621	130	
巴西	1	907	4,174	12,914	1,166	
玻利維亞	1	17	70	—	15	
智利	1	169	293	820	4	
阿根廷	1	127	1,500	—	63	
巴拉圭	1	26	20	86	46	
烏拉圭	1	18	87	69	138	

注：①中國圖書館統計數字來源於《中國圖書館年鑒》（1996）❶，「學校圖
　　書館」爲中專圖書館的統計數字；

　　②烏克蘭圖書館的統計數字已包含在蘇聯圖書館統計數字中，此處單列以
　　說明烏克蘭的情況；

　　③捷克圖書館統計數字含捷克、斯洛伐克兩國的圖書館；

　　④未標*號的統計數字來源於《World Encyclopedia of Library and
　　Information Services》（1993）❷；

　　⑤標*號的統計數字來源於《世界圖書館與情報服務百科全書》（1986）❸；

　　⑥除注明外，表中數字多爲80年代中期到90年代初的統計數字；

　　⑦表中未填寫統計數字的項目，或屬於「無」，或屬於「不詳」；

　　⑧少部分國家或地區因缺資料未列出；

　　⑨（　　　）內的數字爲分館或服務點。

附錄二　中國公共圖書館的分布及特色分析（1995）①

地　區	機構數（個）	服務點（個）	總藏量（千冊）	新增藏量（千冊）	平均每館總藏量（千冊）	人均擁有藏書（冊）	總流通人次（千人次）	省、市、自治區圖書館 館藏特色
總計①	2,615	19,721	328,503	7,652	126	0.2	182,979	—
中央	1	—	19,590	708	19,500	—	1,332	—
地方	2,614	19,721	308,913	6,944	118	—	181,647	—
北京	22	115	6,701	131	305	0.6	2,721	北京地方文獻
天津	31	258	6,771	145	218	0.7	2,648	機械、化工、輕工、建工
河北	134	928	8,447	296	63	0.1	4,730	《道藏》、地方刻書、抗戰文獻
山西	119	695	7,767	92	65	0.2	2,273	地方刻書、抗戰文獻
内蒙古	107	699	6,206	108	58	0.2	2,819	蒙文文獻
遼寧	127	1,224	17,864	462	141	0.4	8,290	不詳
吉林	51	702	9,207	150	181	0.3	3,851	東北地方史料、抗聯、滿鐵資料
黑龍江	96	743	10,938	210	114	0.3	6,307	日僑資料
上海	31	468	15,859	472	512	1.1	6,867	不詳
江蘇	94	657	24,198	463	257	0.3	8,829	太平天國資料
浙江	81	565	15,113	379	187	0.3	5,547	古籍善本和地方文獻
安徽	83	883	7,524	112	91	0.1	3,718	不詳
福建	78	1,007	9,019	253	116	0.2	4,664	譜牒、台灣研究資料
江西	104	283	10,700	125	103	0.2	4,131	地方史料、宋元版本
山東	130	1,379	17,236	300	133	0.2	5,091	輕工、醫學、哲學、齊魯文獻

地　區	機構數（個）	服務點（個）	總藏量（千冊）	新增藏量（千冊）	平均每館總藏量（千冊）	人均擁有藏書（冊）	總流通人次（千人次）	省、市、自治區圖書館 館藏特色
河南	132	506	10,622	190	80	0.1	6,504	不詳
湖北	110	824	14,452	290	145	0.2	5,585	近現代史料、機器制造、冶金
湖南	116	695	13,618	252	117	0.2	6,183	毛澤東著作版本、湖南名人文庫
廣東	114	1,026	16,506	814	145	0.2	14,465	南海諸島資料、華僑史料等
廣西	99	1,025	12,431	258	126	0.2	8,090	太平天國資料、廣西地方志
海南	19	167	1,369	59	72	0.2	938	不詳
四川③	166	1,648	23,560	430	142	0.2	7,755	不詳
貴州	87	343	6,160	74	71	0.1	46,213	不詳
雲南	148	1,338	11,044	267	75	0.2	5,586	不詳
西藏	18	—	509	1	28	0.2	—	藏文資料、藏學研究資料
陝西	114	507	7,325	97	64	0.2	2,416	陝甘寧邊區革命文獻、地方史
甘肅	86	418	6,698	87	78	0.2	2,248	西北地方文獻、敦煌學
青海	41	240	2,799	14	68	0.5	385	礦產資料、畜牧業、高原醫學字
寧夏	20	229	3,382	342	169	0.6	1,396	回族、伊斯蘭教文獻
新疆	66	149	4,888	71	74	0.3	1,397	新疆少數民族文獻
香港	56	—	4,800	—	86	7.9	—	香港史料
澳門	8	—	4,800	—	68	7.9	—	葡文書籍
台灣③	440	—	—	—	—	—	—	不詳

注：①資料來源：《中國圖書館年鑒》，北京：書目文獻出版社，1997。

②「總計」中不含香港、澳門、台灣的統計數字。

③四川省的統計數字包含重慶市。

④資料來源：《台閩地區圖書館統計名錄》，台北：（台灣）中央圖書館編印，1991。

國家圖書館出版品預行編目資料

現代圖書館學理論

徐引篪、霍國慶著.—初版.—臺北市：臺灣學生
1999[民 88] 面；公分

ISBN 957-15-0978-7 (精裝)
ISBN 957-15-0979-5 (平裝)

1.圖書館學

020   88011619

現代圖書館學理論(全一冊)

著 作 者：徐 引 篪 、 霍 國 慶
出 版 者：臺 灣 學 生 書 局
發 行 人：孫 善 治
發 行 所：臺 灣 學 生 書 局
　　　　　臺北市和平東路一段一九八號
　　　　　郵政劃撥帳號00024668號
　　　　　電 話 ：(0 2) 2 3 6 3 4 1 5 6
　　　　　傳 真 ：(0 2) 2 3 6 3 6 3 3 4

本書局登
記證字號：行政院新聞局局版北市業字第玖捌壹號

印 刷 所：宏 輝 彩 色 印 刷 公 司
　　　　　中 和 市 永 和 路 三 六 三 巷 四 二 號
　　　　　電 話 ：(0 2) 2 2 2 6 8 8 5 3

定價：精裝新臺幣五○○元
　　　平裝新臺幣四二○元

西 元 一 九 九 九 年 八 月 初 版

臺灣 學生書局 出版
圖書館學與資訊科學叢書